Sammlung Luchterha

Meiner kleinen Spielfrau …

In Liebe

Münster
18.08.1988

Über dieses Buch:

»Trobadora Beatriz«, als der formal reichste und kühnste DDR-Roman gerühmt, gilt bis heute als »so etwas wie eine Bibel der aktuellen Frauenemanzipation«. Es »ist nicht nur ein Buch, das von Emanzipation handelt, es ist auch seiner Form nach selbst ein Stück Emanzipation innerhalb der Literatur« (Frankfurter Rundschau).

»Man kann die Sitten nur ändern, indem man sie als seltsam und unangemessen ins Bewußtsein hebt«, hat Irmtraud Morgner über ihren ›experimentellen Montageroman‹ bemerkt.

»Kein Zufall, daß die Autorin als eine Spielart ihres epischen Ichs diese Trobadora Beatriz gewählt hat. Sie gilt, um 1160 lebend, als Vertreterin des ›leichten Dichtens‹, klar und durchsichtig im Vergleich zu den männlichen Artisten ihrer Umgebung. Die erste bedeutende Dichterin in einer ganz auf Männerherrschaft gegründeten Feudalordnung. Sie lebendig zu machen und über die Jahrhunderte hinweg in Dialog mit der im heutigen [DDR-]Leben stehenden Laura Salman zu bringen, eröffnete viele Möglichkeiten realer, phantastischer, komischer und ernster Konfrontation. Zeitliche, räumliche und tatsächliche Grenzen ließen sich spielend überbrücken . . . Eine Brise provençalischer Wind über sächsische Hügellandschaft.« (Aus der Laudatio von Gerhard Wolf zur Verleihung des Heinrich-Mann-Preises an Irmtraud Morgner)

Über die Autorin:

Irmtraud Morgner ist 1933 in Chemnitz geboren. Germanistik-Studium in Leipzig. Lebt als freiberufliche Autorin in Berlin/DDR. Roswitha-von-Gandersheim-Preis 1985.

In der Sammlung Luchterhand sind erschienen: »Hochzeit in Konstantinopel« (SL 267), »Die wundersamen Reisen Gustav des Weltfahrers« (SL 350), »Gauklerlegende« (SL 414) und der Roman »Amanda«, Teil II der Salman-Trilogie (SL 529). Außerdem liegt vor: Sarah Kirsch/Irmtraud Morgner/Christa Wolf, »Geschlechtertausch« (SL 315).

Irmtraud Morgner

Leben und Abenteuer der Trobadora Beatriz nach Zeugnissen ihrer Spielfrau Laura

Roman
in dreizehn Büchern
und
sieben Intermezzos

Luchterhand

Sammlung Luchterhand, November 1977
13. Auflage, November 1987

Lektorat: Ingrid Krüger
Umschlag: Christa Schwarzwälder
Umschlagfoto: Archiv für Kunst und Geschichte
Gesamtherstellung bei der
Druck- und Verlags-Gesellschaft mbH, Darmstadt
ISBN 3-472-61223-1

»Am Anfang war die andre Tat.«
Beatriz de Dia

Verzeichnis von Hauptfiguren des Romans

Beatriz de Dia, Trobadora
Guilhem de Poitiers, erster Ehemann
Théophile Gerson, Ladenhändler, zweiter Ehemann
Raimbaut d'Aurenga, Trobador, erster Liebhaber
Alain, Student, zweiter Liebhaber
Lutz Pakulat, Bauingenieur, dritter Liebhaber

Laura Salman, Diplomgermanistin, Bauarbeiterin, Triebwagenführerin, Spielfrau
Uwe Parnitzke, Journalist, erster Ehemann
Benno Pakulat, Zimmermann, zweiter Ehemann
Juliane, Lauras Tochter
Wesselin, Lauras Sohn
Johann Salman, Lokführer, Lauras Vater
Olga Salman, Lauras Mutter
Lutz Pakulat, Bauingenieur, Lauras zeitweiliger Liebhaber

Valeska Kantus, Ernährungswissenschaftlerin
Uwe Parnitzke, Journalist, in zweiter Ehe mit Valeska verheiratet
Rudolf Uhlenbrook, Ernährungswissenschaftler, zweiter Ehemann
Arno, Valeskas Sohn
Franz Kantus, Setzer, Valeskas Vater
Berta, Valeskas Mutter
Katschmann, Triebwagenführer, Bertas Lebensgefährte

Oskar Pakulat, Zimmermann, Bennos und Lutz' Vater
Anna Pakulat, Oskars Frau

Wenzel Morolf, Physiker
Gurnemann, Physiker

Der Bauplan des Romans
wird dem geneigten Leser an dieser Stelle auch empfohlen, jedoch nicht aufgedrängt, weshalb die Übersicht am Buchende gedruckt erscheint.

Vorsätze

Natürlich ist das Land ein Ort des Wunderbaren. Mir fiel es auf, als mir eine Frau entgegentrat. In meiner Straße. Eines Morgens im April. Die fremde Frau fragte, ob ich Geld hätte. Da ich nüchtern Gesprächen abgeneigt bin, grüßte ich zurück. War auch in Eile, auf dem Weg zum Kindergarten. Die Frau, an deren linker Hand ebenfalls ein Junge zerrte, holte mich ein, nötigte mir mit der rechten ein Paket auf und sagte: »Fünftausend.« Wir starrten einander an. Die Jungen rissen sich los. Ich hörte der Zahl nach. Als sie mir bewußt wurde, versuchte ich, die Last loszuwerden. Aber die Frau wich zurück und grub ihre Hände in die Taschen ihres Mantels. Seine reichliche Weite war gefüllt. Das kurze Kleidungsstück ließ keineswegs Knie sehen, kaum Waden. Obgleich ich allen Grund hatte, der aufdringlichen Frau eine Entschuldigung abzugewinnen, entschuldige ich mich. Ließ mir von ihren braunen Knopfaugen das Gesicht durchmustern. Duldete, wer weiß, warum, das unverlangte Gewicht. Erst als ich spürte, daß die Paketverschnürung meine Fingerkuppen abgebunden hatte, schickte ich mich an, das Heck eines parkenden Personenwagens als Ablageplatz zu benutzen. »Dreitausend«, sagte die Frau. Dann zog sie ein Zellstofftaschentuch aus der Manteltasche und rieb ihre Augen. Bald die Nase. Meine kitzelte Regenwasser. Es floß vom Scheitel ab. Die Kunstlocken der Frau waren bereits in ein Stadium demoliert, das Wolle einer aufgetrennten braunen Socke vermuten ließ. Drei Schluchzer. Da war mir der Tragschmerz entfallen. Ich wartete ergeben auf wer weiß was. Als das Packpapier durchnäßt und geworfen war, roch ich dran. »Einmalig«, sagte gleich die weinende Frau, »die Gelegenheit, Ihre große Chance, greifen Sie zu.« Dem Ausdruck des rundlichen, sommersprossigen Gesichts war das sächsische Idiom harmonisch angemessen. »Ruhm«, hub sie wieder an in diesem Idiom, wobei sie sich vorsichtig näherte und mit einem dicken Zeigefinger nach dem Paket stach, »Weltruhm, garantiert, Sie sind doch Schriftsteller – oder?« Es folgte die ausführliche Schilderung eines Gesprächs mit dem hiesigen Konsumfleischer, das ihr angeblich meinen Beruf zur Kenntnis gebracht hätte. Die Kinder würden sich wahrscheinlich vom Spielplatz kennen. Seitdem sie verheiratet wäre, könnte sie leider nicht mehr mit Sicherheit auf einen Kindergartenplatz rechnen. Das hieße: vage Aussichten für ihren eigentlichen Beruf. Und der andere wäre ihr mit dem Tod der Freundin verlorengegangen. Falls ich zögern würde, könnte dieser wunderlichen Frau kein angemessener Grabstein gekauft werden. Ich sprach mein Beileid aus. Gespannt. Die Frau schwieg aber plötzlich. Ich sah gleichgültig in den Himmel, den eine Gaswerkwolke zusätzlich verdunkelt hatte. Scharrte mit den Schuhen Glassplitter vom Fußweg. Unschlüssig lief ich zur Pfütze und bat den Sohn der Frau, das Paket zu übernehmen. Der etwa dreijährige Junge entgegnete, Kapitän zu sein. Er beschrieb mir die Chancen seines Zerstörers in der Seeschlacht. Richard, mein Sohn, beschrieb die Chancen seines Zerstörers. Die Kriegsschiffe wurden von Eislöffeln dargestellt. Erleichtert lief ich zurück und erklärte, daß Schriftsteller keine Manuskripte kaufen würden, weil sie selbst welche verfertigen könnten. Die Frau nahm ein neues Taschentuch in Arbeit. Der erpresserische Einsatz von Augenwasser mäßigte meine mitleidigen Regungen. Statt jedoch das Verfahren mit dem nächstliegenden, einfachsten, wahrsten und hierzulande keineswegs ehrenrührigen Argument abzukürzen, verschwieg ich den Geldmangel und setzte mich und meine Profession mit Beschreibungen arbeitshinderlicher Mühen, die Manuskriptverkäufe mit sich brächten, in schlechtes Licht. Versuchte auch mit anderen geschäftlichen Erörterungen Zeit zu gewinnen. Schließlich sagte ich: »Was, Sie verlangen nicht nur aufreibende Verhandlungen umsonst, sondern obendrein dreitausend Mark? Für einen Grabstein dreitausend Mark?« – »Jawohl«, sagte die Frau und daß die berühmte Beatriz de Dia noch größere Ehrenbezeigungen verdient hätte. Ich bedauerte wörtlich, daß mir der Ruhm der verstorbenen Freundin nicht zu Ohren gekommen wäre. Da ich das Alter der kleinen dicken Frau auf Mitte Dreißig schätzte und ihren Umgang in der entsprechenden Generation vermutete, schien es mir aber leicht, den Makel der Unbildung von mir zu wenden. Ich erinnerte vorsorglich an einige Genies, die ein früher Tod um die Annehmlichkeiten der Publizität zu Lebzeiten gebracht hätte. Die Frau gab als Alter der Freundin achthundertdreiundvierzig Jahre an. Da mir die körperliche und geistige Verfassung der Frau kerngesund erschien, fragte ich zurück. Die Frau wälzte ihre Knopfaugen und wiederholte die ungeheuerliche Angabe. Augenblicklich dachte ich, wenn die Frau keine Erzlügnerin ist, sagt sie eine große Wahrheit. Und ich spürte schon den Sog. Entdeckte zugleich Grübchen in den Pausbacken gegenüber. Plötzlich klopfte sich die Frau die Zellstoffkrümel vom Mantel, nahm mir das Paket ab und sprach: »Ich war die Spielfrau der Trobadora Beatriz. Mein Name ist Laura.« – »Halt«, sagte ich. Ach, dieser unwiderstehliche Sog der Neugier, ich wußte längst, daß ich der Verschuldung nicht entgehen würde. Unwillkürlich nestelte ich an der Paketverschnürung. Frau Laura sagte: »Erst wenn ich die Mäuse habe, können Sie klauen. Soviel Sie wollen. Meinetwegen alles. Tausend, weil Sie es sind. Die Aufzeichnungen ersparen Ihnen mindestens zehn Reisen, hundert Produktionsstudieneinsätze und tausend Gespräche. Die ganze Welt auf fünf Pfund Papier. Siebenhundert Mark auf die Hand, und Sie sind eine gemachte Frau.« Ich raffte das Paket von Lauras Arm, den Sohn von der Pfütze und bat in meine Wohnung. Dort händigte ich mein Monatsbudget gegen Quittung aus. Als ich die Verschnürung zerschnitten hatte, fragte ich Laura, weshalb sie nicht eine gemachte Frau werden wollte. »Ich bin eine«, entgegnete sie, »sobald ich wieder meine Züge durch die Stadt fahren kann, bin ich eine. Seßhafte Beschäftigungen bekommen mir nicht. Auch fiele mir schwer, zu entscheiden, ob gelacht oder geweint werden sollte. Schluß mit dem Geschreibsel.« Ich steckte meinen Sohn in trockne Hosen und Schuhe, lieferte ihn verspätet, das heißt gerügt, im Kindergarten ab und konnte endlich in der neunten Stunde des 3. April mit der Lektüre beginnen. Die Dokumente rechtfertigten das Kaufrisiko auf ideale Weise. Meine Erwartungen wurden ganz und gar übertroffen. Ich begann sofort mit der Ordnung und Bearbeitung der sensationellen Zeugnisse für den Druck. Die vorliegende Buchfassung folgt in der Beschreibung aller wesentlichen Ereignisse streng den Quellen. Schriftstücke wurden unverändert in neuer, dem Leser entgegenkommender Reihenfolge wiedergegeben. – Am 7. April erwies ich Beatriz de Dia die letzte Ehre. Ihr Leichnam hatte drei Wochen gekühlt Wissenschaftlern zu Forschungszwecken zur Verfügung gestanden. Während der Trauerfeier im kleinen Saal des Krematoriums Berlin-Baumschulenweg konnte ich das Gesicht der Trobadora bewundern. Alles an ihm war schmal und lang, die Stirn, die Nase, das Kinn, selbst der Mund erschien höher als breit, wie geschmälert von maßlosem Stolz. Allerdings halbkugelig gewölbte Riesenaugendeckel. Und rundbogenförmige Brauen weit drüber. Schwarz. Das am Ansatz klein gelockte Haupthaar war ebenfalls nicht ergraut. Es erreichte die Oberarme. Auch der Sarg erschien mir überlang. Ein Mann, den ich zunächst für einen gemieteten Grabredner hielt, pries die Schönheit der alterslosen Erscheinung in dunklen Worten. Laura behauptete, er wäre der bekannte Pomerenke. Schließlich gelobte er der Toten, als Dichter den Schleier zu nehmen, allen schönen Klängen zu entsagen und das Vermächtnis der Trobadora in politischen Kämpfen ausfechten zu wollen. Außer Laura, deren Ehemann Benno und mir waren keine Zeugen zugegen.

Berlin, 22. 8. 1973 — Irmtraud Morgner

Erstes Buch

1. Kapitel

Darin beschrieben ist, was Laura von Beatriz de Dia über deren wunderseltsame Her- und Rückkunft anfänglich erfährt

Beatriz de Dia war die Gattin von Herrn Guilhem de Poitiers, eine schöne und edle Dame. Sie verliebte sich in Herrn Raimbaut d'Aurenga und dichtete auf ihn viele gute und schöne Lieder, von denen wenige in Sammlungen altprovenzalischer Trobadorlyrik nachzulesen sind. Neben den aparten Strophen von Raimbaut d'Aurenga (frz. d'Orange). Er liebte das Spiel mit schwierigen Reimen und der Mehrdeutigkeit der Worte, raffiniert stellt sich die metrische Struktur seiner Werke dar. Von deren Exklusivität überzeugt, suchte der dauerverschuldete Graf ständig nach komplizierten Worten mit der Endung -enga, um sie auf Aurenga reimen zu können, und zeigte Geringschätzung für alle unaristokratischen Verskünstler. Deshalb sah sich Beatriz genötigt, in ihrer Kanzone von der verratnen Liebe an ihren Adel zu erinnern, auch an Geist, Schönheit, Treue und Leidenschaft. Überflüssigerweise, praktisch war dem Herrn nicht der Sperling in der Hand lieber als die Taube auf dem Dach, was verständlich erscheinen müßte, ihm war der Sperling in der Hand lieber als die Taube in der Hand. Anläßlich dieser Erfahrung beschloß die Comtessa, die mittelalterliche Welt der Männer zu verlassen. Auf unnatürlichem Wege, Persephone verlangte pro Schlafjahr 2920 Arbeitsstunden. Die Trobadora nannte die größte Zahl, die ihr bekannt war. Das Versprechen reichte für achthundertzehn Schlafjahre. Als sie Persephone das Versprechen ehrenwörtlich bekräftigt und sich mit einer Spindel in den Finger gestochen hatte, begann der Zauber zu wirken. Nur bei ihr. Gatte und Gesinde starben gewöhnlich, wie vereinbart. Eine Rosenhecke umwuchs das Schloß. Solange es noch sichtbar war, versuchten wiederholt Raubritter, die Dornenhecke zu durchbrechen. Später hielt man es für einen unwegsamen Hügel und umging ihn. Im Frühling 1968 beschloß ein Diplomingenieur, der mit dem Bau einer Autobahn für die Gegend beauftragt war, das Hindernis wegzusprengen. Als er sich mit dem Sprengmeister dem rotblühenden Rosenberg näherte, um die Anlage der Sprenglöcher zu besprechen, und den Duft verfluchte, der die Arbeitsleistung der Straßenarbeiter herabsetzte, wich die Hecke plötzlich und tat sich auf als wie ein Tor. Der Ingenieur verstummte. Bis er die Burg gewahrte, da fluchte er lauter als zuvor. Denn er dachte an endlose Verhandlungen mit dem Denkmalsschutzamt. Die Flüche weckten Beatriz. Als sie sich die Schlafkrumen aus den Augen gerieben hatte, verliebte sie sich augenblicklich infolge übermäßiger Enthaltsamkeit in den Ingenieur.

2. Kapitel

Darin nachzulesen ist, welche Worte der Ingenieur (Ing.) und der Sprengmeister (Sp.mstr) am Montag, dem 6. Mai 1968, miteinander wechseln, nachdem sich Beatriz verliebt hat

Sp.mstr: Ein Wunder.
Ing.: Es gibt keine Wunder.
Sp.mstr: Natürlich.
Ing.: Wie?
Sp.mstr: Ich sagte: klar. Straßenschlachten hatten wir oft. Aber Sie sehen doch selbst . . .
Ing.: Ein verstaubtes Gemäuer, ein verstaubtes Weib, ich bin kein amerikanischer Tourist, der die Kurzgeschichte seiner Heimatstadt kompensiert, indem er vor jeder Antiquität auf dem Bauch liegt. Ich bin Franzose. Und ich bezahl meinem Sohn das Studium. Wenn er Barrikaden bauen will, muß er sich nach einer anderen Geldquelle umsehen.
Sp.mstr: Das bringt mich auf eine Idee: Wir verkaufen das Wunder.
Ing.: Und?
Sp.mstr: Sind reich.
Ing.: Arm.
Sp.mstr: Noch ärmer?
Ing.: Wenns rauskommt, verlieren wir den Job, man sperrt uns ein . . . he, hat dich die Ruine so verstört, daß du vergißt, wem der Baugrund gehört, mit allem, was drauf steht?
Sp.mstr: Das Weib ist keine Ruine. Und das Gebäude ist auch bestens erhalten. Normalerweise überdauern unsere Burgen die Zeiten nur dann so, wenn sie als Gefängnisse benutzt wurden. Bei der landläufigen Aufklärungsquote von fünfzig Prozent kommen nur dilettantische Unternehmen raus. Ein studierter Mann wie Sie . . .
Ing.: Schätze, elftes Jahrhundert. Außerdem kann man Wunder gar nicht verkaufen.
Sp.mstr: Warum nicht?
Ing.: Weil es keine gibt.
Sp.mstr: Natürlich, wir müssen uns beeilen, bei Wundern weiß man nie, wie lange sie halten. Erst wenn wir den Scheck in der Tasche haben . . .
Ing.: Du meinst, es besteht Hoffnung, daß das Wunder eins ist und alsbald verduftet?
Sp.mstr: Natürlich.

Ing.: Und wenn es nicht verduftet?

Sp.mstr: Abrißvertrag. Der muß den Käufer verpflichten, die Burg bis zu dem für uns verbindlichen Straßenbautermin abzutragen. Kürzlich hab ich von einem amerikanischen Millionär gelesen, der in England irgendeine ältere störende Brücke für teures Geld erstanden hat. Er ließ sie abtragen, mit Schiffen nach Kalifornien oder so transportieren und dort auf seiner Ranch wieder aufbauen. Die Burg ist mindestens doppelt so alt ...

Ing.: Was sich im Preis niederzuschlagen hätte. Nicht zu vergessen die eingesparten Kosten für die Räumarbeiten ...

Sp.mstr: ... und die Sprengung ...

Ing.: Alles unser Geld.

Sp.mstr: Sechzig Prozent für mich.

Ing.: Wieso?

Sp.mstr: Meine Idee.

Ing.: Mein Objekt.

Sp.mstr: Halbe halbe.

Ing.: Sechzig Prozent für mich.

(Nachfolgend längerer, nach Lauras Angaben von Beatriz nur undeutlich erinnerter Wechsel von Schimpf- und Zahlwörtern sowie Kopfnüssen.)

Schlußwort des Ing.: Fünfundvierzig Prozent für dich und das Weib.

3. Kapitel

Das nebensächlich vom Jäten und hauptsächlich vom Wiedersehen berichtet

Beatriz konnte dem Gespräch der beiden Männer wörtlich folgen, obgleich es in südfranzösischem Dialekt geführt wurde. Als es beendet war, riß sie den Ingenieur aus ihrem Herzen und wies die Herren aus dem Gemach. Staub wölkte von Bett, Nachthemd und Gliedern. Beatriz blies in die Wolken. Hustete. Nieste. Rief aber nicht nach Gesinde. Weil ihre Schwägerin sie über die jeweiligen Lagen in der Burg und der Welt auf dem laufenden gehalten hatte. Grob. Hypnopädisch. Die steif gewordenen Glieder knackten, der Rücken, das Herz. »Warum zum Teufel hat sie mich vorfristig geweckt«, sagte Beatriz altprovenzalisch zu sich, um ihr Mundwerk zu üben. Denn die beiden Herren entsprachen ganz und gar nicht den Erwartungen der Trobadora. Warum hatte die Schwägerin Marie von Lusignan zwei Jahre vorm Termin plötzlich die Erlaubnis erwirkt, zum Aufstehen drängen zu dürfen? Maulfaules Weib! Geschaftlhuberin! Dennoch war das Wiedersehen überwältigend. Dieses Spiel der Staubteilchen im Sonnenstrahl! Er brach durch leere Bleifassungen, die vollen waren staubverdunkelt. Beatriz eilte vorsichtig zur Bank im Fensterschacht. Die ungeübten Beine versagten fast den Dienst. Die Bank war so lang wie das Mauerwerk dick: zwei Meter. Beim stürmischen Öffnen des Fensters ging der Glasrest zu Bruch: O Provence! Windflüchtig nach Süden geneigtes Land. Mistralgezähmte Lieblichkeit, Palisadengezähmte Wildheit. Unbeschreiblicher Genuß, in höhlenhaftem Schutz die Raserei des nördlichen Fallwinds zu erleben, wie er das Rhônetal hinabstürzt. Wie er heult. Wie er faucht. Wie er orgelt in der Burg. Was für ein Instrument! Almaciz war noch immer die schönste Windorgel der Provence. Beatriz kniete auf der Steinbank und reckte ihren Kopf aus dem Mauerschutz. Gleich wurde ihr Haar ergriffen vom Mistral und gezaust wie das Gitterwerk der Zypressen und Pappelzäune in der Ebene. Bei kurzen Flauten lauschte Beatriz auch dem herrlichen Klang der Mittagshitze: Akkord aus Zikadengesäg. Und sie empfing schon die berauschenden Lavendel- und Rosmarindüfte, die bald herübergeweht werden würden von den Hügeln. Rührung und Sturm wässerten die Augen der Trobadora. Die großen Lider portionierten das Wasser zu Tropfen, die die Wangen nach und nach freilegten. Auch das Haar wurde gründlich entstaubt. »Höchste Zeit«, sagte Beatriz neufranzösisch, das ihr Marie von Lusignan beigebracht hatte. Die Schwägerin war allgemein bekannt unter dem Namen »schöne Melusine«. Für Sprachunterricht hatte sie etwas Zeit erübrigt. Den Nachrichtendienst bemaß sie kurz und grob. War ständig unterwegs, selten hörbar, augenblicklich gar nicht. Was hielt sie ab, Beatriz Arbeit zuzuweisen? »Reißt mich aus dem Schlaf, entschuldigt sich für einen Moment, behauptet, gleich aus Paris zurück zu sein, und läßt sich nicht mehr blicken«, sagte Beatriz neufranzösisch, das ihr gut im Munde lag. Obgleich es ihr etwas zu geschmäcklerisch elegant erschien. Aber das Gemach gab ihm Echos in gewohnter Weise. Beatriz wunderte sich nicht darüber, daß Almaciz alle Kriege überlebt hatte. Ihr erschien am erstaunlichsten, daß die Fenster ihres Schlafgemachs in eine Himmelsrichtung schauten, die der Sonnenstand nach wie vor als Süden auswies. Und die Hügel im Mittag waren wie eh bewachsen mit dem harmlos saftig erscheinenden, undurchdringlichen Dorn- und Kräutergebüsch. Und die Pappeln entblößten nach wie vor ihr Silber im Sturm. Viel mehr Felder natürlich als einst, viel mehr Obstbäume, aber doch weit und breit, abgesehen von einer Autobahn, ordentliche Natur. Die zweite Autobahn würde der Tarasc verhindern. Zwei Unmenschen machten noch kein Patriarchat, es war alles nicht so schlimm.

4. Kapitel

Aufbruch und Erdtauchen

Kaum erwacht, sah sich Beatriz also bereits vor richterliche Entscheidungen gestellt. Allein. Denn ein melusinischer Moment konnte erfahrungsgemäß tagelang dauern. Wenn sie den verstreichen ließ, würden Beatriz und die Menschheit von zwei Fossilien aufgehalten. Außerdem erschien der Trobadora die Burg für die berufliche Arbeit unentbehrlich. Deshalb gönnte sich die Frau nur flüchtige Blicke auf Almaciz. Sah auch nur flüchtig in den Spiegel. Zaghaft zunächst. Aber die innere Vorstellung – von einem heftigen physischen und geistigen Kraftbewußtsein bestimmt, das sich im Zenit des Lebens einstellt – war mit der äußeren nach wie vor vereinbar. Und die außerordentliche Körperhöhe, der Makel von einst, war auch erhalten geblieben. Gut. Lediglich die Privatgemächer von Guilhem de Poitiers nahm die Trobadora genau in Augenschein, um sich zu vergewissern. Sie waren menschenleer. Da schnaufte Beatriz erleichtert. Und sie schloß, daß ihr Gatte und das Gesinde offenbar noch beerdigt werden konnten, bevor die Rosenhecke die Burg umwuchs. Verschiedene Andeutungen des Sprengmeisters ließen übrigens vermuten, daß die Hecke jäh in den Ringgraben gestürzt und versunken war. Über den Zeitpunkt des Ereignisses hatte Beatriz nichts Genaues vernommen. Jedenfalls konnte sie auf den mit Entengrütze bedeckten Grabenwassern nur einige Rosenblätter erkennen, als sie vom Rondell des Vorwerks herabblickte. Sie badete also unverzüglich in der Zisterne, sortierte das am wenigsten zerschlissene Kleid aus ihrer Truhe, legte es an und machte sich noch am späten Nachmittag auf den Weg nach Tarascon. Die Sonne war der Gewalttätigkeit bereits abgeneigt, dem Horizont zu. Die Palisaden wogten flacher. Beatriz hatte den Mistral im Rücken. Er schob sie gen Süden. Schwalben schnitten mit ihren Flügelmessern die duftende, tönende Luft dicht über den Gräsern. Bratgerüche von Erde, Kräutern, Unkräutern und Harz. Grillengezirp. Windbeflügelt schlug sich Beatriz durch die Feldschneisen. Das Getreide wuchs ihr erst bist zu den Knien, das Rohr weit übern Kopf. Und immer weiter, sie vermutete den Süden bald drinnen. Es schien ihr, als ob sie einführe.

5. Kapitel

Laura gibt apropos eine Erinnerung zum besten, die ihr Privatleben befaßt

Elemente: Da das Thüringische keine tätigen Vulkane aufweist, beschlossen wir, uns am letzten Urlaubstag in eine Höhle zu stürzen. Die

Anfahrt zur unendlichen Natur, mit der uns zu vereinigen wir uns aus unterschiedlichen Gründen nicht länger entraten wollten, erfolgte mittels Kleinbahn. Anhang, Verlust der Illusion, daß die Länge der Lebensgeschichte die Entscheidungsfreiheit kaum verkürze, von Umständen erzwungene Halbheiten, Notlügen und verwandte ungemäße Trivialitäten sowie die füllige Melancholie des September näherten uns der Erde. Und den anderen Elementen, Feuer, Wasser, Luft, die wir von den Triebkräften Liebe und Haß bewegt wußten. Der Zug transportierte auch Arbeiterinnen der zweiten Schicht einer Baumwollspinnerei und Pilzsucher. Er kam siebenundzwanzig Minuten verspätet am Höhlenort an. Lutz trug einen blumenbedruckten Perlonbeutel, darin Landkarten und Schirm verstaut waren. Die Pilzsucher schleppten von Riesenstein- und Birkenpilzhäuptern schaumäßig abgedeckte Körbe. Das weckte meinen Appetit. Lutz empfand den Einfall, vorher ausführlich zu essen, nicht stilwidrig. Im Gegenteil, der Wirt der örtlichen Schenke empfing uns mit Handschlag. Die Begrüßung, am Tisch vor Aufnahme unserer Wünsche getan, nicht vertraulich, sondern wie nebenbei, betonte den Abstand zu den Hergelaufenen. Die Wirtin, dickhintrig, mit männlichem Gesicht, trug Essen auf, das sie selbst gekocht hatte. Der Wirt unterhielt sich mit Stammgästen über Fußball, schenkte Bier und vermerkte die Anzahl der Gläser durch Bleistiftstriche am Rand von Bierdeckeln, die er handgefaßten Deckelstößen hoch entfallen ließ, kassierte. Als wir gemeinschaftlich drei Portionen Sauerbraten mit Mehlklößen verzehrt, zwei Gläser Bier geleert und gezahlt hatten, machten wir uns, je einen Arm überm Rücken des anderen gekreuzt, auf den Weg zur Höhle. Der war mit großen buntbemalten Schildern und holzgeschnitzten Weisern markiert. Die überirdischen Anlagen der Sehenswürdigkeit erinnerten an den örtlichen Bahnhof, waren jedoch im Unterschied zu diesem auffällig gepflegt, Bauten und Bänke wie frisch gestrichen. Neben dem Empfangsgebäude links zwei Andenkenbuden. Rechts hinter einem Steingarten etliche, zwei Meter hohen Masten aufgesetzte, bewegliche Figurengruppen in offenen Schaukästen, ähnlich den Weihnachtsbergen, jedoch windradgetrieben. An den Masten obolusfordernde Sprüche und Gebrauchsanweisungen. Gereimt. Darunter briefkastenförmige Geldkästen. Lutz warf zwei Groschen durch den Schlitz und bewegte ein Windrad entgegen der Richtung, die mit Pfeilen auf den Flügeln vermerkt war. Die an treibriemenähnlichen Bändern befestigten Holzfiguren bewegten sich rückwärts, fielen rücklings in die antipodische Phase, tauchten rücklings auf: Bergmänner. Das Blattwerk der Bäume war vollzählig. Um unsere Schuhe, die nicht aus Metall, sondern aus Leder gefertigt waren, wölkte Staub. Hitze drückte die Scheitel. Wir kauften am Schalter des Empfangsgebäudes perforierte Eintrittskarten, die wie Kinokarten von Rollen gerissen wurden. Neben der Kasse photokopierte Druckseiten eines die Höhle besingenden Balladenwerks, gerahmt, hinter Glas. Das Fenster der Stirnseite war mit

Grünpflanzen garniert, die an Baumäste gebunden waren. Rechts, in der Reihenfolge der Aufzählung, Türen mit den Aufschriften »Damen«, »Herren«, »Verwaltung des Rates der Stadt«, »Höhleneingang«. Sobald die Besucherzahl zwanzig erreicht hatte, bat die Führerin um Aufmerksamkeit, stellte sich namentlich vor, gab etliche tausend Jahre als vermutliches Alter des Naturdenkmals an und riß vorm Höhleneingang Abschnitte von den Eintrittskarten. Dann drehte sie an Lichtschaltern und forderte Vorsicht. Eisengeländer abwärts. Treppen. Der Zementboden war gerastert wie in Pissoirs, auch naß. Die satte Wärme des Herbstes wich schnell aus den Kleidern. Sechs Grad, versicherte die Führerin. Konstante Temperatur wie in gesunden Körpern, kann man sich so kalt vermählen? Testplombengesicherte Gewölberisse. Die Weiterungen zwischen den Gängen belegte die Führerin mit großzügigen Namen, ich hörte von Zimmern, Sälen. Stalaktiten und Stalagmiten waren sparsam verteilt und wüchsen infolge kalkarmen Wassers aller zwanzig bis fünfzig Jahre einen Millimeter. Der Mangel wurde durch Beleuchtung ausgeglichen. Im Lichtkegel eines Scheinwerfers bewunderten die Besucher echtes Moos, gewachsen infolge häufiger Führungen: Beweis für Beliebtheit. Scheinwerfervorführungen an Sintersäulen, Wassern und zehntausendjährigen Stalaktitengardinen. Die Altersangaben ermunterten die überwiegend betagten männlichen Besucher zu Komplimenten an die Führerin. Sie dankte mit einem elektrisch geschalteten Sonnenaufgang überm Höhlensee. Zum Abschluß des Begängnisses wurden wir vor eine stativbefestigte Kamera geführt und von einem Photographen unverbindlich für eine Gruppenaufnahme angeordnet, schöne Erinnerung, Postkartengröße, 2,80 Mark per Nachnahme. Interessenten wollen sich nach der Führung am Photokiosk melden, nicht wackeln. Dreiminutenaufnahme. Der Photograph dankte. Ich zog meine Schuhe aus und warf sie in den See. Da am Kiosk Adressen erfragt wurden, versagten wir uns das peinliche Dokument. Auch wegen seines Indiziencharakters.

6. Kapitel

Darin schließlich wieder ein Mann vorkommt

Beatriz ging mit dem Kopf mitten durch die Erde bis zur Kreuzung. Da die Autobahn den Feldweg schnitt. Abschnitt. Die vorüberrasenden Autos unterschieden sich von denen, die Beatriz im Schlaf vor Augen geführt worden waren, durch Lärm, Gestank und Anzahl. Benommen davon und vom jähen Auftauchen wartete sie. Auf den Augenblick, da eine Lücke im Autostrom ihr gestatten würde, die Straße zu überqueren. Sie wartete und wartete. Nach einer Weile entdeckte sie in der Ferne einen Menschen, der ebenso wie sie an der Straße stand. Er ruderte mit den Armen.

Anfangs glaubte Beatriz, er winkte ihr solidarisch, weil er sich in gleicher mißlicher Lage befände, und sie erwiderte den Gruß. Als er jedoch nicht nachließ mit Rudern, deutete sie die Geste als Verkehrszeichen, das den Wunsch nach Überschreiten der Straße anzeigen sollte. Beatriz ruderte also ebenfalls. Und kurz darauf hielt auch ein Auto. Eins. Auf dem Feldweg. Ein Mann mittleren Alters reckte seinen Kopf durchs offene Wagenfenster, musterte sie und fragte dann nach ihrem Reiseziel. »Tarascon«, antwortete Beatriz verblüfft. »Na also«, sagte der Mann. Und ehe Beatriz noch recht begriff oder sich wundern konnte, saß sie schon im ersten Auto ihres Lebens. Und fuhr. Und hatte ein Autoheck vor sich. Ständig. Nicht immer dasselbe. Seltsame Musik aus dem Autogewände. Die von seltsamen Nachrichten unterbrochen wurde. Beispielsweise erzählte eine männliche Stimme: »Als ich am Freitagnachmittag durch die Rue de la Harpe zum Boulevard Saint-Germain kam, wollte ich aus persönlichen Gründen den Boulevard Saint-Michel hinaufgehen. In Höhe des Musée de Cluny aber standen, mit dem Rücken gegen mich, behelmte und bewaffnete Polizisten und riegelten den Durchgang ab. Weiter oben, an der Rue des Ecoles – so etwas hatte ich noch nie gesehen –, wurden Polizeiwagen von der Menschenmenge mehr oder minder am Weiterfahren gehindert und mit Pflastersteinen beworfen, fünf oder sechs auf einmal kamen durch die Luft geflogen. Ich mußte den Boulevard Saint-Germain in Richtung Saint-Germain des Prés gehen und dann die Nebenstraßen bis ganz hinauf. Dort, an der Rue Soufflot, standen mehrere tausend Studenten, unter ihnen viele Mädchen. Man hatte den Eindruck, als könnten sie gar nicht anders. Viele hatten Bücher und Skripten unterm Arm. Manche kamen offensichtlich aus Nanterre, wo die Fakultät, wie mittags im Radio gemeldet wurde, geschlossen war. Nun erfuhr ich, die Polizei habe links orientierte Studenten, die sich im Hof der Sorbonne versammelt hatten, um gegen die faschistischen Machenschaften rechtsradikaler Gruppen zu protestieren, verhaftet, und auch die Sorbonne sei geschlossen worden. Man konnte deutlich unterscheiden: einige wenige, etwa dreißig, die in Höhe der Sorbonne die Polizisten der vordersten Linie herausforderten; dann alle jene, die ganz aus der Nähe zuschauten, um sich im gegebenen Moment einzumischen – die einen, bereits nervös, rissen die Verkehrsschilder oder die Schutzgitter der Bäume heraus, andere wiederum riefen dazu auf, Ruhe zu bewahren, nichts zu improvisieren und statt dessen lieber für Montag eine gezielte Aktion gegen die Polizeiprovokation vorzubereiten; und schließlich die große Mehrzahl, die untätig mit ihren Büchern und Heften herumstand, vielleicht ratlos, aber durchaus fröhlich und im übrigen entschlossen, nicht auseinanderzugehen. Sobald die Polizei angriff, fluteten die Studenten zurück, nahmen aber ihre Stellung sogleich wieder ein, wenn sich die Polizisten auf ihre Ausgangslinien zurückzogen. Der ganze Verkehr war so gut wie lahmgelegt.« – »Zustände«, sagte der Autofahrer. Beatriz erfreute ihn mit bewundernden Blicken. Die galten, da Schönheit geradezu fehlte, nicht äußeren Vorzügen, sondern inneren. Ethischen. Kein hohler Kavalierzierat – Hilfsbereitschaft. Selbstverständliche Brüderlichkeit. Schwesterlichkeit. Schöne Menschengemeinschaft. Beatriz bewunderte einen Repräsentanten. »Und ich hatte schon gefürchtet, ich wäre zu früh . . .«, sagte Beatriz. »Im Gegenteil«, sagte der Mann, bog links ab, hielt, senkte die Sitzlehnen und warf sich auf die Trobadora. Sie stieß ihn zurück. Der Mann sagte: »Mach keine Faxen.« Sie wehrte sich. »Umsonst ist der Tod«, sagte der Mann schnaufend und ob sie aus dem Mustopf käme. Sie wehrte sich mit aller Kraft. Da schlug ihr der Mann die Lippen blutig, überwältigte sie mit dem Gewicht seines fetten Leibes, beschimpfte sie unflätig und erleichterte dabei seinen Beutel. Wie man eine Notdurft verrichtet. Als er seine Kleider geordnet hatte, erkundigte er sich sachlich, wo er Beatriz in Tarascon absetzen sollte. Sie stieg aus. »Dumme Gans«, sagte der Mann und reihte seinen Wagen wieder ein in den Autostrom, der sich lärmend und stinkend durch die Felder wälzte.

7. Kapitel

Von der Oberwelt fährt ein Bunker mit zwei abgesetzten Göttinnen herab

Die Trobadora wütete in schrecklichen Gedanken und fluchte: »Himmelsakra.« Unwillkürlich. Nicht, weil sie sich irgendwelche Hoffnungen machte. Aber ebenso wie vor achthundertacht Jahren fiel ihr plötzlich ein Bunker vor die Füße. Er war aus Beton gefertigt, würfelförmig und etwa acht Kubikmeter groß. Vor der eisernen Bunkertür zwei Stangen, die als Riegel seitlich in einbetonierten Haken klemmten. An der Tür klebte eine Öffnungsanweisung. Vergitterte Luftlöcher in drei Würfelflächen. Aus den Löchern tönte zweistimmiger Gesang. Beatriz hob wie einst anweisungsgemäß die Eisenstangen aus den Haken. Die Tür wurde von innen aufgestoßen – auch wie einst. Und schon schwoll der Gesang an zu jener eifernden Entschiedenheit, die Beatriz sogleich wieder unangenehm berührte. Sie verbarg aber ihre Abneigung hinter Lächeln und hörte sich einige programmatische Lieder an. Die erste Stimme wurde von der göttlichen Tochter gesungen, die zweite von der göttlichen Mutter. Gesperrte Münder, einwärts gerichtete Blicke, Persephone und Demeter beschrieben tatsächlich noch immer in den gleichen Rache- und Zukunftsgesängen die Wiedereinführung des Matriarchats. Auf denselben Strohsäcken? Andere Möbel hatte das Verlies nicht. Götter können notfalls auf Speise und Trank verzichten, sind also auf sanitäre Einrichtungen nicht angewiesen. »Sie haben uns gerufen?« fragte Persephone nach Beendigung eines Liedes. »Ja«, sagte Beatriz, »das heißt, eigentlich nicht, genauer gesagt: nicht direkt, aber es wäre natürlich herrlich, wenn Sie mir in mißlicher Lage . . .« – »Kaum auferstanden und schon schlapp«, erwiderte Persephone streng. Dann schimpfte sie auf Melusine und Konsorten, denen es noch immer nicht gelungen wäre, die Göttinnen wieder an die Macht zu bringen. Persephone nannte die erwähnten Frauen saumselig und vertragsbrüchig. Denn sie hatten sich durch Pakt verpflichten müssen, als Gegenleistung für Lebensverlängerung die alten matriarchalischen Zustände wieder einzuführen. Nur wer wie Beatriz de Dia zu praktischer politischer Arbeit ungeeignet erschien, durfte schlafen, wenn er sich verpflichtete, nach dem Erwachen der Linie entsprechend zu arbeiten. Den aktiven Mitgliedern der von Persephone nach und nach geschaffenen strategischen Organisation oblag zusätzlich, die passiven, schlafenden Mitglieder hypnopädisch zu schulen und von der Linie zu überzeugen. Als die schöne Melusine der Organisation beitrat, hatte sich dort die Opposition bereits formiert. Relativ unbehelligt, die inhaftierten Göttinnen konnten gut Beschlüsse fassen, schlecht kontrollieren. Die Opposition tagte als Tafelrunde zwischen Kaerllion am Usk und der Zukunft, aber etwas näher an Kaerllion. 1871 gewann die Opposition die Mehrheit. Die schöne Melusine gehörte der Opposition seit 1309 an. Beatriz wurde von der Schwägerin hypnopädisch von den reaktionären Bestrebungen der Göttinnen unterrichtet und entschied sich auch schnell für die dritte Ordnung. Die weder patriarchalisch noch matriarchalisch sein sollte, sondern menschlich. Bei der illegalen Arbeit für diese menschliche Ordnung nutzte die Opposition die legalen göttlichen Wunder. Die beschränkt waren. »Unsere Tatenzuteilung ist noch immer kontingentiert«, klagte Persephone. Ihr Gesicht und die Hände waren blau, aber dunkler als das Gewand. Demeters Grundfarbe war grün. Beatriz fragte, ob Persephone mit ihrem Bunker ein Loch ins Weizenfeld geschlagen hätte, nur um zu lamentieren. »Unsere Tatenzuteilung ist noch immer willkürlich kontingentiert«, lamentierte Persephone. »Manchmal erhalten wir drei oder vier Berechtigungsmarken jährlich, manchmal nur eine. Es gab aber auch schon Jahre, wo uns Herr Gott gar kein Wunder genehmigte. Umbringen kann er uns nicht, weil wir unsterblich sind, das ärgert ihn. Aber tatenlos kann er uns halten – das ist schlimmer als tot. Verlieren Sie also bitte keine Zeit mit Flüchen, sondern tun Sie was gegen seine Alleinherrschaft, damit wir bald aus diesem Verlies rauskommen. Der Himmel ist für Frauen da.« Den letzten Satz wiederholten Persephone und ihre Mutter Demeter anschließend siebenundzwanzigmal in einem Kanon. Dabei landeten zwei Engel exerziermäßig. Sie schlossen die Tür, legten die Stangen vor und schlugen an Eisenösen, die aus Betonwänden ragten, vier Taue. Dann hob ein Engel schneidig den rechten Arm, und der Bunker entschwebte.

8. Kapitel

Betrübnis und Jauchzen

Als die oberweltliche Erscheinung verschwunden war, ahnte Beatriz, daß die schöne Melusine sie sehr oberflächlich über die Welt unterrichtet hatte. Und sie beschloß, sich auf allerlei Überraschungen gefaßt zu machen. Wobei sie den Himmel absuchte. Nach einer Weile zeigte sich ein Flugzeug. Aber auf die schöne Melusine wartete Beatriz vergebens. Sie beneidete die aktiven Organisationsmitglieder jetzt heftig um deren schwarzkünstlerische Fähigkeiten. Beistandslos und von Fahrtwinden an den Rand gedrängt, setzte Beatriz ihren Weg nach Tarascon fort. Niedergeschlagen. Rachebrütend. Nur der Glaube an die Freßlust des Reptils sowie die Unfruchtbarkeit ihres achthundertachtunddreißigjährigen Leibes ließen sie nicht verzweifeln. Als die Dämmerung hereinbrach, erreichte Beatriz die Abtei von Montmajour. Sie klopfte an verschiedenen Türen, rief, pfiff. Schließlich wurde aber doch geöffnet. Beatriz bat die Schwester um ein Nachtlager. Es war aber keine Schwester, sondern der Museumsdirektor. Er sprach: »Wir sind kein Gammlerlager, wir sind eine historische Kostbarkeit.« – »Ich bin auch eine historische Kostbarkeit«, entgegnete Beatriz und versuchte, sich zu erklären. Der Mann begriff aber nichts. Bald hielt er sie für eine Studentin auf der Flucht und fragte, was vom Quartier Latin übriggeblieben wäre. »Von welchem Quartier Latin?« fragte Beatriz. Da nickte der Mann verständnisvoll, versprach, keine weiteren Fragen stellen zu wollen, und führte Beatriz in seine Dienstwohnung. Vor einen Kasten. Der zeigte bewegte Bilder. Die Gattin des Museumsdirektors strickte vorm Kasten. Ab und zu ließ sie die Handarbeit fahren und brach in Worte aus. Beatriz konnte menschengefüllte Straßen erkennen, aufgerissene Straßen, von Wällen versperrte Straßen. Ein Wall wurde hauptsächlich von einem umgestürzten Bus gebildet. Hinterm Bus tauchten Köpfe auf. Auch Arme, die Steine schleuderten. Männer mit Helmen, Masken und Schilden warfen Stäbe vor und hinters Hindernis, die rauchten. Enthusiastische Stimmen kommentierten die bewegten Bilder. Die Kommentare wurden häufig durch Husten unterbrochen. Auch durch Lieder. »Dieser Ausbruch von Lebensfreude«, sagte eine Stimme, »dieser begeisterte Elan, diese brüderliche Atmosphäre. Die Straßen des Quartier Latin voller Menschen. Jeder spricht mit jedem, völlig enthemmt. Jeder hört jedem zu. Eine hoffnungsvolle, festliche Stimmung.« Als brennende Autos zu sehen waren, sagte die Gattin: »Wo wird das enden.« Der Museumsdirektor hob und senkte mehrmals die Schultern und gab ein Urteil ab über den kulturhistorischen Wert von Paris. Dann bot er Beatriz einen sicheren Heuboden an. Als Beatriz an in Felsen gehauenen leeren Sarkophagen vorbeigeführt wurde, schlug sie den Heuboden aus. Sie probierte die Höhlungen. Alle waren zu kurz.

Schließlich nächtigte Beatriz unter einem Oleanderbusch des Klosterhofs. Sie lag schlaflos, solange der Vollmond blank am Himmel stand. Denn sie sorgte sich um die schöne Melusine. Hatte die sich an einem brennenden Auto die Flügel versengt? Später zogen Wolken auf, verschleierten den Mond, zogen Beatriz dann doch in Schlaf. Er war tief, voll wirrer Träume. Als sie erwachte, schien die Sonne bereits in den Hof. Und sie entdeckte an der Kapitellverzierung einer Kreuzgangsäule den Kopf vom Tarasc. Aus jedem Mundwinkel hing ihm ein Menschenbein. Der Anblick stärkte Beatrizens Zuversicht. Der Zustand ihres Gewands freilich erschien, bei Licht besehen, beklagenswert. Bei der Rauferei mit dem Autofahrer war das mürbe Gewebe vielerorts zerfahren, ein bodenlanger Ärmel war halb herausgerissen, rechts schleppte der Rock, nur die Stickereien hatten widerstanden. Aus Scham verbarg sich Beatriz vor anrückenden Touristen, deren Stimmen bereits die Gewölbe erfüllten. Da sie aber keine Hintertür finden konnte, war sie schließlich doch gezwungen, so unter die Leute zu treten. Sie eilte mit gesenktem Blick. Weshalb ihr zunächst die ausgefransten Säume in die Augen fielen. Hosensäume, Rocksäume. Die Röcke waren auch bodenlang. Und nicht nur lumpig, sondern auch schmutzig. Die Moderichtung der abgeschabten, teilweise mit grellen Flicken besetzten Hosen erschien Beatriz fremder. Jedoch zweifelte sie keinen Augenblick, daß auch sie ehemaligen Schläferinnen gehörten. Die Trobadora war keine Ausnahme! Viele waren ihrem Beispiel gefolgt! Sogar Männer! Von dieser unverhofften, zu den schönsten Aussichten berechtigenden Offenbarung hingerissen, eilte Beatriz auf die Lumpigen zu und umarmte alle. Sie schienen nicht erstaunt, berieten kurz, gleichgültig. Kleiner als Beatriz waren wenige. Etliche waren größer. Bevor sie in ihren chrom- und lackblitzenden Wagen davonfuhren, steckten sie Beatriz ein Tütchen zu, darin sie Zucker vermutete. Beatriz folgte barfuß. Sie leerte das Tütchen in den Mund, als Tarascon mit der Burg des guten Königs René in Sicht kam. Da stellte sich die Erde auf den Kopf, und das fossile Ungeziefer fiel aus ihren Taschen und wurde verzehrt.

9. Kapitel

Das nach dem LSD-Traum weitere glückliche Zufälle bringt und ein altes Lied von Beatriz de Dia, deutsch nachgedichtet von Paul Wiens

Beatriz erwachte im Straßengraben. Gesengt, gestaucht von der Sonne, erhoben vom Blau der Visionen. Seltsam friedfertig. Zufrieden. Gesättigt von Harmonie. Nur der leibliche Hunger trieb die Trobadora bald auf und voran. Sie betäubte ihn einstweilen mit Rhônewasser. Vor der Brücke, die über den Fluß in die Stadt Tarascon führte, hielt ein Bus. Touristen fielen raus. Der Mistral hüllte sie in Staubwolken. Die Reiseleiterin schrie das

Programm: Besichtigung der Burg, der Kirche, Mittagessen. Der letzte Programmteil inspirierte Beatriz. Mit forscher Arglosigkeit, die ihr als Traumrest geblieben war, gesellte sich die Trobadora zur Truppe. Die Staubwolkentarnung verhalf ihr zu freiem Eintritt in die Burg des guten Königs René von Provence. Im Burghof hätten die letzten Trobadore ihre Lieder gesungen, behauptete der Burgführer. Die Zuhörer hätten in der Loggia und in den Fenstern gelauscht. Beatriz unterbrach das Erklärungsgerede des Burgführers mit drei Entschuldigungen und bat die Touristen in die Loggia. Sie folgten ihrer Bitte willig, wohl in Erwartung der im gekauften Programm vorgesehenen Überraschung. Der Burgführer und die Reiseleiterin, die sich gegenseitig der Initiative verdächtigten, zogen sich mit einer Zeitung unter die Kolonnaden zurück. Inzwischen besann sich die Trobadora, von Hunger inspiriert, eines Lieds, das sie vor achthundertvierzehn Jahren geschrieben hatte. Nach jenem folgenschweren Unfall mit dem Liebestrank. Als sie Raimbaut d'Orange bereits umgearbeitet hatte, um ihn bedichtenswert zu machen. Eine simple pragmatische Maßnahme. Nicht mal nur von weiblichen Dichtern praktiziert. Aber die schöne Melusine hatte gleich geschrien: Irreführung der Öffentlichkeit. Als ob denkfähige Menschen ernstlich glauben würden, eine Beatriz de Dia könnte sich derart für einen Menschen erhitzen, der Pfauenfedern nicht nur am Hut, sondern auch am Vers zu tragen pflegte, ja an der Seele. Wenn die Realität von Raimbaut nicht mit dem Bild übereinstimmte, das sich Beatriz kurz entschlossen von ihm gemacht hatte – um so schändlicher für die Realität. Der Trobadora knurrte der Magen. In der Loggia drängelten die Amerikaner schon eine Weile um vordere Plätze. Beatriz spreizte ihre Ellenbogen und sang:

»Den ich verlor, dem schönen Herrn,
läuft nach mein Lied aus lauter Leid,
ich will, daß wisse alle Zeit,
wie ich ihn hielt zum Schluchzen gern.
  Denn um die Liebe arg betrogen,
weil meine ich vor ihm verbarg,
bin ich bestraft und einsam arg,
  ob nachts im Bett, ob angezogen.«

Der Hofschacht gab der Stimme der Trobadora Größe. Die Touristen schoben sich zwischen den gotischen Säulen der Loggia. Der Burgführer und die Reiseleiterin traten mit ausgebreiteter Zeitung aus den Kolonnaden. Beatriz sah hinauf zum quadratischen Himmelsdeckel, der auf dem Schacht lag. Der Deckel war cölinblau. Doch undicht. Bisweilen langte eine Bö fauchend ins Gemäuer. Beatriz wartete, bis das Gemurmel der Touristen und der Sturm abgeflaut waren, und sang die zweite Strophe:

»Sehr möcht ich eines Abends ihn
in meinen nackten Armen schaun
und meine Brust ihm anvertraun,
die seinem Haupt als Kissen dien.
Das würde mehr an Lust mir geben,
als Floris Blancaflora gab.
Sein sind mein Haar, Hauch, Herzensschlag,
sein meine Augen und mein Leben.«

Die Touristen klatschten und warfen Geldstücke auf die Steinplatten des Hofs. Beatriz bat um Ruhe für die dritte Strophe und Papiergeld, indem sie sich vorstellte: als garantiert allerletzten und garantiert allerersten weiblichen Trobador. Dann sang sie:

»Freund, schön und gut und sinnereich,
hätt ich Euch bloß in meiner Macht
und könnte mit Euch eine Nacht
verliegen und verküssen weich,
wißt, daß dann groß mein Hunger wäre,
Euch gleich zu nehmen zum Gemahl,
weil Ihr verspräChet, allemal
mir so zu tun, wie ich begehre.«

Beatriz nahm den Applaus hochmütig entgegen. Bückte sich auch nicht nach Geldstücken. Um ihren Preis hochzutreiben. Das Papiergeld mußte sie allerdings eigenhändig in Empfang nehmen. Da spürte sie erstmals empfindlich den Mangel an Spielleuten. Eine Spielfrau wenigstens erschien ihr unerläßlich. Nicht nur für Geldsammeln oder begleitendes Lautenspiel – vor solchem Publikum sang eine ordentliche Trobadora überhaupt nicht mit eigner Stimme. Da war sie Sängerin: die Spielfrau sang. Diese unwürdige Antiquitätengeilheit! Frauen mit Brillen, die an Ketten auf der Brust hingen, warfen sich hastig die Gläser vor die Augen und begafften ungeniert das Kleid der Trobadora. Zwei griffen danach. Eine wollte es kaufen. Für hundert Dollar. Um den Schwarm abzuschütteln, sagte Beatriz: »Tausend.« – »Eintausendeinhundert«, entgegnete eine Männerstimme. Stimmengewirr mit verschiedenen Zahlenangaben. Gedränge. Schließlich erbarmte sich der Burgführer und entführte Beatriz im Hemd in das Gärtchen des guten Königs René. Auf dem steinernen Gartenthron des guten Königs zählte sie die Scheine, die ihr ins bodenlange Hemd geworfen worden waren. Sie zählte lange. Umstellt von hohem Gemäuer. Es sammelte den bitteren Geruch, den die Sonne aus den Geranien brütete. Drei Zypressen schirmten die Thronlehne. Zweitausendsiebenhundertfünfzig, zählte Beatriz. Dann genoß sie den königlichen Zufall und die Stille. Nur die Wipfel der Zypressen schwangen und rauschten.

10. Kapitel

Das der LSD-Offenbarung Abbruch tut

»Der Tourismus ist der Krebs unseres Landes«, las Beatriz auf dem Weg zum Restaurant an einem Giebel. Der Spruch erschien ihr ungerecht, weil den soeben gemachten guten Erfahrungen widersprechend. Sie speiste Muschelsuppe, Artischocken mit Sauce vinaigrette, Pferdesteak, provenzalische Tomaten und geeiste Melone für 10 Dollar. Als sie die übriggebliebenen 2740 Dollar in einer Filiale der Bank von Frankreich zum Tageskurs gewechselt hatte und die Franken verstaut waren zwischen den Brüsten, kam ihr der ursprüngliche Zweck des Stadtbesuchs aber doch wieder in den Sinn. Wegen der bekannten Hellhörigkeit des Untiers hielt es Beatriz für angebracht, sich flüsternd nach dem derzeitigen Aufenthalt des Tarasc zu erkundigen. Ein alter Mann verwies sie laut an die Feuerwehr. Erbot sich sogar, Beatriz bis zum Spritzenhaus zu begleiten. »Kommen Sie aus Paris?« fragte der alte Mann unvermittelt. »Nein«, antwortete Beatriz natürlich. »Haben Sie Verwandte in Paris?« – »Meine Schwägerin muß dort sein, warum?« – Den Greis irritierte die Frage einen Augenblick, dann überwältigte ihn wieder die Neugier. Und er erkundigte sich, ob es Beatriz gelungen wäre, mit der Schwägerin zu telefonieren, er hätte nämlich bis jetzt noch keine telefonische Verbindung zu seinen Pariser Verwandten herstellen können. »Vielleicht haben sie schon das Telegrafenamt angezündet?« – »Ja«, sagte Beatriz, die andere Sorgen hatte, mechanisch. Kein weiter Weg. Aber Siesta. Leere, hitzedröhnende Straßen. Höchstens Hunde auf dem Pflaster. Sogar der Mistral war erstorben. Schmale Schatten. Beatriz ließ dem Begleiter die schmalen Streifen. Was ihr da allerorten aus den Poren sickerte und das Geld weichte, war überwiegend Angstschweiß. Nur mit Mühe konnte sie ihren Kleinmut verbergen. Beschämt über die Unerschrockenheit des Alten, die sie sogleich seiner Generation als allgemeine Tugend anrechnete. Als Beatriz das Wort »Tarasc« in großen, auf Leinwand geschriebenen Lettern über dem Spritzenhaustor erblickte, wandelten sich jedoch ihre Mutmaßungen. Beatriz nahm jetzt an, die Leute von Tarascon beziehungsweise von der Provence beziehungsweise von der Welt wären ihr zuvorgekommen und hielten den Tarasc mittlerweile als Haustier. Zur Stadtreinigung. Landreinigung, Weltreinigung. Sinnreiche Vernutzung des Niederen zu höheren Zwecken. Beatriz empfand sich hypnopädisch fehlinformiert und ihre Offenbarung in den Rang einer Erfindung gesetzt, die zum zweitenmal gemacht worden war. Was aber praktisch für das unmittelbare Vorhaben der Trobadora bedeutungslos blieb. Gottlob. Der Eingang war mit rotem Tuch verhängt. Dahinter schlief ein Greis am Schreibtisch. Beatrizens Begleiter schlug auf den Schreibtisch und sagte: »Alfonse.« Der Greis fuhr auf und sagte: »Ein Franc.« – »Pro Person?« fragte Beatriz.

Der Greis zwirbelte seinen Schnurrbart und antwortete: »Gewiß, Madame.« Da bezahlte Beatriz drei Francs, einen für den Ingenieur, einen für den Sprengmeister und einen für den Autofahrer. Der Greis erhob sich, strich dankend das Geld ein und sprach einführende Worte in südfranzösischem Dialekt. Die Beatriz befremdeten. Sie erfuhr unter anderem, daß der Tarasc jährlich einmal durch die Straßen gefahren würde. »Im Käfig?« fragte Beatriz. »Im Festzug«, sagte der Greis und balancierte wieder eine Weile auf der Endsilbe. Dann schob er Beatriz in die Remise. Wo der Drachen stand. Aus grün gestrichenem Pappmaché gefertigt, die roten Stacheln aus Schaumgummi. Der gehörnte Kopf trug eine schwarze Langhaarperücke. Beiderseits des menschlichen Fratzkopfs zwei kostümierte Schaufensterpuppen. Die Beatriz als Schloßwachen des guten Königs René betrachten sollte. »Wir feiern den Tod der sagenhaften Bestie jedes Jahr«, sagte der Greis und schlug auf die grüne Pappe, »kein Südfranzose läßt sich einen Anlaß zum Trinken entgehen, erleben auch Sie das hinreißende Schauspiel, Madame, und betrachten Sie sich hiermit als offiziell eingeladen, Tarascon erwartet Sie mit seinen Sehenswürdigkeiten, nähere Auskünfte im Touristenbüro um die Ecke.«

11. Kapitel

Protokoll eines Interviews, darin Irmtraud Morgner (I. M.) den Dunkelheiten der bisher aufgeführten Zeugnisse recherchierlich zu begegnen versucht, in dem sie Laura Salman (L. S.) Fragen zur Person stellt

I. M.: Da die Frau für den höfischen Ritter die Quelle aller Tugenden darstellte, aus der er in eigenem Bemühen zu schöpfen hatte, war die Frage, ob die Initiative in der Liebe dem Mann oder der Frau zukomme, für den hohen Minnesang a priori entschieden. Konnte sich eine standesgemäß erzogene Frau unter diesen Umständen überhaupt als Liebessängerin erkennen?

L. S.: Als Minnesängerin. Aber wer von uns hat nicht in jungen Jahren oder Augenblicken die Historie verlassen, dieses männliche Meer von Egoismus, wer ging nicht, als er noch ungebrochen war von Erfahrungen, mit dem Kopf durch die Wand, die dieses Meer trennt von der Zukunft. Denn der Augenblick Gegenwart, drin sich die beiden Ewigkeiten Vergangenheit und Zukunft berühren, erscheint mitunter vernachlässigbar. Beflügelt von Harmonien und Marxismus, überwanden wir die Ruinen von Chemnitz, indem wir flogen, jeder FDJler ein Sportler. Start von der Schulsternwarte. Zurück blieben die Reaktionäre, noch nicht entlarvte Lehrer, die ihre Gesinnung in Schikanen abreagierten, vom Klassenfeind vernebelte Schüler, die sich wie Hunde mit gesenkten Köpfen von einem materiellen Mangel zum anderen schnüffelten und nie die Kraft fanden, einen Blick auf die großen Gegenstände zu werfen: von der Schulsternwarte starteten nur Leute mit Charakter. Organisiert. Revolutionär sein setzt unter anderem eine bestimmte Unbedingtheit des Charakters voraus. Im Fluge wurde die Ausbeutung des Menschen durch den Menschen abgeschafft . . .

I. M.: . . . und die Ausbeutung der Frau durch den Menschen . . .

L. S.: . . . fiel in der Eile nicht auf, ein für allemal wurde Ordnung gemacht von Grund auf, die abgebrannte Stadt forderte gründliche Pläne geradezu heraus. Die steilsten Flüge gelangen an Feiertagen oder zu Wahlen. Voran der Akkordeonspieler, unter Absingen von Volks-, Kampf-, Partisanen- und Revolutionsliedern in russischer, spanischer, italienischer, englischer und französischer Sprache erreichten wir schnell die idealen Gefilde. Darin sich Empfindungen einstellten wie beim Betreten des elften Saales im Musée de Cluny zu Paris. Der Saal ist rund. Als einziger, die ausgestellten Gegenstände verlangen die ideale Vollkommenheit des Kreises. Ich rede von der berühmten Wandteppichfolge »Die Dame mit dem Einhorn«. Der Katalog behauptet, in fünf symbolhaften Darstellungen der menschlichen Sinne würde das Leben einer vornehmen Dame vorgeführt nebst der Sage vom wilden Einhorn, das bekanntlich nur von einer reinen Jungfrau gezähmt werden könnte. Der Sinn des sechsten Teppichs aber soll den Wissenschaftlern bis heute verborgen geblieben sein. Das blaugoldene Zelt nämlich, das vom Löwen und vom Einhorn offengehalten wird, damit die mittelalterliche Dame ans Licht kommt, trägt die Inschrift »A mon seul désir«. Was soviel heißt wie »Meinem einzigen Verlangen«. Ich will das von den Wissenschaftlern entschlüsselte scholastische Sujet nicht in Zweifel ziehen, Jean Paul war auch das erste beste Sujet gerade recht. Seine Kunst entfaltete sich in der Abschweifung. Da nun aber Kunst nur mit Leben bezahlt wird und in den Teppichen unzählige Frauenleben aufgehoben sind, die Leben der Knüpferinnen nämlich, mußte die Allegorie so eindrucksvoll verblassen. Zugunsten einer exzessiven Friedlichkeit. Der selbst Raubtiere unterliegen. Nie ist mir ein sanfteres Ideal weltlicher Harmonie vor die Augen gekommen, nie die Sehnsucht nach unkriegerischen Zuständen so rein und radikal: Die männliche Variante ist unterschlagen. Ein aus Verzweiflung gewachsenes Sehnsuchtsbild also – extreme Zustände bringen extreme Utopien hervor. Wer von uns hat nicht in zornigen Augenblicken oder Jahren sich verweigert, wer ist nicht als Schiffbrüchige des egoistischen Meeres, seinem einzigen Verlangen folgend, an dieses sanfte Land gegangen, darin Pflanzen, Getier und eine Menschenart schwesterlich hausen . . .

I. M.: Hatten Sie etwa als Schülerin bereits Verweigerungsanwandlungen?

L. S.: Im Gegenteil – obgleich meine Mutter zu Hause nichts zu sagen hatte –, ganz im Gegenteil. Aber als ich unlängst den elften Saal des Musée de Cluny betrat, wars wie ein Flug hinauf in altvertraute absolute

Empfindungen. Die einst die militante Friedenssehnsucht nach dem zweiten Weltkrieg in uns wuchern ließ, sobald wir unsere Leiber breiteten über die sächsische Hügellandschaft . . .

I. M.: Männliche Leiber?

L. S.: Menschliche Leiber, in der Frage nach der Position geistert der Verdacht, daß aktive Beziehungen zur Welt a priori geschlechtsbedingt sind. Haben Sie nie auf einem erzgebirgischen Fichtenwalde gelagert oder wenigstens eine Stadt von der Größe Meißens angesetzt und geleert auf einen Zug?

I. M.: Alle Kinder legen sich auf das, was sie lieben . . .

L. S.: Also Sie sind kein Dichter.

I. M.: Moment mal . . .

L. S.: Wer sich diese und andere Fähigkeiten abdressieren läßt . . .

I. M.: Die weibliche Rollenerziehung dressiert diese und andere Fähigkeiten ab . . .

L. S.: . . . die dichterischen Fähigkeiten . . .

I. M.: . . . die schöpferischen. Wissenschaftlerinnen sind nicht weniger dünn gesät.

L. S.: Ich . . .

I. M.: Heute. Aber meine Frage bezieht sich auf damals. Kurz und gut: Beatriz de Dia ist ein Wunschbild.

L. S.: Eine historische Erscheinung.

I. M.: Also ein typischer Fall von Legendenbildung mittels Geschichtskorrektur. Warum soll eine Frau ihr Vorleben nicht nach Belieben umarbeiten dürfen, da doch Staaten und Völker von je so verfuhren.

L. S.: Beatriz de Dia war ein Trobador.

I. M.: Ein Mann, der weibliche Rollengedichte schrieb.

L. S.: Nein.

I. M.: Paradox.

L. S.: Zunächst nicht.

I. M.: Ein mittelalterlicher Liebessänger weiblichen Geschlechts ist paradox.

L. S.: Ja. Beatriz fiel doch als Minnesängerin schon reichlich aus dem Rahmen.

I. M.: Wie? Was? Da hab ich mir was aufgeladen! Was keiner will. Von Einfluß. »Bist du etwa unter die Frauenrechtlerinnen gegangen«, fragte mein Verlagsleiter neulich, »hast du das nötig?« Der Umgang mit den Zeugnissen baut mein Ansehen systematisch ab, Blaustrümpfe werden bereits unter meinen langen Hosen vermutet. Herren durchforschen mein Gesicht nach häßlichen Anhaltspunkten. Und dunkler Stil ist sowieso unverkäuflich. Erschwerniszulage hätte ich verdient unter diesen Bedingungen. Auf Klarheit muß ich bestehen. Ich verlange eine logische Beweisführung oder mein Geld zurück, danke.

L. S.: Bitte.

12. Kapitel

Neue unerhörte Überraschungen, auf die sich Beatriz beim besten Willen nicht gefaßt machen konnte

Nach der Entdeckung im Spritzenhaus fühlte sich die Trobadora erleichtert. Was ihr Kopf als beschämende Kurzsichtigkeit wertete. Denn wer konnte schnell für den Tarasc einspringen und den Ingenieur samt Sprengmeister fressen, um Almaciz zu retten? Wo lebte das nächste beste Untier? Mit welchen Verkehrsmitteln war es zu erreichen? Beatriz verabschiedete sich von den beiden alten Männern und bückte sich nach einer Zeitung. Die auf der Straße lag. Dann ging sie hinüber zur Rhônemauer, um darauf eine Kopfbedeckung zu falten. Die Mauer war heiß. Die Druckerschwärze färbte Beatrizens Hände. Erneut auffrischender Wind ließ jedoch den Sonnenschutz nicht lange auf dem Scheitel der Trobadora. Das Papier wurde ihr wieder und wieder in die Hände gezwungen, wegwerfen widerstrebte ihr aus umweltästhetischen Gründen, also daß sie schließlich das Blatt zu besichtigen begann. Es nannte sich »France Soir«. Beatriz las zum Beispiel: »Im Quartier Latin und im Quartier Saint-Germain-des-Prés gingen Tausende von jungen Leuten sechzehn Stunden lang gegen die Ordnungskräfte vor. Bilanz: 460 Demonstranten und 205 Polizisten verwundet und in Krankenhäuser aufgenommen. 475 Verhaftungen, darunter 35 Ausländer. 7 Autobusse und rund 20 Personenwagen beschädigt. Die Geplänkel zwischen Studenten und Polizisten begannen gegen 9 Uhr morgens und dauerten den ganzen Tag an. Gegen 20 Uhr arteten sie plötzlich zu einer regelrechten organisierten Schlacht aus. Mehrere hundert behelmte und mit Schlagstöcken bewaffnete Schutzleute und Mobilgardisten mit ihren Karabinern, CRS und Spezialeinheiten, die Brotbeutel voll Granaten, sahen mit einemmal etwa zehntausend junge Demonstranten gegen sich anbranden, die vom Meeting auf der Place Denfert-Rochereau zurückkehrten. Die Straße gehörte, zum erstenmal seit langer Zeit, den Demonstranten. Die Vertreter der Ordnung zogen sich zurück. Gegen 22 Uhr nahm die Schlacht ein Ende. Vereinzelte Kämpfe gingen aber da und dort weiter und dauerten bis nach Mitternacht. In der Rue de Rennes, von der Kirche Saint-Germain-des-Prés bis zum Bahnhof Montparnasse, sammelte man überall noch Verwundete auf. Spezialisten der Polizeipräfektur begannen bereits, die Hauptstraßen des Quartier Latin aufzuräumen und ihre Lastwagen mit den Trümmern aller Art zu beladen, die die Fahrbahnen versperrten. Das letzte Karree der Demonstranten in Stärke von 200 Studenten, unter die sich eine Gruppe von schwarzen Lederjacken gemengt hatte, hielt noch den oberen Teil der Rue de Rennes besetzt. Da tauchten vom Boulevard Saint-Germain her mit Sirenengeheul etwa 30 Polizeiwagen auf und bewegten sich auf die Demonstranten zu. Bevor sie sich endgültig zurückzogen, schleuderten die Hüter der Ordnung noch einige Tränengasgranaten gegen die Fenster der Wohnungen, aus denen man sie während des ganzen Abends mit diversen Wurfgeschossen bombardiert hatte.« War die schöne Melusine verschollen, weil sie an solchen Straßenschlachten teilnahm? Fanden solche Straßenschlachten nur in Paris statt? Beatriz lehnte sich über die heiße Mauer, starrte ins Wasser und betrachtete grübelnd die Strudelmuster. Konnten überhaupt Straßenkämpfe stattfinden zu einer Zeit, da Beatriz vorfristig geweckt wurde? Schließlich wußte die schöne Melusine doch, daß Beatriz riesige Arbeitsschulden auf sich genommen hatte, um menschliche Zeiten zu erreichen. Das heißt: harmonische, ihrem Beruf geneigte. Waren die jungen Leute etwa schon der harmonischen Zustände überdrüssig? Beatriz fühlte sich im Stich gelassen von der Schwägerin. Die Marie von Lusignan hieß, weil Raimund von Lusignan sie geheiratet hatte. Den Namen Melusine hängten ihr Raimunds Schlösser Melle und Lusignan an, die sie abwechselnd bewohnt hatte. Da die schöne Melusine es einst liebte, sich in ihre Gemächer einzuschließen und politische Bücher zu lesen, was zu ihrer Zeit einen seltenen und höchst eigensinnigen Geschmack voraussetzte, war man bald überzeugt, daß sie geheime Künste und Zauberei triebe. Und bald hieß es, daß sie sich jeden achten Tag wenigstens zur Hälfte in einen Drachen verwandelte und flöge. Genügte diese Hälfte nicht, um die fossilen Ungeziefer zu vertilgen? Auf Almaciz hatte die Hofgesellschaft Melusine oft jammern hören. Im Kamin, da weinte und klagte die machtlose Politikerin, weil sie nicht zu ihren beiden Kindern kommen konnte. Beatriz war froh, daß sie keine Kinder hatte zurücklassen müssen, als sie, dem Beispiel der schönen Melusine folgend, die mittelalterliche Welt der Männer verließ. Freilich mit anderen Mitteln. Der tyrannische Raimund von Lusignan aber, der seiner klugen Frau die beiden Söhne nahm und einem Feldhauptmann zur Erziehung anvertraute, wurde bei einem Turnier aus dem Sattel gehoben und brach sich das Genick. Erinnerungsbeflügelt von dieser Gerechtigkeit, machte sich Beatriz auf, weil sie die schöne Melusine keinesfalls verfehlen wollte. Nicht zuletzt, um sie zur Rechenschaft zu ziehen. Denn sie hatte Beatriz weder vom Ableben des Tarasc unterrichtet noch von Geschehnissen, die gewissen, Beatriz unverständlichen Zeitungsmeldungen vorausgegangen sein mußten. Für derartige unverzeihliche Nachlässigkeiten würde sich die Herumtreiberin am Kamin des Rittersaals von Almaciz bald zu verantworten haben. Vielleicht schon in der kommenden Nacht. Beatriz stahl also einen Roller und eilte zurück. Als sie gegen Abend ankam, war die Burg verschwunden.

13. Kapitel

Das in authentischer Reihenfolge eine Übersicht der Flüche bringt, die Beatriz de Dia auf der Straßenbaustelle, vormals Almaciz, nach und nach entfuhren

Mistkrücken – Dreckdampfer – Stinktiere – Saubatzen – Bettscheißer – Arschkriecher – Windbeutel – Stumpfzähne – Tagediebe – Lümmel – Krachwedel – Hosenhuster – Hundsfötter – Lausewenzel – Flohbeutel – Galgenschwengel – Rotzlöffel – Schindäser – Maultaschen – Saufnickel – Prahlhänse – Taugenichtse – Flegel – Rotzer – Laffen – Deppen – Freßbälge – Vogelscheuchen – Bärenhäuter – Pinsel – Glatzköpfe – Kaulquappen – Galgenvögel – Hornochsen – Raubritter – Halsabschneider – Lumpen – Erzgauner – Ausbeuter – Mannsbilder.

14. Kapitel

Beatriz schlägt ein barmherziges Anerbieten ab, was ihr übel ausschlägt

Als die Sonne hinter den kräuterbewachsenen Hügeln verschwunden war, wurde die Baustelle mit Scheinwerfern erleuchtet. Bulldozer schürften Halden auf mit Schilden, Bagger trugen Halden ab mit Greifern, auf Lastwagen wurde Erde bewegt, auf Förderbändern, Schaufeln; beaufsichtigt von französischen Ingenieuren und Polieren, arbeiteten algerische, türkische, griechische und spanische Straßenbauarbeiter. Die Nationalitäten wurden Beatriz von einem Kalfaktor genannt, der die verstörte Trobadora vom Wohnwagen aus beobachtet hatte. Von einer Burg Almaciz wußte er nichts. Wollte auch keinen Ingenieur und keinen Sprengmeister kennen, auf die die Personenbeschreibung der Trobadora zutraf. Doch war er sonst freundlich, lud Beatriz in die Baubude, gab ihr Schinken, Brot und Oliven zu essen und Wein zu trinken und bot ihr sogar Arbeit an. Als Kalfaktorin für freie Kost, Logis und so weiter. Er zeigte ihr das Feldbett, das für sie bereit wäre im Wohnwagen. Beatriz entgegnete, daß die achthundertacht Jahre nicht umsonst verschlafen sein sollten, sie wollte endlich in ihrem Beruf arbeiten, weibliche Trobadore würden gewiß dringend gebraucht, finanziell wäre sie glücklicherweise unabhängig, zöge Übernachtungen unter freiem Himmel stickigen Gemächern auch entschieden vor. Der freie Himmel war schwarz wie die Silhouetten der Zypressen und sternbeladen. Der Mond hing fett im Zenit. Eingebildeter Lavendelduft würzte die laue Luft. Beatriz küßte etwas Erde, bevor sie ihren Rücken drauf lagerte. Almaciz war auf unerklärliche Weise dahin, die Provence war ewig! Und eiferte köstlich im Minnedienst. Beatriz hatte nicht übersehen, daß die Innenwände des Wohnwagens über und über mit weiblichen Bildnissen beklebt waren. Ein älteres Zeitungsplakat kündete bildlich und in Lettern von der neuesten Liebesgeschichte einer Brigitte Bardot. Einstmals hatten nur adlige Herren gehuldigt, jetzt eiferten selbst nichtfranzösische Straßenbauarbeiter! Noch mit elf Almaciz erschien Beatriz dieser Fortschritt nicht annähernd bezahlt. Und elf war eine heilige Zahl. Und Beatriz war euphorischer Stimmung. Glücklich schlummerte sie ein. Am Rain eines Maisfeldes. Kein Blattrascheln konnte ihren tiefen Schlaf stören, keine Bewegung, kein Schritt. Als der Tau sie weckte, war sie ums Geld erleichtert.

15. Kapitel

Darin Laura die von I. M. angeforderte Beweisführung liefert

1. gesellschaftliche Grundlagen (Wissenschaft, nach E. Köhler)

a) Bei der kriegerischen Landnahme erfolgte die Verteilung anfänglich nach den zwischen Herr und Gefolgsmann geltenden Grundsätzen eines persönlichen Schutz- und Treuebündnisses, das auf gegenseitigen Verpflichtungen beruhte. Die Dienste, mochten sie in kriegerischem oder sonstigem Beistand bestehen, wurden von seiten des Herrn durch Geschenke vergolten, deren Wert und Größe von seinem Ermessen abhingen. Die Abtrennung von Land zur Nutznießung war eine Möglichkeit der Unterbauung und der zusätzlichen Garantie des Treueverhältnisses. Dieses aus Liebe zur Ehre gegebene hieß im zehnten und elften Jahrhundert »honor«. Die Ergebenheit des Vasallen manifestierte sich bei diesem Pakt durch seinen freiwilligen Dienst. Dem stand von seiten des Herrn die Freigebigkeit gegenüber. Später, als größere Besitztümer entstanden, wurde die persönliche Bindung durch den Lehensvertrag verfestigt beziehungsweise ersetzt. Die Erblichkeit der Lehen aber erforderte eine zusätzliche Bindung des Vasallen an den Feudalherrn, die mehr im Persönlich-Sittlichen als im Rechtlichen wurzelte, da sonst der Dienst jederzeit aufgekündigt werden konnte. Den Kern der Macht bildete schließlich das Gefolge, das der Feudalherr an seinem Hof versammelte. Die höfische Gesittung, die sich aus der besonderen, dem höfischen Zusammenleben erwachsenen Form der Liebe entwickelte und absolute Geltung für die Gesamtheit des Adels beanspruchte, war demnach wie kein zweites Mittel geeignet, die willigen Kräfte an den Hof und damit an die Person des Herrn zu fesseln beziehungsweise widerstrebende Kräfte vom Handeln abzuziehen. Die Macht neu erlebter Geselligkeit band die verschiedenen Vasallen an den Hof und erzeugte das Bewußtsein kulturellen Schöpfertums, das seine Impulse von der Frau, und zwar – nicht zufällig – von der Frau des Herrn, der »domna« empfing.

b) Mit dem Verlust der militärischen Funktion hatte das Rittertum auch die Sinngebung seiner Existenz verloren und fand sie wieder in der höfischen Lebensweise. Theoretisch wollte man die Glanzlichter des ritterlichen Wesens zwar noch nicht missen, in der Praxis jedoch überwog das rein höfische Ethos, das die bloße Tapferkeit als störend und den Nachweis kriegerischer Tüchtigkeit in der Tageswirklichkeit als entbehrlich empfand. Der südfranzösische Ritterstand erreichte zuerst das Stadium, in dem das Bedürfnis nach einer neuen Sinngebung des ständischen Daseins zum Durchbruch kam.

2. Die historische Rolle der Frau von Herrn de Poitiers (Wissenschaft, nach E. Köhler)

Die Auslegung der eigenen Existenz als vorbildlich machte aus dem Bedürfnis nach ihrer Anerkennung eine Notwendigkeit. Deren Ausdrucksmittel war die Dichtung, die folgerichtig das Liebesleben als die Quelle und den Bereich ihrer Entfaltung aus den privaten Räumen heraus in das Licht der Öffentlichkeit rückte. Die Minnedichtung schuf das ritterliche Weltbild durch die ständische Idealisierung eines allgemeinmenschlichen Triebs. Den die Kirchenväter noch geächtet hatten. Erst die Scholastik rehabilitierte ihn als wertfrei: veredlungsfähig. Das Bildungserlebnis der höfischen Liebe gründet auf der Triebveredlung – daher die heute befremdlich erscheinende Rationalisierung des Liebeslebens, dieses Zergliedern, Disputieren, Systematisieren. Der Bildungsvorgang geschieht in der Gesellschaft und für sie. Die Erhöhung der ritterlichen Person rechtfertigt sich erst in der Bestätigung durch die Öffentlichkeit, deren Urteil über Wert und Unwert entscheidet. So daß notfalls auch ein vorgetäuschtes Liebeserlebnis genügt. Jedenfalls bleibt in einer solchen Liebesauffassung kein Platz für Eifersucht. Da Eifersucht die Frau dem öffentlichen Bildungsprozeß entzöge, diesem Dienst am eigenen Standesgesetz. Die höfische Frau hatte also die Pflicht, den Mann zur höchsten Erfüllung seiner ständischen Aufgaben zu befähigen, wobei das Wesen hoher, das heißt höfischer Liebe in der Spannung zwischen Hoffnung und Erwartung zu suchen war, die allein dafür garantierte, daß der Liebende nicht in seinen Anstrengungen nachließ. Ging die niedere Liebe nicht in der hohen auf, mußten beide an verschiedenen Orten gesucht werden. Der Sinn der Frauenverehrung, der Sinn der höfischen Liebe überhaupt bestand in der Vervollkommnung und Wertsteigerung des werbenden Mannes. Solange also Beatriz de Dia ihre Tugendquelle nicht verstopfte, das heißt die Spannung zwischen Hoffnung und Erwartung durch ihre Kanzonen an Raimbaut d'Aurenga nicht störte, sondern womöglich gar steigerte, wurde ihre aus dem Rahmen fallende Beschäftigung durchaus geduldet. Eine mittelalterliche Minnesängerin ist historisch denkbar. Eine mittelalterliche Liebessängerin nicht.

3. Die unhistorische Rolle der Frau des Herrn de Poitiers (Nachtrag zum I. Kapitel)

Beatriz de Dia hatte Herrn Raimbaut d'Aurenga an den Hof von Almaciz gezogen und zum Singen gebracht, wie Sitte und Gatte verlangten. Guilhem de Poitiers klang die Kunst dieses Trobadors überaus angenehm in den Ohren, da Raimbaut Reichtum und Tugend als vereinbar pries, was seine Konkurrenten mehr oder weniger bezweifelten. Sie machten aus ihrer materiellen Not eine Tugend, Raimbaut, der nicht weniger arm war, warf mit der Wurst nach der Speckseite. Beatriz hielt ihn für einen schlechten Dichter. Sie sann also, wie sie den arroganten Trobador am Hof halten könnte, ohne ihren Stolz zu verletzen oder ihren Geschmack zu verleugnen. Sie sann lange. Obgleich ihre Phantasie längst eine vollständige Welt errichtet hatte, in die sie untertauchte, sobald sie die gesellschaftlichen Verpflichtungen erledigt hatte. Darin erfuhr sie die Welt in Harmonien: eingekreist. Grell unter der Last von Müdigkeit oder bei schwereloser Munterkeit: in reinen Augenblicken. Da jenseits des Dickichts von Hofintrigen, Nachrichten und eigenen und angenommenen Erwägungen kurz der Absud spürbar war. Die Seelenneige. Das selbstzeugerische Getränk. Ex. Gleich ordneten sich die Gewölbe. Das nächste die Schwägerin Melusine, dann deren Söhne, die Beatriz liebte, Almaciz, Provence, Sterngewölbe, alles Kuppeln. Kugelkuppeln. Einfältig an die Erde gefügt. Zuunterst. Auf der Talsohle der Welt. – Während eines Festes nun fragte Herr von Poitiers Raimbaut und einen gewissen Guiraut, ob sie, ein Jahr lang mit einer schönen Dame in einem Turm eingeschlossen, vorzögen, die Dame zu lieben und von ihr gehaßt zu werden; oder von der schönen Dame, die sie haßten, geliebt zu werden. Die Trobadore disputierten also in Streitgedichten. Raimbaut wie gewöhnlich in dunklem Stil, um sich von seinem Gegner abzuheben und seine kostbaren Wahrheiten nur Auserlesenen zukommen zu lassen. Den Höchsten, Herrn von Poitiers, nötigten die Unverständlichkeiten zu Kopfnicken. Als er das Urteil gesprochen hatte, das selbstverständlich zugunsten Raimbauts ausfiel, kam Beatriz auf die rettende Idee. Und noch am selben Tag verfertigte sie eine Kanzone an den arroganten Trobador. Darin sie ihn anfütterte und lobte mit Worten, die seine Schnörkelkunst disqualifizierten. Herrn von Poitiers überraschten die Fertigkeiten seiner Frau. Jedoch nicht unangenehm, die von Langeweile verfolgte Hofgesellschaft nahm die Kanzonen der Herrin gleich beifällig auf und geizte nicht mit Lobsprüchen über Schönheit, Charakter und Güte der Trobadora. Raimbaut, der den Hochadel vorbildlich, weshalb von Gott zum Herrschen ausgewählt und eingesetzt verstand und sich entsprechend als höchsten Dichter, mußte die Disqualifikation selbstverständlich entgehen. Und nicht nur ihm. Ungebrochen schmückte er Hut und Verse mit Pfauenfedern wie eh und je. Bis ein Unfall seinem Dichterleben und bald auch seinem physischen ein jähes Ende setzte. Als er nämlich, erhitzt von

Gesängen, im Burggarten für sich und seine Herrin nach Erfrischung suchte, langte er versehentlich nach einem Krug, den ein Pferdeknecht für seine Liebste gefüllt hatte. Raimbaut goß Beatriz und sich ein. Beatriz leerte den Becher auf einen Zug. Der Feinschmecker Raimbaut nahm einen Schluck, spuckte und goß den Weinrest in den Rosenstrauch. Weshalb er von der Leidenschaft, die Beatriz augenblicklich ereilte, verschont blieb. Der Wein war nämlich nicht nur mit Wasser verdünnt worden, sondern auch mit Elixier. Die ortsansässige Zauberin Phesponere verdiente ihr Brot hauptsächlich mit der Anfertigung von Liebeselixieren. Für Höflinge, die ihren niederen Liebestrieb schnell und ohne Widerstände an einer Magd oder dergleichen befriedigen wollten, um sich ungestört dem hohen hingeben zu können, arbeitete Phesponere akkurat. Für Pferdeknechte ungefähr, Erholung tat ihren alten Augen wohl. Das Elixier, das der Pferdeknecht gegen eine Metze Hafer getauscht hatte, war schlampig gemixt. Als Nebenwirkung mußte Beatriz eine Verwirrung ihrer Erinnerungsvorräte feststellen. Raimbaut auch, sonst blieb er ungeschoren. Die Verwirrung gründete auf Vertauschungen. Aber nicht gegenwärtige Gefühle wurden vertauscht zum Zwecke erotischer Verkettung. Nein: vergangene. Zwei, drei Kinderjahre. In den Erinnerungsvorräten von Beatriz fanden sich plötzlich Meerblicke, Sternkarten und Worte von Erwachsenen, die behaupteten, das Kind wäre gottbegnadet und geschickt, dem Land Frieden zu bringen. In den Erinnerungsvorräten von Raimbaut fanden sich plötzlich Kemenatenintrigen, Stickrahmen und Worte von Erwachsenen, die behaupteten, das Kind müßte so früh wie möglich einem Herrn Guiges verheiratet werden, bevor er stürbe. Da erschrak Beatriz nicht mehr vor dem Weltbild, das sie sich heimlich gemacht hatte aus Not. Und sie zweifelte nicht dran oder änderte es gar, weil Raimbaut, an den sie zwangsleidenschaftlich gekettet war, nicht in das Bild paßte. Sie änderte den streitsüchtigen Raimbaut nach ihrem friedlichen Bild und stellte es aus in gebräuchlichen Kanzonenrahmen, schamlos, wertbewußt. Die Kugelkuppeln, zuzüglich d'Aurengas jetzt sieben an der Zahl, verstörten den Hof: Empörten ihn. Derart, daß Guilhem von Poitiers die Liebeslieder seiner Frau verbrannte, wenn er sie fand. Raimbaut aber verstummte. Weil er sich plötzlich in Zweifel zog, sich fragweis wog, beurteilte, verglich. Er starb auch bald. Im fünfunddreißigsten Jahr seines Lebens, etwa um 1173.

16. Kapitel

Beatriz verdingt sich für ein Kleid und hört Aufregendes von Paris und der Bretagne

Rachedurstig eilte Beatriz zur Baustelle zurück. Unterwegs streifte ihr rotes Leinenhemd einen Heckenrosenstrauch, blieb hängen und zerschliß von der Hüfte bis zum knöchellangen Saum. Sie klammerte den Schlitz mit der linken Hand, als sie den Kalfaktor zur Rede stellte. Der Kalfaktor empörte sich über den Diebstahlverdacht. Beatriz drohte mit Polizei. Da lachte der Kalfaktor herzlich, holte einige Arbeiter hinzu, die auch sogleich in Gelächter fielen, der Polier sagte: »An deiner Stelle würde ich der Polizei lieber aus dem Wege gehen. Sei froh, daß sie dich noch nicht weggefangen hat, Mädchen wie du, die keine Papiere haben, sollten den Mund nicht so voll nehmen, du hast doch keine Papiere . . .« – »Papiere – ich bin Beatriz de Dia, Besitzerin von Almaciz, ich werde mich beschweren«, sagte die Trobadora. »Beschweren«, sagte der Polier amüsiert, »habt ihr gehört, sie will sich bei unserem Bauleiter beschweren.« Die anderen Männer kicherten sogar. Dann schenkten sie ihre Aufmerksamkeit dem Polier, der folgenden Zeitungsbericht vorlas: »Am späten Nachmittag des Dienstag ist das gesamte Quartier Latin von Polizeikräften besetzt. 5000 Demonstranten, Studenten und Professoren, haben sich mit Genehmigung des Polizeipräfekten auf der Place Denfert-Rochereau versammelt. Angewachsen auf sieben- oder achttausend, suchen sie in das Quartier Latin zu gelangen. Die Demonstranten, deren Zahl immer größer wird, gehen nicht gegen die Polizeisperren vor, sondern ziehen über den Boulevard Montparnasse in Richtung Boulevard des Invalides. Sie rufen: ›Befreit unsere Kameraden! – Wir sind eine kleine Minderheit.‹ Am Pont Alexandre III sind es schon 25 000. Die Brücke ist durch einen Polizeikordon abgeriegelt. Die Demonstranten müssen auf dem linken Ufer bleiben und folgen dem Quai d'Orsay bis zur Deputiertenkammer. Plötzlich überqueren sie in rhythmischem Laufschritt den Pont de la Concorde. Sie ziehen über die Place de la Concorde und dann die Champs-Élysées hinauf. Im Vorübergehen werfen sie mit Steinen nach den Polizisten, die das Gebäude des ›Figaro‹ bewachen, und bedenken diese Zeitung mit Pfuirufen. Um 22 Uhr sind sie auf der Place de l'Étoile. Am Grabmal des Unbekannten Soldaten singen sie die Internationale. Die roten Fahnen, die sie mitführen, flankieren das Grabmal. Dann werden die Scheinwerfer abgeschaltet, so daß der Arc de Triomphe in Dunkelheit gehüllt ist, und die Demonstranten ziehen wieder die Champs-Élysées hinunter. In Höhe der Avenue George V ist die Polizei in Stellung gegangen. Der Demonstrationszug kehrt über die Avenue George V auf das linke Ufer zurück und macht in der Rue d'Assas halt. Noch immer ist das ganze Quartier Latin von Einheiten der Polizei besetzt. Die von der Place de l'Étoile zurückgekehrten Demonstranten und andere, die am linken Ufer geblieben waren, kämpfen bis gegen 3 Uhr morgens mit der Polizei.« Die Arbeiter hörten den Bericht mit froh erregten Gesichtern. Und beauftragten den Kalfaktor, die Sendungen abzuhören. »Wir könnten das Mädchen als Abhörer anstellen«, sagte der Polier. »Du brauchst doch ein Kleid, Kind. Bei mir kannst du dir eins verdienen. Zu den gleichen Bedingungen, die ich dir gestern abend geboten habe – ich bin nicht nachtragend, wie du siehst.« – Du! Beatriz war über die respektlose Anrede empört. Sie erregte sich, weil keiner ihr den geraubten Grundbesitz glauben wollte. Aber niemand gab zu, eine Burg niedergerissen zu haben. Sogar der Name Almaciz erschien den Leuten fremd. Als sie Beatriz »Hochstaplerin« nannten, fühlte sie erstmals eine gewisse Zwangslage. Also daß sie sich für ein Kleid, Logis und so weiter beim Kalfaktor verdingte. Er besiegelte den Privatvertrag mit einem Schlag auf den Hintern der Trobadora. Dann wurde ihr ein kleiner Koffer in die linke Hand gegeben, daraus Musik und Stimmen tönten. In der rechten Hand hielt sie bald Papier und Bleistift. Zum Mitschreiben. Anfangs zweifelte der Polier beinahe an ihrem Verstand. Er schimpfte sie »politische Jungfrau« und warf sogar mit Töpfen nach ihr. Da fürchtete sich Beatriz vor den Mahlzeiten. Die die Straßenbauarbeiter in der Baubude einnahmen. Sie stand im Schatten eines Walnußbaums. Nur mittags saßen die hitzegemarterten Männer einen Moment stumm vor Erschöpfung an den Tellern, die Beatriz ihnen füllen mußte. Früh und abends begannen ihre Fragen und Gespräche, sobald sie Platz genommen hatten. »Was gibts Neues aus der Bretagne«, fragten sie beispielsweise bohrend und verlangten genaue Angaben. Die von CGT, CFDT, den Bauern und den Lehrerverbänden organisierten Streiks interessierten sie mehr als die Studentenrevolte. Ungenaue Angaben erbosten sie. Denn ihre Geduld war auch zu Ende. Als die Nachrichtenagentur AFP aus der metallverarbeitenden Industrie 22 500 Streikende von 28 000 Beschäftigten im Departement Loire-Atlantique meldete und in neun Departements des Westens große Kundgebungen, wurden die Mahlzeiten zu Streikerwägungen genutzt. Nachts lag Beatriz der Kalfaktor auf dem Bauch. Sie fand sich widerwillig damit ab. Auch wegen seines Stils. Der Mann stieg von rechts auf, bewegte sich kaum eine Minute wie eine Nähmaschine, ließ sich links herabfallen und begann zu schnarchen. Selbst ihren Gatten Guilhem von Poitiers hatte Beatriz diesbezüglich vorteilhafter in Erinnerung. War die Kunst des Beischlafs im traditionsreichen Frankreich derart in Verfall geraten? Wurden Fortschritte mit Rückschritten erkauft? In der Nacht vom 10. zum 11. Mai kam Beatriz ihren leiblichen Verpflichtungen nicht nach, sondern hörte Radio. Unaufgefordert. ORTF füllte die Pausen zwischen den Meldungen mit Musik. Beatriz füllte sie mit Erinnerungen an den wirklichen Raimbaut d'Aurenga, der nicht der Wirklichkeit entsprach.

17. Kapitel

Darin zu lesen ist, was Beatriz de Dia in der Nacht vom 10. zum 11. Mai aus dem Radio hörte

Freitag, 17 Uhr, 5000 Oberschüler Place des Gobelins. 17 Uhr 30 Place Denfert-Rochereau. Professoren, einwandfreier Ordnungsdienst. »Befreit unsere Kameraden.« – »Fouchet – Mörder!« Redner auf dem Lion de Belfort. Studenten und Professoren finden sich ein. 19 Uhr 30. 10 000 Demonstranten Boulevard Arago, »Freiheit« vor dem Santé-Gefängnis, Steine auf die CRS. 20 Uhr. Rue Monge und Boulevard Saint-Germain, 20 000 Demonstranten. Der Ordnungsdienst der Studenten und Oberschüler kommt jedem Zusammenstoß zuvor. 20 Uhr 20. Polizeisperren an der Kreuzung Boulevard Saint-Germain/Saint-Michel zwingen die Demonstranten, auf den Boulevard Saint-Michel zurückzugehen. Zur gleichen Zeit blockieren CRS, Mobilgardisten und Schutzleute alle Brücken von Paris. 20 Uhr 40 Parole: Quartier Latin besetzen. In allen Straßen, in denen Polizei konzentriert ist, gehen Demonstranten in Stellung. 20 Uhr 15 erste Barrikade in der Rue Le Goff: Autos, Anschlagtafeln, Schutzgitter von den Bäumen, Pflastersteine. Barrikaden um das Panthéon und die Sorbonne, Rue Royer-Collard, Rue Saint-Jacques, Rue des Irlandais, Rue de l'Estrapade, Rue Claude-Bernard, Rue des Fossés-Saint-Jacques. 22 Uhr 05: Über die Rundfunkstationen, die von Anfang an über die Geschehnisse berichten, erklärt sich der Rektor der Sorbonne bereit, die Vertreter der Studenten zu empfangen. Diese fordern über dieselben Sender vor Aufnahme jeden Dialogs die Freilassung und Amnestie für alle inhaftierten Kameraden. Die Zahl der Barrikaden nimmt zu, die Polizei führt Verstärkungen heran und riegelt das Quartier Latin ab, Demonstranten ziehen sich zurück, andere kommen. Jetzt gibt es schon mehr als 60 Barrikaden, manche sind 2 Meter hoch. 2 Uhr 15: Die Polizeitruppen bekommen den Befehl, die Barrikaden niederzureißen und die Demonstranten auseinanderzutreiben. 500 CRS gehen, den Schild in der einen, den Schlagstock in der anderen Hand, auf dem Boulevard Saint-Michel vor und werfen Tränengasgranaten. Die Demonstranten singen die Internationale und die Marseillaise und werfen mit Steinen. 2 Uhr 40: Auf dem Boulevard Saint-Michel fällt eine erste Barrikade. Die Studenten setzen ihre Barrikaden mit Treibstoff in Flammen, um den unabwendbaren Vormarsch der Polizei aufzuhalten. Die Polizei verwendet Offensivgranaten. Barrikaden, Kämpfe und Polizeisperren behindern den Abtransport der Verwundeten. Sanitätsstellen werden eingerichtet. 3 Uhr. Während die Studenten »De Gaulle – Mörder!« rufen, verstärkt die Polizei die Angriffe. Viele Einwohner des Viertels gießen von den Fenstern aus Wasser auf die Studenten, um sie vor den Einwirkungen des Gases zu schützen. Die Polizisten werfen Granaten in die Wohnungen dieser

Einwohner. Als Antwort auf das brutale Vorgehen der Polizei, die ihren Ring immer enger schließt, werden Molotow-Cocktails von den Dächern geschleudert. Sandstrahlgebläse von Baustellen herangeschafft und PKWs in Brand gesteckt. 5 Uhr 30. Die Polizei säubert die Rue Mouffetard. 6 Uhr: Die Streifen suchen systematisch das ganze Stadtviertel ab und nehmen die Demonstranten fest, die aus den Häusern hervorkommen, in denen sie sich versteckt gehalten hatten.

18. Kapitel

Sinngemäß von Laura protokollierte Erinnerungen der Trobadora an den wirklichen Raimbaut d'Aurenga, der nicht der Wirklichkeit entspricht

Es schmerzt mich nicht, daß nur fünf meiner Kanzonen überliefert sind. Sie stammen sämtlich aus der Zeit nach dem Unfall. Wahrscheinlich hat mein Herr Gemahl die falschen irrtümlicherweise verbrannt. Die, in denen theoretische Tränen fließen. Die echten ließen sich nicht so handlich zu Versketten auffädeln. Denn Raimbaut war über alle Maßen schön. Ein friedliches Wesen, das Geduld aufbringen konnte, über sich lachen, verlieren, mit Kindern spielen, zuhören, lieben: nicht nur Männer oder sich, nicht nur sich im anderen, sondern den anderen, oder sogar den anderen in sich. Selbst seine eigenen Kinder, neun an der Zahl, behandelte er konsequent als kleine Menschen, nicht als Besitz, Beweisstücke von Potenz oder Schmusgeräte auf Abruf. Er brachte ihnen nicht Wallungen, sondern stete, unerschöpfbare Zuneigung entgegen. Einmal sprach er im Rittersaal mit ähnlichen Worten beiseite: »Unsereiner wundert sich jetzt schon mal. Aber wir werden uns noch viel mehr wundern. Und noch ganz anders, hoff ich, denn es ist kein Ende abzusehen. Uns steht kein langweiliges Leben bevor, wenn die Damen erst tun wollen, was sie tun wollen, nicht, was sie tun sollen. Was werden sie als Menschen sagen über die Männer, nicht als Bilder, die sich die Männer von ihnen gemacht haben? Was wird geschehen, wenn sie äußern, was sie fühlen, nicht, was zu fühlen wir von ihnen erwarten? Neulich sagte die Gattin eines Dichters, von Frauen wären keine Liebesgedichte zu lesen. Die Gattin hat recht, nur wenige Damen möchten ihren Ruf dem Geruch der Abnormität preisgeben. Frauen ohne unterdrücktes Liebesleben gelten als krank (nymphoman). Männer solcher Art gelten als gesund (kerngesund). Kann sein, wir werden eines Sommertags nicht mehr unsere Nacktheit im Pferdestell verschleudern, kann sein, wir werden eines Wintertags nicht mehr in die Influenza flüchten müssen, um mal schwach sein zu dürfen, kann sein, wir gestatten uns eines Tages nicht nur beim Meerrettichessen eine Träne, ach, einmal ernstlich den Hof gemacht kriegen, öffentlich . . .« Ich wiederholte diese Worte Raimbauts laut, auf daß alle

Höflinge sie hören konnten. Da erklärte Guilhem von Poitiers meinen Geist für krank, führte mich aus dem Saal und hielt mich fortan in der Kemenate gefangen. Vorm Verdacht der Hexerei bewahrte mich mein Stand. Als sich jedoch meine Schwägerin davonmachen mußte, um dem Scheiterhaufen zu entgehen, schrieb ich einen kategorischen Kassiber an die Zauberin Phesponere. Die mich fahrlässig ins Elend gestürzt hatte. Phesponere aber war nicht auffindbar. Da fluchte ich in meiner Not, so vielfältig ich konnte. »Himmelsakra« wurde erhört. Ich erhielt von Persephone ein Angebot. Eins. Das Melusine gemacht wurde, wäre mir lieber gewesen. Ich mußte achthundertacht Jahre ins Bett. Melusine konnte umgehen in Europa.

19. Kapitel

Beatriz bricht schließlich auf nach Norden

Die Radionachrichten stürzten Beatriz in ambivalente Gefühlszustände. Vor allem aber doch in Sorgen. Sie bangte um das Leben der schönen Melusine. Ohne deren Beistand sie sich verloren glaubte. Die Mahlzeiten der Arbeiter wurden durch Streikdebatten mehr und mehr verlängert. Die hauptsächlich mit Lohnerhöhungen befaßt waren, mit Geld also. Politik interessierte Beatriz schon eher. Wenn sie an politischen Debatten teilnahm, spürte sie Kühle aus der Runde. Der mohammedanische Kalfaktor hielt Beatriz für »schwarzfüßig«. Denn sie hatte ihm, um seinen beschränkten Verstand nicht zu verwirren, lediglich erzählt, lange nicht in der Provence gewesen zu sein. Seine Religion zählte die Frauen nicht zu den Menschen. Seine Überzeugung zählte die »Schwarzfüße« zu den Verbrechern. Ungeachtet dessen, schlug er Beatriz nicht, ließ den Beischlaf nicht an sich wie eine Massage erledigen, erlaubte ihr, am Tisch der Männer zu essen – ihre Unzufriedenheit war ihm deshalb unbegreiflich. Bald störend. Er beklagte die Undankbarkeit der Trobadora und bat den Polier, Beatriz zurechtzuweisen. Da sprach der Polier, der ihre Weltfremdheit zunehmend teilnahmsvoll beobachtet hatte, mild zur Trobadora: »Du kannst das Kleid nicht umsonst kriegen, Kind. Eine verheiratete Frau muß auch was tun, wenn sie eins haben will.« Dann riet er Beatriz sehr zur Ehe. Sogar für einen Mann, der in einem fremden Land schnell Wurzel fassen wollte oder müßte, wäre die Ehe mit einer Einheimischen der beste, kürzeste Weg. Viele seiner Arbeiter könnten das bestätigen. Politische Emigranten übrigens auch. »Ich lehne die Ehe prinzipiell ab«, entgegnete Beatriz. »Patriarchalische Institutionen lehne ich prinzipiell ab.« Der Polier räumte ein, daß er Backfischen derartige Ansichten nicht verüble, die Jugend ginge immer mit der Mode, und die häßlichen Weiber latschten in dem Fall begreiflicherweise hinterher. Beatriz aber, obwohl nicht mehr ganz frisch, wäre doch keinesfalls häßlich zu nennen. Der Polier fand, daß eine hübsche Frau wie Beatriz Emanzipation nicht nötig hätte. So uncharmante Äußerungen stünden ihr nämlich absolut unpassend zu Gesicht und täten ihrer Schönheit Abbruch. Mit etwas Beeilung hätte sie aber durchaus noch Chancen, eine gute Partie zu machen. Witwer wären oft günstige Ehemänner, auch ein Herr mit einer guten Pension wäre nicht zu verachten. »An deiner Stelle würde ich fleißig Heiratsannoncen lesen«, sagte der Polier am Ende der Beratung. Am 12. Mai beschlossen die Arbeiter, dem Aufruf der Gewerkschaftsverbände CGT, CFDT, Force Ouvrieré, FEN und CGC zum Generalstreik und zu Demonstrationen zu folgen. Im Morgengrauen des 13. Mai spendeten sie Beatriz für ein Kleid 90 Francs, bestiegen einen Lastwagen und fuhren Richtung Süden. Die herzliche Einladung von Polier und Arbeitern, in Marseille mitzudemonstrieren, schlug Beatriz aus. Der Lastwagen war mit den Losungen »Zehn Jahre, das reicht« – »Wir gratulieren, General« – »Nieder mit dem Polizeistaat« – »Volksregierung« und »Schluß mit dem Krieg in Vietnam« bemalt. Als der Lastwagen hinter einer Staubwolke verschwunden war, machte sich Beatriz auf, Richtung Norden. Zu Fuß. Bei einem Straßenhändler, der seine Waren vorm Papstpalast in Avignon auf Decken feilbot, kaufte Beatriz ein indisches Midikleid für 87 Francs. Sie zahlte 90: der Straßenhändler hatte langes rotes Haar wie Raimbaut d'Aurenga. Um die Strapazen des Marschs in der Hitze leichter ertragen zu können, holte sich Beatriz ihr Ziel vors innere Auge.

20. Kapitel

Der Traum von Les Baux

Les Baux war die Stadt ihrer Jugendträume. Beatriz erschien kein Ort denkbar, der augenblicklich revolutionärer, das heißt, freundlicher sein könnte. Zu ihrer ersten Lebenszeit war der Hof von Les Baux ruhmreicher Treffpunkt der provenzalischen Trobadors gewesen. In Liederwettkämpfen und Liebeshöfen eiferten dort die Dichter. Hunderte gab es in der Blütezeit der provenzalischen Poesie. Kaum einer, der nicht auf seinen Fahrten den steilen Felsenpfad hinaufritt, sich beschenken ließ und die Taten, den Glanz, die Freigebigkeit, den Geschmack der Fürsten von Baux pries. In unzähligen Sirventen und Kanzonen wurden auch die Frauen und Töchter der Fürsten besungen. Fulco zum Beispiel verzehrte sich dichterisch nach Frau Adelasia, der Gattin seines Schützers Berald von Baux. Guilhem de Cabestanh minnte Berengaria von Baux. Beatriz hoffte, in dem großen Stein, der die Stadt bildete, jetzt vielen Zunftgenossinnen zu begegnen. Die streikten. Vielleicht auch für höhere Löhne. Studenten, Lehrer, Trobadore, Arbeiter – solidarisch. Beatriz erwartete also eine riesige Menschenmenge, Fahnen, Spruchbänder, Lieder. Ja, Liederwettkämpfe, deren Teilnahmebedingungen nach Können fragten, nicht nach dem Geschlecht. Sie brannte auf das Wiedersehen mit der einzigartigen Stadt, die in wilder Felsenlandschaft hoch aus einem Monolith gehauen war, mit Wällen, Türmen, Zinnen, Verliesen, Treppen, Balkonen, Terrassen und aller Pracht des Mittelalters, ohne sichtbare Übergänge von Fels zum kunstvollen Gemäuer. Weit war der Weg zur lieblichsten Luftspiegelung der Provence, Beatriz roch bereits Thymian, bevor das Naturschauspiel in Sicht kam. Diese knochenähnlich verwitterten Felsenformen, die nackt und gewaltig in Kräutern stehen, steil. Durch schmale Täler sind die Sockel voneinander getrennt, durch Abgründe. Neben den vertrauten hohlen Grottenaugen, die Beatriz mit Heiligenlegenden und Feensagen belebt wußte, schwarze Rechtecke. Einschnitte, die Beatriz von einem pannehalber parkenden Autofahrer als Steinbrüche beschrieben wurden. Die allerdings geschlossen wären, früher hätten die Leute von Les Baux hier Bauxit ausgebeutet, heute beuteten sie lieber die Touristen aus, das wäre weniger anstrengend. Nach Bauxit würde jetzt woanders gegraben, jenseits des Höllentales, die ganze Gegend wäre bereits unterwühlt. »Und die Sänger?« fragte Beatriz. »Wie in allen Bars«, antwortete der Autofahrer, »in Les Baux gibt es nur teure Lokale. Im ersten rechts kostet das Menü 140 Francs, ich hab nach langem Suchen eine Kneipe gefunden, die im billigen Speisesaal Menüs für 18 Francs verkauft, mindestens eine Stunde Wartezeit, im teuern Speisesaal werden Sie natürlich sofort bedient.« Viele der künstlich entstandenen Höhlen würden übrigens als Weinkeller genutzt. Der Autofahrer empfahl Beatriz den Besuch der Weinkeller von Sarragan. Ein Gläschen gratis würde sie zu nichts verpflichten. Beatriz folgte der Empfehlung. Die jähe Kühle in den Gängen und Räumen, die sämtlich rechteckige Schnittprofile hatten, ernüchterte den von Sehnsucht und Sonne erhitzten Kopf der Trobadora. Wodurch ihr die befremdlichen Bemerkungen des Autofahrers über Les Baux etwas ins Bewußtsein kamen. Aber nicht lange, denn der Barkeeper ermunterte sie, ein zweites Glas Rosé zu trinken. Als die Trobadora auch das in den leeren Magen gegossen hatte, fühlte sie bereits die kühlen Räume von Les Baux, die halb Höhle waren, halb Palast, sie hörte schon ihre Stimme, vergrößert vom Hall, von den Echos. Die streikende Menge applaudierte ihrer Rede, die nach der endgültigen Revolution und den Köpfen gewisser Fossilien verlangte, die totale Harmonie wurde proklamiert. Beatriz sah sich gefeiert von den Frauen, in deren Zungen sie rühmte, von den gerühmten Männern, von allen weiblichen und männlichen Trobadoren, die in der Stadt versammelt waren: das streikende Les Baux bejubelte ihre Wiederkehr.

21. Kapitel

Darin Beatriz unter anderem von einem Biozid-Präparat erfährt, das Raimbauts Namen führt

Auf dem langen Fußmarsch durch Thymian, Wein- und Mandelbaumpflanzungen verirrte sich Beatriz mehrmals. Als sie unter dem Biwakmüll, den eine Gruppe junger Leute neben den Ruinen eines Aquädukts zurückgelassen hatte, ein Stück Zeitung mit der Schlagzeile »Orange« fand, glaubte sich Beatriz endlich unmittelbar vorm Ziel. In das Zeitungsstück waren Wurstreste gewickelt. Die Schlagzeile mit Raimbauts Namen füllte die halbe Zeitungsseite. Hatte das Geschlecht derer von Orange (altprovenzalisch Aurenga) Les Baux die Treue gehalten? Waren die Nachfahren Raimbauts derart berühmt, womöglich gar bei angestammter Profession? In froher Erwartung las Beatriz den Text, der unter der riesigen Schlagzeile stand. Er war ein Interviewbruchstück mit dem Biologen Professor Dr. Gerhard Grümmer von der Universität Rostock. Das Bruchstück hatte folgenden Wortlaut:

NBI: Herr Professor, Sie sind Biologe. Was hat Sie bewogen, so intensiv die US-amerikanischen Kampfstoffverbrechen zu analysieren, chemische Kriegführung also?

Prof. Grümmer: Seit vielen Jahren beschäftige ich mich mit Herbiziden, Mitteln zur chemischen Unkrautbekämpfung. Der Mißbrauch von Stoffen, die von Biologie und Chemie zur Unterstützung der Landwirtschaft entwickelt wurden, betrifft unmittelbar mein Tätigkeitsfeld. Ich war empört, daß Erkenntnisse meines Fachgebiets zur Vernichtung von Pflanzen, Tieren und Menschen eingesetzt werden.

NBI: Sie sprechen von der Vernichtung des Menschen . . .

Prof. Grümmer: Ja, ganz eindeutig. Ziel jeder chemischen Kriegführung ist immer der Mensch, auch wenn die US-Kampfstoffe, die aus Herbiziden bestehen, in erster Linie Pflanzen schädigen. Vernichtete Wälder und Felder erschüttern den Wasserhaushalt, machen Landwirtschaft unmöglich und sollen Hungersnöte erzeugen.

NBI: Sie waren als erster Wissenschaftler in einigen betroffenen Gebieten Südvietnams. Welche Beobachtungen konnten Sie dort machen?

Prof. Grümmer: Dort und in südlichen Provinzen der DRV – Herbizide zur Waldvernichtung wurden übrigens auch in Laos und Kambodscha eingesetzt – sah ich die Auswirkungen. Ich war zum Beispiel in Landstrichen, die drei Jahre zuvor zum letztenmal von der US-Air Force besprüht worden waren. Es gab keine Bäume mehr, keine Sträucher, keine Kräuter und Moose. An vielen Stellen war die Erde unwiederbringlich weggespült, und das nackte Gestein trat hervor.

NBI: Wie kommt es, daß die an sich nützlichen Unkrautvernichtungsmittel solche Verwüstungen bewirken können?

Prof. Grümmer: Die Mittel werden in Vietnam in weit überhöhten Konzentrationen und Aufwandmengen eingesetzt. Neben Wirkstoffen, die aus der Landwirtschaft bekannt sind, haben Laboratorien der US-Monopole Kampfstoffe speziell für die Vernichtungseinsätze in Südostasien entwickelt. Hierzu gehört der Austrockungskampfstoff Blau, der Reiskulturen vernichten kann.

NBI: Haben Sie diesen Kampfstoff selbst analysiert?

Prof. Grümmer: Ja, im Labor in Rostock. Die Proben gelangten auf abenteuerlichen Wegen direkt aus den USA in die DDR. Mehr kann ich mit Rücksicht auf amerikanische Freunde, die dabei halfen, nicht sagen.

NBI: Welches Ziel verfolgten Ihre Untersuchungen?

Prof. Grümmer: Es ist möglich, die Schäden an den Pflanzen wirkungsvoll zu beseitigen. Wenn sofort nach dem Absprühen des Kampfstoffes Blau geeignete Maßnahmen ergriffen werden, können viele Nahrungspflanzen noch gerettet werden. Der Entwicklung dieser Gegenmaßnahmen dienten meine Untersuchungen.

NBI: Als besonders gefährlich gelten die Wirkstoffe des sogenannten Kampfstoffes Orange . . .

Prof. Grümmer: Kampfstoff Orange enthält eine gefährliche Verunreinigung, das Tetrachlordibenzdioxin, abgekürzt Dioxin. Kommen Menschen damit in Berührung, werden sie von schweren Leiden befallen.

NBI: Von welchen Leiden?

Prof. Grümmer: Asthenie, Sehschwäche, Hautkrankheiten und permanente Anfälle von Bewußtlosigkeit. Allerdings sind die einzelnen Lieferungen des Mittels in unterschiedlichem Maße mit Dioxin verunreinigt. Die größten Mengen Giftstoff enthält Orange, das mittels überalterter Anlagen, zum Beispiel in St. Louis, produziert wird.

NBI: Können Sie das näher erläutern?

Prof. Grümmer: Die gesamte Produktion der USA an Wirkstoffen des Kampfstoffs Orange reichte nicht aus, den Bedarf der Landwirtschaft und US-Air Force zu decken. Daher wurden ältere, bereits stillgelegte Anlagen, die ein sehr giftstoffhaltiges Produkt liefern, wieder in Betrieb genommen.

NBI: Gefährden diese Produkte nicht auch die Amerikaner selbst?

Prof. Grümmer: Nein. Die amerikanische Landwirtschaft hat äußerst strenge Bestimmungen hinsichtlich der Verunreinigungen. Die gifthaltigen Chargen sind ausschließlich für den Einsatz in Südostasien bestimmt. Manche Lieferungen enthalten fünfzigmal mehr Gift, als in den USA zugelassen ist . . .

NBI: Ebendieses Dioxin?

Prof. Grümmer: Dieses Dioxin, enthalten im Kampfstoff Orange, ist für die ungeheure Verbreitung des Down-Syndroms in Vietnam verantwortlich. Diese schwerste Erbkrankheit, die wir kennen, tritt in den mit Kampfstoffen besprühten Gebieten Vietnams fünfhundertmal so häufig auf wie in allen anderen Ländern. Sie befällt Kinder im Mutterleib. Diese

Kinder kommen, wenn nicht tot, physisch und psychisch verkrüppelt zur Welt. Werden diese bedauernswerten Menschen erwachsen, erreichen sie im günstigsten Fall die körperliche Verfassung eines Zehnjährigen und die geistige eines Siebenjährigen.

NBI: Das ist Völkermord.

Prof. Grümmer: Die gesamte Kriegführung der USA in Vietnam war stets auf Völkermord ausgerichtet, ja auf Biozid und Ökozid, die Vernichtung allen Lebens, der Umwelt schlechthin. Wir dürfen nicht übersehen, daß die Bombardierung der Deiche in der DRV immer dem Hauptziel diente, Hungersnöte hervorzurufen und den Tod von Millionen Menschen zu bewirken.

NBI: Der Kampf des vietnamesischen Volkes selbst und die weltweite Solidarität haben aber . . .

22. Kapitel

Die Wirklichkeit von Les Baux

Der beschwerliche Fußmarsch durch Thymian, Wein- und Mandelbaumpflanzungen führte Beatriz schließlich in eine tote Stadt. Deren Ruinen nur nach Entrichtung von Eintrittsgeld besichtigt werden konnten. Geführt, als ob kein Generalstreik ausgerufen wäre. So erfuhr Beatriz, daß Les Baux nach dem Aufstand des letzten Barons von Baux, Antoine de Villeneuve, gegen Ludwig XIII. auf Befehl Richelieus 1631 geschleift wurde. Der Anblick der Ruinen wird jetzt als touristische Attraktion verkauft. Alle wiedererbauten Betriebe sind Dienstleistungsbetriebe: Läden, Restaurants, Hotels, Bars. Hunger, Durst und Menschenleere zwangen Beatriz auf die Vortreppe des Etablissements »Königin Jeanne«. Dort grübelte die Trobadora, wie sie dem leiblichen und geistigen Notstand entrinnen könnte. Der Barbesitzer, Herr Dr. Adrienne Richard, entdeckte sie aber bald. Und wollte sie vertreiben, um seinen vornehmen Gästen den Anblick von Bettlern zu ersparen. Einige handfeste Drohungen lagen ihm bereits auf der Zunge, als ihm die leibliche Erscheinung der Trobadora als verwertbar ins Auge fiel – eine Animierdame hatte gekündigt. Also machte Dr. Richard der ausgehungerten Beatriz ein Angebot. Sie verteidigte sich schwach mit einem Hinweis auf ihren Beruf. »Falls Sie Ihre Arbeit ordentlich machen und die Gäste nichts dagegen haben, können Sie meinetwegen auch mal was singen«, sagte Dr. Richard, »manche Herren lieben Gesang.« In der Küche, wo ihr ein reichliches Essen serviert worden war, hätte die weltfremde Beatriz beinahe einen entsprechenden Vertrag unterschrieben. Wenn sie die weltläufige Melusine oder dergleichen nicht im letzten Moment gehindert hätte. Indirekt. Ein Kassiber flog nämlich plötzlich auf den geleerten Teller der Trobadora.

23. Kapitel

Das veröffentlicht, was ein Kassiber der schönen Melusine Beatriz mitteilt

Komm so schnell wie möglich nach Paris. Die Bullen haben mich erwischt. Ich sitz in einer Zelle ohne Kamin, kann also nicht raus und dich hierher begleiten. Da ich aber mein bißchen schwarze Kunst leider nur für persönliche Zwecke verwenden darf, ist der entstehende Verlust erträglich. Wenn Du einspringst. Du mußt also sofort lostrampen, in Paris gibts bereits kein Benzin mehr. Die Stadt hat aufgehört, ein Meer von Häusern und Wagen zu sein. Die Straßen gehören endlich den Menschen. Befreit von technischer Überfüllung und Gestank, ist Paris jetzt zum Leben geeignet. Plötzlich spricht jeder mit jedem. Du kannst Dich leicht durchfragen zur Rue Berthollet 17, 5. Stock rechts. Die Straßen werden allerdings verstopft sein. Überall rote und schwarze Fahnen, Du wirst die vertrauten, wahren, vergessenen Bilder der Revolution in Frankreich sehen. Und viel in Freiheit gesetzte utopische Sprache hören und lesen. Ein gemeinsames Programm der Linksparteien und Gewerkschaften fehlt allerdings noch immer. Deshalb mußt Du vor Arbeitern und Studenten singen. Losung: Mehr Aktionseinheit für eine Regierung des Volkes und der demokratischen Einheit. Melde Dich also sofort nach Deiner Ankunft beim Streikkomitee der Renault-Werke und der ORTF. Wenn Du die Poesie der Straße verwendest, werden Deine Lieder bald in aller Munde sein. Damit Du unterwegs schon Vorrat dichten kannst, hier etwas authentisches Versmaterial dieser Poesie:

Seid Realisten, verlangt das Unmögliche.

Die Barrikade verriegelt die Straße, aber öffnet den Weg.

Verbieten ist verboten.

Alle Macht den Arbeiterräten.

Fahrt in den Ferien nicht nach Griechenland, kommt in die Sorbonne.

Der Traum ist Wirklichkeit.

Allein können wir nichts machen.

Sprecht miteinander.

Die Poesie ist auf der Straße.

Mensch sein ist kein Zustand, dem man ausgesetzt ist, es ist eine Würde, die man erringen muß.

In den Fakultäten sechs Prozent Arbeiterkinder, in den Erziehungsheimen neunzig Prozent.

Revolution, ich liebe dich.

Die Genossen in der Rue Berthollet werden Dich entsprechend anleiten. Macht mir keine Schande! Und verliert keine Zeit mit Befreiungsaktionen für mich. Helft lieber den anderen Verhafteten mit gezielten Aktionen.

Ich hoffe, mir bald irgendwie selber helfen zu können. Die Phantasie an die Macht!

Kassiber sofort vernichten! M.

24. Kapitel

Das Bewußtsein reicht bis Lyon

Beatriz freute sich so heftig über das Lebenszeichen der schönen Melusine, daß sie an die Übermittlungsart des Kassibers keinen Gedanken verlor. Die Trobadora warf nur einen flüchtigen Blick in den Rauchabzug, aus dem das gefaltete Papier gefallen sein mußte. Dann brach sie auf. Beflügelt von den dachspendenden Worten der Schwägerin, verfolgt von Verwünschungen des Barbesitzers, satt. Beatriz hätte in ihrer Verlorenheit noch unverständlichere Aufträge widerspruchslos angenommen. Lediglich dem Trampbefehl nachzukommen, sah sie sich außerstande. Erfahrunghalber. Versuchte statt dessen Paris in Eilmärschen zu erreichen. In Valence sah sie noch eine etwa zehntausendköpfige Menge Streikender. In Tournon schlang sie aus konspirativen Gründen und Hunger den Kassiber. Vor Lyon verlor sie das Bewußtsein.

25. Kapitel

Paris aber was ist das

Beatriz verbrachte sieben Wochen in einem Lyoner Krankenhaus. Als sie vom Sonnenstich genesen war, verhalf ihr eine Oberin durch fingierte Referenzen zu Papieren und unauffälligem Geburtstag. Kaufte ihr auch eine Eisenbahnfahrkarte. Am 13. Juli sieben Uhr achtzehn kam Beatriz endlich in Paris an. Gare de Lyon. Auch aus anderen Zügen quollen Menschenmengen. Die sich eilig bewegten. Beatriz paßte sich dem Bewegungstempo an. Wurde zum Ausgang gedrängt. Wo ihr eine gasparfümierte Luft entgegenschlug. Die Straßen gehörten keineswegs den Menschen, sondern den Autos. Nirgends rote oder schwarze Fahnen. Die Menschenmenge formierte sich nicht, sondern floh auseinander. Keine Lieder. Niemand sprach mit Beatriz. Als sie einen Eiligen nach dem kürzesten Weg zur Rue Berthollet fragte, riet er zu Taxi oder Metro. Laufen zu wollen hielt er für einen Scherz beziehungsweise unmöglich. Die absolute Armut der Trobadora verpflichtete sie, sich für das Unmögliche zu entscheiden. Steinschluchten aus schlanken Häusern. Vor den türgroßen Fenstern Halbgitter, die Beatriz an Spitzen erinnerten. Zwischen Fußweg und Straße lückenlose Autowälle. Beatriz konnte drüber sehen. Fühlte sich aber zunehmend kleiner, je länger sie sich am bunten Blech entlangwühlte. Eilmarschmäßig. Aber überwiegend schöne, mit Sorgfalt und Geschmack markant gekleidete Menschen. Beatriz kam gegen ihren Willen langsam vorwärts, weil sie so viele auffällige Gestalten besehen mußte. Denn sie hätte es als unhöflich empfunden, den Putz der Leute nicht zu besehen, ihre Mühen nicht zu würdigen. Die Frauen sahen einander ähnlicher als die Männer. Deren blasse Kleidung Persönlichkeit vorfärbte oder -täuschte. Bei den Frauen war der umgekehrte Vorgang festzustellen, manche erschienen als Kleidertransportgeräte. Die meisten Häuser waren unten durchsichtig, zeigten Garderobe hinter Glas, Möbel, Bücher, Eßbares in unmäßiger Auswahl und Vielfalt. Beatriz wäre gänzlich in Verwirrung geraten, wenn sie sich nicht den Inhalt des Kassibers immer und immer wieder ins Gedächtnis gezwungen hätte. Die von der schönen Melusine erwähnte Poesie der Straße suchte Beatriz vergebens. An Kirchen und ähnlichen Gebäuden nur blauweißrote Fahnenbuketts. Kaum Kinder. Beatriz fiel auch bald auf, daß die Leute einander keines Blicks würdigten. Nach einer Wegstunde hatte sie allerdings auch keine Kraft mehr für Blicke, sondern Mühe, vom Ansturm der optischen Reize nicht zerstiebt zu werden. Ihr Kopf schmerzte von Lärm und Gestank. Vielleicht erschien ihr die Stadt nur deshalb so beängstigend, weil sie ihr fremd war? Vielleicht hatte sie sich Revolution falsch vorgestellt? Jedenfalls durfte sie die von der schönen Melusine als Genossen bezeichneten Menschen nicht länger warten lassen. Denn sie wollte der Schwägerin keine Schande machen. Und sie mußte ihre trobadorische Arbeit endlich aufnehmen. Unverzüglich. In der Rue Berthollet 17, 5. Stock rechts, traf Beatriz gerade noch zwei Studenten an. Die anderen waren bereits in Urlaub gefahren. Gastfreundlicher Empfang. Gedrückte Stimmung. Angebot, die Wohnung während der Semesterferien benutzen zu dürfen, die Genossin Lusignan säße immer noch. »Und wo soll ich singen?« fragte Beatriz. Die Studenten lachten bitter. Begriffen nicht, wie ein politischer Mensch den Wahlsieg der Reaktion verschlafen konnte. »Ehrlich, war dein Krankenhaus auf dem Mond?« – »Mein Krankenhaus war eine Klapsmühle«, gestand Beatriz. Die Studenten umarmten Beatriz und versicherten, daß die Bullen vor keinem Verbrechen zurückschreckten. Dann leerten die Studenten ihre Geldtaschen in Beatrizens indischen Midirock, übergaben die Wohnungsschlüssel zu treuen Händen und verabschiedeten sich bis zum Vorlesungsbeginn. Beatriz fühlte sich fünfzehn Tage als Bewacherin von fünf Zimmern, die mit wenigen Möbeln, vielen Broschüren und siebenundsechzig Melusinischen Büchern ausgestattet waren. Zeit genug, um über die Zustände ausgiebig zu hadern, die Melusine, diese geborene Politikerin, zur Untätigkeit zwangen und eine Trobadora zu sozialer Bewegung.

26. Kapitel

Darin übersichtlich nachzulesen ist, wo sich Beatriz de Dia in der Zeit vom 23. 7. 1968 bis zum 22. 10. 1969 hauptsächlich aufhält und was ihr wesentlich zustößt

23. 7. 68
Beatriz stellt sich in Paris dem Verleger Joubert in seinem Verlagshaus Rue Monge vor und kann ihre Identität nicht beweisen, da ihre Papiere sie als sechsunddreißigjährig beschreiben. Vorwurf der Hochstapelei. Hausverbot.

28. 7.
Abfahrt nach Lyon, um die Oberin zum Widerruf ihrer Aussage, Beatrizens Alter betreffend, zu bewegen. Die Oberin ist sofort bereit und verbrennt die Papiere der Trobadora.

2. 8.
Verhaftung bei einer Drogenrazzia in Lyon.

3. 8. – 18. 9.
Gefängnisaufenthalt in Lyon. Soll als Ausländerin wegen fehlender Aufenthaltsgenehmigung über die Grenze abgeschoben werden. Freilassung mangels Beweisen.

23. 9. – 2. 10.
Eisverkäuferin in Aigues-Mortes. Beatriz schreibt die fünf von ihr überlieferten Lieder aus einer Trobador-Anthologie ab und schickt sie auf Anraten einer Kundin an die Zeitung »Paris-Match«.

4. 10. – 18. 10.
Lavendelverkäuferin in Cannes. Sendet drei überlieferte Lieder an die Redaktion von »Midi Soir«.

20. 10.
Beatriz rettet in Saintes-Maries-de-la-Mer ein Kind vorm Ertrinken und erhält von dessen Vater 500 Francs.

21. 10. – 13. 11.
Beatriz wohnt fünf Tage im Hotel »Escorial« in Nizza, dann auf dem Bahnhof.

16. 11. – 20. 12.
Aushilfsaufsicht im Museum »Frédéric Mistral« zu St. Remy. Schickt ein überliefertes Lied an den Stadtanzeiger.

23. 12. 68 – 2. 3. 69
Beatriz erkrankt an einer Lungenentzündung und bekommt ein Bett im Krankenhaus von Aix-en-Provence. Stationsärztin verhilft Beatriz durch fingierte Referenzen zu neuen Papieren mit unauffälligem Geburtstag.

8. 3. – 1. 5.
Dienstmädchen in Marseille.

3. 5.
Beatriz lernt in Arles den schwedischen Touristen Johnson kennen, der sie zur Corrida in die Arena führt. Daraufhin flieht Beatriz die Provence.

10. 5.
Rückkehr nach Paris. Der Besitzer des Hauses Rue Berthollet 17 hat alle Wohnungen verkauft. Die Studentenkommune, die gemietet hatte, mußte bereits im November ausziehen. Adresse unbekannt.

15. 5. – 16. 6.
Obdachlosenasyl Paris.

17. 6.
Beatriz de Dia lernt einen Herrn Tailleur kennen, der sie bald auf die Straße schickt.

22. 10. 69
Beatriz de Dia heiratet ihren Kunden Gerson.

27. Kapitel

Darin Laura den fehlenden positiven Schluß des ersten Buchs nachliefert, indem sie garantiert echte Vorkommnisse aus ihrem Leben beschreibt

Ordnungssinn: Meine Großmutter teilte mir Todesstunde und -art ihrer Schwiegertochter Jenny schriftlich mit. Es war ein wütender Brief. Da spürte ich Mitleid mit der Tante. Erstmals, bislang hatte ich Haß für sie und ihren Mann. Hauptsächlich für ihren Mann, ihr Kopf war denkungewohnt. Er wälzte, was Onkel Kurt reinredete. Auch die Großmutter ließ sich von ihm versorgen, weil er Realschüler gewesen war, das hatten sich die Eltern geleistet. Die Tochter, meine Mutter, hatten sie auf eine Kochschule geschickt. Derzeitig war mein Großvater mütterlicherseits Rangierer gewesen, später Schaffner, dann Zugführer. Er und meine Mutter hörten wenig auf Onkel Kurt, sie hatten nichts zu sagen. Schon weil sie mitunter an Schnupfen litten und nicht alle Gerichte vertrugen.

Meine Großmutter konnte nur kerngesunde Leute respektieren. Onkel Kurt vertrug vierzehn vogtländische Klöße. Eine schmale, zarthäutige Frauennase stand aus seinem großflächigen, auch nach frischer Rasur von der Brille abwärts bläulich gefärbten Gesicht wie Mißwuchs. Die breite Oberlippe deckte mühsam einen goldgefensterten Schneidezahn. Wenn der Onkel lachte, sog er Speichel von den Zähnen und strich mit flacher Hand Haupthaarreste. Seine Gattin hatte blondes Haar, das nur vom Friseur durchgekämmt wurde. Sie führte den Kamm oberflächlich über die toupierten Ondulationswellen und heftete rausragende Strähnen mit Klemmen unter die Nackenzwiebel. Zur Verlobung soll ihr der Onkel die Schallplatte mit der Ballade »Tom der Reimer« geschenkt haben. Wegen der Verszeile »da sah er eine blonde Frau«. Im Kriege lagerte die Tante die Platte im Keller. In den dreißiger Jahren schickte der Onkel die Tante mehrmals in Rheumabäder. Das respektierte meine Großmutter. Sie freute sich auf diese Wochen, in denen sie für den Sohn wirtschaften konnte. Am 30. Januar 1933 wurde er, um seine Stellung als Gemeindeoberbuchhalter nicht zu verlieren, Mitglied der Nazipartei und wartete auf Kommunisten. Meinen und seinen Eltern wiederholte er bis 1945, da sie es nicht hören wollten, Kommunisten müßten her, dann würde sich alles ändern. Nach 45 wiederholte er ihnen, Kommunisten gehörten aufgehängt. Meine und seine Eltern taten jetzt, als hörten sie nicht, schlossen nur sorgfältig die Fenster bei solcher Gelegenheit. Froh, überlebt zu haben, und von Mühen, weiter zu überleben, beladen, da wogen Worte leicht. Die giftigen von Onkel Kurt hielt man seiner allzeit giftigen Seele und den Umständen zugute, die ihn aus dem Amt entließen und als Fahrstuhlführer in einer Baumwollspinnerei verpflichteten. Mein Vater beobachtete mit Genugtuung, daß den Schwager die ungewohnte Arbeit zeichnete. Der revanchierte sich, indem seine rissigen Hände Hefte vorblätterten. Vollgeschrieben mit Formeln und stenographischer Schrift. Auch Zeichnungen hatte Onkel Kurt aus ingenieurtechnischen Büchern über Baumwollspinnereimaschinen akkurat übernommen. Bald behauptete er, alle Maschinen, die in den Sälen der Baumwollspinnerei stünden, nachgerechnet zu haben. Er schilderte fachliche Gespräche mit Meistern, die seine Arroganz derart zu befriedigen schienen, daß er sich bereits als Ingenieur umgeschult sah. Führend. Solche sieghaften Schilderungen begleitete er mit Schabgeräuschen, die er erzeugte, indem er den gekrümmten Daumen am Handteller rieb. Die Großmutter erklärte diese Gesten als geigerische Angewohnheit. Onkel Kurt hätte ursprünglich Lehrer werden wollen und sich deshalb im Geigen- und Klavierspiel unterweisen lassen. Mein Großvater hatte sogar ein Klavier gekauft und seitens seiner Verwandtschaft den Verdacht verminderter Geisteskraft auf sich genommen. Als die Verwaltungskarriere das Instrument entbehrlich machte, wurde es meiner Mutter zugesprochen. Obgleich sie ihrem Bruder nie zugetan war, bestätigte sie, daß er es im Geigenspiel zu

Fertigkeit gebracht hätte. Weihnachten 1917 hätten sie zusammen das »Ave Maria« von Bach-Gounod gespielt, damals war meine Mutter acht Jahre alt, Onkel Kurt siebzehn. Bis zu seiner Verheiratung übte er täglich. Danach trug er die Geige auf den Spitzboden und ließ sich ein Haus bauen. Darin bewohnte das kinderlose Ehepaar die beiden winzigen Zimmer der oberen Etage und die Küche, die Parterreräume dienten als Abstellkammer für Pralinenschachteln und anderes Verpackungsmaterial und als Obstlager. Im Garten, der das Einfamilienhaus umgab, hatte Onkel Kurt so viele Apfel-, Birnen- und Pflaumenbäume gepflanzt, daß die Vertilgung der Ernten von Herbst bis Herbst schnell zur hauptsächlichen, schwer bewältigbaren Lebensaufgabe wurde. Tante Jenny nahm stopfende Präparate, um ihr annähernd gewachsen zu sein. Kirschbäume lehnte Onkel Kurt ab, weil er für Amseln nichts übrig hatte. 1944 mußten meine Großeltern die Parterreräume entrümpeln und beziehen, um das Haus vor Flüchtlingen zu bewahren. Dennoch wurde 1945 ein schlesisches Ehepaar einquartiert. Mein Großvater freundete sich sofort an und erzählte den alten Leuten viel von den Orten Bialystok und Brest, die er im ersten Weltkrieg kennengelernt hatte. Als junger Mann und Schaffner. Er sprach gern über seine Jugendzeit und einen russischen Kriegsgefangenen namens Sergej. Die Sympathie für den Mann übertrug der Großvater auf alles, was von Osten kam. Kritik an sowjetischen Besatzungstruppen ließ er nie unwidersprochen. Onkel Kurt empfahl ihm, sich in der nahen Kaserne einzumieten. Das schlesische Ehepaar nannte der Onkel Polakken. Auch ihnen zeigte er die peinlich adrett mit nadelspitzen Blei-, Rot- und Grünstiften geführten Exzerpthefte. Die Nachrechnungen führte er mit einem großen Rechenstab aus. Mir besorgte er einen kleinen Rechenstab und lehrte dessen Handhabung. Die Fähigkeit, lehrergenehm schreiben zu können, verdanke ich dem Onkel. »Stoff sammeln, Stoff ordnen, Einleitung, Ausführung, Schluß« und andere Richtlinien gab er vorzugsweise an vollbesetzten Kaffeetischen. Er setzte sich weit von mir entfernt, um die allgemeinen Gespräche effektvoll schneiden zu können. Er verachtete die Menschen wegen ihrer Dummheit, besonders die Frauen. Denen schien er mich, bis ich der FDJ beitrat, nicht zuzuschlagen. Ich war auch dürr, unterernährt, mußte lange auf Brüste warten. Organisiert hielt er mich samt Eltern für verloren, nahm jedoch Lebensmittel, die mein Vater in Polen gegen Textilien tauschte. Mein Vater fuhr jahrelang als Mitglied einer Lokomotivbrigade Reparationslieferungen in die Sowjetunion. Er war in Königs Wusterhausen stationiert und wohnte dort und unterwegs in einem Güterwagen, der an den Tender gekuppelt war. Vor jeder Fahrt faßten die Brigaden Verpflegung, sogenannte »Produkte« wie Mehl, Speck, Graupen oder andere Getreidekörner, auch Fleisch. Das bisweilen in Form von Lunge, Herz, Fleck. Die Männer steckten die Innereien in Säcke und beauftragten ein Brigademitglied, damit die Ehefrauen zu beliefern und Tauschwaren zurückzubringen, beispielsweise Textilien,

Petroleumlampen, Nähmaschinennadeln. Einmal landete der Heizer meines Vaters zwei mit Rindsköpfen und -füßen gefüllte Jutesäcke auf dem Hauptbahnhof unserer Stadt. Die Ehefrauen transportierten sie auf Handwagen zu einem Fleischer, der mit Zigaretten gewillt wurde, den Teilen das Fell abzuziehen, Hörner, Hufe und Gebisse zu entfernen und den Rest derart zu portionieren, daß er in Töpfe paßte. Meine Mutter kochte mehrere Tage aus den sperrigen Stücken eine Art Sülze, die entgegen meinen Erwartungen fast gänzlich eingeweckt wurde, Wohnung und Hausflur stanken nach Tischlerleim. Ein Weckglas brachte ich meinen Großeltern. Mit der Anweisung, an Onkel und Tante nichts verlauten zu lassen. Die neideten uns besonders das Öl, das mein Vater erfolgreich in einem Schmierölkanister schmuggelte, bis der Kanister gestohlen wurde, Schmieröl war auch rar. Da die Brigademitglieder über keinen Kühlschrank verfügten, waren die leicht verderblichen Lebensmittel, von denen sie auf ihren langen Fahrten lebten, Schmuggel: verboten. Deshalb handelte mein Vater nur für den Familienbedarf, seitdem Onkel Kurt auf Krieg wartete, nur für den Familienbedarf. Der war groß, ich konnte pro Mahlzeit vier Teller Eintopf essen, auch zwölf Kartoffeln oder Kartoffelkeulchen. Bei leerem Magen fiel ich um. Als die Zöllner nahezu alle möglichen Verstecke wußten, hatten sich die Kartenrationen so vergrößert, daß sich mein Vater nicht mehr freiwillig zur Transitbrigade meldete. Da war mein Großvater bereits gestorben. Wassersucht, er gefiel mir tot so gut wie lebendig. Ein großes gelbes Taschentuch war um Kinn und Backen gebunden und geknotet überm Scheitel, als ob der Kopf Mumps hätte. Solange der Großvater im Bett lag, nahm ich das Laken von seinem barbierten Gesicht, streichelte das auch, wenn ich mich unbeobachtet wußte. Mir war unverständlich, weshalb die Großmutter nicht neben dem Toten hatte liegen können über Nacht. Auch in der Kammer neben der Kapelle, wo man ihn im Gehrock aufbewahrt hatte, war er mir vertraut. Meine Großmutter hatte ihren schönsten Azaleenstock zerschnitten und die Blüten mit Stecknadeln am Kopfkissen befestigt. Als Totenmahl servierte sie Grüne-Bohnen-Suppe mit Majoran und Liebstöckel. Keinen Schnaps, trotzdem begann Onkel Kurt zu streiten. In Ermanglung des Großvaters mit mir, die anderen Anwesenden mieden politische Gespräche. Ich trug das »Abzeichen für gutes Wissen« in Silber am Mantelkragen und wußte auf alle Fragen Antworten. Onkel Kurt fragte nicht, weil er auch auf alle Fragen Antworten wußte. Wir tauschten Grundsatzerklärungen in Form von Beschimpfungen aus. Tante Jenny bestätigte, daß mein Vater zu Recht auf die von Onkel Kurt wiederholt angekündigte Liste gehörte, da er Reparationslieferungen in die Sowjetunion transportierte. Als die Großmutter Ruhe und Gespräche über den Großvater verlangte, drohte Onkel Kurt, sie auch auf die Liste zu setzen. Wer sich nicht entscheiden könnte für uns, wäre gegen uns. Die Liste sollte alle Aufhängenswürdigen verzeichnen. Mit Sicherheit nicht aufhängenswürdig erschienen Onkel Kurt und Tante Jenny Onkel Kurt und Tante Jenny. Um mich zu revanchieren, erklärte ich meine Bereitschaft, im Falle eines Bürgerkriegs alle Reaktionäre ohne Rücksicht auf Verwandtschaftsgrad mit der Waffe zu bekämpfen. Desgleichen Kollaborateure. Zu denen rechnete ich meine Großmutter in prinzipiellen Gedanken, da sie sowohl zu Sohn und Schwiegertochter als auch zu mir und meinen Eltern hielt. Meinen Vater rechnete ich zur Arbeiterklasse und führte regelmäßig Aufklärungsdiskussionen, um ihn für die Partei der Arbeiterklasse zu reifen. Sechzehnjährig wurde ich Kandidat. Mit den Genossen Lehrern berieten die Genossen Schüler in den Pausen die fachliche und politische Einschätzung des Unterrichts. Daß mein Onkel auf den Atomkrieg wartete, verschwieg ich der Partei. Wenn wir uns zufällig außerhalb begegneten, wechselte Onkel Kurt auf die andere Straßenseite und sah in mir entgegengesetzte Richtung. Im Haus flohen wir einander. In den letzten Jahren vor dem skandalösen Tod wußte ich vom Leben der Tante nur Berichte. Die Großmutter gab sie mir unaufgefordert, wenn ich sie besuchte. Ihnen konnte ich entnehmen, daß die Tante vom Onkel, der inzwischen als Buchhalter bei der Konsumgenossenschaft angestellt war, täglich eine Mark Wirtschaftsgeld erhielt und nur Westsender hören durfte. Niemand außer der Großmutter besuchte sie. Manchmal fand die Großmutter die Tante noch mittags im Bett. Apathisch. Nach dem Tod der Tante wurden Säcke mit schmutziger Wäsche unter Bettstellen und auf Schränken gefunden. Die Tante ertränkte sich im Wehrteich.

Zweites Buch

1. Kapitel

Beatriz de Dia verehelichte Gerson

Théophile Gerson hatte ein kleines Gemüsegeschäft in der Rue Mouffetard. Räumlich war es ebenso beengt wie die Nachbarläden, weshalb die Verkaufstische jeden Morgen auf die enge Straße geschleppt werden mußten. Dann begann der kunstvolle Aufbau der Waren. Der zweiundsechzigjährige Gerson hatte von je einen Hang zur Kunst gehabt. Seine verstorbene Frau war in jungen Jahren Rollschuhläuferin gewesen, seine Tochter hatte er im Akkordeonspiel unterrichten lassen, an Mädchen, die er sich regelmäßig leistete, schätzte er achsellange schwarze Handschuhe und andere Eleganz. Als er einmal schwer in Schwung kam, verlangte er von Beatriz ein Lied. Sie sang die erste beste Cobla, die ihr in den Sinn kam. Gerson verstand den altprovenzalischen Text nicht, zeigte aber Wirkung. Seitdem war er überzeugt, Beatriz entdeckt zu haben. Die Heirat verbesserte sein Selbstgefühl. Obgleich Gerson sich nur eine Verkäuferin und nie Urlaub leisten konnte, untersagte er Beatriz, im Laden zu erscheinen. Der Laden wäre zugig, sagte er, sie würde sich dort zwangsläufig erkälten und ihre Stimme ruinieren. Auch Spaziergänge auf den von Auspuffgasen verpesteten Straßen wären dem Stimmaterial abträglich. Überhaupt hätten Verkehr, Hektik und Kriminalität Paris für so zarte Wesen wie Frauen und Kinder unwirtlich gemacht. Beatriz sollte sich von den Strapazen des ungeschirmten Frauendaseins erholen, den Haushalt führen, an Sonn- und Feiertagen zu Hause Eleganz beweisen, und nicht allein ausgehen. Eine professionelle Nutzung der Stimme untersagte Gerson seiner Frau selbstverständlich prinzipiell wie jegliche Berufstätigkeit, wobei er die Rechtslage erwähnte. Das französische Eherecht gab dem weiblichen Eheteil bis 1965 alle Hausfrauen- und Mutterpflichten und dem männlichen das Recht, zu entscheiden, ob die Frau zusätzlich noch einen Beruf ausüben darf. Die Trobadora hielt sich ohne Widerrede streng an Gersons Vorschriften. Sie schien das Dach überm Kopf zu genießen, das Essen, den Schlaf, Gerson war überzeugt, täglich ihre Dankbarkeit zu spüren. Er bereute keinen Augenblick, dem Rat seines Freundes Hector gefolgt zu sein. Hector, der bereits zum fünftenmal verheiratet war, pfiff auf gute Elternhäuser und ähnliche Reputationsgrößen, er brauchte nur Dankbarkeit. Und die im Kampf ums nackte Leben selbst ihren Stolz verloren, waren nach seiner Erfahrung die dankbarsten Frauen: er hatte sich alle Gattinnen vom Strich geholt. Beatriz befreundete sich schnell mit Jacqueline, Hectors fünfter Gattin.

Obgleich Jacqueline überzeugt war, daß die Ehe eine sinnvolle Einrichtung wäre. In Paris jedenfalls, natürlich könnte niemand seinen Unterdrücker ernstlich lieben, aber man könnte sich mit ihm arrangieren. Zum beiderseitigen Vorteil, kleine Völkerschaften oder Staaten begäben sich oft unter den Schutz ihrer übermächtigen Feinde. In Paris, das Jacqueline als eine Falle empfand, erschien ihr die Ehe für Frauen als einzige Chance. Deshalb störten sie Glatze, Spitzbauch und das Gefälle des mürben Rückenfleischs wenig. Sie kochte, was der Gemahl verlangte, wusch seine Wäsche, übersah seine Schrullen und redete, was zu hören er wünschte. Beatriz bemühte sich, dem Verhalten der Freundin nachzueifern. Bald hatten die beiden Frauen von ihren Ehemännern die Erlaubnis erwirkt, gemeinsam Einkäufe machen zu dürfen. Was die Frauen für das ihnen zugestandene Geld aus Boutiquen nach Hause brachten, erschien den Geschäftsmännern freilich unverhältnismäßig gering. Zumal Jacqueline und Beatriz oft stundenlang im Regen unterwegs waren nach preisgünstigen Angeboten, der Winter ist regnerisch in Paris. Nach solchen Besorgungen war die Trobadora stets fröhlich und behandelte ihren Mann besonders aufmerksam, die erstandenen Kleidungsstücke gelassen. Manchmal vergaß sie sogar, die Textilien vorzuführen. Mit Erstaunen bemerkte Gerson, daß seine Frau Zeitungen genauer besah als ihre Erwerbungen. Reizte sie der Vorgang des Kaufens mehr als dessen Ergebnis? Als Beatriz einmal nach Weihnachtseinkäufen durchnäßt und steifgefroren Gersons Laden betrat, küßte er sie gerührt vor seinen Kunden. Er spürte sogar diese aus Kindertagen bekannte Spannung, die aus Neugier und Erwartung gemischt war. Und er kaufte noch schnell eine Kunstkrokodilledertasche für Beatriz, um sich nicht beschämen lassen zu müssen. Sieben Tage vor Weihnachten flog ein Herrenkonfektionsgeschäft in der Rue François Ier in die Luft. Am nächsten Tag wurden Gebäude der Nationalgarde und der Polizei geräumt, weil anonyme Telefonanrufe die Sprengung der Einrichtung für dreizehn Uhr ankündigten. Am 22. Dezember mußte das Musée de l'Armée wegen Minenalarm geschlossen werden. Gerson las die Schlagzeilen über die Terrorwelle, die Paris in Angst und Schrecken versetzte und das Fest sowie das Weihnachtsgeschäft empfindlich stören würde, mit Abscheu. Beatriz las sie in elf journalistischen Varianten. Am Heiligen Abend legte sie ein Strickhemd und eine Flasche Rasierwasser unter den Tannenbaum. Weshalb der enttäuschte Gerson die Kunstkrokodilledertasche für den Geburtstag der Gattin aufzusparen beschloß. Kulinarische Delikatessen und erotische Dienstleistungen wurden ihm jedoch reichlich zuteil. Also gab er am ersten Feiertag dem Wunsch seiner Frau nach und begleitete sie auf einem Spaziergang. Die Fußwege waren auffällig leer, die Straßenmitten auch. So wenig Abgase in der Luft, daß Kopfweh ausblieb. An den Straßenseiten keine Parklücke. Angefaßt lief das Ehepaar Gerson durch die Blechschneisen. Der Invalidendom war jedoch noch immer geschlossen. Und die

Avenue de Tourville war noch immer gesperrt von Militärfahrzeugen. Die Minenräumaktion im größten Militärmuseum der Welt konnte erst Mitte Januar abgeschlossen werden, da nur zwölf Minen gefunden wurden. Flugzettel, die am Hotel des Invalides von unbekannten Tätern verstreut worden waren, hatten dreizehn angegeben.

2. Kapitel

Beatrizens Stimmlage wird freigelegt

Auch Gerson hängte ein Plakat in sein Schaufenster, das die Bevölkerung von Paris um Mitarbeit zur Ermittlung der Attentäter ersuchte. Vom reichhaltigen Auslagensortiment, das anreizenden, sinnverwirrenden Überfluß zeigen mußte und Solidität des Geschäfts, verkaufte Gerson leicht Verdorbenes nur an fremdsprachige Touristen. Einheimischer Laufkundschaft bot er höchstens einen Tag alte Ware an, seine Stammkunden wurden mit garantiert frischer Ware bedient. Etliche Studenten gehörten zu Gersons Stammkundschaft. Der Student Alain Lorient brachte ihm regelmäßig die »Humanité Dimanche«. Gerson las das Blatt mit Interesse, weil er die bestehenden Zustände, durch die er seine geschäftliche Existenz bedroht sah, bekämpfte. Das Interesse wandelte sich in Sympathie, als die »Humanité« die terroristischen Anschläge entschieden verurteilte. Also kaufte Gerson dem Studenten jetzt mitunter auch eine Werktagsausgabe der Zeitung ab. Drin wurden die Attentäter wiederholt als bewußte oder unbewußte Helfershelfer rechter oder faschistischer Kräfte entlarvt. Und allen linksradikalen und anarchistischen Strömungen wurde der Kampf angesagt. Beatriz hielt ihre Suppentöpfe warm mit dem Blatt, weil ihr der Student Alain sympathisch war. Sein schulterlanges Haar war mit einem roten Stirnband geschmückt. Sein Unterkiefer war derart beweglich, daß er an den Enden seines Schnurrbarts kauen konnte. Er trug indische Hemden, die so durchsichtig waren, daß man die schüttere Haarmusterung auf der Brust gut erkennen konnte. Eines Tages, als eine telefonische Bombendrohung den gesamten Verkehr auf den Champs-Élysées und den angrenzenden Straßen lahmgelegt hatte, entdeckte Beatriz den Studenten vorm Elektrogeschäft gegenüber. Eingekeilt in einer Meute, die das im Schaufenster stehende Fernsehgerät belagerte. Bettelten die männlichen Männer der ohnmächtigen Ordnungsmacht wieder um sachdienliche Hinweise? Oder um Respekt? Drohten sie wieder mit dem riesigen Polizeiapparat, der immer dreister in immer neue hektische Bewegung versetzt wurde? Rechneten sie die Gelder auf, die diese Bewegungen kosteten? Die Bluffs kosteten? Denn Bluffs kamen womöglich noch teurer als solche unblutigen Anschläge wie die Sprengung des Herrenkonfektionsgeschäfts oder die unscharfe Verminung des Militärmuseums, bat das Fernsehen um Ruhe und Ordnung? Beatriz fühlte sich zwar verstandesmäßig, disziplinhalber und aus Anhänglichkeit für Melusine der persephonischen Opposition nach wie vor verbunden. Ihre Sympathien aber gehörten mittlerweile der rachsüchtigen Richtung, die Vergeltung plante. Beatriz mußte das Wohnzimmerfenster öffnen. Da hörte sie auch schon das unverschämte Gelächter Alains. Und die anpreisende Stimme Gersons, die sich mit den Stimmen seiner Konkurrenten mischte. Nebel lag überm Gedränge der Waren und Menschen. Feuchte Kälte fiel ins Zimmer. Dennoch lagerte Beatriz ihre Brust aufs Fensterbrett, um die abschüssige Rue Mouffetard mit ihren fleischlichen und pflanzlichen Auslagen zu betrachten. Die Meute verlief sich. Alain wechselte die Straßenseite. Dann ab und zu das Standbein. Er war in Begleitung eines etwa vierzigjährigen, korrekt gekleideten Mannes, der neben Alain bieder erschien. Beatriz bemerkte, daß Alain seinen Begleiter nicht nur auf die Waren Gersons aufmerksam machte, sondern auch auf dessen Ehefrau. Da der eifersüchtige Gerson gerade mit dem Abwiegen von Sojakeimen beschäftigt war, lächelte Beatriz. Alain führte seine rechte gestreckte Hand kurz an die Schläfe. Sein Begleiter aber sagte »Freundschaft«. Da spürte Beatriz einen jähen Appetit nach glatter, unvernutzter Haut. Der sich nicht verlieren wollte bis zum Abend, sosehr sie sich auch disziplinierte. Im ehelichen Bett steigerte er sich sogar, Gerson lag glücklicherweise in lautem Schlaf. Beatriz lag überwach. Bald erhob sie sich vom Ehebett, erleuchtete die Küche und suchte nach Kugelschreiber und Papier. Lange saß sie schreibend am Abwaschtisch. Knüllpapier häufte sich drauf. Schließlich erkannte sie, daß sie keine scholastischen Kanzonen mehr verfassen konnte, diese Nachbildungen mit verstellter Stimme Tenor, Bariton, Baß. Unmerklich, vielleicht auf den brutalen Wegen der Demütigung, war ihre eigene Stimmlage freigelegt worden. Für deren Gebrauch es freilich noch keine Vorlagen gab. Gegen Morgen schrieb sie folgendes Stück:

Seegang

Und mein Schiff
war schon mitten auf dem See
und schlingerte
und krängte in den Wellen,
und der Wind trieb dünne Wolken.

Aber in der siebten Nacht
kam Gahmuret über den See.
Langsam,
sein Haar stand fest gegen den Wind,
da ich ihn sah

übers Wasser gehen,
erschrak ich.

Er sagte:
»Ich bins, fürchte dich nicht.«
Ich sagte:
»Bist du es,
so heiß mich zu dir kommen
auf dem Wasser.«

»Komm«, sagte er.

Und ich stieg aus dem Schiff
und trat aufs Wasser
und ging auf die dünne Wolke zu,
die er soeben geraucht hatte,
er stand hinter der Wolke.

Als eine Bö
die Wolke wegriß
und sein Mund war nackt,
schrie ich um Hilfe
und sank in die Wellen.

Gahmuret aber bückte sich
alsbald
und zog mich aus dem Wasser,
von dem ich reichlich getrunken hatte,
mein Haar troff,
er sagte:
»Kleingläubige, warum zweifelst du?«

Und wir betraten das Schiff,
und der Wind legte sich.

3. Kapitel

Von der Unterwelt fährt ein Bunker mit einer abgesetzen Göttin herauf

Auf der Suche nach dem Wohnsitz von Alain gelangte Beatriz eines Morgens unweit der Rue de l'Estrapade in einen Hinterhof, dessen Asphaltdecke aufgerissen war. Beatriz mußte über Rohre steigen, über Erdhaufen und Schutt. Als sie einer Pechlake ausweichen wollte, trat sie in eine Pfütze. Das Lehmwasser flutete ihren rechten Schuh. Beatriz fluchte. Ob »Himmelsakra« unter den Flüchen gewesen war, die sie unwillkürlich murmelte, erschien ihr später ungewiß. Jedenfalls fuhr plötzlich der bereits bekannte Bunker aus dem großen Schachtloch der Baustelle auf. Einstimmiger Gesang aus den vergitterten Luftlöchern. Beatriz hob die beiden Eisenstangen, die als Riegel dienten, von der Tür. Sie wurde von innen aufgestoßen. Persephone saß allein drin. Dreiviertel des Jahres verbrachte sie mit der Mutter eingekerkert in der Oberwelt, das restliche Viertel hatte sie Einzelhaft in der Unterwelt. »Aber Zeus ist doch längst gestürzt«, sagte Beatriz kopfschüttelnd. »Kann er Ihnen denn noch immer Vorschriften machen, obgleich er sitzt?« – »Er sitzt nicht«, antwortete Persephone, »er hat sich mit Herrn Gott arrangiert. Unter Männern sozusagen, genauso wie Pluto sich arrangiert hat, nur die gestürzten Göttinnen haben Kerker.« – »Das versteh ich«, sagte Beatriz, »aber gings Ihnen denn unter Zeus viel besser?« – Persephone erzählte ihr, daß sich Pluto eines Tages in Demeters Tochter verliebte und Zeus bat, Persephone heiraten zu dürfen. Zeus fürchtete, seinen älteren Bruder zu kränken, wenn er sich weigerte, wußte aber auch, daß Demeter ihm nie verzeihen würde, wenn ihre Tochter für immer hinab müßte in den Tartaros. Zeus antwortete also diplomatisch. Und das ermunterte Pluto, Persephone zu entführen. Ihre Mutter suchte sie neun Tage und neun Nächte, rastlos. Von einem gewissen Triptolemos schließlich erfuhr sie, daß sich vor den Augen seiner Brüder, einem Schaf- und einem Schweinehirten, die mit ihren Tieren auf den Feldern waren, plötzlich die Erde geöffnet hatte. Die Schweine versanken. Ein Wagen erschien, von schwarzen Pferden gezogen. Das Gesicht des Wagentreibers war unsichtbar. Sein rechter Arm umklammerte ein schreiendes Mädchen – Demeters Tochter. Mit der Nachricht des Augenzeugen Triptolemos machte sich Demeter auf den Weg zu Hekate. Und dann gingen die beiden zu Helios, dem Allessehenden, und zwangen ihn, zuzugeben, daß Pluto Persephone entführt hatte – zweifellos mit Zustimmung seines Bruders Zeus. Demeter war darüber so empört, daß sie nicht zum Olymp zurückkehrte. Sie wanderte weiter über die Erde und verbot den Bäumen, Früchte zu tragen, und den Pflanzen, zu wachsen, so lange, bis das Geschlecht der Menschen auszusterben drohte. Zeus, der fürchten mußte, seine Anbeter und also seine göttliche Existenz zu verlieren, versuchte es mit versöhnenden Gaben. Aber Demeter schwur, daß die Erde unfruchtbar bleiben würde, bis Persephone zurückgekehrt sei. Da sah sich Zeus gezwungen, Hermes mit einer Botschaft zu Pluto zu schicken, in der stand: »Wenn du Persephone nicht zurückgibst, sind wir alle dem Untergang geweiht.« Dummerweise hatte Persephone aber im Garten Plutos einen Granatapfel gepflückt und sieben Kerne von der Totenspeise gekostet. Als ihre Mutter davon erfuhr, wurde sie noch trauriger und sagte: »Nie werde ich zum Olymp zurückkehren, nie meinen Fluch von der Erde nehmen.« Aber nach langen Verhandlungen wurde schließlich doch eine Lösung gefunden: Persephone sollte drei Monate im Jahr bei Pluto sein, als Königin des Tartaros, und die übrigen neun Monate mit Demeter verbringen. – Die Erklärungen Persephones bestärkten Beatrizens geheime Sympathie für Demeter. Die Trobadora brauchte sich nicht zu verstellen, als sie sprach: »Für Ihre Mutter könnte ich Paris in die Luft jagen.« Persephone applaudierte. Die Hinterhofwände warfen Echos zurück. Beatriz fürchtete, von den Bewohnern der Gemäuer überrascht zu werden. Zufrieden mit ihrer Kontrollfahrt, tauchte Persephone in die Unterwelt zurück. Unentdeckt entkam Beatriz.

4. Kapitel

Beatriz verläuft sich

Beatriz brachte schließlich in Erfahrung, daß Alain Mitglied der berüchtigten Kommune »Roter Mai« sein müßte, die in der Rue de l'Arbalète eine Dachetage gemietet hatte. Sobald also Gerson mit seinem Lieferwagen Richtung Versailles verschwunden war, um Treibhaustomaten einzukaufen, wickelte Beatriz das Stück »Seegang« um einen Endiviensalat und verschwand Richtung Rue de l'Arbalète. Der Salat sollte als Vorwand dienen: sie wollte behaupten, Alain hätte das Gemüse bei seinem letzten Einkauf bezahlt und vergessen. Die Wohnungstür wurde von einem etwa fünfjährigen Mädchen geöffnet. Die Mansardenräume waren mit Matratzen und Bücherstapeln möbliert. An den unverstellten Wänden klebten Plakate mit Figuren und Worten. Beatriz las: »Geh auf die Straße und schlage dem ersten Menschen, der dir begegnet und über dreißig ist, ins Gesicht. Es wird in jedem Fall richtig sein.« – »Fickt den Kulturminister in den Mund.« – »Schlagt die Professoren, wo ihr sie trefft.« – »Die Lust an der Zerstörung ist eine schöpferische Lust.« – »Der Imperialismus und alle Reaktionäre sind Papiertiger.« Nackte Fenster. Alain wurde vom kleinen Mädchen als schlafend gemeldet. Unter dem Menschengewirr, das mit einer Zeltplane abgedeckt war. In der Ecke gegenüber redeten zwei rauchende Männer. Der eine behauptete, im Hasch wäre die Zeit die Summe erotischer Augenblicke. Im Meskalin hingegen gäbe es keine Zeit mehr. Anfang und Ende wären gleichzeitig und immer. Die Welt wäre ein Zustand aus Raum und Farbe. Der Zeit würde man sich erst dann wieder bewußt, wenn die Wirkung zurückginge und die Farben verblaßten. Bei Preludin wäre jede Handlung, auch das Wasserlassen, ein Ereignis. Besser als das Flippern aber wäre das Hören von Jimmy Hendrix. Der andere sprach: »Ein Revolutionär verachtet jede Lehrmeinung und verzichtet auf alle Wissenschaft von der Welt. Er überläßt sie zukünftigen Geschlechtern. Er kennt nur eine einzige Wissenschaft: die Zerstörung. Unbeugsam gegen sich selbst, muß er unbeugsam auch gegen die anderen sein. Alle Gefühle der Zuneigung, die weichen Empfindungen der Familienzugehörigkeit, der Freundschaft, der Dankbarkeit müssen in ihm erstickt werden von der einzigen und kalten Leidenschaft zum revolutionären Werk. Es gibt für ihn nur einen einzigen Genuß, einen einzigen Trost, eine Belobigung und Befriedigung: den Erfolg der Revolution.« – Beatriz hörte fasziniert zu. Weshalb sie zu spät bemerkte, daß ihr das kleine Mädchen den eingewickelten Endiviensalat abgenommen hatte. Das Mädchen warf ihn in die Küche und schob Beatriz hinterher. »Die Typen haben diese Nacht geklebt«, flüsterte die Kleine leise, »kannst inzwischen den Abwasch machen. Oder was kochen, wenn du was findest. Sind eure Professoren auch Scheißer?« – »Nein, ich bin Hausfrau«, sagte Beatriz. – »Und ich bin Michèle«, sagte das Mädchen, »Hausfrauen haben in unserer Küche nichts zu suchen.« Beatriz wurde wieder aus der Küche hinausgeschoben und mit dem Rat, sich inzwischen zu emanzipieren, an einen Stapel geführt, der auch Melusinische Bücher enthielt. Beatriz zerrte eine Broschüre mit dem Titel »Die sexuelle Revolution« aus dem Stapel. Woraufhin der zusammenbrach und die Schlafenden weckte. Ein haarverhangener Jüngling winkte Beatriz zu sich auf die Matratze. Beatriz folgte ihm. Wünsche sich aber bald das Nebenzimmer. Der junge Mann erfüllte diesen ausgesprochenen Wunsch von Beatriz und andere unausgesprochene Wünsche. Als die beiden das Nebenzimmer wieder verließen, sagte Michèle zu Beatriz: »Bist du wirklich so frustriert?« Der junge Mann aber lüftete alsbald sein Haar. Wodurch Beatriz erkennen konnte, daß sie dem falschen Alain aufgesessen war. Den richtigen zählte der falsche zu den Typen, die Steine hochwuchten und damit ihre eigenen Füße zerschmettern.

5. Kapitel

Vorwiegend unanständige Aufzeichnung der Trobadora, inspiriert von ihrer niederen Liebe zum falschen Alain

Dach

Bevor Gahmuret einschläft,
legt er meine Hand
auf sein Geschlecht.
Ich krümme sie,
die Haut verliert Wärme,
Spannung,
sinkt weg.
Druck gegen Hüfte und Knie.

Der nimmt zu
mit abnehmender Atemfrequenz:
Ruhe breitet sich aus.
Ich weiche vorsichtig.
Er folgt.
Flutet die Matratze.
Strandet mich auf die Dielen.
Ihr Holz prägt meinen Rücken.
Ich beobachte die Dünung des Leibs.
Lausche.
Sammle Strandgut:
Schnarchen, ein »Du«.
Mein Arm schläft ein.
Meine Hand ist leer.
Frieden.

6. Kapitel

Vorwiegend anständige Aufzeichnung der Trobadora, offenbar inspiriert von ihrer hohen Liebe zum richtigen Alain

Raumanzug

Unabhängig bin ich,
sitz unterm Himmel
grad als unterm Dach.
Klima spielt keine Rolle,
Vegetation,
Gezeiten,
ich habe den Raum bei mir.
Ich habe ihn an.
Er engt Schädel und Hüften,
liegt leger auf den Schultern,
über Taille, Bauch und Geschlecht
fällt er reichlich,
drückt die Brüste,
paßt Armen und Beinen
in der Weite.
Länge fehlt.

Er ist mir nicht angemessen.
Er ist unbequem.
Aber gestirnt selbst an den Füßen.

Mein Raum ist ein Leib.
Ich belebe ihn.
Er mich.
Leibeigenschaft.

7. Kapitel

Beatriz lernt Deutsch und Marx

Der richtige Alain bewohnte ein möbliertes Zimmer in der Rue Claude Bernard. Mit seiner Frau. Als Beatriz erfuhr, daß er regelrecht verheiratet war, besoff sie sich mit Pernod. Der ihr die idealsten Räusche lieferte, denn nun stand ihrer hohen Liebe nichts mehr im Wege. Die niedere in der Rue de l'Arbalète leistete sie ab aus Gesundheitsgründen. Gruppensex erschien ihr als Gipfel erotischer Langeweile. Zerwürfnis mit Jacqueline, denn Beatriz behauptete, kein Geld mehr für Einkäufe beim Ehemann erwirken zu können. Gerson war froh, daß sich seine Frau seßhaften Genüssen zuwandte. Zwar sagte er prophylaktisch wenigstens täglich einmal »Wehe, wenn ich dich erwische«, nahm aber kulant die Päckchen entgegen, die Alain für Beatriz im Laden abgab. Die Päckchen enthielten marxistische Bücher zum Selbststudium. Sie waren mit Linealstrichen in den Farben Rot, Blau und Grün versehen, so daß Beatriz leicht die verschiedenen Wichtigkeitsgrade erkennen konnte. Aus Lenins Werk »Der ›linke Radikalismus‹, die Kinderkrankheit im Kommunismus« exzerpierte Beatriz außer den rot unterstrichenen die meisten blau unterstrichenen Worte und alle Randnotizen. Da der richtige Alain Deutsch lernte, um Marx und Engels im Original lesen zu können, belegte Beatriz auch einen Deutsch-Kursus der Freundschaftsgesellschaft Frankreich-DDR. Der Kursus fand abends statt. Gerson fuhr Beatriz im Lieferwagen hin und holte sie wieder ab. Obgleich keine terroristischen Anschläge mehr gemeldet wurden. Die Fahndungen der Polizei waren allerdings noch immer ohne Ergebnis geblieben. Der Sprachlehrer bezeichnete Beatriz als Sprachgenie. Bereits nach drei Kursusstunden las sie ohne Wörterbuch in der deutschen Ausgabe der ökonomisch-philosophischen Schriften von Marx eine schöne Stelle, die sie sogleich mit Filzstift auf die Küchenwand überm Herd exzerpierte. Nämlich: »Das Verhältnis des Mannes zum Weib ist das natürlichste Verhältnis des Menschen zum Menschen. In ihm zeigt sich also, inwieweit das natürliche Verhalten des Menschen menschlich oder inwieweit das menschliche Wesen ihm zum natürlichen Wesen, inwieweit seine menschliche Natur ihm zur Natur geworden . . .« In den Briefen an Kugelmann schrieb Marx Beatriz folgenden Satz aus dem Herzen: »Der gesellschaftliche Fortschritt läßt sich exakt messen an der gesellschaftlichen Stellung des schönen Geschlechts.«

8. Kapitel

Kollontai-Offenbarung, verlesen von der fünfjährigen Michèle, vernommen von der achthundertvierzigjährigen Beatriz auf einer Matratze der Kommune »Roter Mai«

Es erstaunt Sie wohl am meisten, daß ich mich Männern hingeben kann, wenn sie mir bloß gefallen, ohne abzuwarten, daß ich mich in sie verliebe? Sehen Sie, zum Verlieben muß man Zeit haben, ich habe viele Romane gelesen und weiß, wieviel Zeit das Verliebtsein beansprucht. Aber ich habe keine Zeit. Wir haben so viel Arbeit im Bezirk, so viele wichtige Fragen sind zu lösen, wann hatten wir denn Zeit in all diesen über uns wegrasenden Revolutionsjahren? Immer ein Hasten und Jagen, die Gedanken immer voll von tausend brennenden Aufgaben. Gewiß, es gibt auch ruhigere Perioden . . . Nun, dann merkt man eben, daß der eine oder andere einem gefällt; aber verstehen Sie mich bitte: sich verlieben, dazu hat man keine Zeit. Auch – kaum befreundet man sich mit einem Mann, bitte schön – so wird er schon an die Front kommandiert oder in eine Stadt versetzt. Oder man hat selbst so viel zu tun, daß man ihn vergißt . . . Aber gerade deshalb lernt man die Stunden schätzen, wenn man sich zufällig getroffen hat und sich zu zweit glücklich fühlt . . . Mutter soll sich nur beruhigen . . . Ich werde gewiß einmal aus Liebe irgendeine Dummheit machen. Ich bin nicht umsonst ihre Tochter und Großmutters Enkelin . . . Und es gibt schon Leute, die ich liebe – und wie ich sie liebe . . . nicht nur Mutter . . . auch andere, zum Beispiel Lenin . . . lächeln Sie nicht. Das ist sehr ernst. Ich liebe ihn viel mehr als alle die, die mir gefallen haben und mit denen ich verkehrte. Wenn ich weiß, daß ich ihn hören und sehen kann, dann bin ich tagelang ganz hin . . . für ihn könnte ich auch mein Leben lassen. Dann Genosse Gerassim, kennen Sie ihn? Der Parteisekretär unseres Bezirks. Das ist ein Mensch . . . Sehen Sie, den liebe ich. Ganz ehrlich. Ich will mich ihm immer unterordnen, auch wenn er nicht im Recht ist, denn ich weiß, daß seine Absichten immer richtig und gut sind . . . Als voriges Jahr, Sie erinnern sich vielleicht, diese empörende Intrige gegen ihn einsetzte, konnte ich keine Nacht schlafen . . . Und wie haben wir damals für ihn gekämpft. Den ganzen Bezirk habe ich in Bewegung gesetzt. Ja, ich liebe ihn wirklich!

9. Kapitel

Ein Mann namens Uwe Parnitzke

Auf einem öffentlichen Diskussionsabend der Freundschaftsgesellschaft, die für diplomatische Anerkennung der DDR werben sollte, erschien der richtige Alain wieder in auffälliger, Beatriz bereits bekannter Begleitung. Der korrekt gekleidete Herr meldete sich mehrmals zu Wort. Diskussionsleiter Alain hatte ihn als seinen Freund Uwe Parnitzke vorgestellt, der das Leipziger Opernensemble auf seiner Frankreichtournee als Reporter begleiten würde. Parnitzke eiferte in barbarischem Französisch, tat nichts, um seine Unsicherheit zu verbergen, vergab alle Chancen für Effekte, Beatriz hörte übersichtliche Beschreibungen von idealen Zuständen. Sie lauschte hingerissen. Als ein Pressevertreter versuchte, Parnitzke lächerlich zu machen, schnitt Beatriz das Mikrophonkabel durch. Weshalb die Veranstaltung aus technischen Gründen vorzeitig abgebrochen werden mußte. Und Beatriz Gelegenheit fand, Parnitzke samt Alain in eine Kneipe einzuladen. Dort gestand Parnitzke, zum erstenmal in Frankreich zu weilen. Bald gab er eine begeisterte Schilderung der Kundgebungen vom 13. und 29. Mai 1968 in Paris sowie folgende Einschätzung: »Der Mai 1968 in Frankreich war keine verratene oder verlorene Revolution. Er war der Versuch einer Revolution in ihren aufeinanderfolgenden Phasen: Zunächst die plötzliche Revolte einer einflußreichen Minderheit. Dann der Beginn eines gemeinsamen Kampfes. Dann, jedoch vor dem Sturz der Macht, während das Proletariat die Arbeit niedergelegt hatte, das Spiel der Gegensätze zwischen den Klassen und Schichten, die sich für die Revolution hätten verbinden können. Schließlich, eben weil diese Gegensätze weder überwunden noch beseitigt werden konnten: die Entscheidung des intakt gebliebenen Machtapparates.« Parnitzke rückte am Krawattenknoten. Riß auch das Kinn hoch, um vom steifen weißen Hemdkragen geklemmte Haut zu lösen. Der richtige Alain drehte mit dem Zeigefinger Schnüre aus seinen schulterlangen Haaren und ließ die Frauen im allgemeinen hochleben. Beatriz ließ Parnitzke hochleben. Erfreut und betreten wehrte er ab. Verwies auf seine Diskussionsreden, die ihm mißlungen schienen. »Es fehlte nur ein gewisser Glanz, den anmaßendes Auftreten spendet«, sagte Beatriz und daß sie solchen Mangel zu schätzen wüßte. Parnitzke erwiderte, daß er kein Mitleid brauchte, sondern Geschichte. Den Beistand der Geschichte könnte keiner entbehren, der etwas Größeres in Angriff nehmen wollte. Beatriz umarmte ihn augenblicklich. »Die Wissenschaft fordert, daß man alle Kräfte, alle Gruppen, Parteien, Klassen, Massen, die innerhalb des betreffenden Landes wirken, in Rechnung stelle«, zitierte Parnitzke verwirrt, »daß man die Politik keineswegs nur auf Grund der Wünsche und Ansichten, des Grades des Klassenbewußtseins und der Kampfbereitschaft nur einer Gruppe oder Partei bestimme. Erst dann, wenn die Unterschichten das Alte nicht mehr wollen und die Oberschichten in der alten Weise nicht mehr können, erst dann kann die Revolution siegen.« Beatriz applaudierte der logischen Reinlichkeit des Zitats. Alains rotes Stirnband diente bereits als Tropfenfänger. Der junge Mann bezeichnete den Mai 68 melancholisch als den schönsten Monat seines Lebens und sprach: »Ganz plötzlich wurde mir bewußt, daß sämtliche gesellschaftlichen Strukturen von Menschen gemacht sind und daß die Menschen sie ändern können. Eine hoffnungsvolle, festliche Stimmung, Lenin sagte nämlich auch, ›die Revolution ist das Fest der Unterdrückten und Ausgebeuteten‹. In meiner Fakultät haben wir Tag für Tag mit Professoren und Assistenten debattiert. Um politische Gegenstände, um philosophische, aber vor allem um ein Programm von Forderungen und Maßnahmen gegen den altväterischen Universitätsbetrieb. Radikale Neuorientierung der Lehrmethoden, volles Mitspracherecht der Studenten in allen Fragen und auf allen Ebenen, neue, partnerschaftliche Beziehungen zwischen Lehrenden und Lernenden. Dieses kollektive Suchen nach Wahrheit, dieses ernste und leidenschaftliche Einanderverstehenwollen, dieser Drang zum Mitregieren – herrlich.« Beatriz bedauerte schmerzlich, sonnenstichhalber verhindert gewesen zu sein. Dann schimpfte sie auf die Bullen, die ihre Schwägerin noch immer im Knast hielten, und betrachtete mit Wohlgefallen Alains indisches Hemd. Es war nicht nur durchsichtig, sondern auch aufgeknöpft. Uwe Parnitzke behielt in der überheizten Kneipe eine Strickjacke unterm grauen Jackett. Er aß prophylaktisch verschiedene Tabletten, weil er seinen körperlichen Kräften offenbar mißtraute. Beatriz bewunderte seine sanften bunten Augen. Mit denen er schüchterne Blicke wagte. Ohne Gefälle. Selbst der richtige Alain besah Frauen nur mit abwärts gerichteten Blicken. Unterbrach aber die Gespräche in regelmäßigen Abständen durch irgendwelche Hochrufe auf das weibliche Geschlecht im allgemeinen. Die Parnitzke ernst zu nehmen schien. »Wäre Ihnen mein Beistand angenehm«, fragte Beatriz. – »Wie«, fragte Parnitzke. – »Ich bin achthundertvierzig Jahre alt, könnten Sie mit mir im Rücken was Größeres in Angriff nehmen?« – Ausgelassenes Gelächter von Alain, der zufrieden war, daß sein Wein Wirkung tat. Parnitzke sagte: »Wir brauchen Legenden.« Und er erläuterte das auch ernst. Angehörige von Adelsstämmen zum Beispiel, deren Stammbäume bis ins Mittelalter zurückreichten, wären nämlich gegenüber anderen Leuten, die nichts hinter sich wüßten, im Vorteil. Auch wenn die anderen Leute jetzt zur herrschenden Klasse gehörten. Denn diesen anderen Leuten, den einfachen also, deren Vorfahren nicht als vermerkenswert erschienen für Geschichtsbücher, fehlte eine gewisse gefühlsmäßige Vorgabe. Die gratis Unbeirrtheit lieferte, Ruhe, Stolz. Die westdeutsche Journalistin Marion Gräfin Dönhoff hatte in einem Interview erklärt, nie Schwierigkeiten gefühlt zu haben, sich als Frau durchzusetzen. Parnitzke, der sich nicht nur politisch, sondern auch geschlechtsbedingt zur herrschenden Klasse gehörig fühlte, hätte das Geständnis der Gräfin ermuntert, in ähnlicher Weise zu verfahren wie Beatriz. »Denn die Expropriierten und die Frauen, die bisher nicht für wert erachtet wurden, in der geschriebenen Geschichte vermerkt zu werden, sind dadurch nicht automatisch geschichtslos«, sagte Parnitzke drohend. »Realität läßt sich nicht anschaffen oder wegschaffen mit Worten, allerdings verschweigen.

Wir müssen dieses Schweigen brechen. Wir müssen ein legendäres Geschichtsbewußtsein schaffen.« Parnitzke schüttelte Beatriz die rechte Hand, küßte dabei in der Reihenfolge der Aufzählung die linke, die rechte und wieder die linke Wange der Trobadora und lud sie ein in die Deutsche Demokratische Republik. Außer seiner Leipziger Adresse schrieb er noch die Berliner Adresse seiner ersten geschiedenen Frau Laura auf eine Zigarettenschachtel. Und mahnte Beatriz herzlich, über dem Wahlsieg der Reaktion nicht die ansehnliche materielle Ernte des Mai 68 zu vergessen. Er erinnerte an die Erhöhung des gesetzlich garantierten Mindestlohns in allen Berufszweigen um 35 Prozent, in der Landwirtschaft gar um 56 Prozent, wovon annähernd 4 Millionen Arbeitnehmer profitierten. Für weitere 15 Millionen hätte die erkämpfte Lohnsteigerung immerhin mindestens 10, oft 15, in manchen Fällen 20 Prozent und darüber betragen. Dann: erweiterte Rechte für gesellschaftliche Betätigung innerhalb der Betriebe, vielerorts Verkürzung der Arbeitszeit sowie die von der Regierung als Nahziel akzeptierte Rückkehr zur Vierzigstundenwoche, allgemeine Erhöhung der Altersrenten, für viele Jugendliche eine zusätzliche – fünfte – Woche bezahlten Urlaub, Waldeck-Rochet hätte bekanntlich gesagt, daß seit der Befreiung 44 kein vergleichbarer Fortschritt erzielt worden wäre . . . Der richtige Alain lobte Parnitzkes Belesenheit, ergänzte, daß die meisten Lohnzulagen bereits von den Preissteigerungen aufgefressen wären, und bestellte reichlich Weinbergschnecken.

10. Kapitel

Die letzten beiden Pariser Stücke der Trobadora

I

Und es wuchs Astwerk rings,
Arterien und Venen:
eine Hecke.
Als sie mir übern Kopf gewachsen war,
glaubte ich mich blind.
Mählich gewöhnte das Aug sich ans
Dämmerlicht,
Der Himmel ist jetzt rot,
aber nah.
Gestirnt mit Innereien,
mit Muskeln bewölkt.
Bis jetzt kein Niederschlag.
Ich lausche kollernden Säften,
mein Blick folgt

den mäandrischen Windungen des
Dünndarms,
Herzresonanzen registriert die Haut.
Unruhig.

II

Bevor ich mich in ihn verliebte,
machte ich mir ein Bild
von ihm.
Ich nahm es zu mir
in Untermiete.
Wenn ich Lust hatte,
holte ich das Bild.
Wenn ich satt war,
stellte ich es ab.
Eines Tages kam es ungebeten,
ging auch nicht,
als ich wollte.
Und kam und ging fortan
nach seinem Belieben.
Und ging nicht mehr.
Fraß Möbel, Wände, Straßen, die Stadt.
Zuletzt mich.
Ich bin es.

11. Kapitel

Darin nachzulesen ist, wie Parnitzke der Trobadora im Tuileriengarten das Land beschreibt, in das er sie herzlich eingeladen hat

Bei uns übt die Arbeiterklasse unter Führung ihrer marxistisch-leninistischen Partei im Bündnis mit der Bauernschaft sowie den anderen Werktätigen die Staatsmacht im Interesse und zum Wohle des ganzen Volkes aus. Die Klasse der Kapitalisten und Großgrundbesitzer ist entmachtet. Die sozialistische Gesellschaft gestaltet ihr gesamtes Leben auf der Grundlage der Demokratie höchsten Typus: der sozialistischen Demokratie. Die Werktätigen nehmen durch die Staatsorgane, die Gewerkschaften und andere gesellschaftliche Massenorganisationen aktiv an der Staatsverwaltung und an der Lösung der Probleme des wirtschaftlichen und kulturellen Aufbaus teil. Im Sozialismus besteht echte politische Freiheit. Der Sozialismus setzt der Herrschaft des Privateigentums an den Produktionsmitteln, der Ursache der Spaltung der Gesellschaft in einander unerbittlich bekämpfende Klassen, für alle Zeit ein Ende. Er beruht auf der festen ökonomischen Grundlage des sozialistischen Eigentums an den Produktionsmitteln, das in zwei Formen existiert: als gesamtgesellschaftliches, staatliches, und als genossenschaftliches Eigentum, das durch den freiwilligen Zusammenschluß der kleinen Warenproduzenten in Landwirtschaft und Handwerk entsteht. Der Sozialismus beseitigt die Anarchie der Produktion, die Wirtschaftskrisen und andere soziale Erschütterungen für immer. Der sozialistische Staat leitet planvoll die sozialistische Wirtschaft, die sich auf der Grundlage des höchsten Standes der Wissenschaft und Technik entwickelt. Die Produktivkräfte erhalten unbegrenzten Spielraum für ihre Entwicklung. Die Erreichung einer höheren Arbeitsproduktivität als im Kapitalismus ist die Hauptaufgabe, um die Überlegenheit des Sozialismus gegenüber allen anderen gesellschaftlichen Systemen allseitig zu sichern. Der Sozialismus löst das große soziale Problem: er schafft die Ursachen der Ausbeutung des Menschen durch den Menschen und damit die Ausbeutung selbst und die Ausbeuterklassen ab. Im Sozialismus gibt es noch zwei befreundete Klassen: die Arbeiterklasse und die Bauernschaft, doch auch sie haben sich verändert. Die Arbeiterklasse ist zur führenden Kraft der Gesellschaft geworden. Die Bauernschaft hat sich auf den Weg des sozialistischen Wirtschaftens begeben: der freiwillige genossenschaftliche Zusammenschluß der Bauern ist ein hervorragendes Ergebnis der sozialökonomischen Geschichte der Menschheit. Die Gemeinsamkeit der zwei Formen des sozialistischen Eigentums bringt die Arbeiterklasse und die Klasse der Genossenschaftsbauern einander näher, konsolidiert ihr Bündnis und macht ihre Freundschaft unerschütterlich. Es entsteht eine neue, aus dem Volk hervorgehende und dem Sozialismus treu ergebene Intelligenz. Der den Ausbeutergesellschaften eigene Gegensatz zwischen Stadt und Land, zwischen geistiger und körperlicher Arbeit wird im Sozialismus allmählich beseitigt. Auf der Basis der Gemeinsamkeit der grundlegenden Interessen der Arbeiter, Bauern und Intellektuellen bildet sich die unerschütterliche soziale, politische und ideologische Einheit des Volkes. Im Sozialismus ist das Prinzip »Jeder nach seinen Fähigkeiten, jedem nach seinen Leistungen« verwirklicht. Es gewährleistet die materielle Interessiertheit der Mitglieder der Gesellschaft an den Ergebnissen ihrer Arbeit, bietet die Möglichkeit, die persönlichen Interessen aufs beste mit den gesellschaftlichen zu verknüpfen, und schafft einen mächtigen Anreiz zur Hebung der Arbeitsproduktivität, der Wirtschaft und des Volkswohlstandes. Das Bewußtsein der Werktätigen, nicht für Ausbeuter, sondern für sich und die eigene Gesellschaft zu arbeiten, bringt Arbeitsbegeisterung, Neuerertum, schöpferische Initiative und den gesellschaftlichen Wettbewerb der Massen hervor. Ziel des Sozialismus ist es, die wachsenden materiellen und kulturellen Bedürfnisse des Volkes durch ununterbrochene Entwicklung und Vervollkommnung der gesellschaftlichen Produktion immer vollständiger zu befriedigen. Jahrtausende litten die Volksmassen unter der elementaren Wirkung der gesellschaftlichen Gesetze; jetzt beherrschen sie diese Gesetze, und ihre Aktivität beim Aufbau des sozialistischen Lebens und zur Verteidigung des Friedens gegen imperialistische Kriegsbrandstifter wächst ständig. Im Sozialismus bestehen gleiche Entwicklungsmöglichkeiten für alle. Jeder hat die Möglichkeit, seine Fähigkeiten zu entwickeln, Bildung zu erwerben und seine Persönlichkeit allseitig zu entfalten. Das Recht auf Arbeit, auf Erholung, auf Bildung, auf ärztliche Betreuung, auf Versorgung im Alter und im Krankheitsfalle oder bei Verlust der Arbeitsfähigkeit ist garantiert. Es existiert die Gleichberechtigung der Bürger aller Rassen und Nationalitäten, die Gleichberechtigung von Frau und Mann auf allen Gebieten des Staats-, Wirtschafts- und Kulturlebens. Die sozialistische Gesellschaft gewährleistet die wirkliche Freiheit der Persönlichkeit. Die höchste Äußerung dieser Freiheit ist die Befreiung des Menschen von der Ausbeutung. Darin vor allem besteht die echte soziale Gerechtigkeit. Das sozialistische Recht verkörpert diese Gerechtigkeit und gewährleistet tatsächliche Rechtssicherheit. Der Sozialismus ist auch das Ergebnis einer großen Umwälzung auf ideologischem Gebiet. Er schafft die günstigsten Voraussetzungen für das Aufblühen der Wissenschaft, Millionen Menschen werden der Errungenschaften der Kultur und der Wissenschaft teilhaftig. Es bildet sich eine sozialistische Kultur heraus. Der Marxismus-Leninismus ist die Ideologie der gesamten sozialistischen Gesellschaft. Die vom Privateigentum hervorgebrachte Menschenfeindlichkeit gehört der Vergangenheit an. Die kollektiven Grundlagen des Lebens und Handelns der sozialistischen Menschen setzen sich durch. Die Beziehungen zwischen den Menschen sind durch kameradschaftliche Zusammenarbeit und gegenseitige Hilfe gekennzeichnet.

12. Kapitel

Parnitzke findet die optimale Frau seines Lebens, Beatriz kauft sich eine Fahrkarte ins gelobte Land

Eine Weile nach Parnitzkes Beschreibung des gelobten Landes tauchten in Beatrizens Kopf plötzlich wieder jene zwei, drei zaubrisch erworbenen Kinderjahre auf. Mit Meerblick, Sternkarten und Worten von Erwachsenen, die behaupteten, das Kind wäre gottbegnadet und geschickt, den Frieden zu bringen. Derart zu sich gekommen, wandelte Beatriz mit Uwe vor seiner Heimreise durch das abendliche Quartier Latin. Der letzte Rest Sympathie für Persephones legale Parteigängerinnen, die bestehendes Unrecht durch anderes ersetzen wollten, verließ Beatriz in der Rue Ortolon. Dort spielten ein Geiger und zwei Gitarristen virtuose Musikstücke in mittelalterlichem Stil. Die Gitarristen saßen auf dem Pflaster. Gebückt, um bei der schlechten Beleuchtung die vor ihnen liegenden Noten erkennen zu können. Die Noten des Geigers lagen auf einem Autodach. Schnell sammelten sich Leute um die Musiker. Geldstücke wurden geworfen. Autos hupten und drängten die Zuhörer. Beifall nach jedem Musikstück. Der Geiger dankte dafür, indem er sich mehrmals tief verneigte und mit ausgestrecktem Arm auf die Gitarristen wies. Uwe steckte einen Geldschein in einen Briefumschlag, klemmte den unter die Geigernoten und wandte sich geniert. In der Rue St. Médard nannte Beatriz Uwe Bündnispartner und verriet ihm ihren eigentlichen Beruf. Da gestand er, so etwas geahnt zu haben. Und verliebte sich augenblicklich in sie. Noch vor Mitternacht bezeichnete er Beatriz als optimale Frau seines Lebens. Nach diesem denkwürdigen Abend beschränkte Beatriz ihre Besuche beim falschen Alain aufs Mindestmaß. Verfaßte auch keine Gedichte mehr in Gedanken an den richtigen. Noch stärker als das ideale Hörbild und die Legendenneigung überzeugten Beatriz jedoch Uwes Scheidungsgeständnisse. Was mußte das für ein tolles Land sein, dachte Beatriz, in dem solche Männer zweimal verschmäht werden. Als sie erfuhr, daß Hector unter Jacquelines Bett Handgranaten entdeckt hatte, kaufte sie sich auf dem Gare de l'Est eine Fahrkarte nach Berlin.

Erstes Intermezzo

Darin nachzulesen ist, was die schöne Melusine im Jahre 1964 aus dem Roman »Rumba auf einen Herbst« von Irmtraud Morgner in ihr 7. Melusinisches Buch abschrieb

Der Artikel mußte noch vor Mitternacht in die Redaktion. Hundertfünfzig Zeilen. Die ersten zehn waren kein Problem. Aktueller Aufhänger, Herbst, der See, die Halbinsel mit den Institutsgebäuden, ehemalige Schokoladenfabrik und so weiter, den Anfang konnte auch ein Besoffener schreiben. Aber die Artikelserie hieß »Produktivkraft Wissenschaft«, man mußte ja irgendwann mal zum Thema kommen.

»Wir müssen langsam zum Thema kommen«, hatte dieser Armenier gesagt, zwischen Suppe und Hauptgericht, in bestem Deutsch, fast akzentfrei, vielleicht war er scharf auf einen Nobelpreis. Die meisten von diesen Leuten waren vermutlich scharf drauf. Man brauchte sie nur anzusehen, man brauchte nur zu beobachten, was sie aßen. Der Armenier aß Zwieback. »Es wird Zeit, daß wir langsam zum Thema kommen«, hatte er gesagt, »was man nicht schafft zwischen dreißig und vierzig, schafft man nie.«

Dumpfe Schläge, kurz aufeinanderfolgend: Zusammenprall der automatisch schließenden Türen. Uwe Parnitzke wurde gegen die Lehne gedrückt. Der Fahrton stieg. Das Fenster zeigte nur noch Uwes Spiegelbild. Er hätte auf seine Frau hören und den Auftrag nicht annehmen sollen.

Er blätterte hastig im Stenogrammblock. Zwanzig Seiten hatte er heute vollgeschrieben, noch mehr, aber nichts war zu gebrauchen. Nicht nur die Ausländer, sondern auch die Mitarbeiter des Instituts, die an der Arbeitstagung teilnahmen, gaben ohne weiteres zu – mit einem gewissen Stolz sogar, sie hatten keine Ahnung von den augenblicklichen Erfordernissen der Presse –, daß sie an Problemen säßen, deren Lösung vielleicht in achtzig Jahren einmal praktische Bedeutung bekäme, daß ihre Forschungen unerhört kostspielig wären und immer kostspieliger würden und so weiter. Sogar die Verknüpfung mit dem aktuellen Aufhänger, die sich eigentlich bei einem Bericht über die Arbeit eines kernphysikalischen Instituts geradezu anbieten müßte – Uwe hatte sie sofort im Kopf, als er von dem Auftrag hörte, obgleich die politische Situation da noch gar nicht akut war –, sogar diese simple Verknüpfung ließ sich nur gewaltsam herstellen. Ein Zeichen dafür, daß das ganze Unternehmen verfehlt war. Uwe hätte mit Valeska in Urlaub fahren sollen. Entweder was zum Thema schreiben oder in Urlaub, jawohl. »Mit dreißig muß man langsam zum Thema kommen«, hatte der Armenier gesagt. Paremusjan hieß er oder

Taresmusjan oder Karemusjan oder so. Uwe aß die zweite Portion, und dieser Igor Dideldumjan knabberte Zwieback, weil der Ehrgeiz vermutlich seinen Magen demoliert hatte. Er vertilgte zwei große Pakete von dem Zeug und redete ununterbrochen, und seine Kohlenaugen glitzerten vor Fanatismus. Uwe war auch dreißig. Er wollte sich lieber mit dem Engländer unterhalten, der rechts neben ihm saß, rechts saß der Engländer, und links saß Fürst Igor, aber der Engländer hörte auch auf den Armenier. Uwe war dreißig. Sein Magen war völlig in Ordnung.

Die Lichter der Stadt spielten auf der Scheibe.

»Ich habe den Meer noch nicht gesehen«, sagte Fürst Igor, »aber er gehört mir. Virtuell. Wenn ich ihn mit meinem Verstand befahre, gehört er uns. Was man richtig will, schafft man auch.« Er sagte »den Meer«, anders als maskulin konnte er sich so was Imposantes wie Meer wahrscheinlich nicht vorstellen. Uwe war zwanzig, als er das Meer zum erstenmal sah. Mit zwanzig war das Meer unendlich. Mit dreißig hatte es Ufer. Die anderen Teilnehmer der Arbeitstagung redeten übers Essen und über die Laborantinnen, die das Essen auftrugen, und über politische Varianten natürlich, Krieg, ja oder nein, und so. Kein Mensch außer Igor und einem gewissen Dr. Wenzel Morolf redete über das Meer. Die anderen waren alle normal. Was sie machten, schien überhaupt eine ganz normale Sache zu sein, Filme auswerten, messen, die meisten waren sicher ganz normale Meßknechte, mit denen man reden konnte. Wenn man konnte. Aber Igor ließ ja keinen zu Wort kommen. Jedenfalls hörte Uwe nichts anderes als die metallische Stimme Igors, seine rhythmisierten Satzungeheuer, er war auch dreißig, aber sein Magen war in Ordnung. Nur daß er abends schlecht einschlafen konnte, weil ich spüre, daß ich keine Zeit mehr habe, sagte Igor. Mit zwanzig weiß man überhaupt nicht, was das ist: Zeit. Es ist eine Kategorie, die gibt es nicht bis dreißig. Mit dreißig taucht sie zum erstenmal auf. Wenn du ein Mensch geworden bist und nicht nur körperlich, sondern auch geistig da bist, ganz da, in diesem Augenblick, oben, auf dem Berg, siehst du zum erstenmal das Ende. Und du begreifst, was das ist: Zeit. Bis dahin hast du nur darüber geredet, daß du keine Zeit hast. Aber plötzlich fühlst du das Ungeheuer, das dich von nun an nie mehr verlassen wird, das dich verfolgt, besonders abends. Das dich jagt, ich nehme es mit in den Schlaf, und ich stehe mit ihm auf, und Ihnen, Professor Gurnemann, wird es nicht anders gehen, auch wenn Sie keinen Zwieback essen, lieben Sie Rätsel? Ein Hund hat eine Pfanne an den Schwanz gebunden. Wenn der Hund läuft, schlägt die Pfanne aufs Straßenpflaster. Frage: Mit welcher Geschwindigkeit muß der Hund laufen, damit das Aufschlagen der Pfanne unhörbar wird? Alle denken nach, der Institutsdirektor Gurnemann, seine Mitarbeiter, die Engländer, die Westdeutschen, alle grübeln, der Engländer kaut grübelnd, ich kaue meinen Zwieback, nach einer Weile erbarme ich mich und nenne die lächerlich offensichtliche Lösung: Null.

Die Bahnhöfe waren jetzt besser erleuchtet. Der Schienenstoß drummte langsamer. Laubenkolonien. Villen. Neubausiedlungen: Ausläufer der Stadt. Uwe mußte anfangen zu schreiben, jetzt, sofort. Er hatte keine Zeit mehr.

Denn er wohnte in dieser Stadt. Nicht von Kindheit an. Aber im Sommer 45 wurde er hierher verschlagen. Und seitdem lebte er in der Stadt. Zuerst in einem der drei westlichen Sektoren, dann im östlichen Sektor, dann wieder im Westen und von 49 an ohne Unterbrechung bis heute im Osten. Zwölf Jahre in einer Gegend, wo jedes Haus zwei bis drei Hinterhäuser hatte. Die Wohnungen in den Hinterhäusern wurden jetzt amtlich als schwervermietbar bezeichnet. Uwe wohnte in einem Vorderhaus. Es war so verkehrsgünstig gelegen, daß er aus dem Küchenfenster auf das Dach eines vorbeifahrenden S-Bahn-Zuges hätte springen können. Die Züge überfuhren früher und hier und da auch heute noch die Grenze. Uwe kannte die Stadt nur mit dieser Grenze. Er hatte sich an diesen Zustand gewöhnt. Denn in dieser Zeit hatte jede Stadt eine Grenze, sichtbar oder unsichtbar.

Ich hätte bei der Wissenschaft bleiben sollen, dachte er, ich hau in den Sack und mach wieder Wissenschaft. Oder ich geh als Auslandskorrespondent. Oder wir schaffen uns Kinder an, einen Sohn, wenn er groß ist, wird er Wissenschaftler.

Er schrieb die ganze Nacht durch. Gegen Morgen, als die erste Bahn vorbeifuhr, Rauschen, Schleifen, rhythmische Schläge, leise, immer lauter werdend, ganz laut, das Haus erzitterte unter den Schlägen, die Lampe hatte eine Resonanz, gegen Morgen lag der Schreibtisch voll beschriebener Blätter. Und die Tasten der Schreibmaschine waren klebrig. Und die Lampe dämmte noch immer die Dunkelheit hinter die Fenster zurück. Und die Müdigkeit kam. Und der Schlaf war weit weg. Uwe holte ihn nicht ein. Nur ein paar Wachträume. In denen Valeska herumgeisterte. In allen seinen Wachträumen geisterte Valeska herum. Immer groß. Immer war er kleiner als sie. Obgleich sie keine Schuhe mit hohen Absätzen trug. Tatsächlich war sie selbst mit solchen Schuhen kleiner als er. Das störte ihn in Wachträumen. Wirklich wach, hätte er niemandem eingestanden – nicht einmal sich selbst –, nur überlegene Frauen lieben zu können. Ach diese unselige Sehnsucht – Valeska war der gleiche Typ wie Laura. Mußte er noch mal den gleichen Fehler machen? Warum zog es ihn bloß nach solchen bewundernswerten Geschöpfen, von denen er wußte, daß sie ihn auf die Dauer impotent machten. Beschlafen konnte er nur abwärts, lieben nur aufwärts. Auch sein anempfindendes Wesen war ihm sexuell im Wege. Er beneidete ungebrochen egoistische Männer, die sich in der leiblichen Liebe ausschließlich auf sich konzentrieren konnten. Er kam vermutlich nie an. Auch wenn er ewig in diesem verkehrsgünstigen alten Haus wohnte, das merkwürdigerweise noch immer nicht unter den

Erschütterungen der vorbeifahrenden S-Bahn-Züge zusammengebrochen war. Rauschen, Schleifen, rhythmische Schläge, leise, immer lauter werdend, ganz laut, die Fenster klirrten, die Lampe hatte eine Resonanz: der zweite Zug in Richtung Stadt. Aber den hörte Uwe schon nicht mehr richtig. Und die folgenden erst recht nicht. Er hörte nur seine Stimme, die den Schlaf bereden wollte. Er sprach zu seinem Zimmer. Ich bin ein Mensch, der keinen Vater hat, dieser SA-Mann ist nicht mein Vater, und meine Mutter hat auch nichts getaugt. Tagsüber arbeitete sie in der Spinnerei, und abends suchte sie nach einem Mann zum Heiraten. Und als ihr dieser SA-Kerl die Ehe versprach, ließ sie sich nehmen. Aber dann wurde er befördert, und eine Schwarzhaarige kam für ihn nicht mehr in Frage. Und sie badete heiß und aß Chinin. Aber ich kam trotzdem. Ich kam zur Großmutter, und ich blieb bei ihr, auch als sich ein Mann zum Heiraten gefunden hatte. Aber die Großmutter konnte mich eigentlich ebensowenig gebrauchen. Niemand konnte mich gebrauchen. Und ich konnte niemanden gebrauchen. Ich schlug mich allein durch. Auf dem Hinterhof, wo wir spielten. In der Schule. Als ich die Großmutter verlor, weil sie beim Alarm nicht mehr in den Keller ging. Und an der Universität half mir auch niemand, als ich drinsaß und zwei Jahre in die Produktion delegiert wurde und Juliane starb und Laura mich verließ. Und Valeska hat mit sich zu tun. Jeder Mensch hat mit sich zu tun. Was besitzt man, wenn man eine Frau besitzt? Nichts. Man kann keinen Menschen besitzen. Man besitzt nur sich selbst. Auch wenn ich liebe, überschreite ich diese Grenze nicht. Auch die Liebe ist mein Werk. Ich kann mir kein Leben borgen. Man lebt nicht weiter in seinen Kindern. Man lebt nur sich. Jeder muß allein fertig werden mit seinem Leben. Menschen, die Angst davor haben, allein zu sein, haben Angst vor sich selbst. Ihnen graust vor ihrer inneren Leere. Erleben kann man nur aktiv. Je größer der Erlebnisverschleiß, desto kleiner der Mensch. Jeder muß allein dieses ungeheure Loch ausfüllen, das entstanden ist, als wir Gott begruben. Es war schwer, ihn zu töten. Aber die Kraft aufzubringen, sich an seine Stelle zu setzen, ist ungleich schwerer. Wer nicht stark genug ist, das Leck zu stopfen, dessen Kahn säuft ab. Ich bin stark genug. Ich komme zum Thema. Ich bin ein Mensch, der keinen Vater braucht, sagte Uwe.

Und das Zimmer verstand ihn. Es sah ziemlich verwahrlost aus, aber es war nicht kahl. Es war auf Valeska nicht angewiesen. Es hatte einen Do-it-yourself-Anstrich: gelbe Wände, blaue Decke.

Uwe hob die Schreibmaschine zurück auf den Schreibtisch. Er sagte, während er sich nach ihr bückte, »sie muß an ihren Platz«, und da mußte sie an ihren Platz. Er sagte, »das Papier muß ich auch aufheben«, und er sammelte die verstreuten Blätter auf dem Teppich. Er begleitete auch die Tätigkeit des Kaffeekochens mit den entsprechenden Worten. Dann sagte er der Redaktion, daß er nicht daran denke, sich etwas aus den Fingern zu saugen, und machte sich auf den Weg.

Der Weg war überdacht von einem klaren Morgen. Uwe spürte keine Müdigkeit, obgleich er nicht geschlafen hatte. Die Straßen waren gesprengt. Er ging durch eine aufgeräumte Stadt. Der Verkehr bewegte sich um ihn. Konzentrisch. Uwe fraß sich spielend durch die Häuser. Dann setzte er sich in die S-Bahn und verdaute das Gemäuer. Bis zur Halbinsel der Physiker.

Vom gegenüberliegenden Ufer sah die von einem hohen Baum, dem Turm eines stillgelegten Beschleunigers und verschiedenen Gebäuden bestandene Halbinsel romantisch aus. Also ließ sich Uwe heute nicht übersetzen. Er betrat sie von Land. Und da merkte man nicht, daß sie eine Halbinsel war. Da gehörte sie zu dem etwas einfältigen Ort, dessen Bewohner sich vorzugsweise auf Fahrrädern bewegten und die Nicht-Einheimischen neugierig anstarrten. Die Physiker zählten zu den Einheimischen. Auch wenn etliche von ihnen in der Stadt wohnten. Das Institut stand unauffällig in der Ecke des Ortes. Als der inzwischen unaktuell und abrißreif gewordene Beschleuniger gebaut wurde, wäre das Institut Ortsgespräch gewesen. Seitdem Einwohnerinnen dort als Laborantinnen angestellt wären und erzählten, daß die Physiker mit Scheren arbeiteten und Filme ansähen, sei das Institut uninteressant geworden. Physiker, die keine Atombomben bauten, waren uninteressant. Weil sie keine richtigen Physiker waren.

Uwe zeigte seine Journalistenausweis, der Pförtner nickte. Wenn ein Promovierter kam, riß der Pförtner das Fenster auf und sagte: »Guten Morgen, Herr Doktor.« Uwe hatte keinen Titel. Wer keinen Titel hatte, mußte froh sein, wenn man ihm zunickte. Uwe nickte zurück. Er ging vorbei an dem großen Baum und an dem häßlichen kleinen Backsteingebäude, wo vor nicht allzu langer Zeit noch Pralinen hergestellt wurden und in dem jetzt der Direktor residierte. An das schokoladengotische Verwaltungshaus von Monsignore war das Refektorium angebaut, eine Baracke. Es gab nicht Herrenrefektorium und Laienrefektorium, es gab nur die eine Baracke, in der alle aßen, Physiker, Mathematiker, Ingenieure, Handwerker, Sekretärinnen, Laborantinnen, Putzfrauen. Die Physiker trugen Ordenstracht. Die modisch Orthodoxen trugen die weißen Kittel lang, die anderen trugen kurze mit Seitenschlitzen. Auch manche Laienbrüder und fast alle Laienschwestern hatten weiße Kittel.

Diejenigen Ordensbrüder, die an der Konferenz teilnahmen, legten die Tracht ab, bevor sie das Parlatorium betraten. Uwe legte seine Unsicherheit nicht ab. Er schleppte sie durch die Korridore des nach durchgeschmorten Kondensatoren riechenden Institutsgebäudes. Durch das Erdgeschoß schleppte er sie, wo das Labor, die Werkstatt, die Bibliothek und die Rechenmaschine untergebracht waren. Er trug sie hinauf in den ersten Stock, wo sich die Zellen der experimentellen Physiker befanden. Jede Zelle hatte eine schwarze Tafel mit Bord für Kreide und Schwamm, einen Schreibtisch mit Schere und anderen Geräten, einen Stuhl, ein Bücherregal, einen Kleiderhaken, ein Fenster, die untere Hälfte Milchglas, blauen Estrich, zwei Meter mal vier Meter sechsundsiebzig, und eine Tür, die sich von allen anderen grundsätzlich unterschied durch den Farbanstrich, der jeweils einmalig war wie die Fluglochmarkierungen an Bienenhäusern. Im zweiten Stock, wo sich die Stuben der Theoretiker und das Parlatorium befanden und die Wände mit Heiligenbildern bepflastert waren: Kopernikus, Galilei, Giordano Bruno, Newton, Cavendish, Coulomb, Ampère, Galois, Gauß, Minkowski, Maxwell, Planck, Einstein, wurde ihm etwas übel. Aber er nahm sich zusammen.

Und betrat das Parlatorium. Ein langer schmaler Raum, vorn eine bis zur Decke reichende schwarze Tafel, dreigeteilt. Die Flügel waren mit Zahlen, Buchstaben, Kurven und einer Zeichnung, die einem Strichmännchen ohne Kopf oder einer Stabheuschrecke ähnlich sah, bekreidet. Auf dem Altarblatt stand Papperlapapp.

Die Männer saßen um einen großen rechteckigen Tisch, ausschließlich Männer. Dr. Wenzel Morolf hatte Uwe gesagt, Physik sei eine vitale Wissenschaft für vitale Männer. Eine männliche Wissenschaft also. Wir Männer, dachte Uwe und zog unauffällig einen Stuhl weg vom Tisch und setzte sich in eine Ecke.

Auf dem Tisch lagen dicke Mappen mit wolkenkratzerartigen Zeichnungen, die aus kleinen Andreaskreuzen bestanden. Die Kreuze türmten sich meist im ersten Quadranten eines kartesischen Koordinatensystems auf der Abszisse. Oder sie ballten sich zwischen den Koordinaten, ohne diese zu berühren. Die Männer nannten diese von Rechenmaschinen angefertigten Zeichnungen plots und redeten über sie offiziell in Englisch oder Russisch und inoffiziell in Englisch, Russisch, Schwäbisch, Sächsisch, Rheinländisch, Bayrisch, Platt. Uwe verstand in allen Fällen nichts. Er konnte nur den Stimmen zuhören, oft vielen auf einmal, denn es gab keinen Diskussionsleiter. Wer etwas Interessantes zu sagen hatte, dem hörte man zu. Wen ein Problem nicht interessierte, der ging raus und spazierte auf dem Korridor. Uwe konnte sich nur die Männer ansehen und vermuten. Er liebte dieses Spiel. Überall, wo er war, sah er sich Leute an und überlegte, welches Leben zu ihnen passen könnte. Er probierte den Leuten verschiedene Leben an, wie man Kleider anprobiert. Manchmal probierte er lange, manchmal fiel ihm überhaupt nichts Passendes ein. Aber manchmal saß es sofort. Bei diesem Armenier zum Beispiel schien es sofort zu sitzen.

Für den englischen Professor neben ihm dagegen konnte Uwe nur schwer etwas Passendes finden. Pferdegesicht, Schmachtlocke, goldgefaßte Brillanten am kleinen Finger, Rollkragenpullover, Pfeife. Ein Mann raucht Zigaretten. Ein männlicher Mann raucht Pfeife. Uwe schätzte ihn auf Anfang Vierzig. Er ist mit Abstand der älteste der Teilnehmer. Wenn der Armenier seine Zeittheorie entwickelt, reinigt er seine Pfeife. Er spricht kaum. Macht es ihm etwas aus, daß er über vierzig ist? Fühlt er sich den Jungen überlegen oder unterlegen? Ist er bescheiden, oder tut er nur so? Was für ein Leben könnte zu diesem verschlossenen Menschen passen? Es gibt Menschen, die liegen einem nicht. Dieser liegt Uwe nicht. Der Armenier ja, aber dieser Engländer nicht.

Der dürre Inder auch nicht, von dem man sagte, er sei weltbekannt. Von den lebenden Physikern weltbekannt war für Uwe nur einer: Oppenheimer. Man schrieb von ihm, er hätte intellektuellen Sex-Appeal. Konnte man über einen dieser Männer so etwas schreiben? Von Monsignore vielleicht. Uwe nannte den Institutsdirektor Monsignore, wenn er ihn dachte. Monsignore war ein schöner Mann. Uwe gab so was nicht gern zu, aber er sah sich gezwungen, zuzugeben, daß dieser Kerl, der mit fünfunddreißig und wer weiß wie lange schon Professor war, verdammt gut aussah. Große, weit auseinanderliegende Augen, hinter einer Brille zwar, aber das störte nicht, hellblondes Haar, kurz geschnitten, gescheitelt, knitterfreies Gesicht, knitterfreier Anzug aus Seide oder so, sportliche Figur, kleine Hände, Ehering. Vorgestern abend, als bis zwei debattiert worden war, zuletzt mit Kognak über die sowjetischen Raketen auf Kuba, war Monsignore der einzige gewesen, der nichts getrunken hatte. Und um zwölf war er gegangen. Er sah mehrmals auf die Uhr, und genau um zwölf verschwand er. Mit kleinen exakten Schritten. Exakt. Diszipliniert. Sachlich. Wir Männer, dachte Uwe. Valeska würde das natürlich abstreiten. Aber Valeska war ja auch keine richtige Frau. Monsignore hob kaum die Stimme, wenn er sprach. Er fuchtelte nicht mit den Armen wie dieser Dr. Wenzel Morolf. Er war sparsam. Brillant sparsam, zweifellos. Aber intellektuellen Sex-Appeal? Dieser Dr. Wenzel Morolf, der an dem Abend total besoffen war, hatte vielleicht etwas davon. Vielleicht. Aber sonst keiner. Außer dem Armenier keiner.

Ein heterogenes Gesicht: fanatische harte Augen, femininer Mund. Igor redete immer mit. Es fiel ihm schwer, stillzusitzen. Manchmal stand er auf und lief im Parlatorium hin und her. Lauernd. Wenn jemand zu lange sprach, riß er die Aufmerksamkeit mit einen Bonmot an sich. Nur Dr. Wenzel Morolf reagierte nicht. Er malte abstrakte Muster auf Papier, wenn der Armenier redete. Er schien ihn nicht zu mögen. Uwe mochte ihn. Er war ihm sofort aufgefallen. Auffallen um jeden Preis. Er fand ihn ziemlich unausstehlich, aber er mußte ihn immer wieder ansehen. Also: was für ein Leben könnte zu diesem kleinen Mann passen, dessen Stimme fast immer zu hören war, russisch, englisch, deutsch? Intellektuelle Eltern wahrscheinlich, vielleicht in der Schule immer der Beste gewesen. Er leidet darunter, daß er sehr klein ist, er nimmt sich ungeheuer viel vor, er kommt an die Universität. Unter Gleiche, er ist jetzt einer unter Gleichen, damit wird er lange nicht fertig. Er ist immer noch nicht fertig damit, wie der Zustand seines Magens beweist. Er hat sich vielleicht zu viel vorgenommen. Aber er kann nicht mehr zurück, er jagt dem Ziel nach, das er sich als Junge gestellt hat. Er kann sich nicht wirklich freuen an Teilerfolgen. Freude ist Lösung der Spannung, bei ihm gibt es keinen Wechsel zwischen Spannung und Lösung. Bei ihm gibt es nur Spannung, der Ehrgeiz frißt ihn auf, der Verkehr bewegt sich um ihn in konzentrischen Kreisen. Und die Stadt. Und das Meer. Die Stadt gehört ihm, das Meer gehört ihm, ich, die Stadt, ich: das Meer. Aber am Eingang zum Parlatorium wird ihm übel. Unterwegs schon, als er an den kostspieligen Geräten vorbeikommt, die ungeheuer kostspielig hergestelltes Material bearbeiten. Über hundert Leute beschäftigt das Institut, neun Institute arbeiten in der Kollaboration an einem Teilproblem, Tausende, deren Vertreter um diesen rechteckigen Tisch sitzen. Einer allein kann nichts ausrichten. Auch wenn er ein Genie wäre. Auch wenn er sich einbildet, Städte fressen zu können. Aber er gönnt sich keinen Urlaub, er schläft auf dem Schreibtisch, er kann nicht ruhig zusehen, wie ein Tag hingeht, der Ehrgeiz frißt mich auf.

Dr. Wenzel Morolf ging an die Tafel und redete mit den blauen Zahlen und Buchstaben und Kurven und der Zeichnung, die einem Strichmännchen ohne Kopf oder einer Stabheuschrecke ähnlich sah. Die Stabheuschrecke hieß Graph oder Feinmann-Graph oder so ähnlich. Der vor ihm sitzende Schwabe drehte sich manchmal um und versuchte Uwe etwas zu erklären. Aber Uwe verstand ihn nicht mal akustisch. Er hatte noch nie in seinem Leben mit einem Schwaben gesprochen.

Aber Monsignore und Dr. Wenzel Morolf und die anderen verstand er auch kaum, wenn sie ihm etwas erklären wollten. Er hörte ihre Stimmen merkwürdig verzerrt, als ob sie ihn durch eine gestörte Telefonleitung erreichten. Nur der Armenier war gut zu verstehen. Da die Physiker sich jedoch sowohl untereinander als auch mit Uwe ausgezeichnet verständigen konnten, fragte sich Uwe, wo diese Leute lebten. In dieser Stadt jedenfalls nicht. Und auf dieser Erde auch nicht. Denn da fanden Gefechte statt. Kalte und andere. Augenblicklich vielleicht schon wieder auch andere. In der Karibischen See vielleicht zu dieser Stunde schon andere. Und die Physiker redeten von Gegenständen, die vielleicht mal in achtzig Jahren praktische Bedeutung erlangen konnten! Wo lebten diese Leute?

Uwe sah sie sich daraufhin an, der Reihe nach. Er zog ihnen verschiedene Dimensionen über. Es gab einige mit kühnen Nasen, denen die fünfte vielleicht paßte, aber die meisten konnte sich Uwe durchaus mit Eisbein und Bier vorstellen. Was man richtig will, schafft man auch, dachte Uwe. Ich bin ein Mensch, der keinen Vater braucht.

Drittes Buch

Beatriz findet eine Flaschenpost – Laura nennt den Fund Flaschenpostlegende

Beatriz de Dia stieg aber auf dem Gare de Lyon in den falschen Kurswagen. Der D-Zug fuhr nachts. Die Trobadora schlief gut und erwachte am Morgen nicht in Berlin, sondern in Hamburg. Sie nutzte den Umweg lediglich für eine Hafenrundfahrt. Dabei fischte sie aus den ölverschmutzten Wassern eine Flasche. Die Post, die nach den Angaben der Trobadora drin verschlossen war, bezeichnete Laura später als Flaschenpostlegende. Das wunderliche Dokument hat folgenden Wortlaut:

1

Es gibt auf der Welt Ereignisse, die ich mir nicht erklären kann. Mein derzeitiger Wohnsitz ist finster. Ich schreibe blind. Das Papier ist feucht von Magensaft. Wenn ich alles aufgezeichnet habe, stecke ich das Dokument in eine Whiskyflasche. Sie wurde gestern reingeschluckt und kann den Fisch auf natürlichem Wege verlassen.

2

Das Unerklärliche begann mit Brummen, das mählich anschwoll, Erinnerung trieb mich aus dem Bett. Nachts, 23. Oktober. Da Sirenengeheul ausblieb, öffnete ich das Fenster. Ich war geblendet. Von Leuchtkugelketten, die Stadt und Himmel erhellten. Der Himmel gleißte. Engel und Cherubim bedeckten ihn wie Schindeln ein Dach. Ihre Hemden waren starr von Silber. Sie flogen in Staffeln. Infolge der hohen Schlagzahl erschienen die Flügel segmentförmig. Die erste Engelstaffel streute Rosenblätter, die zweite Flugblätter, die dritte schwenkte Weihrauchkessel. Zwei Staffeln bücher- und fünf Staffeln lassoführender Engel folgten. Dann sieben Staffeln Cherubim. Die Knäufe und Parierstangen der Schwerter, die die Cherubim schwangen, waren mit blitzendem Gestein besetzt. Alle Bewegungen wurden exerziermäßig ausgeführt. Zwischen der neunten und zehnten Engelstaffel flog der Herr. Flügellos. Sein goldgetriebenes Gewand war mit Pfauenfedern und Zobelpelz garniert. Aus den Schulterstücken ragten jeweils vier gravierte Stangen, an denen himmelblaue und scharlachrote Standarten hingen. Die Gliederschleppe war so lang, daß sie über die Gasometerdächer schepperte. Der Kopf war von gelocktem Engelshaar umwallt, feiner und weißer als das, womit Weihnachtsbäume geschmückt werden. Der ebenso beschaffene Bart war schrittlang. Außerdem trug der Herr einen Nimbus, der mit güldenen Drähten an der Allongeperücke befestigt war, und eine Aureole. Die hielten singende Engel. Der Herr dirigierte ihren Gesang mit einer Papierrolle. Ich weckte Jona.

3
Ich teilte mit ihm das Bett. Seit April, tags arbeitete er bei Sankt Georgen, ich in der Gärtnerei gegenüber. Wenn er Kränze ablud, konnte ich ihn beobachten. Der Komposthaufen des Friedhofs war vom Barackenfenster, an dem der Bindetisch stand, einzusehen.

4
Als das Wort des Herrn geschehen war, holten wir den Atlas. Drin fanden wir Ninive am Tigris gelegen. Jona sagte: »Ich kenne den Herrn nicht.« Erleichtert stieg ich in die Kleider. Mit Koffer verließen wir Haus und Stadt. In Sappho nahm uns ein Kapitän achthunderttausend Lire Fährgeld ab für einen Platz im Zwischendeck. Auf der Überfahrt nach Tharsis näherte sich unser Schiff einem Leuchtturm. Er stand auf einer gepflasterten Insel. An ihrer Küste bleichte das Gerippe eines großen Fischs.

5
Aber ein Wind kam, und ein Ungewitter fiel aufs Meer und schlug das Schiff. Die Schiffsleute schrien, ein jeglicher zu seinem Gott, und warfen Geräte ins Meer, um das Schiff zu leichtern. Es trieb steuerlos im Sturm, haushohe Wellen überrollten es, Wasser brach ein. Alle Passagiere, wiewohl seekrank, halfen, außer Jona alle. Schiffsleute suchten nach ihm. Ich fand ihn schlafend in einem Laderaum des Unterdecks. Er lag zwischen Kisten und Fässern auf einem gefüllten Sack. Der Sack war leck, sickerte weiß aus, ich kostete, Zucker. Ein Faß rollte an meinen Füßen vorbei gegen das Querschott. Ich hielt mich aufrecht an einer Raumstütze. Meine Petroleumlaterne, die ich dran aufgehängt hatte, pendelte bis zu hundertzwanzig Grad ab vom Holz. Ohrenbedrohliches Lärmgemisch, darin deutlich Brecherschläge, unregelmäßiger Maschinenrhythmus, Kettengerassel, Jonas Schnarchen. Er lag auf dem Rücken, hochragendes Kinn, rechte Hand im Zucker, linke überm Herzmuskel, sein grünes Hemd war unverschlossen. Ich betrachtete mit Wohlgefallen, begab mich fort und opferte den Fischen.

6
Der Orkan wütete drei Stunden. Dann schlief auch ich. Und schlief wohl vierzehn Stunden. Eine Ratte weckte mich. Ich badete schnell, salbte die Ellenbogen, wo die Haut wund war von Liebeskämpfen, und nahm das beste Kleid aus dem Koffer. Bald ich mit meinem Spiegelbild zufrieden war, begab ich mich hinab ins Unterdeck. In Jonas Koje lag sein grünes Hemd. Ich ging durch die Gänge, stieg eiserne Stufen, sah in Laderäume, besuchte die Messe. Als ich den Schiffsbauch durchsucht hatte, stieg ich

ans Oberdeck. Blanker Himmel, weiße Mondsichel auf graublauem Grund, trockene Flanken, Brise. Möwen umkreisten die Rettungsboote, saßen auf Aussetzeinrichtungen, schissen drauf. Ein Offizier legte zwei Finger ans Mützenschild. Passagiere promenierten. Neben der Treppe zur Kommandobrücke schlief ein Hund. Sanfte Dünung unter meinen Füßen. Sie trugen mich nicht zu dem, des ich begehrte. Ich lehnte mich fluchend über die ölfarbengebuckelte Reling. Blaugrünes Wasser in etwa zehn Meter Tiefe, Bug- und Heckwelle schaumgeschmückt, eine Haiflosse. Ich zeigte sie einem Matrosen. Er lachte. Als ich nach Jona fragte, spuckte der Matrose über die Reling. Später sagte er, daß Jona dort wäre. Da ich dem Mann nicht glauben wollte, schilderte er mir Ungeheuerlichkeiten von Sturm, Wolkenbruch und Seegang, auch Schäden an der Takelage sowie Verunreinigungen, welche die Seekranken dem Schiff zugefügt hätten. Ferner erinnerte er daran, daß Jona während des Unwetters geschlafen hätte. Bezeichnenderweise, als man ihn endlich gefunden hätte, wäre der Schiffsherr zu ihm getreten und hätte gesagt: »Was schläfst du? Steh auf, rufe deinen Gott an, daß wir nicht verderben.« Jona hätte sich daraufhin mit der linken Hand die Brust gekratzt, von der rechten hätte er Zucker geleckt, der Maschinist hätte gesagt, »kommt, wir wollen losen, daß wir erfahren, um wessen Willen es uns so übel ergeht«. – »Und da sie losten, trafs Jona«, sagte der Matrose. »Trotzdem fragten wir: Warum geht es dir so übel, was ist dein Gewerbe, und wo kommst du her? Jona antwortete: Ich bin Friedhofsarbeiter und fürchte den Herrn. Denn ich bin vor ihm auf der Flucht. Da wurden auch die Tapfersten von Angst ergriffen, alle schrien: Warum hast du denn solches getan? – Weil ich gegen die große Stadt Ninive predigen sollte, antwortete Jona. Wir überlegten, was wir tun könnten, um die Elemente zu beruhigen. Jona aber sprach: Nehmt mich und werft mich ins Wasser, so wird das Meer still werden. Denn ich weiß, daß solch großes Ungewitter über euch gekommen ist um meinetwillen. – Wir mühten uns noch eine Weile vergebens, die Küste zu erreichen. Dann riefen wir zu dem Herrn und sprachen: Ach Herr, laß uns nicht verderben um dieses Mannes Seele willen und rechne uns nicht zu unschuldig Blut, denn du, Herr, tust, wie dirs gefällt. Und wir nahmen Jona und warfen ihn ins Meer. Da stand das Meer still von seinem Wüten.«

7

Als ich das Begebnis vernommen hatte, fiel ich in Traurigkeit und warf den Erzähler über die Reling.

8

Während der mißglückten Rettungsaktion ertranken zwei Schiffsleute. Ich weinte und fastete drei Tage und drei Nächte. Dann zog ich das grüne Hemd an, das Jona zurückgelassen hatte, und ging in Tharsis an Land. In einer Hafenschenke bestellte ich das Totenmahl und Wein für alle Gäste. Das Mahl wurde in irdenem Geschirr serviert. In einer Schüssel schaukelte rötliche Suppe mit Fettspiegeln, daraus weißes Fischfleisch ragte. Seitlich eine Sahnenrose, Zitronenstücke. Auf kleinen Tellern lagen Tomaten, Gurken und Kräuter aus, gebratene Scheiben von Auberginen und Flaschenkürbissen, süße Paprikaschoten und Peperoni, Speck. Der glänzte seidig. Auch geräucherte Makrelen waren aufgetragen, Schnekken, Krebse, nach Liebe duftende Seeigel. Essig, Öl und Wein stand in Karaffen, daneben Näpfe mit Spezereien. Das Brot war warm und wattig. Ich zerpflückte es mit den Fingern. Mein lustgeschwächter Gaumen erholte sich an seinem Geschmack. Der größte Teller war mit gebratenem und gesottenem Fleisch von Hammel und Rind gefüllt. Knoblauch, Pilze und gebräunte Zwiebeln umgaben es, Butter zerrann auf blutlassenden Stücken, daneben Pampelmusenscheiben, Oliven, geriebener Meerrettich. Fenchelgemüse wurde dazu gereicht. Ich leerte die Teller, denn ich war voller Trauer. Und ich löschte mit Wein meinen Durst, und die Gäste tranken mir zu. Da erzählte ich ihnen mein Unglück. Und keiner war, der nicht Tränen vergoß um Jonas willen. Als ich zu ihm gebetet hatte, warf ich mein Glas ins Meer und tanzte bis zum Morgen.

9

Ein Schiff fuhr mich zurück zu den Gestaden meiner Stadt. Ihre Türme standen in Wolken. Zwischen Kränen und Schloten schaukelten Papierdrachen. Naß glänzten die Dächer. Der Küstenzaun war mit Karbolineum gestrichen. Ich überstieg ihn ungesehen. Die Wege schwankten unter meinen Füßen. Ausgetretene Granitplatten, bisweilen gebrochen, Kleinpflaster, prägegemusterter Asphalt mit warzenähnlichen Erhebungen, daraus Unkraut brach, Beton. Kalter Wind blies durch die Straßenschächte und Jonas Hemd. Am rechten Unterärmel war der Waschsamt abgewetzt. Die Brusttaschen waren mit Tabakkrümeln, Schreibstiften und Papieren gefüllt. Das veränderte meine Erscheinung. Vorübereilende Männer betrachteten sie. Hunde pißten gegen Häuserwände. Von den Straßenbäumen segelten bunte Blätter. Burschen trugen Koffer an mir vorbei, aus denen Musik fiel. Die Gärtnerei war im Herbstgeschäft. Meine Abwesenheit wurde als Urlaub verbucht. Bis Totensonntag band ich täglich zehn bis zwölf Kränze, Sträuße nicht gerechnet. Die Reisigbindereien waren vor dem Laden ausgelegt. Nur ein schmaler Mittelstreifen des Fußwegs blieb begehbar.

10

Der Winter war streng, die Blumenpreise hoch. In Seitenstraßen lag der Schnee bisweilen meterdick, die Zeitungen berichteten von Schlachten, ich erfror die Finger der rechten Hand. Sie schwollen rot auf und schmerzten beim Binden. Jonas Papiere, die ich mit Reißnägeln an den

Wänden meiner Stube befestigt hatte, beulten sich. Eis wuchs aus dem Teppich. Vögel fielen starr von den Bäumen. In klaren Nächten froren die Sterne am Himmel fest, da waren Schweißer mit ihren Geräten bis Mittag beschäftigt. Sie trugen bärenfellgefütterte Kapuzenmäntel und Asbestmasken. Die Feuerwehrleitern, auf denen sie arbeiteten, schwangen im Wind. An Sonn- und Feiertagen schlief ich mit dem Schweißer Kurt.

11

Am 21. März ward gegen Mittag ein großer Fisch vor der Stadtküste gesichtet. Mit seinem Rücken brach er das Eis auf. Der glänzte wie Chrom. Aus seiner Stirn schoß er Wassersäulen gegen die Wolken. Da brachen sie. Der Regen schmolz die Eisbarriere, die der Fisch an die Küste gestaut hatte. Das Meer lief über und setzte die Straßen der Stadt unter Wasser. Der Bürgermeister bestieg ein Sturmboot und sammelte siebzigtausend Freiwillige. Sie brachten hundertdreißig Haubitzen, Mörser und Kartätschgeschütze in Stellung. Auf Sandsäcken, mit denen die Steilküste befestigt war. Das Haus, in dem ich gemietet hatte, stand küstennah. Vom Küchenfenster meiner im vierten Stock gelegenen Wohnung konnte ich die Kampfhandlungen verfolgen. Einundzwanzigtausenddreihundertacht Geschosse wurden auf den Fisch abgefeuert. Alle Scheiben nichtgeöffneter Fenster zersprangen. Gegen Abend spie der Fisch einen menschlichen Körper über den Stadtzaun und verschwand.

12

Ich spannte die leeren Fensterrahmen mit Kleidern zu. Wasser rann aus dem Ofen. Ich schlief unruhiger als gewöhnlich. Gegen Morgen fiel Jona ein in meine Wohnung, über mich her. Ich kam ihm stumm unter die Hände. Ausgezehrt von hoffnungslosem Warten, entwöhnt, nicht fähig zu lügen auch, unbewegten Leibs lag ich bei dem, des ich begehrte. Da war auch Jona lustlos. Bald mißtrauisch, eifersüchtig, von jähem Glück geschlagen, stritten wir, o Wiedersehen, mißlungen ganz und gar.

13

Die Weisheit kehrte zurück. In Jonas Hände zuerst. Erwachend fragte ich, ob er auferstanden wäre. Da schlug er hin und lag wie leblos. Ich goß Wasser auf sein Gesicht. Es war blaß. Sein Haar troff. Es reichte bis zu den Schultern. Im Bart klebten Algen und Gräten. Ich küßte Jonas Lippen. Nach einer Weile spürte ich die Schneiden der Zähne, Gaumenbein, Papillen, schmeckte Tabak, der Mund wurde mir gestopft. Bald ich sicher fühlte, daß das Leben in Jona zurückgekehrt war, erhob ich mich und ging in die Küche. Als ich mit Wein und Brot zurückkehrte, saß Jona auf dem Bett. Die Oberschenkel hatte er gespreizt, die Unterschenkel angewinkelt, der linke Fuß war unter die rechte Wade, der rechte Fuß mit dem Rist in die linke Kniebeuge geordnet. In der Mulde zwischen Ferse und Wade lagen parallel zu den Armen aufeinander die geöffneten Hände. Das Brot schepperte über die Dielen. Ich vergoß Wein und stand und sah, schon war die Haut transparent, sein Leib tat sich auf unter meinen Blicken: dichtes Astwerk. Vögel bewohnten es, Marder, Affen. Manche Blätter wurden von Raupen benagt. Die Blätter glänzten fettig. Zwischen Blattstielen waren Spinnennetze gespannt. Blaue Früchte hingen in Fülle, ich lauschte dem Gesäg der Zikaden, pflückte eine Frucht, aß.

14

Als Jona sich gebadet, rasiert und das Haar gestutzt hatte, fragte ich, von wem er gerettet worden wäre. »Von einem Wunder«, antwortete er. Sein Badewasser war algengrün. »Und warum bist du vor dem Herrn geflohen?« fragte ich weiter. »Weil er an mich geglaubt hat«, antwortete er. Da gab ich Jona das grüne Hemd zurück. Er beroch es, zog es über, klopfte die leeren Brusttaschen und hub an mit der Schilderung des Wunders. Sie währte drei Tage und drei Nächte. Danach fiel ich in todähnlichen Schlaf, wodurch viel Merkenswertes in Vergessenheit geriet. An Beginn und Ende des Wunders kann ich mich jedoch noch deutlich erinnern. Als nämlich Jonas Kräfte von stundenlangem Schwimmen in stürmischer See so geschwunden waren, daß er sich nicht länger über Wasser halten konnte, geriet er in eine unterirdische Strömung. Schnell trieb er im Wasser dahin. Es war hellgrün. Eingeschlossene Luftblasen schwammen an ihm vorbei, Algen, Fische, Kraken, Hunderte von haushohen obeliskähnlichen Gebilden, wie Chausseebäume angeordnet, die Zwischenräume waren mit Getier gestopft, Jona umwimmelte es immer dichter, er schlang Luftblasen, um nicht zu ersticken, die Dunkelheit nahm zu, plötzlich wurde er nach oben gehoben, spürte gleichzeitig Druck von allen Seiten, das Wasser wich, kurz darauf sein Bewußtsein. Als er wieder erwachte, sah er sich von Finsternis umgeben. Die Hände griffen Gräten, Brei, Schleim haftete auf Haut und Kleidern, da schrie er um Hilfe. Nach einer Weile steckte ihm der Herr ein Licht auf, wie es Bergleute tragen vor Ort, und sprach. Jona wagte keine Rechtfertigung, bat jedoch um Nachsicht. Einem Friedhofsarbeiter, der täglich Gräber schachtete, stünde feierabends begreiflicherweise der Sinn nach anderen Gegenständen. Zudem könnten Predigten von Stadtuntergängen als Geschäftsreklame ausgelegt werden. Der Herr blieb unnachsichtig. »In vielen Monaten umschwamm ich dreimal die Welt«, sagte Jona, »blind, seltsames Meeresgetier brachte mir Kunde von den Erdteilen, deren Küsten der große Fisch passierte, Tausende, Abertausende Tiere hörte ich sterben neben mir, ich spazierte auf ihren Kadavern, die von der Magensäure des Fischs zersetzt wurden, ich schlief auf ihren Gräten und Knochen, ich war säureimmun vom Wunder, ich träumte von dir Tag und Nacht, und die Sehnsucht magerte mich. Als der Fisch meine Kleider bereits halb verdaut und der Liebeshunger mich krank gemacht hatte, gelobte ich Gehorsam. Da sprach der Herr zum Fisch. Der Fisch folgte dem Befehl widerwillig, da er eben einen Rochen geschluckt hatte. Auf ballistischer Bahn flog ich über den Zaun, der Rochen voran!«

15
Mit Jona war Jahreszeit zurückgekehrt. Er nahm bald Arbeit. Nicht wieder auf dem Gottesacker Sankt Georgen, der gegenüber der Gärtnerei gelegen war, sondern vorsichtshalber nebenan auf dem städtischen Friedhof. An manchen Tagen brachte er mir guterhaltene Kränze zum Aufarbeiten. Abends wandelten wir auf Straßen. Quecksilberdampflampen illuminierten das Blattwerk der Straßenbäume. Junge Frauen führten Kavaliere von Schatteninsel zu Schatteninsel. Alte Frauen führten Hunde. Von Karosserien abgestellter Autos war schriftförmig Staub gewischt. Der Mond hing im Gespinst der Oberleitungsdrähte, das die Straße vergitterte. Bahnen schürften Funken aus den Drähten. Rote, grüne und gelbe Lichtaugen im Wechsel, Zeitungsverkäufer. Wir kauften regelmäßig die Abendzeitung.

16
Am 9. Juni erschien der Herr mit Trommeln und Gesang über der Stadt. Am 10. mit Drehorgeln und Gesang. Tausende Engelskehlen erbrachen ihn. Abertausend Engelshände drehten abertausend Drehorgelkurbeln. Der Gesang steigerte sich zu ohrenstäubendem Gebrüll. Die Orgeln waren mit Höllenfolter- und Abschlachtszenen bemalt und voll versteckter Pfeifen- und Flötenregister, die trillerten süß. Als das Getöse aus Verwünschungen, Schimpfworten und himmlischen Melodein donnerähnlich anschwoll, bedeutete mir Jona, sich aus dem Fenster stürzen zu wollen, um mich zu retten. Ich lehnte sein Anerbieten ab und ging ins Wasser.

17
Das Wasser war kalt und bewegt. Niedrig hing der Himmel. Er teilte dem Meer graue Farbe mit. Wenn Wolken brachen, schwamm ich rücklings und leckte Regentropfen. Ich fragte Schellfische, Flundern und Heringsschwärme, tauchte hinab zu den Seesternen, beriet mich mit Kraken. Alle Tiere gaben mir bereitwillig Auskunft. Die Schiffsbesatzungen schwiegen. Mein Blick streifte die Küste vieler Länder. Nach sechs Tagen vergeblichen Suchens näherte ich mich einem Hai. Er umschwamm mich in konzentrischen Kreisen. Den asymmetrischen Schwanz, dessen obere Hälfte sichelförmig verlängert wurde, bewegte er fächelnd. Weiß leuchtete das unterständige Dolchgebiß seines Mauls. Als die Luft knapp wurde und das plumpe Maul klaffte, fragte ich, ob der große Fisch gesehen worden wäre, der Jona sieben Monate beherbergt hätte in seinem Magen. Der Hai kehrte sich jäh ab von mir und schwamm drei Kreise. Dann gab er zu verstehen, daß ihm solches noch nicht widerfahren und die Freßlust gewichen wäre, gegenwärtig hielte sich der große Fisch vor Färöer auf.

Der Hai bezeichnete ihn als seinen Freund und bat mich, guten Appetit zu wünschen. Ich tauchte eilends auf, wobei ich Wasser in die Lungen sog. Hustenkrämpfe hinderten mich am Fortkommen. Die Hände wurden steif. Mein Haar gefror. Die Salzwunden brannten. Das Meer schäumte. Eisberge schwammen darin. Verzweifelnd rief ich den Namen meines Freundes und hieb die Arme ins Wasser. Da erschienen Delphine zuhauf, umringten mich neugierig, stützten meinen erschöpften Körper und fragten nach Jonas Befinden. Ich schilderte die Gefahr, in der er lebte. Die Delphine nannten ihn Bruder. Abwechselnd auf ihren Rücken ritt ich zur färöischen Küste. Am siebten Tag meiner Expedition sichtete ich in Lee einen chromglänzenden Gebirgszug, der schütter bewachsen war. Getier wimmelte darauf. Donnergrollen in regelmäßigen Zeitabständen. Leichtes Seebeben. Die Delphine schwammen auf das Gebirge zu. Bald erkannte auch ich es als Rücken des großen Fischs. Darauf errichteten Menschen eine Holzfeime. Die obere Hälfte der Rückenflosse verlor sich in Wolken. Zwischen den meterdicken Schuppen lagerten Walrosse und schwarzbunte Rinder. Das auf der Stirn gelegene Spritzloch war mit Krüppelkiefern umpflanzt. Hunderte haushoher Zähne ragten aus dem Maul des großen Fischs. Er schlief schnarchend im ruhigen Wasser einer Bucht. Vor seiner Leibesfeste sank mir der Mut. Die Delphine holten mich zurück, trugen mich vor das linke Auge des großen Fischs und warfen Quallen gegen das gepanzerte Lid. Als es sich hob, befahlen sie mir zu lächeln. Mein Haar erbleichte unterm roten Blick. Lächelnd bat ich, Jona noch einmal Obdach zu gewähren. Der große Fisch spie entrüstet Wassersäulen gegen die Sonne. Zischend verdampften sie. Der Wrasen trübte das Gestirn. Ich sprach dem großen Fisch von Liebe, die befähigte, mich von Jona zu trennen um seinetwillen. Der Fisch entgegnete, er wäre müde und beabsichtigte, sich zur Ruhe zu setzen. Den Rücken hätte er bereits vermietet. Er vermiete nur noch an Leute, die das Licht nicht zu scheuen brauchten und zuverlässig Futter lieferten. Er wollte seinen Frieden. Der große Fisch schlug die haushohen Zähne aufeinander. Getöse wie beim Niedergang von Steinlawinen. Das Lid senkte sich halb über die blutfarbene Pupille. »Aber Sie sind doch ein großer Fisch«, sagte ich zum großen Fisch, »Sie haben den Herrn doch gar nicht zu fürchten, unterstehen Sie ihm überhaupt?« – »Gottbewahre«, sagte der große Fisch. Er versicherte mir, nie irgendeinem Herrn unterstanden zu haben. Ich beglückwünschte ihn und fragte, was ihn also hindern würde, seinem fischigen Herzen zu folgen. »Nichts«, antwortete der große Fisch, »aber der Herr ist der Herr.« Um den großen Fisch am Einschlafen zu hindern, begann ich zu tanzen. Langsam, ich schnellte den rechten Mittelfinger rhythmisch gegen die Daumenmaus, trat heftig den Delphinrücken, drehte mich, zeigte, lächelte. Das Lid hob sich, die rote Pupille begann zu glitzern, ich wiegte Schultern und Hüften, legte Handteller unter die Brüste, beschleunigte den Rhythmus. Als der große Fisch lüstern sein Maul öffnete, sprang ich auf seine Zunge. Ich kraulte sie mit den Fingerspitzen, streichelte den Gaumen, kitzelte den Rachen. Infolge der Weitläufigkeit konnte ich nur einen flüchtigen Blick in den Magen werfen. Bald erklärte sich der große Fisch bereit, Jona in meiner Begleitung Obdach zu gewähren, anders nicht. Die unverhoffte Aussicht, nie mehr von Jona getrennt sein zu müssen, machte mich singen. Der große Fisch schüttelte Mieter und Vegetation vom Rücken und stach mit mir in See. Ich rekelte mich auf seiner Zunge.

18

Am 26. Juni erreichten wir die Küste meiner Stadt. Der große Fisch spie mich von der Reede über den Stadtzaun. Ich fand Jona rauchend im Keller. Sein Haar war ergraut wie das meine. Noch in selbiger Nacht schlang uns der große Fisch. Seit drei Monaten hausen wir in seinem Bauch. Blühen die Sonnenblumen schon? Antwortet uns!

Viertes Buch

1. Kapitel

Ankunft der Trobadora im gelobten Land

Auf dem Bahnhof Hamburg-Altona machte Beatriz die Bekanntschaft eines Matrosen, der in Greifswald beheimatet war. Er borgte der Trobadora das Fahrgeld nach Berlin und suchte ihr den richtigen Zug aus. Beatriz teilte das Abteil mit Leuten, die im Rentenalter waren. Ihre Reden empfand sie als reaktionär, weshalb Beatriz sich in ihre Erwartungsträume zurückzog. Am Bahnhof Friedrichstraße überschritt Beatriz die Grenze. Sie reihte sich ein in die Schlange derer, die auf Abfertigung warteten. Um ihnen die Zeit zu vertreiben, sang sie das schöne provenzalische Lied »Ad un fin aman fon datz«. Ins Deutsche übersetzt, würde die erste Strophe etwa lauten:

> Einem Liebsten, wohlgetan,
> wies der Dame Huldgeheiß
> Ort und Zeit der Freude an.
> Abends winkte ihm der Preis.
> Taglang schritt er sorgenschwer,
> und er sprach und seufzte bang:
> Tag, wie dehnst du dich so lang!
> O Not!
> Nacht, dein Zögern ist mein Tod!

Die Wartenden musterten Beatriz betreten. Die Grenzpolizisten, die das Lied offenbar als Anspielung auf ihr Arbeitstempo empfanden, baten um Ruhe und Geduld. Später folgte Beatriz dem Beispiel langmähniger junger Männer und raffte ebenfalls den rechten Haarvorhang hinters rechte Ohr. Dann langte sie durch den Spalt des Paßschalters, ergriff jenseits der Glasscheibe die Hand des Polizisten, die nach ihren Papieren hatte greifen wollen, schüttelte die Hand und gratulierte zur Befreiung. Der erschreckte Polizist dankte mit dem Hinweis, daß der Tag der Befreiung am 8. Mai begangen würde. Er fand aber nichts zu beanstanden, woraufhin er Beatriz freundlich nach dem Reisegrund befragte. »Ansiedlung im Paradies«, sagte Beatriz. Die Antwort weckte sein Mißtrauen erneut. Er mahnte Beatriz, dem Ernst des Vorgangs entsprechende präzise Antworten zu erteilen, die Deutsche Demokratische Republik wäre kein Paradies, sondern ein sozialistischer Staat. »Gott sei Dank«, sagte Beatriz und erhob die rechte Faust zum Gruß, »hier werd ich endlich Arbeit kriegen.« Der

Polizist grüßte zurück, indem er bei gestreckter Hand den rechten Zeigefinger zum Mützenschild führte. Er versicherte lächelnd, daß in seinem Staat allen Bürgern das Recht auf Arbeit gesetzlich zugesichert wäre und großer Arbeitskräftemangel herrschte. Jeder Werktätige, der bei der Lösung der großen Aufgaben mithelfen wollte, wäre willkommen. Beatriz dankte dem Polizisten und lobte den Glanz seiner weißen, ebenmäßig gewachsenen Zähne, die den bräunlichen Teint schön zur Geltung brächten. Das Lächeln schwand, Räuspern. Verlegenes Hüsteln. Rückgabe des Passes durch den Spalt mit einem Wunsch für gute Besserung. Die Gepäckkontrolle erbrachte keine Beanstandungen.

2. Kapitel

Weitere erhabene und verwirrende Augenblicke nach der Ankunft

Kurz nachdem die Schranke für Beatriz geöffnet worden war, sah die Trobadora eine kleine dicke Frau, die ihr sympathischer und vertrauenswürdiger erschien als alle bisher gesehenen Frauen. Die Frau trug eine blaue Uniform. Beatriz trug einen Koffer. Als sie ihn der Frau vor die Füße gestellt hatte, um sie nach der nächsten Arbeitsstelle für Trobadors zu fragen, stand die Frau einen Augenblick stumm mit staunenden Augen. Dann wandte sie sich jäh. Rannte weg. Und übergab sich vor der Halle für Westreisende. Beatriz brauchte eine Weile, um sich von der seltsamen Begegnung zu erholen. Dann trat sie ebenfalls vor die Halle und sah den Möwen zu, die die Kotze fraßen. Die Verkehrsgeräusche empfand Beatriz als Stille. Die Luft als Landluft. Feierlich gestimmt überquerte sie den Schiffbauerdamm. Erreichte das Flußgeländer. Spuckte in die Spree. Schon schnatterte ein Entenschwarm übers Wasser, Schwäne kamen geschwommen, Möwen flogen sie an. Auch ein Rudel Kinder bewegte sich langsam auf Beatriz zu. Die Kinder hielten sich an den Händen. Fünf Reihen Girlanden. Dahinter eine junge Frau und ein junger Mann. Beatriz sagte zum jungen Mann: »Verzeihung, Herr Kindergärtner, können Sie mir sagen, wo die Trobadors hier . . .« – »Kindergärtner, Sie sind wohl nicht von hier«, sagte der junge Mann und tupfte seine Stirn mit dem Zeigefinger. »Nein«, sagte Beatriz. Der junge Mann küßte die junge Frau mit beleidigtem Gesicht und ging weg. Zwei Straßenbahnzüge nahmen langsam den Buckel, den die Weidendammbrücke der Straße beibrachte. Schürf- und Quietschgeräusche. Die Ruhe erklärte sich Beatriz mit kosmetischen Bemühungen der hiesigen Männer, schloß also kurz, daß die nicht mit schnittigen Wagen, sondern mit schnittigen Körpern konkurrierten. Da erschien Beatriz unwichtig, daß sie Parnitzkes Adresse und die seiner ersten geschiedenen Frau verloren hatte. Außerdem war auch der Himmel hier noch höher als in der Provence. So hoch, daß seine Farbe nicht erkennbar war. Wunderbare Heimkehr! Unendlich lang ersehnte! Beatriz war überzeugt, daß die Möglichkeit, endlich in die Geschichte eintreten zu können, den Verlust der Muttersprache mehr als aufwöge. Bewegt ließ sie sich auf dem Koffer nieder und genoß ihre Aufwertung. In den Gesichtern Vorübergehender oder Vorüberfahrender suchte Beatriz nach weiteren Anzeichen. Verfolgte auch mit Interesse die Leuchtschrift an der Bahnhofsbrücke. Beatriz interessierte natürlich weniger die Halle für Westreisende als der übrige Bahnhof. Sie brach also auf und mischte sich unter die Leute, die dort herumstanden. Mit Gepäck. Ohne. Sie sah sich die Leute neugierig an. Jugendliche. Frauen. Männer. Zwei von Beatriz gemusterte Männer sagten ihr fragend eine Zahl, die sich die Trobadora als Zugnummer erklärte. Sie entgegnete, daß sie nicht abreisen wollte, sondern soeben überglücklich angekommen wäre. Die Männer schienen nicht aufgelegt, das Glück der Trobadora gesprächsweis zu teilen. Funktionierende Rolltreppen vom und zum Stadtbahnhof führten Beatriz viele Kilometer lange Rollbilder mit Heimatbewohnern vor. Die beiden Rollbilder bewegten sich gegeneinander. Beatriz ließ sich eine Stunde von den mobilen Ansichten ihre vorgefaßten bestätigen. Dann erinnerte sie ein zufälliger Griff in die Jackentasche an die Realität. Das Geld, das ihr der Greifswalder Matrose zur Finanzierung der Fahrt geliehen hatte, ging nämlich zur Neige. Entschlossen, sich nun und hinfort auf redliche Weise durchs Leben zu bringen, erkundigte sich Beatriz verschiedentlich nach der Adresse der Stelle, die für die Arbeitsvermittlung weiblicher Trobadors zuständig wäre. Verständnislose Blicke, Achselzucken, Augenzwinkern, Frage nach einem Mustopf, empörtes Schmatzen, Schimpfworte, Schlag auf den Hintern, Gelächter, Belehrung über die politische, sittliche und medizinische Bedeutung des Verbots der Prostitution. Beatriz erklärte sich die befremdlichen Antworten mit der sprachlich offenbar mißverständlichen Form ihrer Fragen. Lag die deutsche Sprache trotz fanatischen Lerneifers so verquer in ihrem Mund? Hinderte der französische Akzent, sich zu Hause verständlich zu machen? War die Hoffnung der Trobadora, umgehend in deutscher Zunge singen zu können, etwa gar eine Illusion? Ein langhaariger Jüngling, der ein Kofferradio in der Armbeuge wiegte, half Beatriz mit rüden Worten vorläufig aus der Verwirrung. Er empfahl, bei der Konzert- und Gastspieldirektion vorzusprechen.

3. Kapitel

Womit die Beschreibung der Irrfahrten im gelobten Land anhebt

Da Beatriz den Wegbeschreibungen des Jünglings nichts entnehmen konnte, lud er sie hinter sich auf sein Motorrad. Und fuhr über viele

Straßen und Plätze. Die Straßen waren überwiegend nackt. Auch die Plätze waren keine Garagen. Beatriz, die schon gewöhnt war, sich von Blech umgeben zu bewegen, kam sich plötzlich über alle Maßen groß vor, wie gewachsen. Obgleich ihre Größe, verglichen mit den Durchschnittslängen des Straßenpublikums, unauffällig erschien. Die unverstellten Aussichten weckten in ihr souveräne Empfindungen. Der Jüngling fuhr Beatriz bis zur Konzert- und Gastspieldirektion. Und trug den Koffer, der unterwegs ihre Brust von seinem Rücken getrennt hatte, bis zur Kaderabteilung. Dort bedankte sich Beatriz mit einem Handkuß, wandte sich und suchte bei der entrüsteten Sekretärin um Anstellung als Trobadora nach. Als der Jüngling entschwunden war und die Sekretärin genügend verächtliche Blicke geworfen hatte, verwies sie an die Abteilung Tanzmusik. Deren Leiter bat um Vorlage des Berufsausweises. Beatriz entgegnete, daß im zwölften Jahrhundert keine Berufsausweise ausgestellt worden wären, und erzählte in großen Zügen ihre Lebensgeschichte. Der Leiter verließ während der Schilderung seinen Platz hinterm Schreibtisch. Er näherte sich Beatriz vorsichtig. Als sie geendet hatte und die Kanzone von verratner Liebe anstimmen wollte, um eine Probe ihres Könnens zu geben, breitete er seine Arme aus. Beatriz glaubte, er wollte sie umfangen, damit sie seine Willkommensfreude spüren könnte. Fand sich jedoch plötzlich vor die Tür komplimentiert. Einen Augenblick stand Beatriz wie betäubt. Als sie jedoch von fern eine kichernde Frauenstimme vernahm, die behauptete, Verrückte hätten sie genug, schöpfte die Trobadora Verdacht und leistete Widerstand. Der kleine Mann, dessen Körperkräfte denen der Trobadora nicht gewachsen waren, redete in der Bedrängnis von Verlagen, die viele weibliche Mitarbeiter hätten. Wenn Beatriz Schreibmaschine schreiben könnte, wären die Anstellungsaussichten günstig. Sie hätte dann täglich Umgang mit Kunst, für die sie offenbar große Sympathien hegte, und ihr Auskommen obendrein. »Saboteur«, sagte Beatriz und drückte den Mann mit ihrem Körpergewicht stärker gegen die Aufzugstür. »Hilfe«, flüsterte der kleine Mann. Da aber auf dem weitläufigen Flur keine Hilfe in Sicht kam, gab der um seine Autorität besorgte Leiter die Adresse des größten belletristischen Verlags der DDR preis. Beatriz, die überzeugt war, einem Saboteur auf die Spur gekommen zu sein, sah sich aus Geldmangel genötigt, vorläufig von ihm abzulassen. Notierte sich aber seinen Namen. Das mißfiel dem Mann nun derart, daß sein Scherereien fürchtender Kopf fieberhaft zu arbeiten begann. Das skandalöse Benehmen der Trobadora gab ihm zu schlimmsten Befürchtungen Anlaß. Er dachte plötzlich daran, daß er wegen groben Unfugs belangt werden könnte, Empfehlungen waren schließlich Vertrauenssache, was würde geschehen, wenn der Leiter des Aufbau-Verlags keinen Spaß verstand? Angestrengt suchte der kleine Mann nach einem Unternehmen, das in größerer Entfernung zur Ideologie gelegen war. Die Zwangslage brachte ihn auf die Idee, den VEB Zentralzirkus als Verbesserungsvorschlag inständig anzupreisen. Dessen Direktor hätte seit langem eine kräftige Frau mit Phantasie bei ihm bestellt. Bis jetzt hätte die Bestellung jedoch nicht erledigt werden können, die Planstelle wäre also noch vakant, Beatriz hätte die schönsten Chancen. Überraschenderweise gefiel der Trobadora diese Notlüge relativ. Um Beatriz keine Zeit zu lassen, vom Gefallen abzukommen, stellte der erleichterte Mann seinen Dienstwagen zur Verfügung.

4. Kapitel

Das in Wort und Auffassung der Trobadora wiedergibt, was ihr der Chauffeur des Dienstwagens als Geschichte seines Freundes unterwegs erzählt

Weltbild: Eines Feierabends entdeckte der Versicherungsangestellte Ferdinand Frank in der Zeitung seines U-Bahn-Nachbarn ein Inserat, das ihn erschütterte. Tief, zumal seine gelegentlichen Beschwerden kürzlich von einem konsultierten Rheumaarzt als Alterserscheinungen bezeichnet worden waren. Da war ihm jäh bewußt geworden, daß er Berlin nur als Landser verlassen hatte. Seither spürte er Zeitnot und einen unwiderstehlichen ängstlichen Drang, sich ein Bild von der Welt zu machen, bevor es zu spät sein würde. Er dachte an Motorrad, Auto, Motorboot, träumte gar von einem Hubschrauber, der ihn aus den Straßenschächten tragen könnte, himmelhoch. Der Traum wurde von den Möglichkeiten, die das Inserat anbot, insofern übertroffen, als sie außerhalb der Frankschen Denkungsart gelegen waren. Frank erschienen sie gewagt. Nur von gewagten Unternehmungen versprach er sich Abhilfe. Nur rigorose Lebensänderungen hielt er seinem Alter angemessen. Außerdem war die Summe, die der Inserent forderte, niedriger als der niedrigste Preis fahrbarer Autos. Da Frank aus undeutlichen Gründen fürchtete, die Ausgabe könnte vergriffen sein, verhandelte er mit dem Sitznachbarn, der ihm die Berliner Abendzeitung auch verkaufte, nachdem er sie ausgelesen hatte. Als die U-Bahn aus der Erde tauchte und sich hinaufschwang aufs Gestell, das wie ein Tausendfüßler die Schönhauser Allee trat, war Frank entschlossen. Auf dem Bahnhof Dimitroffstraße stieg er aus, zwängte sich durch Sperre und Menschenmassen, die sich abwärts über die Stufen schoben, und mietete ein Taxi. Es fuhr ihn zu den Überresten einer an der Greifswalder Straße gelegenen Schrebergartenkolonie, die der Inserent als Besichtigungsplatz angegeben hatte. Schaustellerfrauen liefen in Hausschuhen über hinterbliebene Erdbeerstauden, halfen Kabel verlegen zwischen Karussels und Luftschaukeln, gaben Auskunft und die Versicherung, daß Frank noch nicht zu spät käme. Die Wohnwagen ähnelten einander. Hellbräunliches Holz, die Schienenarmierung rot gestrichen, am Heck hängende Kettenbündel ebenfalls rot, alles wie neu. Der Verkäufer saß auf einem Bulldozer, der ans Verkaufsobjekt gekoppelt war. Er führte Frank sogleich die Manövrierfähigkeit, später auch Material und Inneneinrichtung des Wohnwagens vor. Obgleich der Besitzer offensichtlich Schausteller war, zögerte Frank nicht. Langjährige einschlägige Berufserfahrung befähigte ihn, in kurzer Zeit einen ordnungsgemäßen Kaufvertrag zu entwerfen. Als der unterschrieben war, bat Frank den Verkäufer, der sein Geschäft altershalber zu verkleinern vorgab, den Wagen sogleich zur Schönhauser Allee zu fahren, wo Franks Wohnung war. Unterwegs hielten sie vor der Sparkasse, und Frank hob die vertraglich festgelegte Summe ab und händigte sie aus. Die Hausbesitzerin sprach seltsam von Zigeunern. Die Nachbarn erklärten den Erwerb als Folge von plötzlicher Verwitwung, an der Frank geistig zu Schaden gekommen sein müßte, und redeten nachsichtig bedauernd. Dessenungeachtet kündigte Frank sein Arbeitsverhältnis bei der Versicherung und räumte Möbel aus seiner im ersten Hinterhaus gelegenen Wohnung in den Wohnwagen, der im Hof abgestellt war. Kinder halfen ihm. Er beauftragte ein Fuhrgeschäft mit der ersten Fahrt. Sie entführte ihn aus den Gemäuern des Stadtbezirks Prenzlauer Berg, wo er geboren und gealtert war, über Pankow, Karow, Buch nach Bernau. Der Bulldozerfahrer klagte über hohen Benzinverbrauch. Frank zahlte widerstrebend, obgleich ihn eine unverhoffte Erbschaft relativ unabhängig gemacht hatte. Zwischen Birken und Kiefern suchte er nach neuen Bildern. Da er sie erstaunlicherweise nicht fand, ließ er sich weiterziehen. Diesmal in südlicher Richtung. Der angeworbene LPG-Traktorist bezeichnete das Fahrgestell des Wagens als unbrauchbar, hatte auch unterwegs zwei Pannen. Frank fühlte sich vom Schausteller übervorteilt. Also bestätigt in seinen Ansichten über diese Berufsgruppe. Glücklich. Wenn er in Fahrtrichtung sah. Nach Aufenthalten in Fürstenwalde und Beeskow, da er den Wagen jeweils am Ortsrand abstellen ließ und abermals vergeblich auf das ersehnte Gefühl der Fremde wartete, mietete er zwei Trecker, die ihn nach Doberlug-Kirchhain schleppen sollten. So schnell wie möglich, mittels Geschwindigkeit hoffte er seinem Anhang zu entkommen. Mehrmals ruckte und rüttelte der Wagen auf der Fahrt, als ob etwas abrisse, so daß Frank froh erschrak und zum Hinterfenster eilte. Vergeblich, die Stadt hing ihm an. Eine riesige Schleppe. Er schleifte sie hinter sich her über Autobahnen und Landstraßen, meist Ziegeldächer, uniform verputzte Altbauten, kriegsnarbige mit eisernen Balkongittern oder abgetragenen Balkonen, wo Querschnitte von weggesägten Eisenträgern rosteten, hochmontierte Neubauten, Lenin von Tomski, Klettergerüste von Spielplätzen, Doppelstockbusse, das sonnenfinsternisähnliche Licht am Gaswerk Dimitroffstraße, Schrebergärten, Grenzbefestigungen, Mont Klamott, das Versicherungsgebäude, Zillen, Ehrenmal Treptow, Elektroapparatewerk, Warschauer Brücke, Ostkreuz, das Hochbahn-Gestell über der Schönhauser Allee, der von zwei Ebereschen und Mülltonnen bestandene Hinterhof, in den alle Fenster der Wohnung zeigten. Frank schrie Befehle an die Treckerfahrer, trieb an, über Doberlug-Kirchhain hinaus. Umsonst, wohin er auch reiste, er kam nie an. Immer war er angeschlossen an seine Stadt, die durchschnitten war von einer Grenze. Überall war er zu Hause und verglich sein Weltbild mit dem fremdländischen und fand es schön und versuchte die andern zu ändern nach seinem Bild.

5. Kapitel

Darin unter anderem beschrieben wird, wobei ein VEB-Direktor der schönen Melusine an den Busen faßt

Der Direktor des VEB Zentralzirkus empfing Beatriz freundlich. Konnte sich jedoch beim besten Willen nicht an eine Bestellung bei der Konzert- und Gastspieldirektion erinnern. Er hatte keine Planstelle für eine kräftige Frau mit Phantasie. Hörte sich aber gern alle Strophen der Kanzone von verratner Liebe an, die Beatriz im Jahre 1158 auf den unwirklichen Raimbaut d'Aurenga gedichtet hatte. Die erste Strophe lautet in der deutschen Übersetzung von Herrn Franz Wellner:

Zu singen kommts mich an, wie ichs auch wehre.
So quäl ich mich um ihn, des ich begehre,
nach dem ich mich wie sonst nach nichts verzehre.
Nicht, wie in artger Huld ich ihm gewogen,
nicht Rang noch Geist noch Schönheit achtet er.
Er läßt mich stehn, verraten und betrogen,
wie ichs verdient, wenn ich ein Scheusal wär . . .

Den Zirkusdirektor amüsierte der Vortrag. Er klatschte, holte zwei Gläser und eine Schnapsflasche aus seinem Schreibtisch und schenkte sich und Beatriz ein. Der Vorgang suggerierte der Trobadora Gewißheit. Nach dem Zuprosten erwartete sie das Engagement. Als der Direktor den Schnaps grimassierend geschluckt hatte, bedauerte er jedoch, Beatriz in ihrem Fach nicht beschäftigen zu können. Alle derzeitigen Programme der einzelnen ihm unterstehenden Zirkusunternehmen wären mit Musikalclownnummern versehen. Auch sonst vollständig. Lediglich eine hochqualifizierte Dresseurin würde ihm fehlen. Unfallhalber. Bei »Eos« hätten zwei Löwen eine Mitarbeiterin während des Trainings krankenhausreif gebissen. Der Direktor sprach über das Berufsrisiko der Artisten und andere Nachteile, die das Wanderleben mit sich brächte. Beatriz sprach über die Vorteile des Wanderlebens. Da sprang die Klappe zum Luftschacht auf. Der Direktor erschrak. Seltsame Klagelaute waren zu hören.

Dann der Satz: »Die Menschen glauben große Wahrheiten eher in unwahrscheinlichen Gewändern.« Beatriz traute ihren Ohren nicht. Spürte aber bereits jene seltsame Erregung, die bei ihr dichterischen Einfällen, jähen Entschlüssen und verwandten produktiven Zuständen voranzugehen pflegte. Schließlich faßte sie sich und rief: »Bist du es, bist dus endlich – frei, ich werd verrückt.« – »Mit wem reden Sie«, fragte der Direktor nicht nur verblüfft. »Mit meiner Schwägerin Marie von Lusignan, sie hat fast zwei Jahre in Frankreich gesessen. In Untersuchungshaft? Sie hören es, fast zwei Jahre in Untersuchungshaft, stellen Sie sich mal diese Zustände vor. Die Menschengestalt war für sie immer riskant. Und ich warte und warte, bis ich schwarz werde. Buchstäblich. Können Sie sich eine Trobadora als Griebsergattin vorstellen? Die Bullen haben vielleicht trotz der unauffälligen Verkleidung irgendwie rausgekriegt, daß meine Schwägerin zaubern kann, und gefürchtet, sie könnte das Wahlergebnis fälschen. Die Polizei kennt Persephones Ohnmacht nicht. Wenn meine Schwägerin auch politisch zaubern dürfte, wäre Frankreich längst ein sozialistisches Land. Noch nie was von der schönen Melusine gehört?« – Der Direktor war erfahren im Umgang mit Hochstaplern. Deshalb wechselte er zur geschäftlichen Tonart über und verlangte kurz und grob einen Befähigungsnachweis. Da die Trobadora über keinen schriftlichen verfügte, bat sie, einen praktischen vorzeigen zu dürfen, und rief: »Bist du bereit?« – »Immer bereit«, erwiderte die Stimme aus dem Luftschacht. »Ich brauche keine Bauchredner«, sagte der Direktor, den nun doch die Geduld verließ, »ich brauche eine Dresseurin, Madame, eine Dresseurin, wenn Sie verstehen, was ich meine, Raubtiere stehen mir jedoch im Büro leider nicht zur Verfügung.« – »Aber mir«, sagte Beatriz, steckte Daumen und Zeigefinger in die Mundwinkel und pfiff. Da hob ein Wehen an, ein Heulen und Fauchen. Die Luftklappe schepperte, flog sperrangelweit auf, Staub wölkte: durch den Luftschacht des Verwaltungsgebäudes von VEB Zentralzirkus fuhr fürwahr die schöne Melusine. In Sphinxgestalt: halb Drache, halb Weib. Beatriz feierte das Wiedersehen mit der Schwägerin, indem sie die obere, weibliche Hälfte stürmisch umarmte und küßte. Der Direktor war bemüht, seine Fassung schnell wiederzugewinnen, da die weibliche Hälfte wie die andere nackt war. Er verließ also seinen Schreibtisch, machte einen Schritt über den gepanzerten Rücken auf Beatriz zu, gestand, einundzwanzig Jahre als Zauberer gearbeitet zu haben, gratulierte mit kollegialer Bewunderung zum Trick und legte seine linke Hand unter die linke Brust der schönen Melusine. Um das Material zu prüfen. Aufs neue angenehm überrascht, gab er sich als Zauberer geschlagen und nahm die Trobadora sogleich unter Saisonvertrag.

6. Kapitel

Darin Irmtraud Morgner einige männliche Leser mit einer eidesstattlichen Erklärung zum Weiterlesen bewegen will

Geehrte Herren!

Hiermit bestätige ich eidesstattlich aus eigener Anschauung, daß Beatriz de Dia körperlich eine dem heutigen Schönheitsideal vollkommen entsprechende, garantiert jugendlich erscheinende Frau war. Ihr Wuchs konnte noch auf dem Totenbett als untadelig bezeichnet werden. Der Dichter Guntram Pomerenke nannte 92, 61 und 90 Zentimeter als charakteristische Körpermaße. Hätte Beatriz zu der Zeit, da sie Zeugnis ablegte, äußerlich den bisher gültigen Maßstäben Schönheit und Alter betreffend nicht entsprochen, würden Sie, geehrte Herren, Beatrizens allgemeine Wahrheiten selbstverständlich in Zweifel ziehen, ihre besonderen, frauenrechtlichen rundweg als Mangelerscheinung bewerten und das vorliegende Buch in den Ofen stecken. Denn im Gegensatz zum Mann, den Sie als differenziertes Wesen begreifen, das dementsprechend differenzierte Bedürfnisse hat, empfinden Sie Frauen als monolith. Weshalb Sie deren Kümmernisse, Schwierigkeiten oder Schmerzen alle auf einen einzigen Mangel zurückführen. Und dieser einzige optimale Mangel sind selbstverständlich Sie, geehrte Herren, brutal gesagt: Ihr Mittelstück. – In der Hoffnung, daß meine pragmatische Erklärung Sie, geehrte Herren, geneigt macht, nicht nur den Werken des buckligen Herrn Kant (Immanuel) und ähnlicher Koryphäen eine Existenzberechtigung zuzusprechen, verbleibe ich

mit sozialistischem Gruß
gez. Irmtraud Morgner

7. Kapitel

Lehrreiche Überfahrt nach Leipzig

Der Zirkus »Eos« befand sich noch in Leipzig im Winterquartier. Die Trobadora fuhr mit dem Zug zu ihrer ersten Arbeitsstelle. Im Speisewagen speiste sie ein zähes Schnitzel zu Rotkohl und Bratkartoffeln. Den aufsteigenden Ärger über die Kaustrapazen bekämpfte Beatriz, indem sie ein Gespräch mit ihrem Nachbarn begann. Der Nachbar war Soldat auf Zeit. Motschütze mit dem Berufsziel Unteroffizier. Er erklärte ihr in einfachen, zum Mitschreiben geeigneten Sätzen verschiedene Manöveransichten, die Beatriz vom Wagenfenster aus gewinnen konnte. Am meisten beeindruckten sie Kettenfahrzeuge, die die Trassen entlang der

Bahnstrecke welliggefahren hatten. Große Wellentäler waren mit Wasser gefüllt. Die Formen der Kettenfahrzeuge unterschieden sich von denen, die die schöne Melusine der Trobadora während des Schlafs im zweiten Weltkrieg hypnopädisch gezeigt hatte. Über militärische Gegenstände war Beatriz leidlich auf dem laufenden, über wirtschaftliche auch, sittliche dagegen hatte die Schwägerin grob vernachlässigt. Der Soldat erzählte der Trobadora, daß die Nationale Volksarmee bei diesem Manöver von Verbänden und Stäben der bulgarischen, ungarischen, polnischen, sowjetischen und tschechischen Bruderarmeen unterstützt würde, die Angehörigen der Luftstreitkräfte und Luftverteidigung wären jederzeit bereit und in der Lage, den Luftraum des sozialistischen Lagers zuverlässig zu schützen. »Werden auch Drachen auf Radarschirmen abgebildet«, fragte Beatriz. Der Motschütze gab zu verstehen, daß er das Einflechten von Papierspielzeug in militärische Gespräche für unangebracht hielt. Beatriz sorgte sich um Melusine, die wie stets den Luftweg wählen wollte. Zerstreut bewies die Trobadora dem Soldaten, daß sie in den theoretischen Grundlagen des Marxismus-Leninismus ebenfalls bewandert war. Da zeigte der Soldat Beatriz vertraulich eine Annonce, die er in der Zeitung »Wochenpost« aufgegeben hatte. Die Annonce, die er ausgeschnitten aus dem Soldbuch zog, hatte folgenden Wortlaut: »Wer hat Mut? Soldat, 19/1,72, dkbld., Int. f. Musik, Foto, Wintersp., su. nett. schw. schlk. Mädel (18–25) mit fortschrittl. Weltansch. als Briefp. Raum Cottbus–Frankf. bevorz., spät. Heir. n. ausgeschl. Bildzuschr. (gar. zur.) an 523 DEWAG 95 Zwickau.« – Zunächst hinderten die Kurzfassungen der Worte Beatriz, die Annonce zu verstehen. Dann ihre Vorurteile. Als der Soldat sein Vorgehen mit Mangel an Gelegenheit entschuldigte und eine Übersetzung geliefert hatte, geriet Beatriz in Begeisterung. Denn sie war überzeugt, dem ersten Mann begegnet zu sein, der seiner Frau tausendundeine Nacht Geschichten erzählen wollte. Sie bestellte eine Flasche Rotwein, weil Sekt nicht mehr vorrätig war. Der Ober bat um sofortige Bezahlung wegen Schichtwechsels. Beatriz beglich ihre und die Rechnung ihres Nachbarn vom Gagenvorschuß. Das Befremden des Soldaten erklärte sich Beatriz mit der profanen Art des Getränks. Um die Stimmung des Soldaten zu heben, behauptete Beatriz, daß sie bei Gelegenheit auch gern eine Geschichte von ihm anhören würde. »Haben Sie schon mal eine Frau kennengelernt, die sich von ihrem Mann tausendundeine Nacht Geschichten erzählen läßt«, fragte der Soldat. – »Noch nicht, aber Sie«, antwortete Beatriz. – »Ich«, sagte der Soldat entrüstet, »ich, seh ich so aus«, sagte er und daß für ihn nur Vollblutfrauen in Frage kämen. Auch hätte er sich nie lumpen lassen und Mädchen mit Gerede abgespeist. Folgte eine kurze Belehrung über gesunde, saubere Sexualität. Beatriz konnte der Belehrung nicht folgen. Sie begründete sich das Unvermögen mit Kopfschmerzen: Nach dem Halteort Bitterfeld waren betäubende Gerüche in den Zug gedrungen. Der Soldat vergaß nicht zu erwähnen, daß Manöver und

Rüstung entbehrlich wären, sobald die Ausbeutung des Menschen durch den Menschen in allen Ländern abgeschafft wäre. »Und die Ausbeutung der Frau durch den Menschen«, sagte Beatriz. – »Wie«, sagte der Soldat. Sein Unverständnis erklärte sich Beatriz mit den idealen Zuständen seiner Heimat. Als der Zug Möckern bereits erreicht hatte, erzählte Beatriz in einer ihrem Alter angemessenen Anwandlung dem Soldaten noch schnell ein finsteres Märchen, das die idealen Zustände ins rechte Licht rücken und den jungen Mann daran hindern sollte, Errungenschaften als Selbstverständlichkeiten zu übersehen.

8. Kapitel

Wortlaut des Märchens, das Beatriz einem Motschützen zur Förderung seiner Dankbarkeit erzählt

Vor Zeiten war ein Mädchen namens Obilot. Sie lebte in einem fruchtbaren Land. Dessen König war so reich, daß er allen weiblichen Untertanen zur Taufe sein Bild schenken konnte. Von besten Malern gemalt, in dem Land blühten die Künste. Für das Geschenk verlangte der König nichts als Liebe. Der König sah aus wie ein Eber. Alle Frauen bewunderten ihn und betrogen ihre Männer, indem sie sich während des Beilagers sein Bild unter die geschlossenen Lider führten. Die Mädchen versahen ihre Auserwählten zu Ebern, bevor sie sich verliebten. Alle Mädchen bis auf Obilot. Sie liebte einen Mann. Er war schön von Kopf und Statur und Bäcker von Beruf. Jeden Morgen warf er einen heißen Wecken gegen ihr Fenster. Jeden Abend öffnete sie ihm ihre Kammertür. Dran hing nach Landessitte das Bild des Königs, die Eltern waren ordentliche Leute, das Mädchen wohnte unter ihrem Dach. Um sich der bildlichen Übermacht zu erwehren, schlug Obilot den Bäcker zum Kaiser. Mit der Wahrheit ihrer Liebe, erst zog sie die Kleider aus, dann Haar, Haut, Fett, zuletzt alles Fleisch. Das Skelett fand neben dem Backtrog, in dem der Bäcker zu früher Stunde den Weckenteig wirkte, seinen Platz.

9. Kapitel

Darin schließlich von einem Pyrrhussieg berichtet wird

Auf dem Leipziger Hauptbahnhof wurde Beatriz vom Antipodenkünstler Orlando begrüßt. Er überreichte drei Chrysanthemen und Grüße von Frau Zirkusdirektor Eos. Da der Koffer der Trobadora für Orlandos Arme zu schwer war, mietete er einen Dienstmann mit Gepäckkarren. Orlando legte sich rücklings auf den Karren und hob die Beine. Als die Schuhsohlen vom verrußten Glasdach des Bahnhofs senkrecht belichtet wurden, bat der Künstler Beatriz, den Koffer auf Kommando in Schuhnähe zu werfen. Beatriz tat, wie ihr geheißen. Orlando fing den Koffer mit der rechten Fußspitze, warf ihn hochkant, wechselte nach links, zurück und so weiter bis zum Abgang. Als der Dienstmann und Beatriz den Karren über die Treppen der Osthalle trugen, ließ Orlando den Koffer kreiseln. Balancen mit verbundenen Augen und andere Darbietungen bis zur Wohnung der Zirkusdirektorin gegenüber dem Winterquartier. Frau Eos empfing Beatriz herzlich und führte sie durch zwei Perlenvorhänge. Über Felle. Ein kissenbeladenes Sofa wurde der Trobadora zum Sitzen angeboten. Sie fand knapp Platz, auf die Kissenbezüge waren Pferde und Sprüche gestickt, Barockschreibschrank mit stehenden, autogrammbeschriebenen Fotos in Goldrahmen. An den Wänden Regale mit Akten, Zirkusliteratur, einem präparierten Eisbärenkopf, Porzellantieren, Römern und anderem Kristall. Unter einer japanischen Ampel ein runder Tisch. Filettischdecke. Deren Fransen berührten die Sitzpolster von vier vergoldeten Stühlen. Frau Eos nahm in einem roten Ohrensessel Platz, der ihre weißen Locken schön zur Geltung brachte. »Der Unfall Ihrer Kollegin beim Training hat unsere Abreise verzögert«, sagte Frau Eos gemessen in nordsächsischer Mundart. Beatriz gewöhnte sich schnell an diese Intonation. Deren entschiedene Gemütlichkeit die Trobadora so vertrauenerweckend empfand, daß sie auf Lügen über ihre bisherige Zirkuskarriere verzichtete. Frau Eos befestigte durch ihr Verhalten Beatrizens wiedergewonnene Überzeugung, jahrhundertelange Schläfereien wären keine Seltenheit. Daß die Beatriz bisher bekannten Herren keine Damen anderer Zeiten kannten, bewies der Trobadora höchstens Unausstehlichkeit dieser Herren. Oder Unbewohnbarkeit des Landes Frankreich für Frauen, die ihren Ursprung nicht von einer männlichen Rippe herzuleiten bereit waren. Beatriz erzählte ihren Lebenslauf ausführlich, weil Frau Eos »interessant«, »ja« und »bezaubernd« sagte, sie telefonierte dabei. Während der Schilderung des Sängerwettstreits zwischen Raimbaut d'Aurenga und Beatriz, der 1152 im Schloß des Grafen Valentinios stattfand, kam Frau Eos der Regieeinfall. Betriz mußte sogleich das Hemd anlegen, mit dem sie achthundertacht Jahre geschlafen hatte. »Hochantimodisch«, sagte Frau Eos, »Kindchen, wir baun dir eine mittelalterliche Orpheusnummer auf, die erste musikalische Sphinxdressur der Welt, der Maxirock muß natürlich auf beiden Seiten geschlitzt werden.« Frau Eos holte gleich eine Schere. Den Ausdruck »Kindchen« aus einem mindestens siebenhundertfünfundsiebzig Jahre jüngeren Mund empfand Beatriz auch als unpassend. Eine Stunde später stand Beatriz bereits in der Manege. Und gab dem Kulissentischler Anweisungen für die Konstruktion der Kaminimitation, die das Viermastzelt durchbrechen mußte. Ohne Kamin konnte die schöne Melusine nicht landen. Ohne die schöne Melusine durfte die Trobadora nicht singen. Als die Kulisse am anderen Morgen fertig war und die Sphinx sich kurz nach dem Pfeifsignal im Sand sielte, erkannte Frau Eos gerührt, daß ihr der Direktor von VEB Zentralzirkus in seinem Telegramm buchstäblich die Wahrheit geschrieben hatte. Einer Zirkuskünstlerin von solcher Kraft war Frau Eos noch nicht begegnet. Sie verwarf ihren Regieeinfall und erließ Beatriz das Singen. Weil es vom Show-Effekt ablenken würde. »Skandal«, schrie Beatriz. In Unkenntnis der Tatsache, daß Widerspruch die ungeeignetste Form des Umgangs mit emeritierten Raubtierdresseurinnen ist. Außerdem war das Verhalten von Beatriz für Frau Direktor Eos so verblüffend unerklärlich, daß es ihr hirnrissig und undeutbar erscheinen mußte. Sie spektakelte also entsprechend. Beatriz aber war auch nicht faul. Ihr von drei Kinderjahren Raimbauts erinnerungsgestützter Charakter hatte sich nämlich nach Überwindung gewisser physischer Notlagen wieder so weit erholen können, daß er Kompromisse ablehnte. Schließlich warf Beatriz den Vertrag vor die Füße der Direktorin und wandte sich. Dem vorhangverhängten Ausgang zu. Roter Plüsch, dessen Falten gebläht wurden von Zugluft. Überm Plüsch übten die Musiker. Der Kapellmeister baute seine Hände als Trichter vor seinen Mund und fragte durch den Trichter, ob die Gesangsbegleitung entfiele. »Alles«, sagte Beatriz. Und stolperte über die schöne Melusine. Da schlug die Sphinx mit dem gepanzerten Schwanz den Sand, daß der stiebte, erhob sich in die streng duftende Manegenluft, flog drei Runden ums Trapez und sprach: »Zimperlich sind Moralisten, Politiker aber sind klug. Der Zweck heiligt die Mittel. Liest man dich erst in der Zeitung, ist dir Gesang auch vergönnt.« Dann landete Melusine, fischte den Vertrag aus dem Sand, übergab ihn der Zirkusdirektorin und versicherte Beatriz ehrenwörtlich, daß ihre Interessen dennoch gewahrt blieben. So wurde die Trobadora besänftigt. Frau Eos ließ also unverzüglich die bereits gedruckten Raubtierplakate einstampfen und neue drukken. Der Textentwurf bereitete ihr Schwierigkeiten, da sie nicht wußte, wie sie den alten Titel »Weltsensation der Dressur« übertreffen sollte. Schließlich entschloß sie sich für »Sensationellste Dressur aller Zeiten«. Am 21. März 1970 ging Zirkus Eos auf Tournee. Er gastierte zuerst in Karl-Marx-Stadt. In Halle mußte er seinen Aufenthalt wegen großer Kartennachfrage um vier Tage auf elf Tage verlängern, in Weimar blieb er gar zwei Wochen und gab täglich zwei Vorstellungen vor ausverkauftem Zelt. Der Direktor von VEB Zentralzirkus schickte Beatriz ein Glückwunschtelegramm. Darin bat er die Trobadora um einen Bericht über ihren erfolgreichen Aufenthalt in Weimar für die Monatsschrift »Artistik der Zeit«.

10. Kapitel

Bericht der sensationellsten Zaubertierbändigerin aller Zeiten über ihr Auftreten in Weimar

Goethepark: Lau bläst die Luft in die Ohren. Fährt ins Gehölz, mit sanftem Grün bewobne Äste schaukeln, weich gibt die Erde sich unter die Füße. Die Ilm schwappt ihr lehmiges Hochwasser mäandrisch durchs Tal. Auf Bänken Besucher lesen Broschüren, ich erwerb auch ein Stück. Im Gartenhaus, nach Blicken aus Fenstern von Goethes Arbeitszimmer, erscheint Dichten als Nachfolgeeinrichtung. Den steinbödigen Raum neben der Küche fülln wandüberwältigende Ansichten von Rom. Uferlängs Brunnenkresse, ich beneid die echte Schafherde, mehr noch den Schäferhund, der sich im Gras wälzt, und in Erde badende Spatzen. Wenigstens spazieren mit gehobnen Armen, Handflächen voraus wie beim Anhörn von Musiken – keineswegs, ich pflück für Melusine ein Veilchen. Das klemm ich in ein 1840 erschienenes, eben im Antiquariat erworbenes Buch, welches die Symbolik des Traums behandelt. Pioniere vom Kinderheim reiten vorbei. Zwei kleinwüchsige Musikstudenten aus Ceylon lehnen in dreifacher Beugung tribhanga am Brückengeländer. Auch bestaun ich die abenteuerlichen Haar- und Barttrachten der Architekturstudenten, ihre Mädchen, deren Gesichter mit heftigen Farben belegt sind. Unsicher trag ich meinen biederen Anzug an ihnen vorbei. Metallbesen, von drillichgedeckten Männern geführt, kratzen trocknes Laub von Wegen. Allerorten eindringlich ist der Vorsatz sichtbar, dies- und ein für allemal Ordnung zu bewahren entgegen den Wuchergewalten des anstehenden Sommers. Baumknarren. Aus den Wipfeln fällt Gesang und Vogeldreck. Die Felsblockinschrift »Francisco Dessaviae Principi« ist mit Rhomben überkreidet.

11. Kapitel

Wortlaut eines geheimen Beistandspakts zwischen der verhinderten Politikerin Melusine und der verhinderten Trobadora Beatriz

Gebunden an ein gewisses Paktsystem, das die endunterfertigten Seiten in Zwangslagen machtlos mit den entmachteten Mächten der Ober- beziehungsweise Unterwelt abzuschließen genötigt waren, sind die genannten Seiten übereingekommen, ihrerseits einen gegenseitigen Beistandspakt abzuschließen. Darin verpflichtet sich die Trobadora Beatriz de Dia, der geborenen Politikerin Melusine Agitpropkunst zur Unterstützung ihrer ideologischen Arbeit zu liefern. Melusine verpflichtet sich, der Schwägerin mit schwarzer Kunst Meditationsruhe beziehungsweise Inspiration zu verschaffen. Die Agitpropkunst soll für kapitalistische Verhältnisse gefertigt sein, auf deren Sturz Melusine ihre illegale Tätigkeit konzentriert. Tendenz der benötigten Protestsongs: Eine Frau, die sich heute Charakter leisten will, kann nur Sozialistin sein. Beatriz soll ihre vor den entmachteten Mächten geheimzuhaltende Tätigkeit auf sozialistische Verhältnisse konzentrieren und entsprechend ihren Fähigkeiten sittenverändernde und -formende Arbeit leisten. Die Vertragspartner versprechen sich von der Spezialisierung größere Effektivität, von der Zusammenarbeit Schutz vor Fachidiotismus.

gez. Melusine gez. Beatriz de Dia

12. Kapitel

Das eine Leserzuschrift in der »Freien Presse« Karl-Marx-Stadt unter der Überschrift »Schändung des kulturellen Erbes« wörtlich wiedergibt

Als leidenschaftliche Verehrerin zirzensischer Künste sehe ich den Gastspielen unserer staatlichen Zirkusunternehmen stets mit großem Interesse entgegen. Da ich mich aus gesundheitlichen Gründen vorübergehend in Karl-Marx-Stadt aufhalten mußte, besuchte ich selbstverständlich eine Vorstellung des von mir hochgeschätzten Zirkus Eos in der Stadt. Das Plakat für das Programm »Sensationellste Dressur aller Zeiten« verzeichnete zwar einen Namen, der mir bekannt vorkam. Aber ich hielt selbstverständlich nicht für möglich, daß ein volkseigener Betrieb derartige Geschmacklosigkeiten zulassen würde, die der Schändung eines berühmten Namens, das heißt des kulturellen Erbes gleichkommt und alle Frauen beleidigt. Beatriz de Dia war nämlich der Name eines weiblichen provenzalischen Trobadors des zwölften Jahrhunderts. Ich protestiere gegen den verunglimpfenden Mißbrauch des Namens einer fortschrittlichen Frau. Ich verurteile die lügenhafte, auf Dummenfang berechnete Ankündigung einer billigen Zaubernummer, die tatsächlich eine Stripteasenummer ist. Im Namen der Brigade »Venceremos« fordere ich die Absetzung dieser Klamaukdarbietung, in der eine Sphinxkostümierung dazu mißbraucht wird, die reaktionären Theorien von Max Funk und Konsorten über die Weiber als Halbmenschen und missing link zwischen Menschenaffe und Mensch wiederzubeleben. Herrscht im Zirkus Eos ideologische Windstille?

Laura Salman, Triebwagenführerin
1055 Berlin, Osterstraße 37

13. Kapitel

Flugreise auf einem Drachenrücken

Der Zeitungs- und Zeitschriftenausschnittdienst VEB Progreß stellte auf Initiative von Frau Direktor Eos Beatriz alle Druckerzeugnisse zu, die den Namen der Mitarbeiterin erwähnten. Die Leserzuschrift von Laura Salman brachte der Postbote mit einer Kollektion schmeichelhafter Kritiken nach Erfurt. Beatriz warf die Kritiken morgens in den Ofen des Wohnwagens, die Leserzuschrift der schönen Melusine abends an den Kopf. Dann bestieg sie deren Rücken, stieß die Absätze gegen die gepanzerten Flanken und jagte die Schwägerin in die Luft, Richtung Berlin 1055. Denn die Trobadora hatte die unter der Leserzuschrift angegebene Adresse sofort wiedererkannt als die verlorengegangene von Parnitzkes erster geschiedener Frau. Die schöne Melusine schlug die schwüle Nachtluft wütend mit den Flügeln. Wodurch ein Scheppergeräusch erzeugt wurde, vergleichbar dem, das beim Aneinanderschlagen von Plastgeschirr entsteht. Beatriz bekam sogar die Lederhaut an den Ohren zu spüren, so gewaltig holten die Schwingen bisweilen aus. Auch mit jähen Kurven und Höhenschwankungen bestrafte die schöne Melusine das Verhalten von Beatriz. Das die Sphinx nur als beleidigend empfinden konnte. War Undank der Lohn für die Hilfe mit Rat und Tat? Glaubte diese lebensfremde Comtessa, für sie würden nur Extrawürste gebraten? Bildete sie sich etwa ein, Frauen könnten heute schon ohne Pragmatismus leben? »Dein Rat hat mir die Ehre abgeschnitten«, sagte Beatriz. – »Jawohl«, sagte Melusine. – »Die Nummer hat mich als Trobadora unmöglich gemacht«, sagte Beatriz. – »Selbst ein großer männlicher Dichter kann nicht schlagartig berühmt werden ohne Skandal«, erwiderte Melusine. »Besser besudelt als tot.« Ihre schöne Körperhälfte leuchtete im Mondschein. Sie war so gut erhalten wie die Gestalt der Schwägerin. Und faßte sich wie diese etwas derb an. Beatriz mußte sich am Hals festklammern, um nicht vom Flugwind und jähen Wendungen abgeworfen zu werden. Die Brüste waren von einer Art Chemisett bedeckt. In ihrem Zorn auf die Schwägerin konnte sich Beatriz die Frage nicht verkneifen, ob das Kleidungsstück als Anzeichen einer Korrektur im Vorwärtsschreiten zu verstehen wäre. »Mir ist kalt«, antwortete die schöne Melusine, »ich gehöre nicht zu den Damen, die Frustrationstheorien bemühen, um ihre Anpassung zu bemänteln, ich habe mich angepaßt und ausgezogen, für dich, ich wollte dir die Dreckarbeit ersparen, meine Liebe, das potentielle Publikum eines weiblichen Trobadors hat nämlich handfeste Gewohnheiten, die man einkalkulieren muß, bevor man versuchen kann, dran zu bessern. Das Leben ist unrein. Und nur wer nicht arbeitet, macht auch keine Fehler.« Beatriz erinnerte der Sprachstil von Melusine an gewisse Debatten der Kommunemitglieder in Paris. Auch war die Rückenpanzerung so scharf, daß Beatriz bald unter Sitzbeschwerden litt, weshalb sie die Schönheiten, die ein nächtlicher Flug auf einem Drachenrücken bietet, nicht recht genießen konnte. Da die Luft klar war, erschien Beatriz der Himmel aber dennoch allerorten. Oben war er verteilt gestirnt, unten gehäuft. Die Lichter der Ansiedlungen, die als Sternenhaufen angenommen wurden, steigerten ihre fanatische Stimmung. Über Wittenberg brach die Trobadora in entsprechende Worte aus.

14. Kapitel

Selbstkritik der Trobadora Beatriz über der Lutherstadt Wittenberg

Statt auf fortschrittliche Kräfte habe ich mich auf Gespenster der Vergangenheit gestützt. Statt Liebe habe ich Haß gesät. Opportunistisch bin ich dem Druck unklarer Elemente gewichen. Kurzsichtig bin ich einer Richtung gefolgt, die das Ziel opfern wollte für den Weg. Diese Richtung setzt auf Ehrgeiz, Ruhmsucht und Prinzipienlosigkeit, die der Solidarität den Garaus machen. Nieder mit der Losung »Der Zweck heiligt die Mittel«, denn verwerfliche Mittel schänden die edelsten Zwecke. Üblen Gewohnheiten nachgeben heißt üble Gewohnheiten konservieren oder gar fördern. Die S-Bahn-Triebwagenführerin Laura Salman hat mir mit ihrem Leserbrief die Augen geöffnet. Ich danke ihr für ihre helfende Kritik und verspreche, daraus zu lernen.

15. Kapitel

Folgenschwerer Abschied

Die schöne Melusine landete gegen Morgen auf einem Schlot des Berliner Gaswerks Dimitroffstraße statt auf Laura Salmans Schornstein. Denn sie hatte genug von den Anklagen und Selbstanklagen der Trobadora. »Sentimentales Gewäsch«, sagte die schöne Melusine, »dumme Leute mit Initiative sind für Politik und Militär die denkbar schlimmste Menschenvariante, sieh zu, wie du allein weiterkommst.« Beatriz kündigte der Schwägerin daraufhin die Gefolgschaft und erklärte den Beistandspakt für null und nichtig, um Melusine für ihre beleidigenden Worte zu strafen. Die Schwägerin nahm die Kündigung an. Lachte sogar, daß der gepanzerte Bauch das Gemäuer der Schlotkrone schlug. Aber bald mußte sie husten. Denn dicker brauner Qualm wölkte aus dem Schlotloch. Er verhüllte das Häuserdickicht des Prenzlauer Bergs, der eben erst aus der Nacht getaucht war. Die Ofenbatterien des Gaswerks verschwanden, Kühltürme, dampfende Löschwagen, Kokshalden, Krananlagen, Gleisanschlüsse, der

S-Bahnhof. Auch die beiden Frauen konnten einander nur noch hören. Die letzten hustengestörten Worte der schönen Melusine, die Beatriz vernahm, lauteten: »Ungeduldige sind angewiesen auf Wunder. Du strafst dich selbst.« Als ein Wind den Qualm zerteilte, flog die Sphinx bereits in den Abgaslüften. Sie drehte noch drei Kreise über der Stahlgerüstkuppel des Gasometers. Dann schlug sie die südliche Richtung ein und schwand Beatriz schnell aus den Augen.

16. Kapitel

Ankunft bei Laura und sich

Beatriz genoß den heroischen Geschmack ihres Entschlusses in schwieriger Lage. Der Schlot war 136 Meter hoch. Da die Trobadora hinfort auf Wunder verzichten wollte, ohne abzuschwören, war der Abstieg die erste ernste Kraftprobe der eigenen Kräfte. Beatriz bekämpfte die Angst, indem sie die Steigeisen zählte. 273 zählte sie, als sie die Erde betrat. Verrußt. Der Anstrich tarnte sie. Und so gelang es ihr, das Werkgelände ohne Passierschein zu verlassen, der Pförtner entbot ihr sogar einen »guten Morgen«. Taxifahrer weigerten sich jedoch entschieden, Beatriz ungewaschen zu fahren. Die Männer und Frauen an den Straßenbahnhaltestellen musterten Beatriz weg. Also daß die Trobadora genötigt war, sich zu Fuß zur Osterstraße 37 durchzufragen. Vorm gesuchten Haus war das Gaswerk noch gut zu riechen. Der Stil der Fassade erinnerte Beatriz an vorgetäuschten Holzwurmbefall in falschen Stilmöbeln. Eingang vom Hof. Wohnung dritter Stock rechts. Namensschild aus Pappe. Funktionierende Klingel. Die beiden Frauen erkannten einander sofort wieder. Obgleich Beatriz Laura Salman mit erwähnter Selbstkritik ins Haus fiel. Badereif. Obgleich Laura seit der ersten Begegnung auf dem Bahnhof Friedrichstraße erheblich zugenommen hatte. Sie konnte jetzt kaum ihre Füße sehen. Im Garderobenspiegel erschien Beatriz neben ihr geradezu überlang und hager. Sie ertrug mit Fassung, daß Laura über die Selbstkritik Lachtränen vergoß und ins Bad verschwand. Wo sie den Badeofen heizte, Beatriz stieg verunsichert ins bereitete Wasser. Das die Akustik des Badezimmers noch verbesserte. Beatriz fühlte ihre Stimme veredelt wie in den Höhlensälen von Les Baux, als sie die Pariser Begegnung mit Parnitzke zu schildern bemüht war. »In ihm hab ich den ersten Mann meines Lebens kennengelernt, der innen größer ist als außen«, sagte Beatriz. »Er versteht sogar, daß ein Zusammenhang besteht zwischen Geschichtsbewußtsein und Selbstbewußtsein. Weshalb es nicht genügen kann, den Expropriierten nur ihr materielles Eigentum zurückzugeben. Fühlst du dich jetzt besser?« – »Viel besser«, sagte Laura. »Hat Uwe dich nicht angehimmelt? Du bist doch einerseits ideal sein Typ.« – »Und andererseits? – Jedenfalls ist er ein liebenswerter Mensch«, sagte Beatriz, »als ich hörte, daß dem hier zwei Frauen weggelaufen sind, dachte ich: Nichts wie hin. Könnt ihr denn wirklich so wählerisch sein?« – Laura seifte Beatriz ungerührt den Ruß vom Körper. Räumte allerdings ein, Uwe nicht nur für einen lauteren Menschen, sondern auch für eine typische Erscheinung zu halten. Erst nach dem Bad erfuhr die Trobadora, daß die Leserzuschrift von einer Studentin der Hochschule für Verkehrswesen verfaßt worden wäre, die in Lauras Brigade ihr Praktikum absolvierte. Laura hätte die Zirkusnummer von Beatriz also gar nicht gesehen, sie hätte nur davon gehört in kritischen Schilderungen der Studentin. Und auf deren Bitten ihren Namen gegeben, weil die Studentin eine proletarische Stimme für gewichtiger hielt. Übrigens hätte Laura schon Monate vor der Veröffentlichung keine S-Bahn-Züge mehr durch die Hauptstadt Berlin gefahren, sondern auf einem Schonplatz gearbeitet, der ihr bis zum Beginn des Schwangerschaftsurlaubs zugewiesen worden wäre. »Die Veränderung, die ich erstmalig spürte, als du mir begegnet bist, haben die Ärzte sieben Wochen als Magenleiden behandelt, bevor sie an das Nächstliegende dachten«, sagte Laura ausgelassen. »Natürlich ist das Land ein Ort des Wunderbaren. Aber mir fiel es erst auf, als ich einen Menschen machte und einen traf, der war schon alt. Uralt, fühlt man sich überlegen, wenn man uralt ist?« – »Im Gegenteil«, sagte Beatriz, »überlegen kann sich nur fühlen, wer alles weiß oder gar nichts. Seh ich uralt aus?« – Laura schmatzte empört. – »Natürlich muß ich so aussehen, sonst könntest du doch nicht wissen . . .« – »Aber du hast doch selber erzählt . . .« – »Kein Wort hab ich erzählt, über meine Vergangenheit kein Wort, auch zu Uwe nicht, ich bin doch . . .« – »Beatriz de Dia, Gattin von Herrn Guilhem de Poitiers und von Herrn Théophile Gerson. Parnitzke hat dich natürlich als Genossin Gerson angekündigt . . .« Da fiel den beiden Frauen erst auf, daß sie sich duzten. Und sie gaben sich geschlagen und umarmten einander. Einig in der Überzeugung, daß man nicht alles wissen muß. Ja daß es mitunter vielleicht gar nichts zu wissen gibt und nur Wirrnis entstünde, wenn man wissen wollte.

17. Kapitel

Darin beschrieben steht, was Beatriz de Dia über Lauras gewöhnliches Vorleben nach und nach erfuhr

Laura war die einzige Tochter des Lokomotivführers Johann Salman und seiner Frau Olga. In der zwölften Klasse der Schule, die Laura besuchte, entschieden sich die Schülergenossen für die Volksarmee, die Schülergenossinnen für die philosophische Fakultät. Laura wurde an der Humboldt-Universität immatrikuliert. Im ersten Semester verliebte sie sich in den Ökonomiestudenten Axel. Der schön war und klug und ideal passend zu Lauras Leib. Er schwängerte sie also bald. Aus Angst vor den Vorwürfen der Eltern aß Laura Chinin. Vergeblich. Nun steigerte Furcht vor einer möglichen Schädigung der Leibesfrucht Lauras Angst zu Panik, Bittgänge zu Ärzten, die ihr keine Hilfe gewährten, weil sie sich nicht strafbar machen wollten, aber Demütigungen. Ein doppelt promovierter Gynäkologe sagte: »Dachtest du, der Spaß ist umsonst?« Ein einfach promovierter verlangte Spaß für sich und tausend Mark. Eine Frau, der Laura vom Chinin erzählte, bezeichnete debile Kinder als Gottesstrafe. Schließlich griff Laura zur Stricknadel. Und verletzte sich gefährlich. Konnte aber aus dem Krankenhaus entlassen werden. Von Axel, der sie abholte, verabschiedete sie sich noch am selben Abend für immer. Im zweiten Semester verliebte sie sich in den Philosophieprofessor K. und hörte seine Vorlesungen möglichst in der ersten Sitzreihe. Im dritten Semester heiratete sie den Assistenten Uwe Parnitzke. Der ruhig war und fleißig und unpassend zu Lauras Leib. Manchmal sang sie für ihn Kampflieder zur Laute, als Mitglied des Universitätschors verfügte sie über ein großes Repertoire dieser Gattung. Manchmal besuchten sie gemeinsam Veranstaltungen von Volkskunstensembles. Da Uwe ein gleichmütiger, disziplinierter und unegoistischer Mensch war, konnte Laura fast ohne Monatsangst leben und im Gegensatz zu mancher Kommilitonin das Staatsexamen ohne Studienunterbrechung erreichen. Aspirantur. Lauras Befürchtung, bei der Abtreibung zu Schaden gekommen zu sein, erwies sich als unbegründet. Noch im ersten Aspirantenjahr gebar sie ein Mädchen. Das den Namen Juliane erhielt. Die Institutsleitung erwirkte einen Krippenplatz für Juliane. Die glückliche Mutter brachte die Tochter morgens in die Krippe, holte sie abends, wusch Windeln und auch sonst alle Wäsche der Familie, kochte, kaufte ein, säuberte die Wohnung, ging mit dem Kind zum Arzt, betreute es, wenn es krank war. Uwe war als Journalist damals häufig auf Dienstreisen. Laura geriet mit den Kommentaren in Verzug, die sie für eine Editionsarbeit des Professors zu liefern hatte. Ihre Forschungsberichte über den Dichter Frank Wedekind bezeichnete er als zunehmend dürftig. Manchmal hielt sie unvorbereitet Seminare. Gab sogar mitunter die Tochter leicht fiebrig in der Krippe ab, um ihren Lehrveranstaltungen nachkommen zu können. 1958, elf Tage vor ihrem ersten Geburtstag, starb Juliane an Lungenentzündung. Wenig später bezichtigte sich Laura ideologischer Unklarheiten und bat um Delegierung in die Produktion. In den folgenden Jahren arbeitete sie bei VEB (K) Bau Heidenau und auf renommierten Großbaustellen der Republik. Von Uwe, der solches Verhalten als Proletkult, Goldgräberromantik und dem Familienleben abträglich bezeichnete, ließ sich Laura 1959 nach fünf Ehejahren scheiden. Seit 1965 fuhr sie Stadtbahnzüge durch die Hauptstadt Berlin.

18. Kapitel

Laura wird ein Angebot gemacht

Der wahrhaftige Bericht bewog Beatriz, Laura als Spielfrau zu qualifizieren. »Wir haben uns gesucht und gefunden«, sagte die Trobadora enthusiastisch. Laura, die sich unter »Spielfrau« nichts Genaues vorstellen konnte, vermutete ein Dienstleistungsgesuch in Richtung Aufwartung, Babysitter. Wodurch ihr Überschwang jäh gedämpft wurde. Sie hielt deshalb folgende grundsätzliche Erklärung für angebracht: »Erstens soll jeder Mensch, gleich, welchen Geschlechts, seinen Dreck selber wegräumen, und zweitens ist Triebwagenfahren nicht meine Beschäftigung, sondern mein Beruf.« – »Wunderbar«, entgegnete Beatriz, »seßhafte Menschen sind für Spielmannsberufe ungeeignet.« Sie versuchte Laura zu überzeugen, daß die angebotene Arbeit leicht wäre, da Dichten nicht verlangt würde. Früher hätten die Spielleute zwar bekanntlich viele Texte selber verfaßt, Lieder, Märchen, ganze Epen, Dichten besorge sie aber garantiert allein, ihr wäre mit Lautenspiel, etwas Interpretation und gewissen organisatorischen Beihilfen gedient. Die Auskünfte zerstreuten Lauras Verdacht und stimmten sie versöhnlich, jedoch nicht um. Beatriz konnte sich die derzeitige Unüblichkeit des Berufs nur mit Arbeitskräftemangel erklären. Denn sie wußte aus der Zeitung, daß die hiesigen Dichter nicht minder durchs Land reisten als die provenzalischen Trobadors. Wären die hiesigen Dichter denn sämtlich in der Lage, ihre Werke gut vorzutragen? Laut; verglichen mit den Fabriksälen wären die provenzalischen Schloßsäle Kammern gewesen, verfügten denn alle Dichter des Landes über voluminöse Stimmen? Bei desinteressiertem oder niederem Publikum hätten die provenzalischen Trobadors oft nur schaugesessen und das gesamte Programm von der Spielfrau beziehungsweise vom Spielmann bestreiten lassen. Beatriz hätte auch Spielmänner gehabt. Spielfrauen wären für sie aber vielseitiger verwendbar gewesen, weil auch das Wahrnehmen von uninteressanten oder unzumutbaren Rendezvous, die abzuschlagen die Trobadora sich aus sittlichen Gründen nicht leisten konnte, zur üblichen Arbeit der Spielfrau gehört hätte. Beatriz beeilte sich zu versichern, daß Laura letzteres im Anstellungsfall nicht erledigen sollte. Laura erinnerte unwillig daran, daß sie auf dem Schonplatz S-Bahnhof Greifswalder Straße Fahrkarten verkaufen müßte und das Kind ordentlich herstellen, erbat kurzum ein anderes Gesprächsthema und kochte Kaffee. Beatriz konnte nicht umhin, den Kaffee zu preisen. Laura konnte nicht umhin, Leserzuschrift und Selbstkritik zu tadeln. Als zu wahr. »Dir fehlt Pragmatismus«, sagte Laura. »Gottlob«, sagte Beatriz, »und dir Charakter.« – »Gottlob«, sagte Laura und erzählte eine zu wahre Geschichte.

19. Kapitel

Das die Geschichte wiedergibt, die Laura als zu wahr bezeichnet

Kaffee verkehrt: Als neulich unsere Frauenbrigade im Espresso am Alex Kapuziner trank, betrat ein Mann das Etablissement, der meinen Augen wohltat. Ich pfiff also eine Tonleiter rauf und runter und sah mir den Herrn an, auch rauf und runter. Als er an unserem Tisch vorbeiging, sagte ich »Donnerwetter«. Dann unterhielt sich unsere Brigade über seine Füße, denen Socken fehlten, den Taillenumfang schätzten wir auf siebzig, Alter auf zweiunddreißig. Das Exquisithemd zeichnete die Schulterblätter ab, was auf Hagerkeit schließen ließ. Schmale Schädelform mit rausragenden Ohren, stumpfes Haar, das irgendein hinterweltlerischer Friseur im Nacken rasiert hatte, wodurch die Perücke nicht bis zum Hemdkragen reichte, was meine Spezialität ist. Wegen schlechter Haltung der schönen Schultern riet ich zu Rudersport. Da der Herr in der Ecke des Lokals Platz genommen hatte, mußten wir sehr laut sprechen. Ich ließ ihm und mir einen doppelten Wodka servieren und prostete ihm zu, als er der Bedienung ein Versehen anlasten wollte. Später ging ich zu seinem Tisch, entschuldigte mich, sagte, daß wir uns von irgendwoher kennen müßten, und besetzte den nächsten Stuhl. Ich nötigte dem Herrn die Getränkekarte auf und fragte nach seinen Wünschen. Da er keine hatte, drückte ich meine Knie gegen seine, bestellte drei Lagen Sliwowitz und drohte mit Vergeltung für den Beleidigungsfall, der einträte, wenn er nicht tränke. Obgleich der Herr weder dankbar noch kurzweilig war, sondern wortlos, bezahlte ich alles und begleitete ihn aus dem Lokal. In der Tür ließ ich meine Hand wie zufällig über eine Hinterbacke gleiten, um zu prüfen, ob die Gewebestruktur in Ordnung war. Da ich keine Mängel feststellen konnte, fragte ich den Herrn, ob er heute abend etwas vorhätte, und lud ihn ein ins Kino »International«. Eine innere Anstrengung, die zunehmend sein hübsches Gesicht zeichnete, verzerrte es jetzt grimassenhaft, konnte die Verblüffung aber doch endlich lösen und die Zunge, also daß der Herr sprach: »Hören Sie mal, Sie haben ja unerhörte Umgangsformen.« – »Gewöhnliche«, entgegnete ich, »Sie sind nur nichts Gutes gewöhnt, weil Sie keine Dame sind.«

20. Kapitel

Darin Lauras erfinderischer Geist schließlich knapp siegt

Lauras Geschichte stürzte Beatriz in Verzweiflung. Derart, daß sie sich im Bad einschloß. Auf dem Wannenrand hörte sie die Versprechungen der Freundin, die an der Tür rüttelte: Kalbssteak, Cinzano, Mozart. Die

Versprechungen empfand Beatriz als geschmacklos, ja beleidigend unangebracht. Da fielen die Tränentropfen in kürzeren Abständen auf den Rock als die Wassertropfen in die Wanne. Und das knatternde Geräusch in der Wasserleitung weckte Assoziationen an Maschinengewehre. Niedergemäht alle Hoffnungen, den Garaus gemacht mit einer Salve. »Ich bin ein Leichnam«, sagte Beatriz, als sie nach einer Weile das Bad wieder verließ. »Ein wandelnder Leichnam. Auch zu wahr. Wie die Geschichte. Die ein Offenbarungseid ist. Ach Laura, Gottverdammich.« – »Ach Beatriz, Gottverdammich«, erwiderte Laura mit schlechtem Gewissen und geleitete die Freundin auf den Balkon. Dort strahlte die Sonnenhitze zurück von den Waschputzwänden. Unter den Schuhsohlen knirschten Steinchen und andere Zuschlagstoffe, die der letzte Regen aus dem Putz gewaschen hatte. Flugasche fiel vom dunstigen Himmel. Eine graubraune Gaswerkwolke verdeckte vorübergehend die Sonne. Die beiden Frauen fanden knapp Platz auf dem dachlosen Balkon. Beatriz saß gebeugt auf dem Stuhl, Laura saß breitbeinig mit schräg nach hinten gelehntem Rücken, die Hände über der unteren Kugelbauchhälfte verschränkt. Weshalb ihr der Satz »Es ist alles nicht so schlimm« leicht von der Zunge ging. »Was«, schrie Beatriz da wie vom Bohrer des Zahnarzts am Nerv getroffen, »ich habe achthundertacht Jahre umsonst verschlafen, ich begreif plötzlich, daß ich meine Berufung nach wie vor verleugnen muß: mich. Kein Wunder, daß ich keine ordentliche Anstellung finde. Die Sitten erlauben keine, man kann nicht finden, was es nicht gibt. Ein passiver Trobador, ein Objekt, das ein Subjekt besingt, ist logischerweise undenkbar. Paradox.« – »Ein Witz«, bestätigte Laura, »die Erotik ist bei uns die letzte Domäne der Männer, auf allen anderen Gebieten sprechen die Gesetze unseres Landes den Frauen Gleichberechtigung zu. Mußt du dich denn ausgerechnet mit dieser letzten, gesetzlich kaum faßbaren Domäne, die die Männer begreiflicherweise hartnäckig verteidigen, beruflich anlegen, kannst du nicht was anderes . . .« – »Nein«, sagte Beatriz schroff. »Jetzt befremdet mich auch nicht mehr, daß ich bisher keine Kollegin traf. Wenn weibliche Trobadors im Prinzip noch ebenso unstatthaft empfunden werden wie vor achthundert Jahren, gibt es auch nicht mehr als damals. Kannst du mir vielleicht sagen, wie ich Persephone zu weiteren achthundert Schlafjahren überrede?« – »Nein«, sagte Laura. Auch schroff. Sie verurteilte solche Konsequenzen als schwächlich. Eigentlich teilte sie die Ansichten ihres Vaters über Leute, die sich den Gegebenheiten des Lebens nicht stellten. Die Gegebenheiten akzeptieren müßte ja nicht heißen, sie samt und sonders bejahen. Jedenfalls verlange der Vorgang Leben Stolz, Realpolitik, Improvisationstalent. Und bestünde in der Fähigkeit, sich durchzubeißen. Wunder ja, aber keine privaten für Drückeberger. Außerdem gäbe es gar keine zu wahren Geschichten. Es gäbe nur wahre und unwahre. Und da Laura leicht beweisen könnte, daß sie gelogen hätte . . . – »Unseriöse Kniffe«, sagte Beatriz. Hastig nannte

Laura Privatwunder unseriöse Kniffe. Beatriz bezeichnete Laura als zimperlich. Sich Gegebenheiten stellen, wäre nur mit Chance als Zeichen von Stärke zu bewerten. »Wer zum Beispiel zu lebenslänglichem Kerker verurteilt wurde und keine Ausbruchspläne macht, ist nicht stolz, sondern feige. Beklagtest du nicht ebenfalls den Mangel an Solidarität unter Frauen? Er ist natürlich bei Wesen, die jahrtausendelang erniedrigt waren. Ihre Hoffnung, aus hoffnungsloser Lage zu entkommen, konnte nur auf Wundern gründen: das heißt auf Einzelaktionen. Ich bin aus der Historie ausgetreten, weil ich in die Historie eintreten wollte. Mir Natur aneignen. Zuerst meine eigne: die Menschwerdung in Angriff nehmen. Dieser Zweck heiligt alle Zaubermittel. Prost.« – »Prost«, sagte Laura auch, trank aber statt Wein Limonade. Dann schaufelte ihr Zeigefingernagel eine Weile in der Erde des unbepflanzten Blumenkastens, mit dem sie keinen Balkonwettbewerb gewinnen konnte. Als der dritte Maikäfer gegen ihren Kopf stieß, kam ihr erfinderischer Geist endlich in Gang. Bald sagte Laura: »Die Geschichte ist erstens unwahr, zweitens kenne ich einen jungen Mann, der Kindergärtner werden will, drittens erholt sich meine Mutter regelmäßig, indem sie Neubauviertel in Karl-Marx-Stadt besucht, wo man junge Männer Fenster putzen sehen kann und Wäsche aufhängen, weißt du was? Du haust beim Zirkus in den Sack, wirst zum Beispiel Mitarbeiterin beim Frauenmagazin, die Redaktion verschafft dir einen Zuzug nach Berlin, ich such dir hier in der Nähe eine Wohnung, und jetzt essen wir Fruchtsalat mit Schlagsahne.« – »Beim Frauenmagazin«, fragte Beatriz, »gibt es denn überhaupt . . ., es ist doch unmöglich, daß . . .« – »Bei uns ist nichts unmöglich«, antwortete Laura aus der Küche, steckte die Schlagbesen ins Mixgerät und warf die Apparatur an.

21. Kapitel

Darin das vorläufige Ende der Irrfahrten in der DDR und eine pragmatische Erfindung der Trobadora geschildert werden

Beatriz kaufte sich die neueste und zwei liegengebliebene Nummern des von Laura empfohlenen Frauenmagazins, um die Bewerbung vorzubereiten. Analog zu einem anderen Magazin des Landes, das weibliche Aktphotos publiziert, erwartete Beatriz im Frauenmagazin männliche. Ihre Erwartungen bestätigten sich nicht. Dennoch kündigte sie fristlos beim Zirkus, sühnte von ihren Gagenersparnissen den Vertragsbruch und verbrauchte den Rest für eine Versschmiede. Die PGH »Fortschritt« Glauchau baute das Aggregat frei nach den wolkigen Entwürfen der Trobadora. Beatriz ließ die Apparatur auf dem Sonnenberg von Karl-Marx-Stadt aufstellen. In einem Hof, der von einem Vorderhaus mit Seitenflügeln und einem Hinterhaus gebildet wurde. Die elektronisch gesteuerte Apparatur hatte die Größe eines Kiosks und erinnerte äußerlich wegen der leicht verzögerten Reaktion des Schlagwerks und der ruckartigen Bewegungen der Gipsfiguren, die täglich von automatischen Pinseln neu gestrichen wurden, an ein Orchestrion. Die plastischen Einzelheiten der Figuren wurden nach und nach von der Ölfarbe eingeebnet und durch neue ersetzt, eine Veränderung, die man ähnlich auch an Schiffsbäuchen beobachten kann. Beatriz ließ sich drei Wochen vom Elektroniker der PGH schulen, auch um Schaltpult und Meßuhren kennenzulernen, die das Innere der Versschmiede füllten. Außen war der mit zahlreichen roten, grünen und weißen Signallampen versehenen Maschine eine auswechselbare Preisübersicht angeschlagen. Der Silbenpreis betrug je nach Themenkategorie sieben bis zweiunddreißig Pfennig. Endreimzuschlag generell zwölf Pfennig pro Stück, Binnenreime das Doppelte. Die billigste der neun wählbaren Kategorien war meist Chemie oder Automation, bei ungünstiger Witterung auch Landwirtschaft, die teuerste Liebe. Die Kunden sprachen ihre Wünsche bezüglich Kategorie, Versfuß und Länge in ein Mikrophon. Die Stimmen wurden auf Tonband gezeichnet, von einem komplizierten Mechanismus in die neueste Computersprache übersetzt und auf Lochkarten übertragen. Anfangs mußte Beatriz pro Tag dreißig bis vierzig Lochkarten bearbeiten. Die Entschlüsselung nahm mehr als die Hälfte der Arbeitszeit in Anspruch, hatte auch zehn von elf Ausbildungswochen beinhaltet. Liebe mit Endreimen wurde am meisten verlangt. Als Beatriz sich an ihren maschinenbedrängten, vier Kubikmeter großen Werkplatz gewöhnt hatte und eingearbeitet war, befestigte sie die jeweilige Lochkarte, die der Kartenlocher auf ihr Tischchen warf, mittels Wäscheklammer am Henkel der Kaffeekanne und dichtete direkt in die Schreibmaschine. Gedichtausgabe, Preisberechnung und Kassierung erfolgten automatisch. Da Beatriz in der gefragtesten, teuersten Kategorie geübt war, steigerte sich die Nachfrage, zeitweise bildeten sich Menschenschlangen vor dem Aggregat. Bald konnte die Trobadora, die von ihren Einnahmen lediglich zwanzig Prozent Lohnsteuer und zwanzig Prozent Sozialversicherungsbeiträge abführen mußte, das möblierte Zimmer im Hinterhaus aufgeben und eins im Vorderhaus mieten. Auch Liebhaber mangelten ihr nicht, denn die Tätigkeit in der Versschmiede unterlegte sie der Schweigepflicht.

Zweites Intermezzo

Darin nachzulesen ist, was die schöne Melusine im Jahre 1964 aus dem Roman »Rumba auf einen Herbst« von Irmtraud Morgner in ihr 14. Melusinisches Buch abschrieb

Uwe hatte nicht mal einen richtigen Schwiegervater. Katschmann nannte sich Lebensgefährte. Er wohnte seit drei Jahren bei Berta. Uwe ließ sich nur manchmal von ihr versorgen. Wenn Valeska nicht da war.

Uwe erreichte genau das Abendessen. Süßer Dampf breitete sich über den Tisch. Katschmann wünschte abends »warm«. Allerdings nicht zu warm: er wartete, bis Berta seine Suppe gekostet hatte.

Uwe badete seinen Gaumen in Kakaosuppe. Wenn er sie durch die Zähne sog, lag sie geschäumt auf der Zunge. Süß. Eklig süß. Eine Spezialität dieser Stadt. Uwe war etwas anderes gewöhnt. Er wurde geboren in einer Gegend, wo man Milchreis mit Zimtzucker und Bratwurst aß.

»Schmeckt es dir nicht, Uwe?«

»Doch.«

»Möchtest du noch einen Teller?«

»Nein.«

»Warum denn nicht?« Berta stand auf und schüttete ihre Suppe auf seinen Teller. Beim Essen stand sie meist. Weil sie von oben besser beobachten konnte, wie die Teller abgeräumt wurden. Die Brauen hatte sie in die geraffte Stirn gezogen. Sie beobachtete den Tisch wie einen in Gang gebrachten Spielautomaten. Und sie gewann immer. Aber sie wollte hoch gewinnen. Sie schmierte Katschmann Schnitten nach seinen Angaben, rückte Teller hin und her und erklärte, was darauf lag.

Katschmann klimperte mit dem Löffel an die Tasse. Berta brachte Zucker. Berta lobte Uwe. Je mehr gegessen wurde, desto stärker spürte sie ihre Zuneigung erwidert.

»Und du? Wann ißt du?«

»Hat jemand Appetit auf saure Pilze? Oder auf Hering in Öl?« Sie begann wieder zu erklären, was auf dem Tisch stand: schöne Butter, schönes Brot, schöne Wurst, schöner Käse, schöne Eier . . .

»Ich bin nicht blind«, sagte Katschmann.

»Aber einmal im Jahr könntest du in die Kirche gehen. Ja, ich weiß, ich weiß schon, was du sagen willst, ich muß dich aber daran erinnern, daß der Mann von der Wieseken auch gute Augen hatte, und plötzlich . . . Du könntest nicht mehr fahren, wenn du wie er . . . Edgar, einmal im Jahr reißt dich nicht um.«

»Ich lehne die Religion ab«, sagte Katschmann.

»Ich auch«, sagte Berta und setzte sich auf die Stuhlkante, »ich auch und Uwe auch und Valeska auch, nicht wahr, Uwe, willst du ein Schlackwurstbrot oder ein Käsebrot, Edgar.«

»Ein Schlackwurstbrot«, sagte Katschmann.

»Wir sind uns einig«, sagte Berta. »Eine Familie, die sich nicht in allen Fragen einig ist, ist keine Familie. Wir sind eine Familie. Wir sagen, es gibt keinen Gott. Aber wenn es doch einen gibt . . . Seht ihr, es wäre wirklich gut, wenn ihr wenigstens einmal im Jahr in die Kirche gingt, für alle Fälle.«

Der Schädel Katschmanns stand über dem Tisch wie eine rote Kegelboje. Berta versuchte mit dem Salatbesteck ein Anlegemanöver auf seinem Teller. Aber es mißlang. Katschmann schob den Teller mit dem rechten Unterarm weg und hörte auf zu kauen. Und verlor Zeit. Und das ärgerte ihn vermutlich am meisten. Essen schien zu seinem ungeheuren Pensum zu gehören, das er sich täglich auferlegte. Er bewältigte es planmäßig und so gründlich, daß es ihm eine Kreislaufstörung eingebracht hatte. Die Krankheit gab ihm eine frische Gesichtsfarbe, er sah gesund aus und stark und schwer zu schätzen. Nur wenn er wütend war, sah er beängstigend rot aus. Seitdem Valeska nicht da war und Uwe bei seiner Schwiegermutter aß, wenn sie Frühschicht hatte, sah er oft beängstigend rot aus. Und immer aus dem gleichen Grund. Seit einigen Tagen verfolgte Berta ihn nicht mehr nur mit Güte, sondern auch mit Gott. Er hatte ihr diesen Gott ausgeredet, bevor er zu ihr gezogen war. Plötzlich war der Gott wieder da. Katschmann war überzeugt, daß Berta etwas in sich hatte hineintragen lassen: eine Tendenz. Für Tendenzen hatte er einen sechsten Sinn. Er sagte: »Wir lehnen Gott ab.«

»Ja«, sagte Berta und senkte ihren Kopf, dessen dünnes graues Haar dauergekreppt und mit vielen Klemmen und Kämmchen befestigt war.

Katschmann zog den Teller wieder zu sich heran. Berta stand wieder auf und umkreiste den Tisch. Er reichte ihr bis zur Taille. Die sie nicht mehr besaß und durch Gürtel markierte.

»Wir brauchen keinen Gott«, sagte Katschmann.

»Ja«, sagte Berta. Sie konnte nicht nein sagen. Güte war ihr Laster. So war sie zu diesem Mann gekommen. In der S-Bahn hätte sie ihn kennengelernt, erzählte sie später, als es schon zu spät war. Katschmann kam vom Dienst und Berta von der Schicht, und der Zufall setzte sie einander gegenüber. Uwe hatte Valeska auch ganz zufällig kennengelernt. Weil er zur Bewährung in die Produktion delegiert worden war und dort Valeskas Vater kennenlernte. Von solchen Zufällen wurde das Leben bestimmt. Schrecklich, man durfte nicht daran denken. Berta hatte es besser. Für sie gab es keinen Zufall. Bis vor drei Jahren ganz sicher nicht. Und jetzt plötzlich wieder ziemlich sicher nicht. Ein Gott machte aus Zufällen Gesetze. Ein Gott brachte in jedes Chaos Ordnung. Ein Gott war praktisch. Hatte ihn Berta wieder hervorgeholt, weil er so praktisch war?

Vielleicht brauchte man einen Gott, wenn man täglich tausendmal dieselben Handgriffe machen mußte. Vielleicht konnte sie ohne ihn nicht länger am Fließband sitzen? Oder sie wurde mit dem Zufall nicht fertig, der ihr Katschmann in einem S-Bahn-Zug gegenübergesetzt hatte. Katschmann mußte ihr damals umgehend sein Unglück erzählt haben: Frau gestorben, zwei Jungen zu Hause, die Jungen ohne Essen, die Wohnung ohne Pflege, Hilfe. Berta erbot sich, zu helfen. Sie kochte für die Jungen, brachte Katschmanns Wohnung und seine Wäsche in Ordnung und kam jede Woche einmal ehrenamtlich als Aufwartung. Valeska war empört. Valeska sagte: Du machst dich kaputt. Berta versprach, Katschmann zu raten, sich eine Haushälterin zu suchen. Uwe zweifelte nicht, daß sie sich fest vornahm, mit Katschmann so zu sprechen. Sie nahm es sich bestimmt immer und immer wieder vor. Aber sie brachte es nicht über sich. Dann bekamen Valeska und Uwe eine Wohnung und zogen aus, der ältere Sohn Katschmanns ging zur Armee, und der jüngere sah dem Abitur und Vaterfreuden entgegen. Berta wurde bedeutet, sie müßte einen Untermieter aufnehmen. Katschmann bot sich an. Berta wollte nicht. Aber sie konnte wieder nicht nein sagen. Katschmann gab seine Wohnung dem Jüngsten, der in aller Eile geheiratet hatte, und zog zu Berta. Seitdem wohnte er bei ihr. In Fragebögen führte er sie als Lebensgefährtin. Brauchte Berta einen Gott, weil sie Franz untreu geworden war?

Motorengedröhn fiel durch die geschlossenen Fenster. Berta zog den Hals in die Schultern. Die Stadt brachte sich in Erinnerung. Mit Geräuschen ihres Alltags, die zu definieren waren als USAF oder Royal Air Force oder Armée de l'air.

»Wenn wir das noch mal erleben müssen . . .«

Katschmann, der eben erst wieder den kahlen Schädel über den Teller gebeugt und den Unterkiefer in gleichmäßig horizontale Bewegungen versetzt hatte, verfärbte sich erneut. »Wenn . . .«

Berta lächelte entschuldigend für Katschmann und nickte für Uwe. Ihr Silberblick wandte sich an beide. Katschmann klemmte den Gabelgriff zwischen Daumen und Zeigefinger und klopfte mit den Zinken auf die Tischdecke. »Wenn . . . was soll das heißen, wenn . . .«

Uwe wandte sich ab, aber er hörte das Klopfen. Gleichmäßiges dumpfes Klopfen. Leise. Tischklopfen. Buschklopfen. Herzklopfen. Er wollte Katschmann die Gabel aus der Hand nehmen und Berta etwas sagen, aber er mußte denken: Darf man so davon sprechen. Darf man sich so verlieren in dieser Situation. Wenn. Sprach aus diesem Wenn nicht Unsicherheit? Hatte Berta nicht doch etwas in sich hineintragen lassen, eine Tendenz, der man entgegentreten mußte? Katschmann ließ sich nicht gehen wie Uwe und Berta. Katschmann hielt sich gerade, als säße er an einem Präsidiumstisch. Und jetzt saß er noch gerader, und seine müden Augen, die schräg in seinem Gesicht hingen, vom Gefälle der Lider seitlich herabgedrückt, blickten stramm, als er die Frage in ihrer Mitte stellte. Eine Gewissensfrage? Eine Fangfrage? Er sagte: »Entschuldigt, aber wer macht denn heutzutage die Geschichte?«

»Ja«, sagte Berta, »aber manchmal habe ich doch Bammel.«

»Ein Kommunist hat nie Bammel.«

»Ja«, sagte Berta, »aber gerade wie jetzt . . .«

»Bammel schwächt«, sagte Katschmann. »Und Schwäche ist gefährlich.« Er begann wieder zu essen. Er sagte: »Wir sind unbesiegbar.«

»Ja«, sagte Berta, »aber einmal im Jahr könntet ihr gehen, für alle Fälle.«

Uwe verstand Berta. Uwe verstand Katschmann. Aber er war doch froh, als Katschmann die Wohnung verließ. Katschmann war meist unterwegs. Entweder mit der S-Bahn oder ehrenamtlich. Aber er war kein Fahrender. Er stand immer an ein und demselben Platz. Auch wenn er fuhr. Uwe beneidete ihn.

Doch die Wohnung gefiel ihm besser, wenn Katschmann nicht da war. Sie war größer ohne ihn. Man konnte in den Zimmern auf und ab gehen, ohne Angst haben zu müssen, sich an den Möbeln zu stoßen. Die Wohnzimmermöbel gehörten Berta: Kredenz, Sofa, Vertiko, Tisch, vier Stühle. Alle, mit Ausnahme der Stühle, waren mit Häkeldeckchen belegt. Berta arbeitete sie, wenn Katschmann ihr unterstrichene Stellen aus seinen Büchern vorlas. Berta erfand immer neue Muster.

Wenn Uwe bei ihr war, häkelte sie nicht. Weil sie sich da dauernd vertäte, behauptete sie. Wenn Valeska bei ihr war, durfte sie nicht häkeln. Valeska lehnte Deckchen ab. Uwe gefielen sie. Nicht, weil sie schön waren, sondern weil Berta sie gemacht hatte. Überall auf den häßlichen alten Möbeln, die Berta im Laufe ihres harten Lebens billig erstanden oder geschenkt bekommen hatte, lagen ihre aus Kunstseidengarn gefertigten Träume.

»Häkelst du mir was für meinen Schreibtisch?«

»Für deinen Schreibtisch?«

»Ja.«

»Aber Valeska . . .«

»Für meinen, nicht für ihren.«

»Für deinen?«

»Ja.«

»Wirklich?«

»Ja.«

»Für deinen schönen Schreibtisch?«

»Ja.«

»Und was soll ich häkeln?«

»Irgend etwas«, sagte Uwe.

»Ein Flammenmuster vielleicht?«

»Ganz egal«, sagte Uwe.

»Ich überlege mir ein neues Flammenmuster«, sagte Berta und schloß die Lider über den weit vorstehenden Augäpfeln. Dann streckte sie beide Arme aus, hob die Hände nach oben, hob Mittel- und Zeigefinger, spitzte den Mund, holte ihre tiefe Märchenstimme hervor und sagte, immer noch mit geschlossenen Lidern, wobei sie mit den Händen den Takt schlug: »Ich – überle – gemir – einganz – neuesFlam – menmu – ster.«

Uwe hatte keinen Vater. Aber er hatte endlich eine Mutter. Berta war seine Mutter. Er liebte sie so, daß er sich schämte, ihr das zu sagen. Er fand sogar, daß er ihr auch äußerlich ähnlich war. Valeska war ganz anders. Valeska konnte auch ohne Eltern leben. Valeska brauchte keinen Gott. Auch an diesem Abend nicht. Auch da genügte ihr ein Mensch. Berta brauchte einen Gott, als sie allein leben mußte. Siebenundzwanzig Jahre lang.

Vor zweiunddreißig Jahren wollte Berta den arbeitslosen Setzer Franz Kantus heiraten. Das Aufgebot soll schon gemacht gewesen sein, als Hitler das Dritte Reich ausrief. Franz mußte emigrieren. Die SA war hinter ihm her. Berta mußte sich von einem Tag zum anderen entscheiden, und das konnte sie nicht. Sie erwartete ein Kind. Sie hörte auf Franz, sie hörte auf ihre Eltern, sie wollte keinem weh tun, und dann war es zu spät. Franz hatte Uwe erzählt, daß er sich nur durch einen günstigen Zufall über die Grenze hatte retten können. Bis 1937 bekam Berta ab und zu durch Genossen ein Lebenszeichen von ihm. Dann nicht mehr.
Sie zog ihre Tochter allein auf. Sie arbeitete am Fließband. Früher. Heute. Arbeitete sie auch heute noch nur des Geldes wegen? Konnte man an einem Fließband noch aus anderen Gründen arbeiten? Vielleicht war dieser Gott gar keiner, sondern eine Art Traumgestalt. Ein Mensch kann nicht leben ohne Träume. So einer wie Berta, der seit über dreißig Jahren arbeitete wie eine Maschine und dennoch ein Mensch geblieben war. Vielleicht mußte sie sich eine Traumgestalt schaffen, weil sie keinen Menschen hatte, von dem sie träumen konnte. Franz war vielleicht ein Mensch, von dem man träumen konnte. Als er ihr nicht mehr schrieb, vermutete sie sicher, daß er eine andere Frau gefunden hatte, eine Russin vielleicht, ein junger Mann kann nicht allein leben auf die Dauer, jeder Mensch hat Stärken und Schwächen und so weiter. Aber sie ließ sich sein Bild nicht zerstören. Vielleicht hat sie sogar aus dieser Liebe eine Religion gemacht? Jede große Liebe ist eine Art Religion. Vielleicht liebte sie ihn heute noch?

»Soll ich Garn nehmen oder Seide?«

»Wozu?«

»Na zum Deckchen für den Schreibtisch.«

»Seide«, sagte Uwe.

»Weiße oder gelbe.«

»Egal.«

»Und wenn es dir dann nicht gefällt?«

»Mir gefällt alles, was du machst.«
»Wirklich?«
»Wirklich.«
»Aber wenn es dir nicht gefällt, brauchst du es nicht zu nehmen.«
»Es gefällt mir bestimmt«, sagte Uwe.
»Ich – überle – gemir – einganz – neuesFlam – menmu – ster«, sagte Berta leise, mit geschlossenen Lidern, die Arme vorgestreckt, die Hände nach oben gebogen, Mittel- und Zeigefinger aufgerichtet, und tappte sanft um den Tisch herum, immer hinter dem ganz neuen Muster her.

Wenn sie die Fähigkeit hatte, aus dieser Liebe eine Religion zu machen, liebt sie ihn heute noch, dachte Uwe. Ich würde ihn auch lieben, wenn ich eine Frau wäre. Alle in der Druckerei haben ihn gern. Ohne ihn hätte ich den XX. Parteitag nicht verdaut. Warum lebten sie nicht zusammen? Warum lebte sie mit diesem Katschmann? Liebte sie etwa beide? Ruhte ihr weitwinkliger Blick auf beiden? Oder war Franz ihr fremd geworden, als er 1955 rehabilitiert zurückkehrte. Kann einem ein Mensch fremd werden, den man so geliebt hat? Woher wollte Uwe wissen, daß sie ihn so geliebt hat? Er wußte es. Er wußte es, weil sie ihm so ähnlich war, ach Berta, wenn ich nicht wüßte, daß es dich gibt und daß ich zu dir gehen kann, wenn es mir dreckig geht, wer weiß, ob ich durchgehalten hätte in diesem aufreibenden Geschäft. Natürlich hast du keine Ahnung, was eine Zeitung ist, du liest sie, aber du hast keine Ahnung von dem Mechanismus einer Zeitung, dem man sich anpassen muß, oder man geht unter. Aber du kannst zuhören, du hast die wunderbare Fähigkeit zuzuhören, auch wenn du nichts verstehst: Du bist immer da für mich, zu jeder Zeit. Auch wenn ich dich nicht sehe, spüre ich das Dach deiner Liebe über mir. Bei allen Frauen, die ich geliebt habe, habe ich dieses Dach gesucht. Ich habe es nicht gefunden. Auch bei Valeska nicht. Ich brauche dich. Ich verstehe dich. Ich versteh, daß du auch so ein Dach brauchst und daß du es dir wiedergeholt hast, jetzt. Jetzt brauchst du es. Jetzt brauche ich es. Katschmann ist ein Mensch, der es gut meint. Ich habe ihn zu mir genommen, weil zu viel Platz war unter meinem Dach. Der meiste war reserviert für einen Enkel. Aber ich kriege wohl keinen wieder. Also muß ich Platz vermieten.

Katschmann kam zurück. Er warf ein Paket Broschüren auf den Tisch mitten unter die Knäuel und Decken, die Berta ausgebreitet hatte, und sagte: »Man müßte sie zehnmal lesen, um sie auszuschöpfen.«

Uwe hörte nicht auf ihn. Er beobachtete, wie Berta die Decken löste und die Seide auf leere Zwirnrollen wickelte, den Mund gespitzt, die Augen halb geschlossen. Er dachte: Ich bin ein Mensch, der keine Mutter hatte, der Großmutter war ich auch im Wege, ich war allen im Wege, ich mußte mich allein durchschlagen, ich fror immer, auch in der Schule. Wenn ich mal einen Freund hatte, hängte ich mich so an ihn, daß er bald von mir nichts mehr wissen wollte. Ich war eifersüchtig auf alle meine Freunde.

Ich sehnte mich nach jemandem, der nur für mich da war. Auch die Mädchen, die ich liebte, sollten nur für mich dasein. Ich wollte einen Menschen so besitzen, wie man eine Mutter besitzt. Ich wollte meine kalte Kindheit vergessen. Aber so was kann man nicht vergessen. So was schleppt man bis zum Schluß mit sich herum. An der Universität habe ich so gefroren, daß ich durch viele Mädchen gegangen bin. Jedesmal habe ich mich reingestürzt bis an die Grenze der Existenz. Jedesmal habe ich eine Religion draus gemacht. Laura und Valeska haben mich zur Vernunft gebracht. Aber man kann nicht allein dieses ungeheure Loch ausfüllen, das entstanden ist, als wir Gott begruben. Man ist nicht allein stark genug, um das Loch zu stopfen, damit der Kahn nicht absäuft. Ich bin allein nicht stark genug. Ich komme allein nicht zum Thema. Ich bin ein Mensch, der eine Mutter braucht.

»Du hast uns noch gar nicht erzählt, was du heute erlebt hast«, sagte Berta. »Wars schön, Uwe, hast du viel erlebt?«

»Freilich«, sagte Katschmann, »die Frage der Wissenschaft, gerade jetzt, wo die Machthaber, du verstehst, die Drahtzieher, meine persönliche Meinung ist, wir dürfen keine Zeit verlieren, wir müssen fieberhaft arbeiten wie diese Wissenschaftler.«

»Welche«, fragte Berta.

»Na die, über die Uwe berichtet.«

»Wo«, fragte Berta.

»In der Zeitung«, sagte Katschmann. »Man muß jetzt täglich die Zeitung studieren, ich sage, und ihr könnt mir widersprechen, man muß sie in diesen Tagen zweimal durcharbeiten, um sie einigermaßen auszuschöpfen. Und dann muß man an die Arbeit gehen, wie diese Wissenschaftler an die Arbeit gehen: Der Kampf wird ausgetragen in der Sphäre der materiellen Produktion.«

»Es handelt sich um eine Tagung«, sagte Uwe.

»Ich bin nicht gegen Tagungen«, sagte Katschmann. »Ich werde jetzt etwas sagen, und ihr könnt mich korrigieren, wer eine Produktivkraft ist und die Wissenschaft ist eine, darüber gibt es einen Bericht, wer eine Produktivkraft ist, der hat auch das Recht zu tagen. Natürlich kann man sich streiten über den Zeitpunkt. Uwe ist ja in dieser Situation auch nicht in Urlaub gefahren. Aber prinzipiell hat er das Recht, und ich sage euch, und vielleicht werdet ihr mir zustimmen, ich sage, wir brauchen in dieser Situation mehr solche Berichte.«

»Was für Berichte«, fragte Uwe.

»Solche wie über die Tagung sowjetischer Wissenschaftler.«

»Das ist eine internationale Tagung, Edgar.«

»Hauptsache, der Bericht ist gut.«

»Ich habe ihn noch gar nicht geschrieben.«

»Dann fang sofort an. Ich sage euch, und das ist meine persönliche Meinung: Die Amerikaner wollen Kuba kassieren. Wir haben keine Zeit zu verlieren. Nimm dir ein Beispiel an den Wissenschaftlern.«

»Edgar, sie arbeiten an Problemen, die vielleicht in achtzig Jahren einmal praktisch ausgewertet werden können.«

»Was?«

»Ja.«

»Die sowjetischen auch?«

»Die sowjetischen auch.«

»Alle?«

»Alle nicht, aber die zwei, die teilnehmen, ja.«

»In dieser Situation brauchen wir jeden«, sagte Katschmann.

Berta hob die Hand wie ein Schüler, der sich melden will. »Uwe hast du schon gehört . . .«

»Natürlich«, sagte Katschmann, »wer bei der Zeitung ist . . .«

»Aber es steht nicht drin.«

»Dann ist es auch nicht wahr«, sagte Katschmann.

Berta nickte Katschmann zu und lächelte entschuldigend zu Uwe. Dann sagte sie: »Die Russen sollen in Kuba Raketen . . .«

»Hab ich auch gehört«, sagte Uwe.

»Von wem?«

»Von den Wissenschaftlern«, sagte Uwe.

»Woher kommen denn diese Herren Wissenschaftler«, fragte Katschmann.

»Verschieden«, sagte Uwe. »Außer den hiesigen und den westdeutschen . . .«

»So.«

»Ja«, sagte Uwe, »und unsere dürfen auch überallhin reisen, ich kriege keinen Paß, aber die . . .«

»Man müßte den Laden mal aufrollen«, sagte Katschmann. »Ich werde jetzt etwas sagen, und vielleicht werdet ihr mir zustimmen, ich sage euch: Man muß den Skandal mit einem Bericht an die Öffentlichkeit bringen.«

Fünftes Buch

Das in prinzipieller Form eine kleine Auswahl der Werke vorlegt, die Beatriz de Dia in der Versschmiede verfaßte

Rufformel aynnes Liebhabrstücks

◡ — — ◡

◡ — ◡ — ◡ ◡ ◡ — ◡ ◡ ◡

◡ — — ◡

◡ — ◡ — ◡ ◡ ◡ — ◡ ◡ ◡

◡ — — ◡

◡ — ◡ — ◡ ◡ ◡ — ◡ ◡ ◡

Stimmen der Stahlgießer

— ◡ ◡ ◡ ◡ ◡ ◡ ◡ — ◡

◡ ◡ ◡ ◡ ◡ ◡ — ◡

— ◡ ◡ ◡ ◡ ◡ ◡ ◡ — ◡

◡ ◡ ◡ ◡ ◡ ◡ — ◡

— ◡ ◡ ◡ ◡ ◡ ◡ ◡ — ◡

◡ ◡ ◡ ◡ ◡ ◡ — ◡

Provokation für B. D.

◡ ◡ – – – –

◡ ◡ ◡ ◡ ◡ – – ◡ ◡ ◡ ◡

– ◡ – ◡ ◡ ◡ – ◡ ◡

– – ◡ ◡ – ◡ ◡ ◡ ◡ – ◡ – ◡ ◡

– ◡ ◡

◡ ◡ – ◡ ◡ ◡ – – ◡ – ◡

– ◡ ◡ ◡ ◡ ◡ – ◡ ◡

◡ – ◡ ◡ ◡ ◡ – ◡ ◡ ◡ –

Gespräch mit dem Mond über Leuna II

– – ◡ ◡ ◡ – – ◡

◡ – ◡ ◡ ◡ ◡ – ◡ ◡ – ◡ –

– – ◡ ◡ ◡ – – ◡

◡ – ◡ ◡ ◡ ◡ – ◡ ◡ – ◡ –

– – ◡ ◡ ◡ – – ◡

◡ – ◡ ◡ ◡ ◡ – ◡ ◡ – ◡ –

Sechstes Buch

Liebeslegende von Laura Salman, die Beatriz de Dia vor dreizehn männlichen und sieben weiblichen Mitarbeitern der Berliner Stadtbahn als eigenes Werk ausgibt

Seitdem Laura Wochenurlaub hatte, sorgte sie sich um Beatriz. Unruhig trug sie ihren prallen Bauch von Wand zu Wand, blickte durch die Fensterscheiben hin zur Gasometerkuppel, die aus den Dächern ragte, bei Südwind öffnete sie auch das Fenster. Da die Osterstraße nur mäßig befahren wurde, konnte sie bisweilen das zischende Fahrgeräusch der Stadtbahnzüge vernehmen. Regelmäßig drängte sich ihr dann eine Vorstellung der Versschmiede auf, die von Beatriz als neun Kubikmeter großes Gehäuse beschrieben worden war. Da spürte die hochschwangere Frau Platzangst. Auch melancholische Briefe von Beatriz bestärkten Laura in der Annahme, daß die Trobadora in der Versschmiede, drin sie für Stücklohn anonyme Gegenstände besang, verdarb. Lauras erfinderischer Geist war beschäftigt. Selbst nachts, wenn das Menschlein das Zwerchfell trampelte, suchte er Abhilfe. Die rettende Idee lag nahe. Hatte aber organisatorische Anstrengungen zur Folge. Laura scheute sie nicht. Nach etlichen Telefongesprächen und persönlichen Aussprachen mit ihrem Dienststellenvorsteher, dem Parteisekretär, dem Kulturhausleiter und dem zweiten Sekretär des Schriftstellerverbandes war bald eine Verbindung der Werktätigen mit Beatriz de Dia hergestellt. Zunächst vertraglich. Laura war verantwortungsbewußt genug, um überzeugt zu sein, daß man mitunter einen Menschen zu seinem Glück zwingen müßte, selbst so einen eigensinnigen wie Beatriz. Laura kalkulierte also Widerstand beziehungsweise Protest wegen eigenmächtigen Handelns ein, machte sich auf einen wutinspirierten Blitzbesuch der Trobadora gefaßt und legte reichlich Argumente für Überzeugungsarbeit zurecht. Umsonst. Zur größten Verwunderung Lauras schickte Beatriz den Vertrag für eine Lesung im Kulturhaus der Eisenbahner umgehend unterschrieben an die S-Bahn-Verwaltung zurück und bat Laura brieflich um Zusendung der im Vertrag erwähnten Erzählung. Laura schrieb zurück, daß die Werktätigen von Beatriz eine Gegenwartserzählung eigener Produktion hören wollten. Beatriz erwiderte, nur Gedichte ihrer Produktion zu Gehör bringen zu können, da sie noch nie eine Erzählung geschrieben hätte. »Noch nie! Himmeldonnerwetter«, schrie Laura da und hieb mit der Faust aufs Papier, das die Nachricht enthielt, »unsereiner hetzt rum mit dickem Bauch, räumt Vorurteile weg, überzeugt Pontius und Pilatus von den notwendigen Rettungsmaßnahmen für ein Dichtertalent – und dann soll alles scheitern an zehn Seiten!« Laura hatte errechnet, daß Beatriz notfalls fünfzehn Tage Zeit hatte für die Herstellung einer neuen Erzählung, anderthalb Tage für eine Seite – »Umstandskasten«, schimpfte sie und andere einschlägige Bezeichnungen, unpraktische Leute waren ihr ein Greuel. Am schlimmsten aber nagte an ihr die Enttäuschung. Denn ihre Ansichten über Dichtung deckten sich etwa mit Äußerungen Goethes, die Eckermann so aufschrieb: »Um Prosa zu schreiben, muß man etwas zu sagen haben; wer aber nichts zu sagen hat, der kann doch Verse und Reime machen, wo denn ein Wort das andere gibt und zuletzt etwas herauskommt, das zwar nichts ist, aber doch aussieht, als wäre es was.« – Laura hatte Beatriz als große Dichterin gepriesen. Sollte sie beim Dienststellenvorsteher in lügnerischen Verdacht geraten? Durfte sie sich vor Leuten, mit denen sie bald wieder zusammenzuarbeiten hoffte, blamieren? Konnte sie die Freundin einem deprimierenden Fehlstart ins Leben der Werktätigen aussetzen? Laura überlegte verschiedene Möglichkeiten, die die Risiken ausmerzen sollten. Schließlich entschied sie sich für die billigste Variante, erinnerte sich ihrer Erlebnisse im volkseigenen Kreisbaubetrieb Heidenau während der Kubakrise 1961 und ergoß ihren erfinderischen Geist in eine Liebeslegende. Halb liegend, sitzen fiel ihr schon sehr schwer, stehen auch. Die Liebeslegende geriet elf Strophen lang und war auch sonst Beatriz zu Mund geschrieben, zu Namen sowieso. Laura schickte das Stück einundzwanzig Tage vor ihrer Niederkunft ab. Beatriz entdeckte ihre Handschrift in der Legende und schrieb enthusiastisch zurück: »Du bist meine bessere Hälfte.« Die Veranstaltung war gerettet und verlief in freundschaftlicher Atmosphäre. Zur Legende ließ die Gewerkschaftsleitung Kaffee und Gebäck servieren. Übereinstimmend wurden das politische Anliegen der Legende und die berufliche Entscheidung der zur Sprache gebrachten Frau gelobt und die moralische Qualität gewisser Stellen als mangelhaft kritisiert. Von der Tatsache, daß Schriftsteller nackte Frauen schilderten, dürfte sich eine Schriftstellerin nicht verleiten lassen, nackte Männer zu beschreiben. Belletristik hieße schließlich schöne Literatur. Die Liebeslegende, die Beatriz de Dia vor dreizehn männlichen und sieben weiblichen Mitarbeitern der Berliner Stadtbahn als eigenes Werk ausgab, hat folgenden Wortlaut:

1

Die Nachricht erreichte mich beim Essen. Ich verstand nicht sofort, das Fleisch war zäh, der Wirt wandte sich ab vom Schanktisch dem Gerät zu. Er zog es ein wenig aus dem Regal und regulierte den Ton derart, daß die Stimme des Sprechers Rede- und Geschirrgeräusche übertönte, blieb aber mit dem Ohr nahe der Stoffbespannung. Die Geräusche schwanden, nahmen wieder zu, dann Stille. Die Rückwand des Regals war von Spiegelglas. Es doppelte Schnapsflaschen, Zigarettenschachteln, den Raum. Die Männer suchten ihre Gesichter zwischen den Auslagen. Außer mir waren nur Männer in der Kneipe. Die Gesichter waren gebräunt bis über die Brauen, die Stirnen waren blaß und ohne Kalkspuren. Anton griff nach dem Rucksack, der zwischen seinen Stiefeln unterm Tisch lag, darin erinnere ich mich genau. Obgleich seitdem Jahre vergangen sind. Auch mit Nachrichten dieser Art. Ich kannte die Männer namentlich. Ich arbeitete neuerdings mit ihnen. Unsere Baustelle lag hinterm Fluß. Niemand pfiff, als der Fremde eintrat. Er setzte sich an meinen Tisch. Sein Haar war auffällig wie an Perückenträgern, auch stumpf, aber dichter und weniger geordnet, auf den ersten Blick schwarz.

2

Zwei Maurer hatten ihre Busse fahren lassen. Als acht Flaschen Bier geleert waren, holten sie den Fremden zum Kartenspiel. Ich aß noch eine Portion. Wenn ich den Arm hob, um die Gabel zum Mund zu führen, spürte ich die Schulter. Nach dem zweiten Arbeitstag hatte mein Arm ungestützt gezittert. Wir beobachteten einander noch immer, die Arbeiter und ich, nicht mehr lauernd. Nach Feierabend saß ich mit ihnen in der Kneipe. Sie warteten auf Busse, ich auf den Abend. Der Fremde gehörte nicht zu uns. Er schrieb die Spielergebnisse mit kleinen Ziffern auf einen Zeitungsrand. Den Stift hielt er mit fast gestreckten Fingern, die kürzer waren als der Handrücken, blasse, unvernutzte Haut, behaart, zu den Kanten hin dichter. Nach jeder Notierung sah er hinauf zur Uhr, um die Schnitzschnörkel geschichtet waren. Der braungeräucherte Regalaufsatz ragte bis zur Decke. Bald der Wirt kassiert hatte, setzte ich mich zu den Spielern, bestellte auch Bier, eine Flasche. Der Fremde trank aus Gläsern, ich beneidete ihn. Der Rundfunksprecher wiederholte die Blockademeldung. Der Fremde verlor zwei Spiele. Als die übrigen Tische verlassen waren, bat ich, teilnehmen zu dürfen. Der Fremde zahlte den Maurern ihren Gewinn und zeichnete eine neue Spieltabelle auf den Zeitungsrand. Als ich das dritte Spiel verloren hatte, legte mir einer der Maurer seine Hand auf die Schulter. Er hieß Edwin. Unsere Brigade nannte ihn Schweinemeister, weil ihm beim Putzen mehr Mörtel auf den Boden als an die Wand gelangt sein soll. Inzwischen wurde vollmechanisiert verputzt. Über die von Schlägen vibrierende Tischplatte wanderten Ascheteilchen. Der Wirt wusch Gläser. Edwin nahm seine Hand von meiner Schulter und legte sie auf mein Knie. Der Fremde schmälerte die Lidöffnungen. Sie verliefen schräg, zu den Schläfen hin ansteigend. Die Tischplatte war gerissen. Edwin hatte seine Karten in den Spalt geklemmt. Manchmal überlegte er so lange, bis alle Fliegen auf dem glattgescheuerten Holz waren. Der Sprecher meldete wieder die allgemeine Mobilmachung auf der Insel. Der Fensterventilator bewegte blecherne Luftklappen und den Querbehang der Gardine. Edwin atmete in mein Ohr. Der Fremde hustete. Über der Nasenwurzel warf ein V-förmiger Aderzweig die Stirn. Schwarzgerahmte Iris, ockergefleckt auf grünem Grund, ich legte meine Hand auf die von Edwin. Im rechten Mundwinkel klebte eine

Zigarette mit großem, unversehrtem Aschestück, Lippen und rechte Gesichtshälfte waren nikotingebräunt, ich betrachtete jene. Edwin drängte zum Aufbruch. Ich erhob mich, gab dem Fremden die Hand und ließ mich von ihm geleiten.

3

Wir erreichten schnell den Bahnhof. Er war auf einen Damm gebaut, der zwei Gleispaare führte. Wir sahen hin. Er sagte: »Jetzt könntest du mir eigentlich einen Kuß geben.« Sein Haar brannte in meiner Hand. Er schloß die Augen wie eine Frau. Ich tat, wie mir geheißen. Dann gingen wir zum Tunnel, der zu den Bahnsteigen führte. Vergitterte Lampen am Firstgewölbe. Die schwarz gestrichenen Widerlagerwände mit den Rinnen erinnerten an Pissoir. Wir sahen auf den Fahrplan, der ans gekalkte Gewölbe geklebt war. »Was möchtest du«, fragte er. »Ich möchte dich«, sagte ich.

4

»Gehen wir zu mir oder zu dir«, fragte er. »Zu mir«, sagte ich. Ich hatte nach der Scheidung keine Wohnung. Wochentags übernachtete ich in einer Bodenkammer des Kulturhauses, sonntags im elterlichen Schlafzimmer. Anläßlich meiner Einstellung war mir ein möbliertes Zimmer in der Umgebung zugesagt worden, die wenigsten Arbeiter des Kreisbaubetriebes wohnten in der kleinen Stadt. Meine Eltern wohnten in Karl-Marx-Stadt. Das Kulturhaus gehörte dem Kreisbaubetrieb. Es soll ein heruntergewirtschafteter Gasthof gewesen sein. In freiwilligen Arbeitsstunden waren die Kulturfondsgelder im Erdgeschoß verbaut worden. Oberhalb war mit Farbe renoviert. Nur die Lichtreklame leuchtete, Ruhetag, ich hatte Schlüssel, der Hausmeister war ein roter Bergsteiger, wir betraten die hölzernen Stufen in Strümpfen. Die Kammer war dem Spitzboden abgewonnen und roch wie der nach Staub und Gerümpel. Eine Schnur mit vierzig Watt hing von der Decke, am Lukenfensterriegel die Maurerkluft. Blauweißkariertes Bettzeug. Wir schlugen einander die Zähne in die Lippen und wetzten die Zungen, daß der Speichel uns aus den Mundwinkeln rann, zerrten an den Kleidern dabei, entstiegen ihnen, die Hände spielten auf den Leibern wie auf Instrumenten. Dielen knarrten. Laut, da wir uns zusammentaten. Ich warf den Kopf, krallte wohl auch rückenabwärts, der Kampf trieb rhythmisch schnell und unerbittlich auf den Schmerz zu. Der traf ein, als ich den Schrei vernahm, und der Mund ging mir über. Ich trug noch lange das Gewicht des feuchten Körpers. Als er sich abhob von mir, wich ich nach rechts. Er legte sich an meine linke Seite. Ich betrachtete zufrieden das schweißglänzende Gesicht. Setzte mich später. Die Haut umspannte seinen Körper knapp. Mäßig fettunterlegt, verbarg sie das Adergeäst. Armoberseiten und Rücken bis zur Gürtellinie sommersprossig, augenfällige Muskelbildung auf Schultern und Rippen, dann undeutlich, von der Halsgrube abwärts schütter behaart. Schmalhüftig, tiefe eingeebnete Taille, kurze Beine mit vorragenden Knien, mittelgroßes hübsches Gemächt. Ich küßte es.

5

Nach Mitternacht dankten wir einander, nannten unsere Namen und trennten uns. Als der Hausmeister am Morgen wie gewöhnlich seine Bergstiefel gegen die Tür trat, vermißte ich Leeregefühle. Ich wunderte mich, sagte »ja«, zum Zeichen, daß ich geweckt war, betrachtete das Wickelmuster an der Schrägwand über mir. Jeden Morgen betrachtete ich es, hatte schon ein Pferd entziffert und einen Stiefel oder Italien. Links neben dem Pferd ein Zehenabdruck. Ich stand auf, sammelte meine Kleider von den Dielen, rechnete. Achtzehnter Tag. Die braungestrichenen Dielen waren von Sohlen- und Absatzprofilen hell gezeichnet, Zigarettenasche in der Waschschüssel, kein Wasser im Krug. Für den Kellner, dem die Nebenkammer zur Verfügung stand, brachte der Hausmeister Wasser aus der Küche. Ich war angewiesen, mich im ersten Stock zu versorgen, Damentoilette. Ich fuhr ungewaschen in den Drillich. Über Brust und Schenkeln war er steif von Kalk. Die Baustelle war nahe. In den ersten Wochen zog ich mich nicht in der Baubude um. Ich sehnte mich nach der Lehrlingsbaustelle. Dort waren wir zu dritt gewesen. Eine hatte nach Leuna geheiratet, eine hatte ein Kind geboren, jetzt war ich die einzige Frau im Betrieb, die auf dem Gerüst arbeitete. Die Brigade hatte mich ungern genommen, Ziegel karren zum Beispiel ist Frauen laut Arbeitsschutzbestimmung untersagt, die Betriebsleitung hatte Garantien gegeben, seitdem der Objektlohn eingeführt war, fürchteten die Männer wieder ums Geld. Am Vormittag zog ich mit Anton den linken Giebel hoch, damals mauerten wir noch ein Stein ein Kalk. Allerdings im Takt, so nannte sich die von unserem Betriebsleiter gefundene und in Zeitungen verbreitete Methode. Unsere Brigade baute nur zweite Geschosse. Beim Frühstück Gespräche übern Objektlohn und die Blockade. Die Kalfaktorin brachte Milch. Eine Selbstverpflichtung verbot Biertrinken während der Arbeitszeit. Niemand schien Angst zu haben. Der Geruch von Brunos Leib dunstete auf meiner Haut. Noch vor Abend wußte ich, daß ich ihn liebte.

6

Ich aß schlecht drei Tage. Ich schlief kaum. Am vierten Tag erschien Bruno auf der Baustelle. Ich sah ihn nicht sofort. Wir betonierten, ich bediente den Aufzug, da kann man den Blick kaum von der Laufkatze nehmen. Anton schrie: »Besuch.« Er hatte die Patenschaft, sich auch verpflichtet, mich politisch zu qualifizieren, dann wollte er in Rente gehen. Bruno sagte: »Komm.« Ich sagte: »Wie.« Ich hatte ihn jünger in Erinnerung. Wir rannten übers Stoppelfeld zum Fluß. Am Ufer fielen wir übereinander her. Auf dem Rücken lag ich geschlossenen Augs. Umgekehrt beobachtete ich Bruno. Vor den Ohren, wo das Haar ergraut war, warf sich die Haut. Er zog die Schultern in Kinnhöhe, die Unterarme flankierten den Kopf, aufgewölbte Handteller, gestreckte Finger, den Mund schmallippig wie unter Pein, Bewegung hinter den zugekniffenen Lidern, ich befleißigte mich, das Gesicht brach auf wie eine Wunde, die Hände schlossen sich halb, Bruno wandte den Kopf. Gras drang unter die Nägel, Erde. Gegen Abend lagen wir ruhig, Bruno gelassen, ich berauscht: Frieden.

7
Der währte bis sieben. Dann froren wir so, daß wir den Fluß verlassen mußten. Widerwillig näherten wir uns der Stadt, umgingen die Kneipe, das Klubhaus, den Lastzug, in dem der Beifahrer auf Bruno wartete. Die Kastanien am Bahndamm waren fast entlaubt. Wir betrachteten die beiden Gleispaare. Ich sagte: »Im Himmel hätten wir Ruhe.« – »Woher weißt du das«, fragte Bruno. »Von meiner Großmutter«, sagte ich. »Los«, sagte er. Wir wollten das Schalterfräulein mit fünfzig Mark bestechen. Sie verlangte hundert, da der Ort für sie nicht existierte. Die Fahrkarten kosteten 573,20 MDN. Die Beförderung erfolgte mittels Draisine.

8
Als die Schienen sich aufwärts zu biegen begannen, ließ der Engel den Handgriff fahren und warf den Motor an. Bruno wechselte befehlsgemäß auf die andere Sitzbank. Die beiden Sitzbänke waren in Gleisrichtung angeordnet, die Lehnen über den Rädern. Als der Anstiegswinkel hundertsechzig Grad überschritt, mußten wir uns anschnallen. Die Gleise glänzten in der Finsternis. Der Atem gefror zu Schnee. Wenn ich hinuntersah, war es wie mit Bruno, nur länger. Der Engel schlug uns seine Flügel vors Gesicht.

9
Der Himmel war dicht besiedelt. In einem Hochhaus der City war das Meldeamt untergebracht. Die Selektion fand im Hof statt. Auf Grund falscher Angaben wurde unserem schriftlichen Ersuchen stattgegeben. Wir erhielten Gewänder mit Löchern und einen Überweisungsschein. Der Liebesabteilung war in ruhiger Gegend ein Lager aufgeschlagen, siebenhundertachtundzwanzig Baracken, spanische Reiter, Laufgräben. In denen liefen Himmelhunde verschiedener Rassen. In Baracke dreihunderteinundsechzig wurde uns ein Bett zugeteilt. Im Gegensatz zu den Mitbewohnern benutzten wir es regelmäßig. Anfangs. Die Benutzung war nur bekleidet und mit ärztlicher Überwachung gestattet. Jeder dritte Insasse war Mitarbeiter des himmlischen Gesundheitswesens. Zur Überwachung gehörte unter anderem die Anfertigung von Elektrokardiogrammen. Den-

noch waren wir selig. Anfangs. Die Belegung wechselte oft. Die Ehepaare fügten sich früher oder später alle ein in die himmlische Ordnung. Rechtens stand das Lager nur Ehepaaren offen. Es wurde offiziell als Durchgangslager bezeichnet. Bisweilen stellten sich Mitbewohner schon nach dem ersten Tag. Dann wurden ihre Lochgewänder auf dem Appellplatz verbrannt, zu Musik. Bei späteren Konversionen fand die Übergabe der geschlossenen Hemden in der Kleiderkammer statt. Wir kümmerten uns wenig ums Lagerleben, lagen meist beieinander, besahen uns. Brunos Schönheit hatte einen Stachel von Häßlichsein. Der machte sie unverwechselbar, mich beschäftigt. Ich bewunderte sie ohne Anstrengung. Anfangs. In beschäftigungslosen Zeiten tauschten wir Vermutungen über die Kubakrise, ich beschrieb Armierungsformen, Türlehren, Stürze, Bruno erzählte von Benzinsorten und Unfällen. Nach vier Monaten hatten wir den ersten Streit. Wir beschuldigten den vorbeugenden Gesundheitsschutz. Nachts schlugen wir die Wache nieder, liefen ans Ende des Himmels und lehnten uns weit über die Brüstung. Die Erde war noch blau.

10

Unsere Tat kam auf. Wir verbargen uns drei Tage in einem Bunker. Als wir steckbrieflich gesucht wurden, flohen wir über die Grenze. Nach Verhören über Stimmungen und militärische Objekte im Feindlager wurden wir in der Hölle willkommen geheißen. Ein rotgeflügelter Herr dekorierte uns mit dem Überläuferorden. Der berechtigte zur Benutzung aller Maschinen. Wir entschieden uns für die Kombine, drei mal drei Meter, Klimaanlage, Bedienung, und steigerten über fest stehende Spiegel, elektronisch gesteuerte Spiegel, Liebesdetektor, kardanische Aufhängung, programmierte kardanische Aufhängung mit zweiundneunzig Varianten. Orgel, Schlagwerk, Garrotte bis zur Vexiermaschine, einem Gerät, das Aussehen, Geschlecht und Begier der Partner detektorgesteuert wandelte. Letzteres benutzten wir, um den Haß zu unterdrücken, der aufkam. Vergeblich, auch aus den Paaren, die modernste Aggregate anwandten, wurden arme Teufel. Binnen kurzem unterschieden sie sich in nichts vom Gros, das in den Straßen lungerte, räsonierte, beschimpfte, sich schlug. Als ich Bruno den rechten Ringfinger gebrochen hatte, beschlossen wir heimzukehren.

11

Über die Luftbrücke gelangten wir zurück in die kleine Stadt auf der Erde. Es war Frühling. Die Stadt stand noch, hatte inzwischen sogar zwölf Häuser mehr. Der erste Mensch, der uns begegnete, war Kohlenträger. Wir befragten ihn. Er musterte uns, besann sich schließlich, daß die Amerikaner damals die Blockade eingestellt hätten, an die Einzelheiten könnte er sich nicht mehr genau erinnern. Wir verabschiedeten uns und gingen, ein jeglicher an seinen Platz. Infolge Personalmangels wurde ich sofort wieder eingestellt. Anton war in Rente. Bruno besuchte mich wöchentlich. Später seltener. Jetzt wohnt er in Dresden.

Siebtes Buch

1. Kapitel

Darin Laura zwiefach niederkommt

Laura kam am 22. August 1970 fünfzehn Uhr vierzig im großen Kreißsaal der Charité mit einem Knäblein nieder. Es wog sechs Pfund und dreihundertfünfzig Gramm. Sie nannte es Wesselin. Als Wesselin neun Pfund wog, war Laura noch immer kein literarisches Zeugnis zugesandt worden, darin sich die Begegnung der Trobadora mit den Eisenbahnern fruchtbar niedergeschlagen hätte. Wesselin hub zu schreien an, wenn Laura ihn auswindelte. Er schien kälteempfindlich. Die Nacktheit des Hinterns ertrug er leichter, wenn ihm der Kopf zugedeckt wurde; im Wasser verstummte er. Den Badegriff, bei dem die linke Hand unter die linke Babyachsel zu führen ist und der Unterarm den Kopf stützt, hatte sich Laura mit Literatur beigebracht. Als Wesselin zehn Pfund wog und seine Mutter noch immer auf ein literarisches Genesungszeugnis der Freundin wartete, regten sich Unmut und Verantwortungsbewußtsein heftig. Und Lauras erfinderischer Geist begann abermals nach Mitteln zu suchen, die den Lebensgang von Beatriz de Dia positiv beeinflussen konnten. Schließlich zog Laura drei dichtungskatalysatorische Maßnahmen in die engere Wahl und entschied sich für die einfachste. Dergestalt, daß Laura brieflich ihren Freund Lutz für den Fall anbot, daß Beatriz noch immer keinen geeigneten Liebhaber gefunden hatte. Lutz erschien Laura, verglichen mit der Versschmiede, als Verbesserung und relativ geeignet, da er verheiratet war und gewissengeplagt. Sie glaubte, daß ein Verhältnis mit einer achthundertvierzigjährigen Frau sein Gewissen entlasten könnte, und wollte ihn sich und Beatriz zuliebe erübrigen. Dem solidarischen Schreiben fügte sie einen Erinnerungsbericht bei, in dem sie bemüht war, Lutz vorteilhaft vorzuführen.

2. Kapitel

Lauras Erinnerungsbericht über Lutz Pakulat

Gestein: Auf dem Weg nach Heiligendamm trafen wir vier Spaziergänger und einen faulenden Vogel. Der lag rücklings im Sand, das Flügelgefieder gebreitet, den Bauch offen. Strandentlang war das Meer noch bedeckt, die gebrochene Eisdecke reichte weit über die Buhnen hinaus, dann stand ein Streifen nackt, weißer Horizont. Da der Himmel die gleiche blaugraue Färbung hatte wie der Streifen, schien das Meer aufgerichtet und gewölbt über den Möwenschwärmen. Sie umflogen uns schreiend. Wenn sie auf den schneebedeckten Schollen landeten, versanken sie in der Helligkeit, die blendete. Wenn sie sich erhoben, stürzten ihre weißen Leiber ins Antimeer und trieben da wie Eisstücke. Ich lief abwechselnd auf Schuhsohlen und Haaren. Zärtliches Schwappen und Glucksen. Brandung tränkte das Strandeis unterhalb weiß. Floß das Wasser zurück, entfärbte sich das Eis glasig. Lutz zeigte mir Bojen, drei Schiffe und einen Leuchtturm fernhin. Sanfte Brise. Schürfgeräusche in verschiedenen Tonhöhen. Die Brandung hatte einseitig Steinhalden an die Buhnen geschwemmt. Ich zeigte Lutz Kondensstreifen, Wolken, vorzüglich die Sonne. Sie schwamm in feierlicher Blässe. Auch versicherte ich, mich nicht abschleppen zu wollen. Von der Steilküste floß klammähnlich Wasser. Es unterspülte den kahlgetauten Sandstrand, ergoß sich in Rinnsalen, füllte Pfützen, Tümpel, die Wasserhindernisse zogen die Aufmerksamkeit ohnehin herab. Muscheln, Cremedosen, Reste einer steinarmierten Burg. Lutz bückte sich zuerst. Die Steine drückten unter den Sohlen, wichen, rollten, von Halde zu Halde langsam spürten wir uns vorwärts. Erleichtert von der Schwere, die wir in die Taschen luden, blicklos füreinander, hingegeben den Kämpfen der Wahl. Wir ballancierten auf Überfluß, wühlten mit Blicken und Händen, rafften lustvoll die Lasten, weiße, graue, schwarze, rote, buntgeäderte, gemusterte. Beim Gehen schlugen die Schätze die Schenkel. Lutz suchte bedeutsame Formen, ich solche, die angenehm in der Hand lagen. Sanfte Ovale, geschliffen, das Unzerstörbare war mir nie in der Höhe vermutlich, stets unter mir. Ich, zeitweise seine Ausstülpung, kann schließlich aufgehoben zurücksinken. Der faulende Vogel wird eine Krähe gewesen sein. In Heiligendamm aßen wir Bratwurst und Torte.

3. Kapitel

Darin alles planmäßig verläuft

Beatriz beantwortete das Schreiben mit einem Überfallbesuch, der Lauras Stillgeschäft störte. Die Trobadora verbat sich entschieden jegliche Eingriffe in ihre persönlichen Angelegenheiten. Laura teilte ihr den Tag mit, an dem Wesselin erstmals gelacht hatte. Konnte auch Lachen vorführen und demonstrierte selbst mimisch den Unterschied zu den krampfartigen Bewegungen Wesselins vorher, die im Leitfaden für Eltern als säuglingstypisch beschrieben würden. Den Haarausfall am Hinterkopf des Sohnes verdeckte Laura mit der Hand. Beatriz verlor viele Worte über die Güte der von Laura verfaßten Legende, keins über die ausladende Form des kindlichen Hinterkopfs. Laura empfand das befremdlich, als Unterschätzung leiblicher Schöpfungen gegenüber geistigen. Lutz Pakulat kam verspätet zum Abendessen. »Trampel nicht so, Wesselin schläft«, sagte Laura. »Wird gemacht«, sagte Lutz. Ein Mann in den Jahren, die man nachsichtig die besten nennt. Groß, hager, was gegen Ende des Scheitels fehlte, ließ er unter der Nase wachsen. Er entschuldigte hastig seine Verspätung mit betrieblichen Gründen. Selbst als er im Sessel saß, fiel die Hast nicht von ihm ab. Auch Ausruhen schien er in Eile zu erledigen, Essen sowieso. »Wissen Sie überhaupt, was Sie essen«, fragte Beatriz. – »Wissen? Laura ist für mich eine Vertrauensperson, es genügt mir, wenn sie es weiß«, sagte Lutz kauend. »Eine Zeiterscheinung«, sagte Laura entschuldigend. »Essen wird bei uns normalerweise nicht als angenehme, sondern als notwendige Seite des Lebens betrachtet. Essen ist ein Akt des Bewußtseins. Je höher das Bewußtsein, desto niedriger die Eßkultur. Der Direktor des Kreisbaubetriebs, in dem ich eine Weile beschäftigt war, warf sein Essen auf Sitzungen in sich hinein, oder er aß es kalt, wenn er mal Zeit hatte. Wenn er keine hatte, lebte er von Bockwürsten. Er erzählte das übrigens nicht ohne Stolz. Sein Spitzname war ›Cäsar‹. Genüßliches Essen in ernsten Sitzungen wäre ihm vielleicht sogar etwas verdächtig vorgekommen. Er war auf diesen Stil festgelegt. Gewohnheitssache. Essen ist für Lutz ein ähnlicher Vorgang wie das Tanken eines Autos.« – »Noch mal fünfzig Liter«, sagte Lutz kauend. Beatriz kerbte ihre Stirn zwischen den Brauen. Deshalb beeilte sich Laura zu versichern, daß Lutz nicht nur Häuser bauen beziehungsweise reparieren könnte, sondern auch Radios, Öfen, Antennen, Schuhe, Möbel, Dielen, Staubsauger, und überhaupt, er könnte alles. »Nur essen nicht. Es muß am Rhythmus liegen. Ihr beiden habt wahrscheinlich diesbezüglich einen unterschiedlichen Rhythmus. Revolutionen sind immer etwas puritanisch. Weil sie aufs Ganze gehen. Sie möchten erst gern das Ganze, die ganze Arbeit, und dann das Vergnügen. Obgleich sie wissen, daß das Ganze ein endlicher Wert ist, das Ende selbst, nach dem nichts mehr kommt, ganzer Idealismus sozusagen, möchten sie das Ganze doch gern irgendwie. Jedenfalls jagen sie wie besessen hinterher . . .« – »Du redest heute so prinzipiell«, sagte Beatriz. – »Ich versuche immer, mich meinen Gästen anzupassen«, sagte Laura. – »Und wie schaffen Sie das alles«, fragte Beatriz ehrfürchtig. – »Ich habe eine Konzeption«, sagte Lutz, »wenn man aus seinem Leben etwas machen will, muß man eine Konzeption haben.« Er gestand, gelegentlich auch für die Betriebswandzeitung zu schreiben, tags Bauingenieur, nachts Schriftsteller sozusagen, und aufs angenehmste überrascht zu sein. Entgegen Lauras Ankündigung, die ihm statt einer netten jungen Frau eine seltsame Erscheinung hätte suggerieren wollen. »In der Poesie ist durchaus etwas Dämonisches«, erwiderte Beatriz, »und zwar vorzüglich in der unbewußten, bei der aller Verstand und alle Vernunft zu kurz kommt und die daher auch so über alle Begriffe wirkt. Desgleichen ist es in der Musik im höchsten Grade, denn sie steht so hoch, daß kein Verstand ihr beikommen kann, und es geht von ihr eine Wirkung aus, die alles beherrscht und von der niemand imstande ist, sich Rechenschaft zu geben. Der religiöse Kultus kann sie daher auch nicht entbehren. Sie ist eins der ersten Mittel, um auf den Menschen wunderbar zu wirken.« Lutz lachte herzlich. Versicherte Beatriz jedoch abermals, eine hübsche junge Frau zu sein. Beatriz versicherte Lutz, ein hübscher junger Mann zu sein. Er lächelte geziert. Überwand die Verunsicherung jedoch schnell bei ausführlichen Schilderungen seiner Baustellen. Beatriz gewann einen allgemeinen Eindruck von kolossalen Gebieten und Kraftfeldern. Bei vorgetragenen Dialogen zwischen Polieren und dem Leiter fiel ihr »wird gemacht« deutlich ins Gemerks. Sie konnte nur flüchtig hinhören, weil ihre Aufmerksamkeit ungeteilt Lutzens Erscheinung gewidmet war. Noch am Abend fuhr die Trobadora nach Karl-Marx-Stadt zurück und brannte die Versschmiede nieder. Anderentags mietete sie ein möbliertes Zimmer in Oranienburg, da sie auf eine Zuzugsgenehmigung nach Berlin nicht rechnen konnte. Zu Laura kam sie selten. Auffällig blaß. Lutz entschuldigte sich bei Laura mit einer plötzlichen Tagung außerhalb der Stadt. Zwischen Mahlzeiten, die lange währten, weil Laura Flaschennahrung zufüttern mußte und der Sohn schwerfällig rülpste, dachte sie manchmal kurz, doch überrascht der Leichtigkeit, mit der das von ihr geförderte Liebesunternehmen von der Hand zu gehen schien. Als Beatriz die erste Erzählung ihres Lebens sandte, fühlte sich Laura als Mäzen.

4. Kapitel

Das die erste Erzählung der Trobadora bringt

Prunus spinosa: Ludwig aus Oranienburg fiel sich auf nächtlichem Heimweg einen Schlehenzweig in die Brust. Da war der Mann in jugendlichem Alter, müde vom Wein und vom Tanzen, und griff nach seinem Hemd – der Stern der Liebe kommt und glänzt nur in den beiden Dämmerungen. Am anderen Morgen, als Ludwig den Rausch ausgeschlafen hatte, entdeckte er beim Baden das Holz über der siebten linken Rippe. Er versuchte mehrmals vergeblich, es auszuziehen. Die Dornen widerstanden. Er war auch in Eile, Fliesenleger von Beruf. Auf Arbeit, die er meist kniend verrichtete, fühlte er sich weder gehindert noch gestört, wurde von Entzündung verschont, weshalb er sich nicht drum sorgte und bald kaum noch dran dachte. Er hätte den Senker ganz vergessen, wenn der nicht im Frühjahr zu wachsen begonnen hätte und sich verzweigt über der Haut. So daß die meisten Mädchen, denen Ludwig oblag, sich beschwerten. Er stutzte das schwarzrindige Gesträuch. Übers Jahr wuchs es wieder. Jeden Frühling mußte er das Rosengewächs beschneiden. So heiratete er bald und zeugte drei Kinder. Eines Tages, als die Kinder bereits erwachsen waren, beobachtete seine Tochter, wie er heimlich die Schere schliff und ansetzte. Sie fragte ihn nach der Ursache des Gewächses. Er redete viel, denn er wußte nichts zu sagen. Nach der Ursache seines Tuns befragt, flüchtete er in Zorn. Als ihm die Flüche ausgingen, wunderte er sich und legte die Schere zurück in den Nähkasten seiner Frau. Der Schwarzdorn wuchs jedes Jahr eine halbe Elle. Ludwig nahm Arbeit im Freien. Sommers, um das Blattwerk solange wie möglich grün zu halten, winters, um dem kahlen Geäst Ruhe zu gewähren. Er belegte zwei neue Plätze seiner Vaterstadt und etliche Kilometer Fußweg mit Steinplatten. Da er sich ständig von Natur umgeben wußte, verbrachte er seinen Urlaub nicht mehr auf Reisen, sondern auf dem Balkon. Den hatte ihm seine Frau als Schonplatz zugewiesen, auch eine Hälfte des Ehebetts drauf gestellt. Da er ärztliche Hilfe verschmähte, mieden ihn seine Söhne und die meisten Menschen. Nur die Tochter besuchte ihn gelegentlich. Regelmäßig im Februar, um Reiser zu holen. In Wasser gestellt, trieben die bei warmer Stube schnell weiße, vor dem Laub erscheinende Blüten. Viele Männer, mit denen Ludwig arbeitete, schätzten ihn wegen des Blätterdachs, das bald einigen bei Regengüssen Schutz gewähren konnte. An schönen Herbsttagen, wenn der Gaumen trocken war von Wärme und Staub und Bier nicht zur Hand, kauten sie die herben blauen Steinfrüchte und spien die Kerne in den Sand, auf den die Steinplatten zu liegen kamen. Als Ludwig sechzig Jahre alt war, hatte das Rosengebüsch ihn gemagert. Seine Füße schmerzten unter der Strauchlast, die ihn mannshoch umstrickte und Sicht nahm, weshalb er sich auf Straßen unsicher bewegte. Ein öffentliches Verkehrsmittel konnte er umfangswegen schon seit langem nicht mehr benutzen. Also gab er seine Arbeit auf und ließ sich nieder an der Autobahn zwischen Kiekebusch und Königs Wusterhausen. In der folgenden Nacht, da die Fahrzeuge regenhalber mit aufgeblendeten Scheinwerfern fuhren, brachen Wurzeln durch seinen Rücken. Sie wuchsen den Körper mählich in die Erde. Der Schlehenstrauch steht rechts neben der Fahrbahn Richtung Königs Wusterhausen. Junge Leute verrichten hinter der Hecke zuweilen ihre Notdurft, Kinder und ältere Paare Liebe.

5. Kapitel

Laura wird abermals ein Angebot gemacht

Laura erschien die erste Erzählung der Freundin zwar unverkäuflich, jedoch als eindrucksvoller Beweis für die in ihrem Lande verbreitete und mitunter bezweifelte Tatsache, daß Kunst organisierbar ist. Ernsthafte – Gedichtproduktion mochte unberechenbar sein. Das Erfolgserlebnis wurde getrübt durch die Entdeckung einer Beule in Wesselins linker

Leistenbeuge. Er schrie. Nachbarin Kajunke war auch nicht zu Hause. Da packte Laura den Sohn in den Kinderwagen und eilte zur Poliklinik. Eine Stunde etwa stand sie angstschwitzend an einer Windelbox des Wartezimmers und versuchte vergeblich, Wesselin zu beruhigen. Als sie ins Behandlungszimmer gerufen wurde, war Wesselin eingeschlafen. Als sie ihn auspackte, war die Beule verschwunden. Der Arzt diagnostizierte Leistenbruch, der noch vor der Einschulung operiert werden müßte. Rückweg durch leichten Regen. Beatriz erwartete Laura vor der Wohnungstür. Mit der dringlichen Bitte, als Spielfrau in Dienst zu treten. Sie, Beatriz, hätte schon wieder eine Erzählung geschrieben und demnächst aufzutreten vor Mitarbeitern des Pumpspeicherwerks Hohenwarte, vor einer Grenzbrigade der Nationalen Volksarmee, vor Glühlampenwerkerinnen und so weiter, allein wäre die Fülle der Verpflichtungen nicht zu bewältigen. Laura lehnte das Stellenangebot natürlich abermals ab, da sie einen Beruf hatte. Nach dem ihr gesetzlich zustehenden Urlaub wollte sie selbstverständlich wieder S-Bahn-Züge fahren. Ein Krippenplatz wäre ihr sicher. Sie verstünde gar nicht, daß sich eine Frau wie Beatriz derart abseitige Hoffnungen machen könnte. Drei Stunden erpresserische Traurigkeit, wie Laura sie nur von Männern gewohnt war. Schmeichelhaftes Gerede darüber, daß Beatriz Laura für ihre Schwester im Geist hielte: unersetzlich. »Ich bin kein Domestik«, sagte Laura, »ich freu mich auf übernächste Woche.« Als Wesselins Windeln gewaschen waren, erzählte sie, daß sie sich angewöhnt hätte, beim Fahren zu stehen. Linke Hand auf dem Fahrschalterknopf, rechte am Führerbremsventil, vorn das Schienenband, das der Zug in sich hineinfräße, mit sechzig, mit achtzig Stundenkilometern, Brücken, steile Bahndämme, braun vom Rost des Bremsstaubs, Bahnhöfe, auch verrostet, Häuser, Signalaugen grün, gelb, rot, Kais, Silos, den Schienenstoß fühlte man unter den Füßen und die Geschwindigkeit des Zuges und wie er besetzt wäre. Die überfüllten Berufsverkehrzüge führen sich schwer und fräßen viel Strom. Man könnte einen Zug nur deutlich fühlen, wenn man stünde. Beatriz behauptete, vom Fernweh geheilt zu sein. Sie brauche die Welt nicht zu kennen, sie mache die. – War Lutz etwa neuerdings ein Mann, der sich tausendundeine Nacht Geschichten erzählen ließ?

6. Kapitel

Die zweite, nicht erfundene Erzählung der Trobadora, wie sie vor der Grenzbrigade »Kurt Huhn« der Nationalen Volksarmee zu Gehör gebracht wird

Marie von Montpellier wurde elfjährig an den Vizegrafen von Marseille, Barral, verheiratet. Und also gezwungen, den Kindern ihrer Stiefmutter Agnes die Rechte auf Montpellier abzutreten. Fünfzehnjährig kehrte Marie als Witwe mit reicher Erbschaft in das väterliche Haus zurück. Man nimmt ihr die Schätze ab und verheiratet sie aufs neue an den Grafen von Comminges, der zur Zeit noch mit zwei anderen Frauen verheiratet war, was damals nicht genierte und auch von der Kirche nicht gerügt wurde, wenn man, wie der Graf von Comminges, zu den Verfolgern der Albigenser gehörte. Marie gebar ihm zwei Töchter, wurde aber von ihm grausam behandelt, weshalb sie heimkehrte. Dort waren ihre Leiden aber so groß, daß sie jene im Haus des Grafen von Comminges vergaß und wieder zu ihm zurückging. Aber aufs neue fürchterlich geplagt, sah sie sich gezwungen, ein zweites Mal zu fliehen. Zum Glück starb ihr Vater Wilhelm gerade in dieser Zeit. Und da seine Heirat mit Agnes, weil seine erste Frau noch am Leben war, vom Papst nicht anerkannt wurde, trat Marie von Montpellier in ihre Erbschaftsrechte. Weshalb sie der König von Aragonien Peter II. heiratete. In Montpellier wurde die Hochzeit gefeiert. Als die Nacht herankam, weigerte sich der König, die Ehe zu »akkomplieren«. Große Verlegenheit der Gäste, tiefer Schmerz der Braut. Niemand weiß sich die Weigerung des guten, jungen, Verse machenden und immer galanten Königs zu erklären, denn häßlich war die Braut nicht. Aber schöner war die junge, kokette Gräfin Mireval, die der Hochzeit als Gast beiwohnte. Diese lächelt, sie scheint die Ursache der Weigerung zu kennen. Und da sie der König mit aller Liebenswürdigkeit eines Trobadors umgibt, ist bald der ganze Hof in das Geheimnis eingeweiht. Und so zieht man die schöne Gräfin ins Interesse und gewinnt sie, daß sie mit Selbstaufopferung zu »Akkomplierung« der Ehe verhelfe. Sie verdoppelt ihre Koketterie. Der König, ein Spanier, glüht. Er wirft sich ihr zu Füßen. Er erreicht endlich seinen Zweck. Die Gräfin von Mireval wird ihn in dieser Nacht in ihrem Schloß zu Mireval heimlich empfangen. Die schöne Nacht naht heran. Ohne Panzer und Schienen besteigt der gute König sein Pferd und reitet und reitet – lieblich singt die Nachtigall in Languedocer Nächten – und reitet nach Mireval. Die gewisse Kammerfrau oder der gewisse Page empfängt ihn an dem gewissen Hinterpförtchen und führt ihn an der Hand durch Gärten, dunkle Gänge und Zimmer in das Gemach. Es ist finster. Die Keuschheit der Gräfin duldet keine Nachtlampe. Der gute König ist glücklich. Wie er sehr glücklich ist, gehen plötzlich alle Türen auf, und mit Fackeln und Lichtern stürzt der ganze Montpellienser und aragonische Hofschwarm herein, und an seiner Spitze die schöne, lachende Gräfin von Mireval. Der König ist bestürzt und sieht, was er getan hat. Aragon und Montpellier sind völkerrechtlich vereinigt, und die Hausmacht mehrt sich. Allerdings ist König Peter jetzt noch gereizter gegen die Königin. Er wendet sich noch entschiedener von ihr ab und überläßt sie einem einsamen Leben im Schlosse Mireval. Die Lande Aragonien und Montpellier beklagen den Mangel an legitimen Erben. Da geschah es eines Tages, daß der König ganz vergnügt und aufgeregt die

Gestüte von Lattes verließ. Ein Edelmann aus seinem Gefolge namens Guilhem von Arcale hatte den guten Gedanken, also zum König zu sprechen: »Sennor, wir könnten wohl, anstatt uns jetzt auf die Jagd zu begeben, die Königin, unsere Herrin, im Schlosse Mireval besuchen. Eure Majestät könnte eine zweite Nacht mit ihr verbringen, und wir würden, wenn es Euch gefällig ist, mit der Kerze in der Hand wachen. Und Gott in seiner Gnade würde Euch einen gesegneten Sohn bescheren.« Der König, von diesen Worten gerührt, tat, wie der Edelmann anriet. Und am anderen Morgen nahm er ganz vergnügt die Königin auf die Kruppe seines Pferds und ritt mit ihr nach Montpellier. Die Bürger der Stadt waren über das Glück ihrer Prinzessin so erfreut, daß sie große Feste feierten und bei dieser Gelegenheit einen Tanz erfanden, der, »le chevalet« genannt, vielleicht noch heute in Montpellier bekannt ist. Jene Nacht aber gab dem in der Geschichte unter dem Namen Jacob der Eroberer bekannten König das Leben. Trotzdem konnte der gute König Peter seinen Widerwillen gegen Marie von Montpellier nicht ganz besiegen und ließ sich scheiden. Um sich mit einer anderen Marie, der Nichte des Königs von Jerusalem Amauris, zu vermählen. Marie von Montpellier ging nach Rom, um sich beim Papst zu beklagen und die Scheidung zu hintertreiben. Da starb sie. An Gift.

7. Kapitel

Skandalöse Verse und Ärmel für Lutz

Laura schrieb vergnügte Briefe nach Karl-Marx-Stadt zu den Eltern und nach Oranienburg zu Beatriz. Die Briefe enthielten Berichte der Art: »Wesselin entdeckte beim Windeln, daß er Beine hat. Greift danach, sobald ich die Bettdecke abhebe. Wenn er ein Bein erwischt, lacht er, manchmal meckernd, außer sich vor Freude. Wenn es plötzlich weg ist, staunt er. Beginnt dann zu suchen. Bei Erfolg Freude wie zuvor und so fort. Kombinierte Impfungen gegen Tetanus, Diphtherie und Keuchhusten fieberlos überstanden. Trank sich nach der Spritze den Bauch voll und fiel in Schlaf. Essen ist unmäßiges Vergnügen, Hunger ist unmäßiger Schmerz. Seit zwei Wochen wieder keine Zellstoffwindeln zu kriegen.« Beim ersten Besuch in Beatrizens Oranienburger Zimmer fand Laura auf dem unaufgeräumten Schreibtisch der Trobadora zufällig einen Zettel mit skandalöser Aufschrift. Das Original warf sie Beatriz an den Kopf, dann in den Ofen. Auf dem Zettel stand:

Schön
geschändet von Zeit und Fraun
bist du

ruhend am schönsten
rücklings
da die Luftsäule die Haut preßt
auf Innerein und Gebeine
und das Fleisch grell zutage
liegt.
Hart auf Schenkeln und Brust
sanft um die Tiefe des Nabels
Sog
dem ich folge
unter den Worten meiner Zunge
unter den Streichen
jäh
jüngst du alterst
erster unter den Königen
letzter
auf dessen Tyrannei ich steh
besteh im Gefängnis deines Leibs
Welt ist gemacht aus deinem Fleisch.
Diesem Geschlecht
kein hübschres sah ich
mach sie
ihre Tränen: Vorsekrete der Lust.
Mein Mund erwartet das Brennen
des Samens
Taufschrei
auch küß ich die verrätrischen Hände.

Beatriz hielt Lauras Empfindlichkeit für eine Abstinenzerscheinung und bot ihr an, Lutz zurückzuerstatten. Selbst leidenschaftliche Zustände hätten sie nie hinreißen können, sich eines Mannes wegen mit einer Frau zu streiten. Laura bedankte sich. Versöhnung zu ungarischer Büchsenfleischsuppe. Großes Mitteilungsbedürfnis der Trobadora. Sie berichtete Laura, daß sie an Lutz seltsame Beobachtungen machen könnte, wenn er definiere, was seine Spezialität wäre. »Schon wenn er auf die Definition zusteuert, fällt alles Zufällige von ihm ab«, sagte Beatriz, »die dunkelblauen Augen, der Schnurrbart, das gelichtete Haar. Sein Gesicht fällt ab wie eine Stuckmaske, nur das Gerüst bleibt stehen, eine übersichtliche Konstruktion, deren Bauteile mit Nieten zusammengefügt sind. Bei Definitionen seh ich die Armierung seines Gesichts und die Pfeiler und Verstrebungen der Schultern, denn auch der Pullover fehlt. Und die reichlichen Konfektionshosen fehlen auch. Wenn er definiert, kann ich durch ihn hindurchsehen. Hast du ähnliche Beobachtungen machen können?« – »Ich hätte sie machen können«, sagte Laura, »ich zweifle nicht, daß ich sie hätte machen können. Wenn ich gewollt hätte.« – »Begreif ich nicht«, sagte Beatriz. – »Kommt noch«, sagte Laura. »Schließlich ist Mitleid auf die Dauer nicht das richtige Gefühl, das man sich einem Liebhaber gegenüber wünscht.« – Beatriz war unverständlich, daß Laura einen Mann, der sich eine Hausfrau mit Kindern und eine gleichberechtigte Mätresse hielt, bemitleiden konnte. Früher wären den Herren Mätressen teuer zu stehen gekommen, aber gleichberechtigte Mätressen wären kostenlos, selbständig, vernünftig und skandalsicher, es gäbe nichts Bequemeres, wozu also derart unangebrachte Gefühle? – »Ein Mensch, der sich ununterbrochen Erfolg und Überlegenheit abverlangt, ist bedauernswert«, sagte Laura. Beatriz stritt leidenschaftlich ab, daß Männer in der DDR gezwungen würden, sich ununterbrochen Erfolg und Überlegenheit abzuverlangen. – »Sitten sind schlimmer als Leute«, sagte Laura, »und langlebiger. Seinen Bruder Benno zum Beispiel nennt Lutz mißraten, dessen Leben vermurkst. Benno ist ein Zimmermann mit Abitur. Der Vater hätte sich über den Bengel totgeärgert, behauptet Lutz. Ich glaube, er schimpft so laut auf Benno, weil er ihn leise beneidet.« – »Beneidet er die diplomierten Triebwagenfahrerinnen auch leise«, fragte Beatriz. – »Frauen beneidet Lutz prinzipiell nicht«, antwortete Laura, schleppte ein kunstgeschichtliches Buch herbei und zeigte der Freundin apropos die Photographie einer frühgriechischen Bronzestatuette zuzüglich beschreibendem Text. Trotzdem absolvierte Beatriz eine Leistung in der Frauenbrigade »Olga Benario« des Werks für Signal- und Sicherungstechnik in einem roten Mantel, der Jackettärmel von Lutz hatte. Brachte auch nicht, wie angekündigt, eigene Werke zu Gehör, sondern irgendwelche Verse von Raimbaut d'Aurenga, die ihr zufällig im Gedächtnis verfügbar waren. Beatrizens Entschuldigung, ohne die Hilfe einer Spielfrau nichts Besseres bieten zu können, erkannten die Frauen verständlicherweise nicht an. Weil sie auch ohne Dienstboten auskommen mußten. Und weil sich mit diesem Raimbaut d'Aurenga kein Ökulei gewinnen ließe. Das Wort mußte Beatriz gleich gefallen und ihre Vorstellung wunderlich beflügelt haben. Die Übersetzung »ökonomisch-kultureller Leistungsvergleich« stellte ihr nichts vor. Befragt über Erfahrungen in Betrieben und andere Wirklichkeitsstudien für die literarische Arbeit, wußte Beatriz nichts zu berichten. Das beeindruckte. Folglich wurde die Aufnahme kühl und das Honorar knapp bemessen. Beatriz verletzte das. Laura konnte sie nicht bedauern. Rügte vielmehr auch Aufzug und Programm. Beatriz versuchte die Flickerei zu rechtfertigen mit einer Schaffensflaute und der Prunkärmelmode ihrer Zeit. Da die Frauen ursprünglich die Arme unbedeckt getragen hätten, die Sitte aber dann und wann Ärmel verlangte, besonders bei religiösen Zeremonien und feierlichen Gelegenheiten, wären die Ärmel ein Kleidungsstück für sich geworden. Das hätte den Brauch der Verliebten, ihre Ärmel zu tauschen, erleichtert. Beatriz räsonierte über die Bedeutungsarmut jetziger Dinge. Zu ihrer Zeit hätte man seine

Gefühle vielfältig symbolisch ausdrücken können. Wenigstens in der Farbe der Kleider. Grün bedeutete die beginnende Liebe, Weiß Hoffnung, Rot leidenschaftliche Liebe, Gelb Erfüllung, Blau die Treue. Durch Zusammensetzung der Farben ließen sich verschiedene Nuancen ausdrükken, weshalb der Rock oft aus Stücken zusammengenäht worden wäre. Nicht mal dem Gürtel würde heute noch eine Bedeutung zugelegt. Laura lehnte solche Bedeutungsbelegungen als scholastisch ab.

8. Kapitel

Das den beschreibenden Text zu einer Bronzestatuette wiedergibt, den Laura ihrer Freundin Beatriz bedeutungsbelegt zeigt, als von Lutz Pakulat die Rede ist

Die Bronzestatuette eines sitzenden Mannes aus dem Alpheiostal entstand im neunten bis achten Jahrhundert vor der Zeitrechnung. Seine Glieder sind so dünn wie aus Draht und symmetrisch in der Vorderansicht, in geometrischen Winkeln in der Seitenansicht ganz konstruktiv zu einer abstrakten Figur vereinigt. Dennoch ist es unmöglich, ihn als eine ornamentale Figur wie ein Schmuckstück zu sehen. Vielmehr kommen auch in dieser Drahtfigur alle Elemente einer organisch die Haltung betonenden griechischen Plastik schon rein und klar zum Ausdruck: die Nacktheit, die die Glieder freigibt, die Gelöstheit jedes Gliedes und – trotz Symmetrie – in der Vorderansicht eine stark ausholende und die Person fest verankernde Bewegung entgegengesetzter Art im Oben und Unten. Als besondere und höchste Folge der Abstraktheit des Geometrismus offenbart sich eine Gleichwertigkeit und damit Bezogenheit aller Glieder aufeinander, die infolge der Physiognomielosigkeit des Kopfes durch keine Frage nach dem Wer, Wann und Wo der Person gestört wird und allein die Dynamik der Figur ganz rein und stark zur Erscheinung bringt. Es ist ein Gerüststil, der in der Figur, die von den Armen und Unterschenkeln gebildet wird, die Fassade eines architektonischen Gerüsts, eines Holzbaues, ahnen läßt.

Der geometrische Stil hat seinen Namen von der einfachen Ornamentik, mit der die Vasen dieses Stils geschmückt sind. Das Charakteristische sind die geraden Linien und geraden Winkel, aus denen sich die Muster dieser Ornamentik zusammensetzen. Alles Figürliche ist diesem Stil zunächst fremd, tritt sehr sparsam auf und breitet sich erst im Laufe der Entwicklung weiter aus. Die scheinbare Dürftigkeit und Unentwickeltheit der geometrischen Kunst hat bewirkt, daß im allgemeinen dem geometrischen Stil innerhalb der Geschichte der Kunst nur ein bescheidenes Kapitel gewidmet wird, mehr das eines Auftaktes, der den schnellen Aufstieg zu Höhe aus tiefster Niederung verdeutlicht, als einer selbständigen und bedeutenden Leistung. Tatsächlich aber ist diese Kunst des geometrischen Stils nicht nur ein Anfang der griechischen Kunst, sondern ein echt griechischer Anfang, eine ganz bedeutsame und eigene Leistung, mit der die griechische Kunst wirklich eingeleitet und begründet wird.

Von der hohen Warte einer Menschheitsgeschichte gesehen, ist merkwürdig, daß der geometrische Stil mit Mitteln, die so unplastisch sind wie möglich, geometrisch spannungslos, linear und Fläche verlangend und Fläche bedeutend, es fertigbrachte, plastische, körperhafte Kräfte zum Ausdruck zu bringen, die den Weg zur griechischen Plastik der klassischen Zeit weisen, daß die Menschen also, die ihn vertreten, eine Menschheitsstufe einleiten, die über die archaische der Ägypter und Assyrer hinausgeht und die Keime der griechischen Kunst in sich birgt. Aber in einer Sprache, die in die Anfänge der Kunst, auch der ägyptischen und assyrischen, zurückführt und als kindlich empfunden werden kann. Es ist so, als ob ein Knabe, der die Sprache seiner Väter noch nicht beherrscht und erst stammelt, doch eine Lebenshaltung vertritt und ihr Ausdruck gibt, die über die seiner Väter und Ahnen hinausführt und den Beginn einer neuen Lebensform bedeutet. Kulturen wie die ägyptische und die vorderasiatische entfalten und entwickeln sich in ihrem eigenen Bereich, aber diese Entwicklung ist Bereicherung, Verfeinerung, Komplizierung, ist ein Reifer- und Weiserwerden, ist aber auch ein Altern, dem der Schritt zu dem wirklich Neuen, ganz Anderen versagt ist. Dazu bedarf es einer neuen Jugend, einer neuen Kindlichkeit. Diese Jugend und Kindlichkeit sind es, die sich in der Primitivität des geometrischen Stils aussprechen – kein Mangel, kein Unvermögen, sondern der Vorzug der Frische und Zeugungskraft, die Bereitschaft zum Neuen, zu dem der Zugang den alten, vergreisten Kulturen versagt blieb. Ebenso merkwürdig freilich ist nun, daß, was sich so im großen gesehen als Menschheitsschicksal erfüllt, auch im kleinen dem geometrischen Stil selbst widerfährt. Auch er entwickelt sich in sich selbst, vervielfältigt, verfeinert sich, auch er vergreist. Um zu einer neuen Stufe, dem plastisch greifbaren, unlinearen, unsilhouettierten, mit Fleisch und Blut erfüllten natürlichen Menschheitsbild zu gelangen, bedarf auch er eines Anstoßes von außen und neuer Impulse.

9. Kapitel

Erfahrungsaustausch durch die Schnur

Infolge Überlastung verließ die Trobadora ihr möbliertes Zimmer nur noch selten. Weshalb Beatriz und Laura ihre freundschaftlichen Beziehungen vorwiegend telefonisch abwickeln mußten. Beatrizens Wirtin beklagte die Länge der Gespräche. Die Trobadora sah sich also genötigt, außer den amtlichen Gebühren noch zwanzig Mark Apparatabnutzungsgeld an Frau Buche zu entrichten. Nachfolgend wird teilweise Einsicht in einen dieser Telefondialoge gewährt, den Laura aus dem Gedächtnis aufzeichnete:

L.: Lebst du noch?

B.: Und wie, Lutz ist tatsächlich nicht aus Holz.

L.: Aber auch nicht aus Eisen. So viele gesellschaftliche Veranstaltungen, wie der jetzt zu Hause anmelden muß, gibts ja gar nicht.

B.: Doch. Er ist ein Genie. Er hat dir sofort geglaubt, daß ich achthundertvierzig Jahre alt bin, das soll ihm erst mal ein ebenerdiger Mensch seiner Profession nachmachen.

L.: Er hat die Definierkunst zu einer magischen Disziplin entwickelt. Dich nennt er »nichtlineares System«, die Atombombe »doomsday-mashine«, was man durchschaut, beherrscht man auch, sagt er. Mit Erklärungen räumt er sich den Kopf auf wie seinen Schreibtisch, auf dem er keine unerledigten Vorgänge duldet. Er wundert sich über nichts mehr.

B.: Du machst ihn schlecht.

L.: Er macht sich schlecht. Systematisch. Er hat sich systematisch das Wundern abtrainiert, um mehr zu schaffen.

B.: Aber er kann doch lieben.

L.: Natürlich. Leistungsethiker sind universell.

B.: Red lieber als Blinde von der Farbe.

L.: Ja.

B.: Na ja.

10. Kapitel

Darin die dritte und vorläufig letzte Erzählung der Trobadora nachzulesen ist

Nachtwandel: Wenn ich nicht schlafen kann, geh ich spazieren. Auf Dachfirsten, alte sind blechbelegt. Meine Absätze trommeln Zinkblech, Ziegel, Schiefer, Teerpappe, Holz, zwei, drei Wechselschritte auf verrußten Laufbrettern, länger sind sie nicht, man braucht Stunden für einen einzigen Tanz. Inzwischen ist der Mond woanders oder weg. Querstraßen überspringe ich von Giebelspitze zu Giebelspitze. Ich bevorzuge Giebeldächer, balanciere mit gestreckten Armen, spucke in Dachrinnen, jenseits Straßen- und Hofschächte, Wasser, auch der Himmel steht mir offen. Berlin erleuchtet ihn Tag und Nacht. Er ist grau, wenn ich nicht schlafen kann. Treff ich Katzen, die sich auf Laufbrettern paaren, unterbrech ich den Tanz und grüße den Mond: Olisbos. Straßen und Höfe sind menschenleer, ich seh Pflaster, Granitplatten, Asphalt, Mülltonnendeckel,

Baumkronen, Autos, die klapp ich nicht auf. Ich klapp Satteldächer auf, Walmdächer, Krüppelwalmdächer, Zeltdächer, Kegeldächer, Mansardendächer, Pultdächer, Terrassendächer, Flachdächer, Scheddächer und Kuppeln. Ich seh arbeitende Männer und Frauen in Fabriken und Betten, ich seh schlafende Männer, Frauen, Kinder, Hunde, Wellensittiche, zwei Ratten im Gestühl der Marienkirche, ich seh Lutz liegen, Füße im Nacken, die Ehefrau wälzt den Kopf, stöhnt, schreit nicht. Aber ich geh ungern spazieren, wenn ich nicht schlafen kann.

11. Kapitel

Verliegen und Aufstand

Beatriz verlag sich. Blieb der Gesellschaft zur Verbreitung wissenschaftlicher Kenntnisse literaturhistorische Vorträge über sich schuldig, die vertraglich vereinbart waren. Fehlte bei einem Literaturball, dessen Plakate auf den S-Bahnhöfen ihren Namen neben den Namen Sarah Kirsch und Volker Braun fett verzeichneten. Vergaß eine Lesung im Berliner Glühlampenwerk. Schrieb nichts mehr. – Laura gewann einen Krippenplatz und fuhr wieder S-Bahn-Züge durch die Hauptstadt Berlin. Vier Tage nach Arbeitsbeginn erkrankte Wesselin an Bronchitis. Laura nahm sechzehn Tage Pflegeurlaub. Acht Dienste später stellte der Kinderarzt Röteln fest. Es folgten in kurzen Abständen Angina, Durchfall und wieder Bronchitis. In drei Arbeitsmonaten fehlte Laura mehr als zwei bei großem Personalmangel und mußte sich anhören, daß mit Frauen keine Sau einen Dienstplan machen könnte. Sie verschwieg den Eltern ihre Notlage, um sich deren Vorwürfe zu ersparen. Trotzdem schrieb Lauras Vater befremdliche Briefe, in denen Juliane erwähnt wurde. An diesen Papieren erschien ihr nur die Handschrift vertraut. Aber wer kennt schon seinen Vater? Laura hielt ihn für einen schönen Mann. Als er vierzig war, hatte sie sich ein Bild von ihm gemacht. Seitdem hatte sie ihn nicht mehr geküßt. Die Mutter wärmte brieflich ihre grundsätzlichen Einwände gegen Lauras Berufswechsel wieder auf. Laura beantwortete die Briefe nicht. Diesen sieghaften Optimismus, mit dem sie den vorausgesehenen Schwierigkeiten, allein ein Kind aufziehen zu wollen, begegnet war, konnte sie aber gegen die übermächtig aufkommende Angst nicht länger verteidigen. Als der Kinderarzt eine abnorme Immunitätsschwäche Wesselins diagnostizierte, Krippenaufenthalt deshalb für ungünstig erklärte und eine Privatpflegestelle empfahl, brach Laura in die Oranienburger Idylle der Freundin ein. Ohne viel zu fragen, wurde Beatriz das Kind Wesselin ins Zimmer gefahren. Dazu Breikonserven, Trockenmilch und ein Zettel mit Bedienungsanleitung. Lutz verschanzte sich im Bett. Laura verabschiedete sich wegen dringender Erledigungen.

12. Kapitel

Hilferuf der Trobadora zu Ohren der schönen Melusine

Mach mich nicht schuldig am Tod dieses unschuldigen Wesens, laß nicht zu, daß Laura ihr zweites Kind verliert, flieg Wesselin sofort in die nächste Poliklinik, bevor er erstickt, ich nehm auch die Kündigung unseres Beistandspaktes zurück und alles, was du willst, verzeih mir . . .

13. Kapitel

Diagnose der schönen Melusine zu Ohren der Trobadora, offenbart durch die Röhre des Kachelofens

Das Kind kotzt, weil es mit Brei überfüttert ist, es brüllt, weil seine Windeln gefüllt sind, es hustet, weil Herr Pakulat nicht aufhört zu rauchen, zieh Wesselin um, gib ihm ein Spieltier und öffne das Fenster, ohne Wunder kannst du nicht mal einem Baby helfen, geschweige der Welt . . .

14. Kapitel

Entschlüsse und Lauras erster Auftritt

Laura ließ sich von der Kaderleitung der Berliner S-Bahn für ein Jahr beurlauben. Nach Oranienburg zurückgekehrt, fand sie Beatriz vorm Haus. Die Trobadora schob den Kinderwagen mit beiden Händen. Hin und her, Wesselin schlief. Lutz war geflohen. Weil sich brüllende Kinder durch Definitionen nicht beherrschen lassen. So hatte ihm Beatriz den Abschied gegeben. Ernüchtert. Wohl auch übersatt. Wer lang im Fleische tätig ist, dem ist jäh nach Geist und großen Taten. »Ich glaub, das war das letzte Bild, das ich mir von einem Mann gemacht habe«, sagte Beatriz. »Nieder mit der Schönfärberei. Hoch Dynamit!« – Lauras Ersparnisse waren respektabel, jedoch nicht ausreichend, um ein Jahr davon zehren zu können. Deshalb kam sie auf das Anerbieten der Trobadora zurück und ließ sich ab sofort als Spielfrau in Dienst stellen. Für Lohn unter der Bedingung, daß sie Wesselin ordnungsgemäß versorgen könnte. Anstelle der Eignungsprüfung verlangte Beatriz eine Geschichte, die das Berliner Glühlampenwerk für die ausgefallene Veranstaltung mit Beatriz entschädigen sollte. Laura schrieb eine Geschichte mit dem Titel »Gabriel« in Beatrizens Manier und gab sie den Arbeiterinnen der Brigade »Juri Gagarin« als geistiges Eigentum der Trobadora aus. Die sie wegen Krankheit entschuldigte. Tatsächlich hütete Beatriz das Kind Wesselin. Zu Lauras erstem Auftritt, der in einer Ecke des Speisesaals stattfand, ließ die Gewerkschaftsleitung den Frauen Torte servieren. Die jungen Glühlampenwerkerinnen bemängelten den Unterhaltungswert der Geschichte in Eile, da die Kindergärten und Krippen um achtzehn Uhr schlossen. Die älteren Frauen fragten gemächlicher, auch nach dem Arbeitsplatz der Autorin und zeigten ihren. Ein Fließband. Dessen Anblick ermunterte Laura, zu gestehen, daß sie die Geschichte am Wickeltisch geschrieben hätte. Zwischen den Mahlzeiten ihres Sohnes Wesselin. Berichte an Eltern und Freunde über das Gedeihen ihres Sohnes und seine Fortschritte würde sie sorgfältiger abfassen. Das Geständnis brachte ihr zum Abschied zwei Umarmungen ein.

15. Kapitel

Darin die Geschichte nachzulesen ist, die Laura bei ihrem ersten Auftritt als Spielfrau im Berliner Glühlampenwerk vortrug

Gabriel: Die Schenke war mir empfohlen. Ich erfragte sie Sonntag in der Früh. Sonnabend mittag hatte ich die Kasse verlassen. Der Ort wurde von einer Chaussee durchquert, die sich tief zu ihm hinabsenkte. Ein neugotisches Rathaus war an die Straße gebaut: kein Dorf. Die Kirchentür stand offen, eine männliche Altstimme hallte raus und über den hofgroßen Marktplatz. Die Schenke lag hinter der Kirche. Ein emailliertes Blechschild, das einen Mönch mit übervollem Bierseidel abbildete, war neben der Tür am einstöckigen Haus befestigt, kein Schild über der Tür, ave Maria. Ich stieg fünf schräggetretene Stufen. Die Gaststubentür klemmte. Unwillkürlich senkte ich den Kopf. Ein alter Mann saß am Fenster. Rumpf und Beine zur Achse gerichtet, die den gebohnerten Fußboden unter der Tischmitte und die Stuhllehne spitzwinklig traf, Fersen auf Pantoffelklappen, Hände um einen emaillierten Topf, aus dem Dampf wölkte. Ich grüßte. Der alte Mann beugte sich über den Topf, kippte ihn, schlürfte und grüßte zurück. Dann schabte er sich mit dem Handrücken das Gesicht dort, wo es rasiert war, und erkundigte sich nach meinen Wünschen. Ich verlangte Bier. Er entgegnete empfehlungsgemäß, wegen eines Biers stünde er nicht auf. Ich war sehr zufrieden und bestellte zwei Bier. Eine alte Frau huschte aus der Dunkelheit. Sie wischte mit einem Lappen einen Viertelquadratmeter linoleumbelegte Tischplatte, den nächsten Stuhlsitz und die Lehne. Der Tisch war oval. Drei Männer saßen dran. Alle übrigen Tische der Gaststube, ausgenommen der, auf dem die Unterarme des Wirts lagen, waren unbesetzt. Ich mußte Platz nehmen. »Wie lange willste denn kleben«, fragte der Wirt. »Er meint es nicht so«, flüsterte ein Tischnachbar, der ältere, die jungen kicherten.

»Lange«, sagte ich und bedeutete ihnen, daß ich nur deshalb den Umweg gemacht hätte. Der Ort verfügte laut Karte über keine Sehenswürdigkeiten. Ich breitete die Karte über das grüne Tischlinoleum. An den Faltstellen war das Papier fasrig gewetzt. Die erledigten Ortschaften hatte ich mit Tinte ringförmig umzeichnet, in sieben Wochen achtunddreißig Ringe. Ich zeigte sie und gab zu bedenken, daß pro Woche tatsächlich nur zwei Tage gölten, die übrigen verbrächte ich sitzend hinter einer Registrierkasse. »Tut mir leid«, sagte der Wirt, »ich mach am 31. Dezember zu.« Er scharrte mit den Pantoffeln. Eine Fliege stieß in unregelmäßigen Abständen gegen die niedrige Stubendecke. Ich entzifferte die gereimte Inschrift eines Knochens, der an einem Faden von der Decke hing. Sie nötigte die Stammtischgäste zum Lügen. Ich bat den Wirt an den Stammtisch. »Wenn ich den Kerl erwisch, der mich schlechtgemacht hat, hau ich ihm den Frack voll«, sagte er. Dann erhob er sich, legte die Handflächen seitlich auf das gewölbte Vorderteil der Weste und schlurfte zur Theke. Der Westenrücken war auch gewölbt. Ich beeilte mich zu versichern, die besten Empfehlungen erhalten zu haben. Der Wirt brachte zwei Gläser Bier. Die nächste halbe Stunde verging in Gesprächen über Vermutungen, die Person betreffend, der die Ochsenschenke einen hergelaufenen Gast verdankte. Ich beschrieb die Person als Mann. Die Männer rätselten. Ich trank. Wartete auf Lügen. Besah den Westenrücken, der sich über den Schulterblättern warf. Gähnte. Mäuse hatten mich nicht schlafen lassen. Mäuse oder Ratten, sie waren unter den Barackendielen umgegangen, Feldscheunen sind rar. Baustellen gibt es allerorten genügend, die über Wochenend verlassen sind. Ich hatte immer ein Sortiment Schlüssel bei mir und Dietriche. Diesmal brauchte ich sie nicht, die Talsperrenbaustelle war bewacht. Schwer kam ich mit dem Wächter überein. Sein Hund wedelte. Mir war kalt. Ich wußte nicht, worauf mein Leben hinauswollte. Sonnabends nahm ich den Campingsack mit zur Arbeit. Die Verkaufshalle hatte die Weite eines Fußballfelds, war auch hoch, Neonlichtdecke. Wenn ich fünf Tage drunter gesessen hatte, wollte ich Himmel. Egal, wie er aussah, ob Sonne rausfiel oder Regen, Hauptsache Himmel, dieses Dach. Meine Kassennachbarinnen glaubten, ich liefe der Gesundheit wegen oder weil mich die Kleinstadt langweilte oder weil meine Wohnung vom Schwamm befallen wäre. Ich hatte eine Neubauwohnung in einer Großstadt verlassen, freiwillig. Diese Art Komfort konnte ich entbehren. Nicht den, der auf der Straße lag. Das Spiel mit fehlerhaften Wanderkarten. Ich sehnte mich nach exakten Karten. Nach ganz dichten Straßennetzen. Nach einer Möglichkeit, alles zu betreten oder zu übersteigen: absolute Wanderei. Die Einsicht in die Unerfüllbarkeit dieser unsinnigen Sehnsüchte deprimierte mich. Desgleichen die Aussicht, lebenslang eine Registrierkasse bedienen zu müssen. Von Unruhe geplagt, hastete ich, ohne mich der Anblicke, die mir unterwegs zuteil wurden, recht eigentlich zu freuen. Neue Gäste polterten zur Tür herein. Der Wirt fluchte, sie klopften mit Fingerknöcheln die Stammtischplatte, bevor sie sich niederließen. Die jungen Männer empfingen sie mit etwas Soldatenlied. Es besang die Liebe und den Ernteeinsatz. Die Bauern erkundigten sich beim Wirt, ob ich seine Nachfolgerin wäre. Er bezeichnete mich als normal, verwies auf den von der HO bewirtschafteten Ratskeller und daß er und seine Frau fünfzig Jahre keinen freien Tag und keinen Urlaub gehabt hätten. Ich erzählte, daß die meisten auf der Karte angezeigten Kneipen überhaupt oder ruhetagshalber geschlossen wären. Der Wirt wandte sich. Zwei Buckel hob der Westensatin hervor. In Nähe der Schulterblätter standen sie steil aus dem Rücken, verliefen dann mählich bis zur Gürtellinie. Auffällig aufrechter Gang. Die Hände drehten den Bierhahn, als ob sie ihn abreißen wollten. Ein turmförmiger Thekenaufbau war mit altertümlichen Zigarettennamen beschriftet. Er war rauchbraun wie alles Inventar und die Wände dort, wo sie nicht von Bildern, Sängerfest- und NAW-Urkunden oder verglasten Skatfächern bedeckt wurden. Ich wartete noch immer. Der Wirt brachte eine Lage Korn, die der Heimaturlauber spendiert hatte. »Noch zweihundertelf Tage«, sagte der Urlauber. Der Wirt trank nicht. Wies auch Zigaretten zurück mit der Begründung, passiv rauchen wäre gesünder und billiger. Die Begründung enttäuschte mich. Der Heimaturlauber erbot sich, nach Hause zu laufen und eine Legende zu holen. Ich hatte auch Lust aufzustehen, dachte an hagebuttenschwere Heckenrosen, die in der Gegend Chausseen säumten, manchmal hing Stroh dran, sehnte mich nach den Zirpgarben der Grillen, erinnerte mich einer Silberpappel, deren Blattwerk klang im Wind wie ein Schwarm aufflatternder Vögel. Die Legende war handgeschrieben und dreizehn Seiten lang. Der Heimaturlauber überreichte sie mir schwankend. Obgleich die kleinen Fenster der Gaststube, die in den Öffnungen der dicken Wände klemmten wie in Schächten, von Blattpflanzen abgedunkelt waren, wodurch Lesen schwerfiel, konnte ich der Handschrift entziffern, daß einleitend von einer Villa berichtet wurde. Von einer am Meer gelegenen, mit Mauern, Zypressen und schnellen Wagen umgebenen, luxuriösen Villa, der eine Gräfin vorstand. Die folgende Pornographie war nicht ausführlicher als die Schilderung der Goldwaren und Stoffe. Der Urlauber beobachtete mich und schlug dem Wirt auf den Rücken. Geräusch wie vom Schlagen einer Pritsche. Der Wirt wehrte ab mit barem Ellenbogen. Aus dem offenen Hemdkragen stand krauses weißes Haar. Der nackte Schädel ragte nur mit dem Gesicht übern Hals. Von der Nasenwurzel zum Unterkiefer verliefen zwei Linien, die mit dem Kinn ein gleichseitiges Dreieck bildeten. Beiderseits der Mundwinkel waren sie gefurcht, im Profil verdeckten die hängenden Backentaschen den Mund. Graue Borstenbüschel überdachten die Augen. Die Brauen waren meist bewegt, vorwiegend unpaarig. Tarnfarbene Pupillen. Augenfunken. Der Urlauber sagte, »wenn sie nicht verheiratet ist, hat es keinen Zweck«. Sein Nachbar raffte die Blätter vom Tisch und steckte sie in die linke Innentasche seines

Jacketts. Die Bauern fragten mich, ob ich in der Entenfarm anfangen wollte oder als Ökonom. Auch andere Stellen wären frei, Kindergarten, gute Bezahlung, frische Luft. »Bemüht euch nicht«, sagte der Wirt, »sie fängt am 1. Januar bei der Bank an. Wenn sie fünf Jahre fernstudiert hat, trifft sie den Sorembig-Frieder und macht Programme für die Rechenmaschine in Greiz«, der Wirt beschrieb die Stadt und den Betrieb, der die Rechenmaschine seiner Behauptung nach im Mai 76 für 2,3 Millionen englische Pfund erwerben würde. Ich lachte. Zufrieden über die endlich zutage tretende Fündigkeit des empfohlenen Ziels. Der Wirt zog seine speiseverklebte Weste aus. Die Gäste blickten zur Decke. Ernste, gerötete Gesichter. Als der Wirt das Phänomen der Liebe schilderte, die mich augenblicklich und unwiderstehlich dem Lehrer Sorembig während der ersten Begegnung auf dem Bahnhof Elsterberg verbünden würde, vernahm ich seltsame Geräusche. Sie waren denen, die im Flug aufprallende Fliegen verursachen, ähnlich, jedoch lauter. Ich gestand eine Vorliebe für Lügengeschichten. Die Stimme des Wirts wurde scharf, fiel dann in Sprechgesang. So erfuhr ich, daß mir Frieder zwei Kinder zeugen würde, nachdem er mich geheiratet hätte. Auto. Die Kinder zöge die Schwiegermutter auf. Sobald sie das Schulalter erreicht hätten, reiste die Familie jeden Sommer ins Ausland. Margitte, das älteste Kind, würde elfjährig nordöstlich von Dubrovnik von einer Viper gebissen. Ich schrie auf. Die Altmännerstimme befleißigte sich einer Koloratur, die Tonstärke änderte sich ständig, auch die Tonrichtung. Rauch, der sich unter der Decke gesammelt hatte, bewegte sich zerteilt in Schwaden, als ob wechselnder Wind hineinbliese. Der Viperbiß ist nicht lebensgefährlich, Margitte lernt Elektroschlosser und wird Wärmetechnikerin, der Sohn wird Leutnant zur See, Frieder bekommt eine gute Pension und stirbt sechsundsiebzigjährig im Wochenendhaus, ich überlebe ihn vier Jahre. Der Wirt zog seine Weste wieder an. Die Männer senkten die Köpfe. Die Rückenbuckel schwanden zur ursprünglichen Größe. Ich zahlte und verließ das Haus. Ich wollte mit den angenehmen Aussichten allein sein, die so unverhofft auf mich gekommen waren und alle Erwartungen übertroffen hatten. Besonnte Chaussee. Die Hast verließ mich, diese unsinnige Sehnsucht, alle Ungewißheit, leicht ging ich fürbaß. Bald gemächlich. Später langsam. Gegen Abend erreichte ich die Talsperre, stürzte mich von der Staumauer und ertrank.

Drittes Intermezzo

Darin nachzulesen ist, was die schöne Melusine im Jahre 1964 aus dem Roman »Rumba auf einen Herbst« von Irmtraud Morgner in ihr 21. Melusinisches Buch abschrieb

»Aber Kind.« Die Stimme kam von oben, aus einiger Höhe. »Aber Kind, laß doch diese albernen Erinnerungen.«

»Ich bin kein Kind, und ich verlange, daß du mir wenigstens meine Erinnerungen läßt.«

»Ich denke nicht daran«, sagte Lutz, »sieh mal, Karla, versteh mich doch, es hat doch keinen Sinn.«

Mußte denn alles einen Sinn haben?

»Kind, ich glaube, du bist verrückt geworden.«

Verrückt geworden. Die Mutter glaubte es, Lutz glaubte es, wer noch, bitte, wer noch?

»Du bist so empfindlich heute, fehlt dir was?«

»Du, Lutz, weißt du noch als unsere Gruppe an einem Drama in fünf Akten schrieb, weil alle Stücke, die es gab, bürgerlicher Krempel waren. Es existierte nichts, was wir uns nicht zugetraut hätten. Das Rathaus haben wir mit Spitzhacken und Schaufeln weggeräumt, die große Ruine vom Rathaus, weißt du noch? Und alle wollten studieren. Alle behaupteten, man könnte alles lernen. Ach Lutz, was war das doch für eine herrliche Zeit damals. Nichts zu fressen, aber zufrieden. Alles war irgendwie einfacher, ja, leichter überschaubar. Damals war noch was los im Jugendverband, Kampfstimmung, Begeisterung, wenn ich bedenke, wie wir den 7. Oktober gefeiert haben . . . Der Anfang war die glücklichste Zeit meines Lebens.«

»Man kann doch nicht bedauern, daß an die Stelle von Glauben Wissen getreten ist.«

»Warum nicht?«

»Ist Glaube mehr als Wissen? Ist das Primitive erstrebenswert? Es ist nur für den Laien leichter zu übersehen, Kind. Übrigens sind wir gar nicht so kompliziert, wie wir dir erscheinen. Mythologie der Nichtschwimmer, weißt du.«

Ein Nichtschwimmer also. Sieben Jahre Haushalt und ein bißchen Aushilfe im Konsum, und schon war man ein Nichtschwimmer. Einer, der hoffnungslos absoff, wenn man ihn ins Wasser warf.

»Ach, Karla, Kind, nein, du bist wirklich ein Kind.«

Seitdem sie verheiratet waren, sagte er »Kind« zu ihr. Und er dachte auch »Kind«. Und sie dachte »Junge«. Und mit diesen Stereotypen lebten sie. Genauer: unter der Decke dieser Stereotype. Selbst wenn sie täglich neu sein würden – Rezepte für die Erhaltung von Eheglück rieten als sicheres Mittel, täglich neu sein –, selbst wenn ihnen das Unmögliche gelänge, es würde ihnen nichts nützen. Weil sie es nicht bemerken würden. Wenn man einen Gegenstand ganz dicht vor Augen hat, sieht man ihn nicht mehr. Nur die Vorstellung von ihm, die man einmal von ihm gewonnen hat, als er noch entfernt war, bleibt. Als Stereotyp.

»Du romantisierst deine Erinnerungen«, sagte Lutz.

»Ach, du mit deinem kalten Verstand. Laß mir doch den Zacken Romantik.«

Aber da war Lutz unerbittlich. Kalter Verstand wäre eine reaktionäre Redensart, eine durch und durch reaktionäre Redensart, jawohl, vererbt über Generationen, und das merke man ihr an. Sie stamme aus einer Zeit, da der Verstand unbequem gewesen wäre für die Herrschenden und so weiter, ein Rudiment, wie gesagt, das bekämpft werden müßte. Lutz bekämpfte es eine Weile. Und schloß mit der Feststellung, daß der Verstand das Beste sei, was der Mensch besäße – was ihn eigentlich erst zum Menschen mache. Man könnte den Verstand nicht genug preisen. Lutz war bei seinem Lieblingsthema, er tummelte sich hoch oben, wo es nie nach Windeln roch und tausend Kleinigkeiten.

»Fertig?«

»Wenn wir uns einig sind, ja.«

Mußte man sich denn immer einig sein? Einig, was hieß denn das überhaupt in dieser Ehe, an der ein Nichtschwimmer beteiligt war?

»Nein«, sagte Karla.

Nein? Die selbstsichere Stimme beugte sich zu ihr herunter. Nein? »Aber Kind, wenn deine Eltern von dazumal reden, regst du dich auf. Aber du kultivierst dasselbe in Grün. Und deshalb brauchst du dich nicht zu wundern, wenn du bei meinem Bruder nicht ankommst.«

»Ach, Benno – geh mir weg. Als wir so alt waren wie der, waren wir andere Kerle. Weißt du noch, wir haben jede Woche unseren Subbotnik gemacht . . .«

»Ich weiß, ich weiß, aber man kann doch nicht ewig von der Vergangenheit zehren, man muß doch mal . . .«

»Was?«

»Man muß doch endlich mal . . .«

Natürlich. Das alte Lied, das er seinem Vater immer vorsang. Aber Oskar Pakulat hörte nicht zu, und er tat recht daran. In dieser Beziehung verstand Karla den Schwiegervater besser als den Mann. Eigentlich war es vor allem der unverwüstliche Pakulat gewesen, der ihr damals rausgeholfen hatte aus dem Dreck. Die Eltern hatten gesagt: Uns hat man einmal betrogen, wir glauben an nichts mehr. Die Eltern jammerten nur. Aber mit Pakulat konnte man reden. Mit Lutz konnte man auch reden, früher. Aber jetzt redete er nur noch allein. Jetzt fühlte sich Karla nur noch als Zuhörerin. Und sie sagte: »Ich laß mir die Romantik des Anfangs nicht nehmen.«

»Hoffnungslos«, sagte Lutz, »hoffnungslos vergreist wie mein Vater. Sozialismus muß bei dem schwer gehen, sonst wird er mißtrauisch. Keine Ader für Romantik, die in Geld meßbar ist. Karla, du wirst alt.«

»Du auch«, sagte Karla.

»Natürlich, ich lebe.«

»Was heißt das eigentlich, leben?«

»Ganz einfach: für mich heißt das: Häuser bauen, erfinden, verwerfen, sich durchboxen, blaue Flecke einstecken . . .«

Ganz einfach. Sein Schreibtisch war immer aufgeräumt. Wahrscheinlich spielte die Liebe im Leben einer Frau eine viel größere Rolle als im Leben eines Mannes. Wahrscheinlich waren Männer überhaupt viel praktischer eingerichtet. Karla kannte sogar welche, die sich beliebig ver- und entlieben konnten.

»Du bist so ernst. Was ist denn los mit dir? Fehlt dir was?« Wenn Karla ernst war, fragte Lutz immer so lange an ihr herum, bis sie den Luxus ließ, sie war der Hausclown, der Lutz die Sorgen vertrieb, die Stimmungskanone, die ihn aufmunterte, wenn er müde nach Hause kam. Wozu sonst hatte man eine Frau? Zum Ernstsein hatte Karla Zeit, wenn er nicht da war. Und wenn die Kinder schliefen. War Karla überhaupt ernst? Mit zwanzig war sie meist lustig gewesen, also war sie lustig, ganz einfach. Wahrscheinlich kannte man sich um so schlechter, je besser man sich kannte.

»Du wirst dich übernommen haben, Kind, ganz einfach.«

Bei ihm war immer alles ganz einfach. Schon als sie sich kennenlernten, war das so. Sie kannten sich schon eine Weile, als sie sich kennenlernten. In der Wohngruppe hatten sie zusammen am fünfaktigen Drama geschrieben, über zwanzig Personen hatten daran geschrieben, die sich mit »Jugendfreund« beziehungsweise »Jugendfreundin« anredeten. Dann hatten sie, wieder zusammen mit diesen zwanzig Personen, den Entschluß gefaßt, zur ABF zu gehen. Und dann saßen sie zusammen in einer Klasse, mathematisch-naturwissenschaftliche Fachrichtung. Lutz saß vor Karla. Sie hatte täglich sechs bis sieben Stunden sein pelziges Haar vor Augen, wenn sie nicht gerade vom Lehrer oder von der Wandtafel abgelenkt wurde, mußte sie, ob sie wollte oder nicht, seinen dunkelblonden Pelz anstarren. Der war so dick, daß man von hinten keine Ohren sehen konnte, und in der Nähe des Wirbels, der genau in der Mitte saß, dort, wo manche eine Platte kriegen, hatte er helle Strähnen. Im Nacken auch. Der Hinterkopf fiel flach ab, und die hellen Nackensträhnen spießten den Hemdkragen. Von hinten sah es aus, als ob Lutz überhaupt keinen Hals hätte. Wenn er aufgerufen wurde und nichts wußte, klemmte er etwas Nackenfell zwischen Mittel- und Ringfinger und strich mit dem Zeigefinger über das Haarbüschel. Diese Geste war ein sicheres Zeichen dafür, daß Karla ihm vorsagen mußte. Beim Vorsagen lehnte sie sich weit über die

Schreibplatte. Wenn er sich wieder fallen ließ, er setzte sich, indem er sich abrupt auf den Klappsitz fallen ließ, war manchmal für Augenblicke die dunkelblonde Perücke so dicht vor ihren Augen, daß sie nichts mehr erkennen konnte. Daß sie nur noch den bitteren Geruch spürte. Und den Wunsch, zuzufassen. Während einer Chemiestunde spürte sie diesen Wunsch zum erstenmal.

Zwei Monate später fand im Speisesaal der ABF eins der üblichen Tanzvergnügen statt. Lutz tanzte nicht. Er tanzte nur mit Ziel. Wenn kein Ziel da war, tanzte er nicht. Er besah sich die Mädchen: schlafen oder nicht schlafen. Keine gefiel ihm. Also nicht schlafen. Also nicht tanzen. Also Schnaps.

Karla wußte an diesem Abend natürlich noch nicht, warum er nicht tanzte. Sie dachte: Schüchtern. In den Tanzpausen sah sie gelegentlich mal zu ihm hinüber. Sonst war sie beschäftigt. Sie hatte zwei Tänzer, die sie beschäftigten. Zwei Klammertechniker. Karla nannte die Tänzer, die ihren Damen beide Hände auf den Rücken legten, den Kopf seitlich in die Frisur drückten und nach der Musik das Standbein wechselten, ohne sich vom Fleck zu bewegen, Klammertechniker. Routiniers also. Mit denen man kämpfen mußte. Karla kämpfte gern. Mit Worten. Mit Blicken. Sportlich. Tanzsport. Mehr Sport als Tanz. Aber nicht übel, nicht gefährlich. Weil man unter Waffen blieb. Beim Kämpfen blieb man logischerweise unter Waffen. Tango, Slowfox, English-Waltz, Karla trat mit ihren Tänzern in einer Ecke herum. Gelegentlich beobachtete sie Lutz aus dieser Ecke. Er hatte die Unterarme verschränkt auf die nackte Tischplatte gestemmt – Decken wurden nur zu Staatsfeiertagen aufgelegt. Er saß da und starrte vor sich hin wie in der Schule, wenn er nichts wußte. In der Schule starrte er auf den Tintennapf. Hier starrte er ins Schnapsglas. Ab und zu sah er auch mal auf. Aber er kniff nie ein Auge zu. Sein Gesicht blieb unbeweglich, und seine Augen, die ziemlich groß waren und eigentlich schön, waren ganz tief nach hinten gerutscht, es sah aus, als ob er die Brauen als Gardine vor die Augen gezogen hätte, damit niemand hineinsehen konnte. English-Waltz, Slowfox, Tango, Karlas Tänzer drängten auf eine Entscheidung. Karla stand abwechselnd mit dem einen und mit dem anderen rhythmisch in der Ecke herum und sah abwechselnd über die Schulter des einen und des andren, wie Lutz sich besoff. Und gegen elf spürte sie, daß er ihr leid tat. Als sie das spürte, war sie schon verloren. Aber sie merkte es natürlich noch nicht. Sie merkte es erst zwei Tage später, und das war zu spät. Um elf aber fühlte sie sich noch sicher. Ihre Tänzer gingen jetzt dazu über, den Mund gelegentlich auf ihren Hals zu legen und dergleichen. Karla war sehr beschäftigt. Karla dachte: Gleichgültig. Gleichgültigkeit reizte sie, auf sich aufmerksam zu machen: Verdammt noch mal, siehst du mich denn nicht. Lutz sah sie nicht. Lutz soff Schnaps. Karla dachte: Schüchtern. Schüchternheit provozierte sie, die Waffen wegzuwerfen. Sie schüttelte ihre Tänzer ab und setzte sich zu Lutz. Einfach so. Unbewaffnet. Um ihn nicht noch mehr einzuschüchtern. Lutz lachte in sein Schnapsglas, das war alles.

»Tanzt du nicht?«

»Nein«, sagte er.

»Warum nicht?«

»Darum«, sagte er.

»Auch nicht mit mir?«

»Auch nicht mit dir.«

»Und wenn ich darum bitte?« Sie bat ihn. Sie, um die sich zwei Tänzer den ganzen Abend gerauft hatten, bat diesen Kerl, der sie mit unbeweglichem Gesicht ansah, ob er geruhte, die Freundlichkeit zu haben. Er geruhte nicht. Er schlug die Bitte einfach ab. Karla hatte noch niemand einen Tanz abgeschlagen. Weil sie noch nie jemanden um so etwas hatte bitten müssen. Bis zu diesem Abend, gegen elf. Gegen Elf sagte sie: »Den nächsten Tanz, bitte.«

»Nein«, sagte er.

Spätestens in diesem Augenblick hätte sie zu den Waffen greifen müssen. Aber sie tat nichts. Sie dachte nicht einmal daran. Sie dachte nur: Tanzen, er muß mit mir tanzen. Es war für sie eine Prestigefrage, das zu erzwingen.

»Ich bin Nichttänzer«, sagte er.

»Lügner. Ich habe dich doch schon schwofen sehen.«

»So?«

»Ja.«

»Wann?«

»Vor zwei Monaten, nein, Moment, am 17. Mai war es, ja, am 17. Mai.«

»Mit wem?«

»Mit dieser Sexbombe aus der 2 a. Ich dachte, sie will dich einatmen.«

Spätestens in diesem Augenblick hätte Karla merken müssen, daß ein Nichttänzer, der den letzten Tanz mit der Sexbombe aus der 2 a tanzte, nicht so schüchtern war, daß sie ihn bedauern mußte. Aber sie merkte nichts. Sie redete und redete. Und da er noch immer mit unbeweglichem Gesicht dasaß und sie kaum ansah, dachte sie: Er hat Angst vor mir. Und versuchte, ihm begreiflich zu machen, daß er keine zu haben brauchte. Und schließlich sagte sie: »Also gut, wenn du nicht willst, will ich auch nicht.« Und damit war sie erledigt. Damit hatte sie sich selbst erledigt. Damit hatte sie sich ihm in die Hand gegeben. Kampflos. Ohne es zu merken.

Und das merkte er natürlich. Obgleich er ziemlich besoffen war. Und er handelte weise: Er verabschiedete sich höflich und ging. Freitag abend. Kurz vor Mitternacht. Am Sonnabend fiel der Unterricht aus. Schönes Sommerwetter. Karla ging baden. Karla ging ins Kino. Gute Stimmung. Ein bißchen aufgekratzt. Am Sonntag nachmittag wurde Karla bewußt, daß sie sich verliebt hatte. Am Abend rief sie ihn an. Er kam. Also schlafen.

Also erwachen. Karla betrachtete gleich angestrengt die Tasten des blauen Klaviers. Sie hob das obere und das untere Gehäusebrett weg und sah die Eingeweide des Klaviers, Stimmstock, Hammerwerk, den mit Saiten bespannten Eisenrahmen. Sie ließ sich benebeln von dem strengen Duft, den die Mechanik ausströmte, von diesem abenteuerlichen, verwegenen, zu Tagträumen verleitenden Duft.

Und weiter gings mit Erinnerungen nach Wunsch. Ein kahler Raum, weiß getüncht, kalt mit beschriebenen Papierstreifen benagelt, die Streifen einen halben Meter breit, die Buchstaben nicht viel schmaler, rote Buchstaben, roter Stoff auf dem Tisch und eine Schüssel Bratkartoffeln. Zwölf Gabeln spießen nach den gebräunten Kartoffelbrocken. Lutz sagt, die Menschheit stellt sich nur Fragen, die sie beantworten kann. Wenzel Morolf steckt seine Gabel in die linke obere Jackettasche. Elf Gabeln spießen die Schüssel leer. Wenzel schiebt seinen Stuhl zurück, mit zwei Fingern. Wenzel sitzt zurückgelehnt, die Beine übereinandergeschlagen, ein Fuß wippt, die Hände drehen eine leere Zigarettenschachtel, die Augen sind schmal, schwarze, von Lidern geschmälerte Augen, die beobachten, wie die Schüssel leer wird. Aber die Gabel bleibt im Jackett. Und wenn er verhungern müßte, die Gabel bleibt im Jackett, »Die Menschheit stellt sich also nur Fragen, die sie beantworten kann. Aha.« Aufreizendes Aha. Mehrmals. Schroff ansteigende Stirn, hoher Nasenrücken, gebogen, asketischer, fast lippenloser Mund, Kinn zugespitzt, schwarze, von Lidern geschmälerte Kinderaugen, Zweifel. Wenzel bezweifelt alles, was Lutz sagt. Die Menschheit also. Aha. »Wer ist das, die Menschheit? Ich kenn sie nicht, sie hat sich bei mir noch nicht vorgestellt. Du kennst sie. Es genügt, wenn eine Vertrauensperson wie du sie kennt. Es genügt vollauf, wenn du weißt, daß sie sich Fragen stellt. Fragen also. Aha. Was ist das, eine Frage? Etwas zum Essen? Ein Schmuck für die Nase? Pornographie? Meine Damen, ich muß Sie enttäuschen, ich hab auch was übrig für gute Pornographie, aber ich muß Sie leider enttäuschen: es ist eine Antwort. Eine Frage, die man beantworten kann, ist eine Antwort. Die Menschheit stellt sich also Antworten. Und das ist eine Sauerei. Onanie ist für meinen Geschmack eine Sauerei, meine Damen.« Die Damen tragen blaue Hemden. Die Damen verbitten sich, mit »Damen« angesprochen zu werden. Sie lehnen den bürgerlichen Zimt ab, sie essen aus einer Schüssel, sie trauen sich mit der Spitzhacke an das alte Rathaus ran, weg mit dem alten Krempel, her mit dem neuen Staat, der Staat sind wir. Und wir sind elf, mit Wenzel zwölf. Aber Wenzel liegt schief. Lutz hat ihn in persönliche Pflege genommen, um ihn geradezurichten. Seitdem liegt er noch schiefer. Lutz muß ihn dauernd entlarven. Als er aufgegessen hat, schmeißt er die Gabel auf das rote Tuch und entlarvt ihn. »Du zweifelst an allem«, sagte er. Wenzel sieht nur das rote Tuch. Wenzel sagt: »Wo der Zweifel aufhört, fängt die Dummheit an.«

»Defätist.«

»Montesquieu«, sagt Wenzel.

Lutz kommt langsam in Schwung. Wenzel wippt mit dem Fuß, die Augen sind noch schmaler, zwischen den Lippen klemmt ein Streichholz, zurückgelehnt, weit zurückgelehnt: ich, Wenzel Morolf, kein Gott, aber wer ist mehr. Wir waren mehr. Wir waren elf. Sieben Jungen und vier Mädchen, die Wenzel »Damen« nennt. Er redet nur zu den »Damen«, die anderen sind für ihn so gut wie nicht da. Auch wenn er sich mit Lutz streitet, wendet er sich den »Damen« zu. Ich hatte Wenzel in die Gruppe gebracht, weil er gut spielte. Lutz war dagegen gewesen. Aber mir waren die Heimabende zu ruhig, und da hatte ich ihn einfach mal mitgebracht. Und er warf auch gleich unser Programm über den Haufen. Er spielte den ganzen Abend, auf dem Klavier, auf der Gitarre, auf dem Banjo, er riß sofort die Aufmerksamkeit an sich und sang und spielte den ganzen Abend. Zuerst Erbe. Für Erbe war Lutz auch, Erbe war genehmigt, dann französische Chansons, Französisch verstand bei uns sowieso niemand, und dann Jazz, nobody knows you when you are down and out und so weiter, dann nur noch Jazz. Und als wir eine Weile wie die Verrückten getanzt hatten, sagte Lutz, Jazz wäre Kosmopolitismus, und Kosmopolitismus wäre dekadent, und Dekadenz lehnten wir ab. Wir lehnten nicht gleich ab, Lutz mußte mehrmals den Beweis führen. Die Beweiskette war lückenlos. Lückenlose Beweisketten waren seine Stärke. Wir lehnten einstimmig ab. Wenzel schüttete Bier ins Klavier. Aber er kam wieder. Er stank vor Arroganz, aber er kam wieder. Obgleich ihm Lutz dauernd nachwies, wie schief er lag. Obgleich auf ihn sonst überhaupt kein Verlaß war, kam er wieder und störte.

»Du störst«, sagt Lutz.

»Aha«, sagt Wenzel, mehrmals, aufreizend. Kam er nur, um zu stören?

»Zum Unterricht kommt er nur, um zu stören«, sagte der Physiklehrer. Wenzel las in der Physikstunde Krimis unter der Bank, weigerte sich, einfache Fragen zu beantworten, versuchte, den Lehrer aufs Glatteis zu führen. In den schriftlichen Arbeiten konnte ihm der Physiklehrer keine Fehler nachweisen. Physik interessierte Wenzel. Geschichte nicht. Sonst alles mögliche, was ihn nichts anging, aber ausgerechnet Geschichte nicht. Geschichte war Schwerpunkt. Im Schwerpunkt hatte er eine schwache Vier. Wer im Schwerpunkt eine Fünf hatte, flog durchs Abitur.

»Wir haben Lernkollektive gebildet«, sagt Lutz. »Wenn du dich nicht anstrengst, fliegst du nächstes Jahr in Geschichte durch. Wir haben beschlossen, daß in unserer Klasse keiner durchfliegen darf. Das Lernkollektiv für Geschichte leitet Karla.«

»Karla gefällt mir«, sagt Wenzel.

»Mich interessiert nicht, ob dir meine Braut gefällt, mich interessiert, wann du endlich in Geschichte was zu tun gedenkst.«

»Nie«, sagt Wenzel, »aber zu Karla komm ich.«

Lutz legte sonst alle Worte von Wenzel auf die Goldwaage. Er wog sie, und dann verarbeitete er sie zu Beweisketten. Aber ausgerechnet jetzt nicht. Jetzt interessiert ihn nicht einmal, ob diesem Wenzel seine Braut gefällt. Er scheint sich seiner Sache sehr sicher zu sein. Er tut gelegentlich schüchtern, aber er ist sicher. Andere machen aus der Liebe einen Zirkus mit Eifersucht und anderen Unsinnigkeiten, Lutz fragt nach dem Sinn der Sache, Eifersucht hat keinen, na also, ganz einfach. Bei Lutz ist alles ganz einfach. Karla hatte ihn angerufen, und er war gekommen, und sie hatten zusammen geschlafen, ganz einfach. Und morgen vielleicht würde Wenzel zu ihr kommen, weil das so beschlossen war, auch ganz einfach. Wenzel hat sich vorgenommen, an seiner Faulheit festzuhalten. Er saß jeden Tag in der Staatsbibliothek, aber er würde vielleicht trotzdem kommen. Warum? Wo liegt da der Sinn?

»Der Sinn des Lebens ist, zu arbeiten«, sagt Lutz. »Die Faulen leben nicht.«

»Danach würden die Dummen, die am meisten arbeiten müssen, um überhaupt etwas zustande zu bringen, am intensivsten leben. Lebst du in Mathe intensiv?«

Lutz hat in Mathe eine Zwei. Er hat nur Zweien, während Wenzel nur Einsen und eine Vier hat und eine miese gesellschaftliche Beurteilung natürlich. Lutz sagt: »Talent ist kein Verdienst.« Er spricht leise wie immer, den Zeigefinger vor dem Mund, der die Worte abzubremsen und ihre Phonstärke zu verringern hat, kein Leisesprechen schlechthin: prinzipielles Leisesprechen. »Talent ist kein Verdienst.«

»Aha.« Mehrmals. »Aha. Neulich hast du definiert, Talent wäre Arbeit. Bei welchem Schuster läßt dein flexibles Gehirn eigentlich arbeiten?«

»Talent verpflichtet«, sagt Lutz. Er kitzelt die Nase mit dem Zeigefinger. Dann legt er ihn wieder senkrecht auf die Lippen. Er weiß, daß die Gegenstände, über die er redet, für sich sprechen und des Lärms nicht bedürfen. Wer die Strapazen des Zuhörens nicht auf sich nimmt, hat selbst den Schaden. Wen das ständige Nasekitzeln und Im-Gesicht-Herumgreifen stört, dem geht es nicht um die Gegenstände, sondern um Effekte. Wenzel hat Effekte nötig. Ironie, Kraftausdrücke, Bonmots, er gibt sogar zu, daß er diese Wendungen weniger des Sinns als des Effekts wegen gebraucht. Er behauptet, die Wahrheit sei selten brillant, weil sie zu oft wiederholt werden müßte. Lutz lehnte Effekte ab, prinzipiell. Lutz sagt leise: »Talent verpflichtet.«

»Zu Aufbaustunden, ich weiß. Jeder Ziegel ein Sargnagel im Schwert des Imperialismus. Aber neulich hast du gesagt, Talent ist Mystizismus, der Mensch kann alles lernen.«

»Wenn er zum Lernen Talent hat, ja.«

»Weise.«

Lutz lächelt. Geschafft. Er hat diesen überheblichen Individualisten, der natürlich kleinbürgerlicher Herkunft ist, wieder mal geschafft. Lutz schafft alle. Er ist gefürchtet an der Fakultät. Er ist stolz darauf, daß er gefürchtet ist. In Versammlungen kriegt sogar Karla manchmal ein bißchen Angst vor ihm. Sonst ist er beinahe schüchtern oder tut wenigstens so. Aber hinter einem Rednerpult wächst er. Wenn sich Wenzel in der Vollversammlung der Fakultät zu Wort meldet, gibt es Lacher. Wenn Lutz sich meldet, lacht niemand. Bei Wenzel weiß man nie, was einen erwartet, bei Lutz ist man sicher. Auf Lutz kann man sich verlassen. Immer. Ausgeglichene schulische Leistung, hilfsbereit, pünktlich, treu. Lutz ist seiner Frau treu. Lutz ist ein Mann zum Heiraten.

Es riecht nach Bratkartoffeln. Es riecht nach Krawall. Die anderen zehn, die noch am Tisch sitzen, kann Karla nicht mehr genau sehen. Mix vielleicht noch ein bißchen und Kussi, verschwommen, sehr verschwommen. Nur Lutz und Wenzel sind da, ganz deutlich, in allen Einzelheiten, die Zeltplanjacke von Lutz und die schwarzen Augen von Wenzel und sein Haar, das wie eine Perücke auf dem Kopf sitzt, und der Bratkartoffelgeruch, ganz deutlich, ja.

»Und wenn man zur Faulheit Talent hat?«

»Zur Faulheit braucht man kein Talent zu haben«, sagt Lutz.

»Und ob«, sagt Wenzel und wippt mit dem Fuß, »und ob, zur Faulheit reicht Talent allein nicht aus. Faulheit erfordert außerdem Charakter, einen großen Charakter, meine Damen. Kleine Charaktere müssen fleißig sein, weil sie immer ein Alibi brauchen, um sich zu rechtfertigen, vor sich, vor den anderen: Ich habe heute das und das gemacht, ich habe nicht umsonst gelebt, und vergib uns unsere Schuld, amen. Wenn das Alibi fehlt, können sie nicht pennen. Weil sie Angst haben, die Kleinen. Vor dem Tod haben sie Angst, die lieben Kleinen, deshalb müssen sie jeden Tag was für ihre Unsterblichkeit tun. Unsterbliche Werke müssen die süßen Kleinen täglich schaffen. Und was hat der Verfasser eines unsterblichen Werkes von seinem unsterblichen Werk, wenn er verfault ist? Fanfare! Starke Charaktere brauchen kein Alibi. Sie haben nicht nötig, sich vor irgend jemandem zu rechtfertigen. Sie liegen in der Sonne, sie können sich leisten, auf Anerkennung zu pfeifen, sie ruhen in sich selbst. Wir scheißen auf die Nachwelt, meine Damen, wir leben, Küßchen.« Wenzel war aufgestanden. Er läuft mit großen Schritten durch den Versammlungsraum. Über den Onkel läuft er und haut die Absätze auf die Dielen, daß der Tisch wackelt. Lutz ist wütend. Aber die anderen finden die neue Theorie von Wenzel ganz interessant. Ganz interessant ist Wenzel natürlich zuwenig. Er ruht also nicht, bevor Lutz ihn als reaktionär entlarvt und die anderen die Theorie akzeptieren. Dann läßt er wie immer die Theorie fallen und stellt wie immer eine neue auf. Die neue lautet in diesem Fall: »Die Kleinen philosophieren über das Leben, die Großen machen was draus. Dante hat Beatrice verloren, als er fünfundzwanzig war, starb sie, aber nicht für ihn. Er hat was gemacht aus dieser

Liebe. Er hat sie unsterblich gemacht.«

»Und was hat er von seiner Unsterblichkeit, wenn er verfault ist«, fragt Lutz, »was hat dieser Dante davon?«

»Die größte denkbare Befriedigung«, sagt Wenzel.

»Aber du hast doch eben gesagt . . .«

»Wer Charakter hat, sagt sein Leben lang dasselbe. Wer keinen hat, lernt dazu und ändert seine Meinung. Ich gestatte mir den Luxus, keinen Charakter zu haben.«

»Charakterlose Menschen können wir nicht gebrauchen«, sagt Lutz.

»Aha.« Mehrmals. »Aha. Verstehe.«

»Und warum gehst du nicht, wenn du verstehst?«

»Weil es mir bei euch gefällt.«

»Was gefällt dir?«

»Das Experiment. Physiker sind neugierig. Physiker haben was übrig für Experimente.«

»Der Sozialismus ist kein Experiment«, sagt Karla.

»Wenn er kein Experiment wäre, würde er mich nicht interessieren«, sagt Wenzel, »fertige Sachen interessieren mich nicht. Du interessierst mich.«

Karla sieht Lutz an. Lutz sieht Wenzel an. Lutz sagt: »Du hast ja überhaupt keine politische Konzeption, du Klugscheißer.«

»Doch«, sagt Wenzel, »die Welt muß von Fachleuten regiert werden: von Königen. Die Physik ist die Königin der Wissenschaft. Also muß die Welt von Physikern regiert werden. Meine Damen und Herren, wählen Sie mich, und die Welt hat Frieden.«

Pose. Die Pose des Großvaters, wenn er den selbstlosen Seeräuber spielte.

Lutz sagt: »Erst mal sehen, ob du überhaupt zum Studium zugelassen wirst.«

»Warum nicht?«

»Mit einer Vier in Geschichte?«

»Ich will nicht Geschichte studieren.«

»Mit einer Drei im Abi?«

Wenzel hält die Hände an den Hundofen. Lutz räumt den Tisch ab. Lutz hat recht, Wenzel ist nicht zu retten, ein Saint-Simonist ist nicht zu retten. Saint-Simon hatte wenigstens außer Physikern noch Mathematiker, Chemiker, Physiologen, Schriftsteller, Maler und Musiker für seine geistige Weltregierung akzeptiert. Wenzel akzeptiert nur Physiker. Nur sich akzeptiert dieser vor Eitelkeit stinkende, ehrgeizige, unberechenbare Spinner, nur sich. Lutz hat recht, Wenzel ist nicht zu retten. Ein Staat, der sich auf solche Wenzel verließe, wäre verlassen. Lutz hat recht, Wenzel ist begabt, aber unzuverlässig, man darf ihn nicht zum Studium zulassen. Ein Staat braucht zuverlässige Leute.

»Wenn ich nicht zum Studium zugelassen werde, stürz ich die Regierung«, sagt Wenzel. »Außerdem ist die Frage nach dem Sinn des Lebens eine Scheinfrage. Leben ist weder sinnvoll noch sinnlos. Ihr könnt ihm natürlich einen Sinn geben, der Einfachheit halber, Lutz gibt ja ständig, mit vollen Händen, man trägt wieder Schmuck. Aber hat so eine tolle, unverwüstliche Sache Schmuck nötig? Leben ist – fertig. Der Sinn des Lebens ist, zu leben.« Sprachs und verläßt den Versammlungsraum. Mit zwei großen Schritten.

Achtes Buch

1. Kapitel

Das einen irdischen Geheimbund zur Sprache bringt

Als Laura ihr Spielfrauenamt ordnungsgemäß dem Magistrat von Groß-Berlin, Abteilung Finanzen, Zentralreferat Steuern, gemeldet hatte, wo ihre Arbeit als steuerbegünstigte freiberufliche Tätigkeit anerkannt wurde, entlastete Beatriz die Freundin von dieser Funktion. Inoffiziell. Und berief sie zur Generalsekretärin des »Sibyllinischen Geheimbunds zur Ordnung der Welt«. Die Frauen brauchten weder persephonische Opposition noch Kunst, um sich zu befreien, sondern ein Genie. »Liebes Genie«, sprach da Laura, nichts Gutes ahnend, verdoppelte ihre Wachsamkeit und überlegte die günstigste taktische Variante. Dann begrüßte sie den Entschluß der Freundin, dem Trobadorberuf zu entsagen, als vernünftige und logische Entscheidung. Leute, die mit dem Kopf durch die Wand wollten, bewirkten letztlich ebenso wenig wie solche, die mit dem Hintern an die Wand wollten. Den Männern jetzt schon die erotische Domäne zu nehmen, die letzte, die ihnen hierzulande offiziell zuerkannt würde, wäre nämlich taktisch geradezu unklug. Weil die Männer ihre von jahrtausendealten Traditionen anerzogenen autoritären Bedürfnisse auf die Weise am folgenärmsten abreagieren könnte. Viele Frauen hielten sich an die Sitten auf diesem Gebiet ohnehin nur noch wie an eine Art Sprachregelung. Und ein Mann, der seiner beruflich und finanziell unabhängigen Frau, die nebenbei die statistisch durchschnittlichen achtzig Prozent der Haushaltarbeit und Kinderbetreuung erledigt, vorgespielte Unselbständigkeit und Schwäche ernstlich glaubt, wäre höchstens zu bedauern. Zu besingen wäre er jedenfalls nicht. Laura behauptete, den Trobadorberuf nicht für verfrüht zu halten, weil es keine Frauen gäbe, die sich als Subjekte empfänden, sondern weil die ihnen notwendigen besingenswerten Gegenstände als soziale Erscheinung noch fehlten beziehungsweise von den Sitten versteckt würden. Die Möglichkeit, Leute zu ihrem Glück zu zwingen, wäre machtabhängig. Das hieße bis auf den heutigen Tag: männerabhängig. »Genau«, sagte Beatriz, »hier muß unser Bund die Hebel ansetzen.« – »Wie viele Mitglieder hat unser Bund?« fragte Laura. – »Mit dir zwei«, antwortete Beatriz, »ich bin die Präsidentin, je kleiner ein Bund, desto weniger Leerlauf.« – »Und welche Hebel willst du ansetzen?« fragte Laura wieder. – »Wer viel fragt, geht viel irr«, erwiderte Beatriz und daß in Geheimbünden aus Sicherheitsgründen nicht alles demokratisch beraten werden könnte. Laura hielt den Geheimbund für eine dichterische Absurdität. Mühte sich also, Beatriz mit Nachsicht zu behandeln wie Kinder. Das fiel Laura schwer, sie war im Umgang mit Dichtern noch ungeübt. Aber praktisch gewitzt. Eingedenk gewisser weiser Worte eines Schachgroßmeisters über die fanatismushemmende Wirkung von Windeltöpfen fand Laura ständig Vorwände, die Beatriz wenigstens an Wesselins Kinderwagen zwangen. Auch ging Laura ungeachtet ihrer Entlastung der Spielfrauentätigkeit nach. Die sich augenblicklich auf defensiven Geschäftsbriefverkehr beschränkte. Allerlei Redaktionen und Verlage mahnten nämlich zur Lieferung von Gedichten, Reportagen, Erzählungen und dergleichen. Als Beatriz verkündete, dem Trobadorberuf sowie der Kunst überhaupt entsagen zu wollen, beschloß Laura, dem Aufbau-Verlag einen Montageroman anzubieten.

2. Kapitel

Interview der schönen Melusine (S. M.) mit dem sowjetischen Schachgroßmeister Dr. Solowjow (Dr. S.), das sie ihrem 4. Melusinischen Buch als 19. Kapitel zufügte

S. M.: Es gibt relativ gute Schachspielerinnen, keine absolut guten. Wie erklären Sie sich das?

Dr. S.: Nicht nur historisch.

S. M.: In Wissenschaft und Kunst müssen Frauen sich der männlichen Konkurrenz, die als Maßstab empfunden wird, stellen. Warum werden im Schach nach Geschlechtern geschiedene Wettkämpfe ausgetragen?

Dr. S.: Weil eine Frau sich nicht absolut fanatisieren kann. Wie Bobby Fischer etwa. Der kennt außer Schach nichts, nicht mal Romanzen. Und man akzeptiert ihn durchaus noch als männlichen Menschen – einen weiblichen Menschen seiner Art würde man als Popanz empfinden. Obgleich dieser weibliche Mensch vom natürlichen Leben eigentlich kaum weiter entfernt wäre als Herr Fischer . . .

S. M.: Was gehört eigentlich nach Ihrer Ansicht zum natürlichen Leben einer Frau?

Dr. S.: Nicht ihre soziologisch bedingten Lasten. Aber Kinder. Deren Anwesenheit, Forderungen, Ansprüche, Poesie sind Barrieren gegen die Fanatisierung des Geistes. Kindliches Dasein setzt geistige Gegenstände zur Realität in Beziehung, relativiert sie, ironisiert sie auch mitunter auf drastische Weise. Wenn ich meiner Frau die Betreuung unserer Söhne zur Hälfte abnähme, das heißt, wenn nicht nur sie, sondern auch ich gleichberechtigt wäre, könnte ich nur Bezirksklasse sein.

S. M.: Die Emanzipation der Frau müßte demnach mit dem Niedergang der Schachkunst zu bezahlen sein.

Dr. S.: Mit dem Niedergang der Profi-Schachkunst des Stils, der heute bei Weltmeisterschaften gespielt wird, jedenfalls. Vielleicht liegt den

Frauen das königliche Spiel aber auch nicht sehr, weil es kriegerisch ist. Schachspieler müssen sich gegen ihren Gegner aufbringen, um fit zu werden für das Match. Den Monomanen Fischer kann ein bloßer Sieg nicht befriedigen. Er giert nach der psychischen Vernichtung seines Gegners. Gewöhnlich begleitet er seine Attacken mit lauten Comic-strip-Ausrufen: »Crunch!«, »Smash!«, »Crash!«. – »Nach dem sechsten Spiel spürte ich, wie Petrosjans Ego zerbröckelte«, gestand er zufrieden in einem Fernsehinterview.

S. M.: Hat nicht Sport überhaupt eine kriegerische Komponente?

Dr. S.: Man bekämpft sie offiziell, indem man seinen völkerverbindenden Geist propagiert, zu Marschmusik. Manche Gewichtheber beschimpfen ihre Gewichte, um sie besser zur Hochstrecke bringen zu können.

S. M.: Ich glaube nicht, daß Frauen ihr Selbstbewußtsein mit der Überzeugung, einen anderen Menschen niedergerungen zu haben, aufbessern können oder müssen. Die Antriebe, sich so beweisen zu wollen, fehlen ihnen vielleicht sogar ursprünglich. Frauen sind autarke Systeme. Relativ unsportlich . . .

Dr. S.: Wenn man die männliche Sportauffassung als Norm annimmt.

S. M.: Dr. Solowjow, Sie sind nebenberuflich Physiker. Halten Sie Frauen auch für relativ unwissenschaftlich?

Dr. S.: Wenn man den männlichen, zu geistigem Fanatismus neigenden wissenschaftlichen Denkstil als Norm setzt und zu dieser Norm relativiert: ja. Wissenschaftliche Ergebnisse haben ein neutrales Aussehen. Die Wege zu diesen Ergebnissen zeigen die persönliche Handschrift des Wissenschaftlers: sein Denkmuster. Auch die Fragestellung, die Auswahl der Forschungsgegenstände verrät diese Handschrift. Würden die Frauen, von ihren soziologisch bedingten Lasten befreit, die Forschungsarbeit be- und verhindern, könnte der Wissenschaft eine neue Denkungsart zuwachsen. Der geistige Fanatismus hat hervorragende wissenschaftliche und künstlerische Ergebnisse gebracht. Der geistige Realismus könnte nicht weniger hervorragende Ergebnisse bringen. Andersartige. Er ist eine Tugend, für die uns vorläufig noch der Blick fehlt. Der von materiellen Interessen bestimmte Blick, Moral kann nebensächliche Veränderungen auslösen, keine grundlegenden.

S. M.: Geradezu selbstlos vernünftig. Geh ich recht in der Annahme, daß Sie öffentlich Wein predigen und heimlich Wasser trinken?

Dr. S.: Sie gehen recht.

S. M.: Und was sagt Ihre Frau dazu?

Dr. S.: Wenn ich ihr in Interviews entgegenkomme, steckt sie leichter zurück.

S. M.: Danke.

3. Kapitel

Erschreckliches Geständnis und ein rettendes Tier

Als Beatriz Wesselin sogar badete, glaubte Laura die Freundin genesen. Da entdeckte sie unter den Papieren, die Beatriz dem Knaben zum Spielen gegeben hatte, einen seltsamen Text. Wesselin zerriß leidenschaftlich gern Papier. Nach dem Teilen warf er stets das größere Stück weg. Der Text hatte folgenden Wortlaut: »Einen Jumbo stellt man her, indem man eine Fünfliterflasche benutzt, die in der Nähe von Restaurants, Warenhäusern oder Lebensmittelläden zu finden ist. Diese Flaschen haben meist einen Schraubdeckel und Tragring, so daß man sie an einem einzigen Finger tragen kann. Man füllt drei Viertel der Flasche mit Benzin, das letzte Viertel mit extra schwerem Schmieröl, das mit Schmierfett versetzt ist. Der Flaschenhals wird mit einem Bausch benzingetränkter Watte abgedichtet, die gut mit Draht befestigt ist. Wenn der Jumbo geworfen werden soll, wird die Watte (oder auch ein Lappen) angezündet. Die Flasche zerbirst beim Aufschlag, Benzin, Öl, Fett entzünden sich und verbrennen mit napalmähnlicher Wirkung.« Zur Rede gestellt, gab Beatriz zu, solche und ähnliche Rezepte zu sammeln. Im Auftrag des Sibyllinischen Geheimbunds. Sie persönlich bevorzuge jedoch entschieden den theoretischen Einsatz von Jumbos, kleine militärische Geheimbünde bedienten sich bekanntlich der erpresserischen Hebel durchaus erfolgreich. Warum sollte ein ganz kleiner Geheimbund darauf verzichten? »Mit einer Flugzeugentführung könnten wir beiden Machtlosen beispielsweise eine Regierung zwingen, den Abtreibungsverbot-Paragraphen abzuschaffen. Na?« – Laura bedauerte, die Polizei rufen zu müssen. »Nein«, schrie Beatriz da und beteuerte die besten Absichten. Laura entgegnete: »Wenn du die besten Absichten hast, brauchst du unsere Volkspolizei nicht zu fürchten.« – »Doch«, schrie Beatriz, »sie wird mich ausliefern.« Da Laura nichts verstand, aber entschlossen war, ihren Arbeiter-und-Bauern-Staat vor Terroristen und ihre Freundin vor Agentenorganisationen zu schützen, sah sich Beatriz schließlich gezwungen, ein Geständnis abzulegen. Es befaßte die beiden in Paris, ja in ganz Frankreich wegen terroristischer Anschläge steckbrieflich gesuchten jungen Männer, die tatsächlich Frauen waren. Jacqueline und Beatriz mit Namen. »Solche Verbrechen müssen mit den schwersten Strafen geahndet werden«, sagte Laura und überlegte. Beatriz bereute ihre Taten und führte revolutionäre Ungeduld als mildernden Umstand an. »Wer die Welt verändern will, muß Geduld haben«, entgegnete Laura streng. »Es ist schwer für unsereinen, sich nur wenig vorzunehmen. Aber genau davon hängt ab, was gelingt. Viel ist da immer angenehm. Wenig gut.« Aus Lenins Buch »Der ›linke Radikalismus‹, die Kinderkrankheit im Kommunismus« verlas Laura: »Das sicherste Mittel, eine neue politische (und nicht allein eine politische) Idee zu diskreditieren und ihr zu schaden, besteht darin, daß man sie zwar verficht, sie aber bis zur Absurdität treibt. Denn jede Wahrheit kann man, wenn man sie ›exorbitant‹ macht (wie der alte Dietzgen zu sagen pflegte), wenn man sie übertreibt, wenn man sie über die Grenzen ihrer wirklichen Anwendbarkeit hinaus ausdehnt, zur Absurdität machen, ja sie wird unter diesen Umständen unvermeidlich zur Absurdität.« Laura suchte nach einer Lösung, die sowohl für ihr Land als auch für Beatriz gut sein sollte. Sie suchte lange. Dann fiel ihr der weiße Hirsch in den ersten Versen des Erec-Romans von Chrétien de Troyes ein. Das Tier, personifizierter Rechtsbrauch (costume), den König Artus als eine Art Beschäftigungstheorie handhabte, brachte Laura schließlich auf die rettende Idee vom Einhorn.

4. Kapitel

Darin Laura der Trobadora das Einhorn und eine Aventüre nahelegt

Natürlich ist dies Land ein Ort des Wunderbaren. Die kriegzerstörten Städte sind wieder aufgebaut, die Wälder sind wieder aufgeforstet, drin der Wildbestand ist stattlich. Aber eine Art fehlt bis auf den heutigen Tag. Hier. Und anderswo. Sie gilt als ausgestorben. Und die Wissenschaftler fanden bisher keinen Beweis, der diesen Glauben hätte erschüttern können. Und die Politiker waren froh darüber, daß er unerschüttert blieb. Aus unterschiedlichen Gründen. Die kapitalistischen sehen von ihm ihre Existenz bedroht, die sozialistischen ihren guten Ruf. Medikamentöse Massenbeeinflussung gilt allgemein als ungeheuerlich. Vielleicht ist deshalb die Art dort, wo sie nicht ausstarb, systematisch ausgerottet worden? Jedenfalls sucht heute niemand das Einhorn anderswo als in der Fabel. Ich bin dieser Niemand. Hab es freilich noch nicht entdeckt. Wer Ausland in Reisegruppen besichtigt, wird beliefert. Nicht mit Ungeheuerlichkeiten. Deine Papiere aber geben zu den schönsten Hoffnungen Anlaß. Wenn du konspirativ vorgehst. Sollte ein Staat erfahren, daß du das Einhorn jagst, bist du allerdings verloren. Und das Einhorn auch. Denn es ist inzwischen bekannt, daß sein gedrehtes Horn vergleichsweise wertlos ist. Das Horn ist pulverisiert ein Aphrodisiakum. Mit der Trockensubstanz eines einzigen Einhorngehirns aber könnten die Überzeugungen von sechs bis zwanzig Millionen Menschen gemodelt werden. Ähnlich der Fluorisierung des Trinkwassers, die im Bezirk Karl-Marx-Stadt eine Senkung der Karieserkrankungen bewirkte, könnte durch Monocerosierung des Trinkwassers eine Hebung des ideologischen Niveaus bewirkt werden. Ohne den zeit- und kräftezehrenden Umweg über die Köpfe, ohne diese geldfressenden Massenmedien und andere orthodoxen Propagandamittel. Die vergleichsweise uneffektiv sind. Sechs bis zwanzig Millionen Menschen mit niedrigem beziehungsweise reaktionärem ideologischem Entwicklungsstand könnten durch den einmaligen Zusatz einer Einhornstärke (kleinste Maßeinheit, entspricht der durchschnittlichen Menge Trockensubstanz eines Einhorngehirns) in Trinkwasser zu klugen, gütigen, friedlichen Erdenbürgern kommunistischer Überzeugung gewandelt werden. Für unser Land wäre ein Fünftel Einhornstärke (ehs) schon reichlich. Die pro unaufgeklärten Kopf erforderliche Menge mag wenig erscheinen. Ist aber viel, wenn man bedenkt, daß die Erde von 3,6 Milliarden Menschen bevölkert wird. Tausende und aber Tausende von Einhörnern müßten ihr Leben lassen, um diese Erde schnell und ohne Blutvergießen von Kapitalismus, Kriegen, Hunger und Patriarchat zu befreien. Der Bedarf könnte nur durch Zucht gedeckt werden – ein mit Illegalität unvereinbarer Weg. Bleibt der Weg über die Wissenschaft. Der den Tod eines einzigen Tiers verlangt. Spür es auf! Erleg es! Auch wenn du das Jagdhandwerk prinzipiell verabscheust. Und verfüttere die Beute ja nicht an die erste beste Ansammlung von Leuten, die weibliche Trobadore verachten. Führ es konspirativ der Forschung zu, es wird leicht sein, ein paar Wissenschaftler für das Projekt zu interessieren. Denn welcher Wissenschaftler mit Charakter sehnt sich nicht danach, daß die Erde von Vernunft beherrscht wird. Die Trockensubstanz wird also bald analysiert sein. Dann folgen die Laborversuche zur synthetischen oder biosynthetischen Herstellung, die technologischen Berechnungen zur fabrikmäßigen Produktion, innerhalb weniger Monate müßte die Rationalisierung der Überzeugungsarbeit theoretisch abgeschlossen sein. Für illegale Herstellung von Einhornkraft erschienen mir nichtautoritär geleitete Betriebe prädestiniert. Scheu nicht zurück vor der Bluttat, um Bluttaten ein für allemal zu verhindern. Die Machtmittel sind uns stets vorgegeben, allein wofür wir sie einsetzen, unterliegt unserer Wahl. Das Fell des klugen, gütigen Tiers ist kurz wie bei Pferden, schimmelfarben, Körperbau und Gangart sind auch pferdehaft, aber weicher. Üppige Mähne, huflanger Schweif. Ein Schießeisen ist für die Aventüre nicht erforderlich. Einhörner werden mit Schimpfworten zur Strecke gebracht.

5. Kapitel

Beatriz geht auf Aventüre

Beatriz versicherte, daß sie über einen großen Schimpfwortschatz verfügte und vor Interpol keine Angst hätte. In Frankreich Nachforschungen anzustellen wäre ihr zu riskant. Aber alle übrigen Länder würde sie gern und gründlich durchsuchen. Diskret selbstverständlich. Die von Laura angeregte Aventüre käme den Vorstellungen des Bundes über die Neuordnung der Welt ideal entgegen. Konspiration wäre für die Präsidentin einer sibyllinischen Organisation Ehrensache. Beatriz verschwieg, daß sie ihr Unternehmen am strengsten vor ihrer Schwägerin Melusine geheimhalten mußte, um nicht wegen Dilettantismus entlarvt zu werden; die persephonische Opposition strafte Fraktionsbildung mit Lebensentzug. Der Schwägerin erzählte Beatriz, daß sie eine Reise zur Herstellung von Protestsongs unternehmen wollte, um Melusines Massenarbeit zu unterstützen. Da erinnerte sich die geborene Politikerin froh des Beistandspakts und zauberte anstandslos die geforderten Zahlungsmittel. Laura weinte einige Tränen, weil sie die Trobadora kindeshalber nicht begleiten konnte. Beatriz tröstete sie, indem sie reichlich Reiseberichte zu liefern versprach. Als Codewort für das Einhorn schlug Laura »Anaximander« vor. Am 1. Januar 1971 überschritt Beatriz de Dia bei Hohenwarte die Staatsgrenze der DDR.

6. Kapitel

Verhandlungsgespräch zwischen der Cheflektorin des Aufbau-Verlags (AV) und Laura (L.) über das zum Kauf gebotene Projekt eines Montageromans

AV: Warum kommt Beatriz de Dia nicht selbst?

L.: Ich bin ihre autorisierte Mitarbeiterin.

AV: Also die Autorin kommt aus bourgeoisen Verhältnissen . . .

L.: Wieso?

AV: . . . oder aus ähnlichen. Weltanschauungen lassen sich viel leichter ablegen als Gewohnheiten. Wie das Beispiel des berühmten Dichters B. beweist. Im Unterschied zu den meisten seiner Kollegen legte er sich nicht domestizierte Frauen zu, sondern blitzgescheite. Die er für sich arbeiten ließ. Einfälle und Pläne produzieren ist eine Lust, Pläne ausführen harte Arbeit. So geriet das Werk des berühmten Dichters, der sicher nicht mehr Einfälle und Pläne hatte als andere große Dichter, erstaunlich umfangreich. Er hatte auch Mitarbeiterinnen, die Material zur Produktion von Einfällen ranschafften. Er stahl übrigens genial. Wie viele »Neger« hat Beatriz de Dia?

L.: Sie reist allein. Als Spielfrau habe ich im Prinzip keinen schlechteren Status als ein Assistent eines Professors. Meinen Professor konnte ich nicht verehren. Beatriz verehre ich. Ich arbeite mir sozusagen selbst in die Tasche. Wollen Sie mich vor mir selbst warnen?

AV: Der angebotene Roman ist keiner, sondern eine Erzählungssammlung. Wissen Sie, daß Erzählungssammlungen schlecht verkauft werden?

L.: Die orthodoxe Romanform verlangt Festhalten an einer Konzeption über mehrere Jahre. Das kann angesichts heftiger politischer Bewegungen in der Welt und einer ungeheuerlichen Informationsflut heute nur trägen oder sturen Naturen gelingen. Was ich anbiete, ist die Romanform der Zukunft. Die zum operativen Genre gehört. Na?

AV: Oh.

L.: In einem entsprechenden Vertrag würde ich mich verpflichten, der Trobadora in Gemeinschaftsarbeit mit einem Lektor geeignetes Material abzugewinnen und veröffentlichungsreif zu bearbeiten. Alle Wünsche des Verlages in Form von Zahlen, Streichungen und Zusätzen könnten berücksichtigt, alle Forderungen und Tonarten der jeweiligen Tagespolitik könnten eingearbeitet werden, ohne das Werk ernstlich zu verletzen. Der operative Montageroman ist ein unverwüstliches Genre.

AV: Ah.

L.: Ein geradezu ideales Genre zum Reinreden.

AV: Donnerwetter. Aber warum zum Teufel schreibt Beatriz de Dia kurze Prosa?

L.: Kurze Prosa entspricht ihrem Naturell und ihrer Lebensform. Schreiben ist für sie eine alltägliche, lebensnotwendige Tätigkeit, sie befaßt auch das Alltägliche: das, was auf sie zukommt täglich. Diese Begebnisse sind schwer, auf längere Sicht nicht voraussehbar. Sie wälzen ständig ihre Ansichten von der Welt. Um einen Roman im üblichen Sinne zu schreiben, das heißt um jahrelang etwa an einer Konzeption festzuhalten, muß man sich einer Art des Schreibens zuwenden, die von den Erlebnissen und Begegnungen des epischen Ich absieht. Für Beatriz ist Schreiben ein experimenteller Vorgang. Kurze Prosa ist Preßluft, heftig und sehr angestrengt gearbeitet. Abgesehen vom Temperament, entspricht kurze Prosa dem gesellschaftlich, nicht biologisch bedingten Lebensrhythmus einer gewöhnlichen Frau, die ständig von haushaltbedingten Abhaltungen zerstreut wird. Zeitmangel und nicht berechenbare Störungen zwingen zu schnellen Würfen ohne mähliche Einstimmung, ich kann nur voll ansetzen oder nicht.

AV: Sie können nur voll ansetzen oder nicht? Sie? Ich denk, Frau Dia schreibt den Roman?

L.: Ach so, Verzeihung, ja, natürlich, nicht aus Bescheidenheit zieh ich ein Romanensemble kurzer Prosa der orthodoxen Romanform vor. Weniges genau befassen bringt mehr als alles streifen. Ein Ensemble kurzer Prosa holt die Lebensbewegung des epischen Ich deutlich ins Buch, ohne sie inhaltlich fassen zu müssen. Lebenswahrheit in Büchern kann nicht sein ohne Bekenntnis des Autors zu sich selbst. Ein Mosaik ist mehr als die Summe der Steine. In der Komposition arbeiten sie seltsam zu- und gegeneinander unter den Augen des Betrachters. Lesen soll schöpferische Arbeit sein: Vergnügen.

AV: Welche Aussagefähigkeit über die Wirklichkeit billigen Sie der kurzen Prosa zu?

L.: Unsere Gesellschaft hat einen Hang zum Totalen: alle Revolutionen haben eine solche Vorliebe. Kurzgeschichten kann man nur im Einverständnis mit dem Leser schreiben. Ihm ist aufgetragen, die Totale zu ergänzen. Das Genre baut auf die Produktivität des Lesers. Kurze Prosa gibt den Ausschnitt, das Detail. Genau. Genauigkeit des Details wiegt schwerer als Kolossalität, wenn sie verwaschen ist. Und sie muß verwaschen sein, weil das Epos nicht zu erzwingen ist. Es muß allmählich wachsen. In der Kunst läßt sich nichts erzwingen. Sie ist was Lebendiges. Ich billige der kurzen Prosa eine größere Aussagefähigkeit zu als der langen, weil in diesem Fall weniger mehr ist.

AV: Also wir schicken Ihnen den Vertrag, sobald Sie ein Exposé geliefert haben.

L.: Und den Vorschuß?

AV: Wenn Beatriz de Dia den Vertrag unterschrieben an uns zurückgesandt hat.

7. Kapitel

Laura wartet und wartet auf Nachrichten

Beatriz de Dia ließ zwei Monate nichts von sich hören. Laura wartete vergeblich auf Berichte, die sie zu Geld machen wollte. Die Beschaffung von Geld für ihren Spielfrauenlohn war jetzt ihre Hauptbeschäftigung. Als der Aufbau-Verlag in wohlgesetzten Worten unterstellte, daß die Trobadora abgereist sein könnte, um sich ihren Verpflichtungen zu entziehen, schickte Laura das Exposé für den Montageroman. Bald glaubte aber auch Laura die Freundin auf Nimmerwiedersehen verschollen. Und sie machte sich Vorwürfe. Wegen ihrer rigorosen Therapie. Die Beatrizens emanzipatorischen Fanatismus dämpfen sollte. Relativieren. Da fuhr Laura ihren Kinderwagen traurig durch die Hauptstadt Berlin. Täglich außer regentags in der Zeit von zwölf bis fünfzehn Uhr. Sie bevorzugte eine Nebenstraße, deren andersnamige Verlängerung von Stadtbahngelände beendet wurde. Die Strecke, die sie befuhr, hieß Roelckestraße. Sie führte vom Gaswerk und dichtem Autoverkehr weg zu Friedhöfen, rasenumgebenen Krankenbaracken, Schrebergärten und Krippenanlagen. Der Kinderwagen war zerlegbar auf Zuwachs, ein sogenanntes Kombimodell. Laura bezweifelte, ob er die Sportwagenphase erreichen konnte. Er war auch schief gebaut, was sie in der Eile des Kaufs übersehen hatte. Kinderwagen vor der Geburt zu kaufen, wenn man Zeitüberfluß hat, verbietet eine abergläubische Gepflogenheit. Laura beschwerte das Gefährt rechtsseitig etwas stärker, um den Mangel auszugleichen. Ihr Vater Johann Salman hatte am linken Vorderrad eine Bremse angebracht. Wegen der Höhe des Fahrgestells und statischer Eigentümlichkeiten konnte Laura den Wagen bei festgestellter Bremse vor Läden abstellen, solange Wesselin unfähig war, sich zu setzen. Die Schwingfedern vertrugen das Aufundabkutschieren an Bordsteinen schlecht. Das Eisengestell der Wanne war mit gräulichem, die Plane mit schwärzlichem Wachstuch bespannt. Um Wesselins Bauch nicht übern Wagenrand ragen zu lassen, vertauschte Laura die Matratze mit flachem Schaumgummivlies. Legte auch den Sohn zeitig an Riemen, die ans Wagengestell geschnallt werden konnten. Wesselin kaute vom vorderen filzunterlegten Brustquerriemen des Geschirrs, der wie an Seppelhosenträgern geformt war, die hellblaue Farbe. Am besten schmeckten ihm rotfarbene Gegenstände. Auch Schlüssel, wenn sie gefeilte Bärte hatten. Laura verweigerte Wesselin aus hygienischen Gründen ihre Wohnungsschlüssel und glaubte den Sohn mit Rohlingen erfreuen zu können, die sie speziell für ihn gekauft und ausgekocht hatte. Wesselin lehnte den Ersatz ab. Er fuchtelte mit den Armen, wenn Laura ihn unter Bäumen fuhr, in deren Ästen Spatzen hingen. Den Linden vorm häuserbebauten Straßenteil war das bewegliche Astwerk abgesägt worden. Die Ausfahrten fanden zwischen Wesselins zweiter und dritter Mahlzeit statt. Wenn Wesselin eingeschlafen war, flüchtete Laura vor Kofferradios, nagelnden Kleingärtnern, Ascheautos und aus offenen Fenstern heulenden Staubsaugern. Kreissägen und Kirchenglocken konnte Wesselin auch wach nicht ertragen. Das quälendste Geräusch war seinen Ohren eine Nähmaschine, die die Nachbarin selten in Betrieb hatte und so leise, daß nur Wesselins verzweifeltes Gebrüll Laura drauf aufmerksam werden ließ. Sie trug den Kinderwagen täglich über die Treppen dreier Stockwerke abwärts und aufwärts.

8. Kapitel

Anhang zum Romanexposé, das Laura dem Aufbau-Verlag lieferte

Liebe Kollegen,

da die schriftstellerische Arbeit, wie meine Ermittlungen ergaben, noch immer nach dem Prinzip der Tonnenideologie gemessen wird, erlaube ich mir, einen Verbesserungsvorschlag einzubringen. Er könnte die Honorarordnung zu einem materiellen Hebel qualifizieren.

1. Theoretische Grundlagen des Verbesserungsvorschlags (These).

Romanexposés sind unnötig. Denn Schriftsteller, die sich dran halten, sind keine. Weil sie Exposés auf Romanumfang breittreten, was keine schöpferische Anstrengung erfordert, sondern Sitzfleisch. Schreiben aber heißt Zu-Ende-Denken. Wort für Wort. Die Wortfolge ist also bei Inangriffnahme eines Projekts im Prinzip nicht weniger unbestimmt als die innere Logik der Geschichte. Unvorhersehbare Wendungen gründen auf dieser inneren Logik. Sie sind Höhepunkte der abenteuerlichen Unternehmung. Die ein Experiment ist, nicht vortäuscht. Der Wissenschaftler erlebt solche Wendungen ähnlich, wenn seine Theorie mit einer Tatsache, auf die er gestoßen ist, plötzlich nicht mehr vereinbar ist. Das Erlebnis ist nebensächlich deprimierend und hauptsächlich glückhaft. Es zündet die Lunte zu einer neuen Theorie. Ein Wissenschaftler erwartet es mit Spannung. Ein Schriftsteller auch. Solange er sich von Walzexposé-Verlegern nicht zum Handwerker qualifizieren ließ.

2. Praktische Grundlagen des Verbesserungsvorschlags (Antithese)

Romanexposés sind nötig. Denn Verleger, die keine verlangen, sind keine (mehr).

3. Schlußfolgerung (Synthese)

Der dialektische Verlag macht aus der Not eine Tugend und bemißt die Honorare nach dem Abweichgrad (AG). Der Abweichgrad beschreibt die Differenz zwischen Exposé und Druckmanuskript. Je höher der Abweichgrad, desto höher das Honorar. AG kann gleichzeitig als indirekter Meßwert für die bei schriftstellerischer Arbeit aufgewandte Gehirnschmalzmenge gelten (1 AG = xGM).

gez. Dipl.-Germ. Laura Salman
Triebwagenführerin, z. Z. Spielfrau

9. Kapitel

Alltag mit rätselhaftem Lichtblick

Regelmäßig erschien Lauras Mutter mit frisch frisiertem Haar zu Blitzbesuchen, um den Enkel zu besichtigen. Der Vater konnte den Wachstumsprozeß des Enkels nur viermal im Jahr beobachten, weil er der Reichsbahn, bei der er einundfünfzig Jahre im Dienst stand, nicht noch zusätzlich Geld in den Rachen zu werfen bereit war – Johann Salman benutzte Züge prinzipiell nur mit Freifahrschein. Seine Frau Olga hatte die Großmutterschaft prinzipienlos gemacht, das ärgerte ihren Mann. Derart, daß er vor und nach den Enkelreisen nicht sprach. Er konnte tagelang schweigen, wenn er sich ernstlich ärgerte. Das heißt: über Geldausgaben. Die Anschaffung seines letzten Anzugs, die Olga nach monatelangen Vorbereitungen durchgesetzt hatte, kostete ihr vier stumme Tage. Olga Salman hatte also eine sprachliche Fastenzeit hinter sich, wenn sie bei ihrer Tochter eintraf, mithin Nachholebedürfnisse. Am liebsten sprach sie über Lauras Aspirantenzeit an der Universität und Kinderwagenmodelle. Die hochgestellige Wagenform mit flacher Wanne, auf die man das Kind schnallen müßte, lehnte sie als halsbrecherisch ab. Laura hatte sich für die entschieden, weil keine andere zur Auswahl gewesen war. Olga Salman beklagte, das Kind Wesselin in Träumen mitsamt dem albernen, verbotswürdigen Gefährt stürzen zu sehen. Sie führte verschiedene Sturzmöglichkeiten im Wohnzimmer vor. Die Spielfrauentätigkeit hatte Laura den Eltern bisher erfolgreich verbergen können mit der Behauptung, in Heimarbeit Adressen zu schreiben. Olga Salman billigte diese vorübergehende Beschäftigung der Tochter, sie billigte alles, was zum Wohle des Enkels geschah. Über Lauras beruflichen Entwicklungsgang konnte sie sich nach wie vor ereifern. Sie empfand ihn als Abwärtsbewegung und haarsträubend tiefstaplerisch für eine diplomierte Frau. Zurückstecken auf irgendeine ansehnliche Bürotätigkeit wie Chefsekretärin oder dergleichen, das hätte Olga Salman noch eingeleuchtet. Aber Maschinist? Darf eine auf Staatskosten ausgebildete Diplomphilologin, der ihre Parteigruppe ein halbes Jahr Produktion befürwortete, überhaupt sechs Jahre in Gummistiefeln auf Großbaustellen rumlatschen? Noch dazu umsonst, denn statt mit gestärktem Klassenbewußtsein zur Wissenschaft zurückzukehren, ging Laura zur S-Bahn. Was ihre Mutter noch unbegreiflicher empfand angesichts der unregelmäßigen, familienlebenstörenden Berufstätigkeit des Vaters. Frau Salman empfand die hassenswert, unweiblich sowieso. Außerdem zahlte diese verdammte Reichsbahn auch noch schlecht; für das Geld würden heute nur noch Dumme arbeiten, aber die Töchter gerieten wohl leider nach den Vätern. »Berufe liegen bisweilen in der Familie«, entgegnete Laura, »wenn es welche sind.« Dann gab sie zu bedenken, daß ihr der täglich mehrfach auferlegte Hin- und Herweg von der gebückten bodenständigen Tätigkeit der Haushälterei zu jenen Erhebungen, wo sich Gedanken nun mal aufhalten, eines Tages zu kräftezehrend erschienen wäre. Weil deprimierend. Wer in Wettbewerbsunternehmungen, wie es die Wissenschaft nun mal wäre, ständig disqualifizierende Startbedingungen auswetzen müßte und mit Charakter geschlagen wäre, hätte ein Recht auf Opportunismus. Der Tod Julianes, den nicht nur Olga Salman als Anlaß für Lauras abrupte Entschlüsse vermutete, wurde nicht erwähnt. Niemand ahnte, daß Laura mit ihrem Berufswechsel vor allem ihre Ehe retten wollte. Weil Uwe Laura als überlegen empfand. Und sich mithin als unterlegen: das deprimierte ihn. Betretenes Schweigen. Da hielt Olga Salman den Augenblick für gekommen, vom fünfzigjährigen Dienstjubiläum ihres Mannes zu berichten. Dazu würden die Ehefrauen mit eingeladen, offenbar, weil sich inzwischen herumgesprochen hätte, wie beschissen das Leben von Eisenbahnerfrauen verliefe. Vom Dienststellenvorsteher dankredenbegleitet, wären ein Blumenstrauß, ein Präsentkorb mit Salami, Wodka und Konfekt, ein silbernes, auf Marmor geklebtes Lokomotivenrelief mit gravierter Widmungstafel und 500 Mark überreicht worden, für jedes Dienstjahr 10 Mark. Zum sechzigjährigen Dienstjubiläum gäbe es also 600 Mark, zum siebzigjährigen 700, zum hundertjährigen 1000 und so weiter, treu dienende Eisenbahner könnten reich werden. Sprachs und begann mit Fensterputzen. Holte auch gleich die Gardinen von allen Fenstern und wusch sie mit neuesten Waschpulvern in der Badewanne. In jungen Jahren verrichtete sie Dreckarbeiten notwendigerweise, mit zunehmendem Alter wich wählerischer Widerstand. Jetzt nahm sie wahr, was sie zum Tätigsein erreichbar hatte, um sich in Bewegung zu halten. Ständig, selbst beim Mittagessen ging sie mehrmals vom Tisch. Weil sie Kartoffeltöpfe und Gemüseschüsseln entfernt zu placieren pflegte. Unsinnigerweise, hatte Laura lange gedacht. Kam erst langsam hinter den Sinn dieser sorgfältigen Atemlosigkeit. – In diesen Umständen überraschte Laura eine Postsendung aus Odessa, deren Absender niemand anders als Beatriz de Dia war. Da schämte sich Laura ihrer Verdächtigungen und Kleinmütigkeiten, bekämpfte ihr Fernweh und ließ die Neugier los. Wer aber beschreibt ihre Enttäuschung, als sie anstelle von Beschreibungen exotischer Gegenden eine Schilderung von Lauras Großtante aus Packpapier wickelte. Anaximander war nicht erwähnt. Sah so der Ertrag einer therapeutischen Aventüre aus, die Beatrizens Weltkenntnisse vergrößern sollte? War Beatriz ans Schwarze Meer gefahren, um ungehindert über Lauras Großtante Halbwahrheiten zu Papier zu bringen? Laura war unerklärlich, wie Beatriz gewisse Familienintimitäten, die sie schamlos ins Licht von Worten zerrte, zur Kenntnis gekommen waren. Laura empörte, daß die Trobadora sich anmaßte zu reden, als ob sie Laura wäre. Laura war angenehm, daß Ereignisse in ihrer Familie für beschreibenswert gehalten wurden. Sie freute sich, daß Beatriz, die sie ihren Eltern bisher ebenfalls erfolgreich verschwiegen hatte, so ernstlich an sie dachte. Kurz und gut, sie bearbeitete die Schrift etwas und gab sie dem ungeduldigsten Gläubiger. Der die bearbeitete Bearbeitung nach Ablauf einer größeren Lagerfrist auch tatsächlich veröffentlichte. Der Begleitbrief der Sendung aus Odessa erschien Laura allerdings so rätselhaft, daß sie ihn ohne Enträtselungsversuche abheftete.

10. Kapitel

Darin Beatriz Lauras Großtante als »Berta vom blühenden Bett« beschreibt

Berta vom blühenden Bett: »Das Lustige am Altwerden ist die Unordnung«, sagte sie zu ihrem dreiundneunzigsten Geburtstag. Da konnte sie den Strauß, den ihre Urenkel brachten, bereits nicht mehr erkennen. Manfred und Anne waren nicht ihre leiblichen Urenkel, meine Großtante Berta hatte nicht geboren. Von Kindheit an war ihre Lebenserwartung als gering erachtet worden. Jetzt hatte sie alle Geschwister überlebt. Sogar meine Großmutter, die nie hatte zusehen können, wenn ihre ältere Schwester ein halbes Brötchen frühstückte. Die Urenkel beschrieben ihr den Chrysanthemenstrauß und fragten, in welche Vase er gesteckt werden sollte. »Er soll geschnitten werden«, sagte Berta, »kleingeschnitten mit dem Stollenmesser, was ich heute nicht eß, wird in der Ofenröhre getrocknet. Seit ich die Lupe nicht mehr gebrauchen kann, weiß ich erst, wie Blumen schmecken.« Sie kicherte. Die Pflegetochter Lotte, bei der Berta seit ihrem Sturz wohnte, lachte am lautesten und wechselte Blicke mit ihrem Mann. Der erwähnte vorsorglich, daß ihm für Berta keine Bratwurst zu teuer wäre, und brachte das Gespräch wieder auf meine Großmutter. Obgleich ebenfalls ein Original, stand die bei der Verwandtschaft wegen ihres übersichtlicheren Verhaltens in höherem Ansehen. Meine Großmutter hatte beispielsweise drei, vier Brötchen gefrühstückt, sobald finanzielle und kriegsbedingte Notlagen sie nicht mehr daran hinderten. Von Leuten, die ohne derartige Hinderungsgründe nicht ordentlich aßen, sprach sie mit Verachtung. Nur kerngesunde Leute konnte sie respektieren. Sichtbar kerngesunde Leute, das heißt wohlgenährte die, leiblich bewiesen, daß sie erfolgreich waren. Aber niemals hätte ihr kolossaler Appetit sie zu so abartigen Wünschen wie den eben geäußerten, die möglicherweise gar auf den Geiz von Lottes Familie anspielten, hinreißen können. Berta gab ihren Sturz beim Fensterputzen als Witz zum besten. Noch den trübsten Ereignissen gewann die Frau Vorteile ab. Ihre lebensfromme Zähigkeit erschien mir an diesem Tag unheimlich. Weshalb ich wie Berta dem Kuchen kaum zusprach. Sie schlürfte Malzkaffee und streckte Arme und Beine aus dem Bett, um die blauen Flecke zeigen zu können. Nie hatte sie viel mehr als Knochen vorzuweisen. Meine Großmutter hatte in normalen Zeiten doppelt soviel wie ihre Schwester gewogen, weshalb sie Berta nicht eigentlich als Frau anerkennen konnte. Zumal Berta nach dem Tod ihres Mannes Emil gelegentlich Bücher las. Eine Beschäftigung, die meine Großmutter nur Leuten zugestand, die nichts zu tun hatten. Eine ordentliche Hausfrau hatte immer zu tun zu haben. Seitdem Berta auch mit Lupe nicht mehr lesen konnte, hörte sie Radio. Systematisch, sie wußte noch heute die deutschsprachigen Sendeprogramme auswendig. Zum Kuchen verlangte sie »Fußball-Europapokal Atvidaberg FF gegen BFC Dynamo« von Manfreds Kofferradio. Lottes handgeschirmter Mund klagte unverständlich gegen die Reporterstimme. Die Urenkel rissen bei stark anschwellendem Zuschauerlärm die Arme hoch. Das zweite Tor von Dynamo feierte Anne stehend. Berta lauschte lächelnd mit blicklosen Augen. Manfred beneidete sie um ihre Haarfülle. Die rahmte weiß das winzige, schädeloffne Gesicht. Im Gegensatz zu meiner Großmutter war Berta vom Alter nicht nur verhäßlicht. Die späte Lebenszeit hatte vielmehr ähnlich der Stunde der Wahrheit in der Liebe erst das wesentliche Gewicht der Erscheinung deutlich zutage gefördert. Es übertraf das leibliche bedeutend. Während der Halbzeit hob Berta den Kopf aus dem Kissen und sagte: »Ich hab Werg aus der Matratze genommen und Tee reingestopft, alle Vorräte, die mir meine Schwester als Erbteil hinterlassen hatte. Man schläft wie auf einer gemähten Wiese.« Sie kicherte wieder. So daß Lotte und ihr Mann auch wieder lachen mußten und Blicke wechseln. Obgleich sie auf allerhand gefaßt waren. Wer mit Berta lebte, mußte stets auf allerhand gefaßt sein. Fatales. Wenn sie sprach, berührte sie vorzugsweise Gegenstände, über die zu schweigen ihr nach allgemeiner Ansicht der Verwandtschaft angestanden hätte. Wenn sie so von Schlafstätten sprach, erinnerte sie zum Beispiel peinlich an das eheliche Bettgestell, das sie nach Emils Begräbnis in die Erde ihres Schrebergartens gepflanzt hatte. Mit Plastikfolie überspannt, benutzte sie es als Frühbeet für Salat und zur Chrysanthemenzucht, bis der Sturz vom Stuhl dem Skandal ein Ende setzte. Der Spitzname »Bettenberta« blieb freilich. Daß sie als halbblinde Frau wöchentlich Fenster geputzt hatte, erschien übrigens auch mir seltsam. Häufiges Fensterputzen war die einzige markante Hausfrauengewohnheit gewesen, die sie nach Emils Tod beibehalten hatte. Unverhoffter Ausgang des Fußballspiels. Manfred renommierte mit sechshundert Mark bei VEB Hochbau, Finanzkaufmann Anne mit einem Krippenplatz, Berta mit Emils Angst vor Sonne. Er hätte nie ohne Hemd im Garten gesessen, ein Hemd wäre ein Löschblatt, hätte er gesagt, ein Hemd müßte ran. Das heisere Kichern empfand man wohl schon deshalb als unpassend, weil es nicht auswärts, sondern einwärts gerichtet war, wo es rumorte und Bertas Brustkorb erschütterte. Ernstlich. Die Befürchtungen der Pflegetochter wurden aber noch übertroffen, indem sich Berta beim Abendbrot nach den Heiratsplänen ihrer Urenkel erkundigte. Damit war in eine Familienfeierlichkeit, wo Gespräche über erfolgreiche Lebensgänge angebracht erschienen, mindestens Gerdas nichteheliches Kind und der Trottel Emil gezerrt worden. Krampfhafte Versuche, die verdorbene Stimmung mit Gesprächen über meine unverdorbene Großmutter zu heben, scheiterten. Von je war der Verwandtschaft Bertas Interesse an weitläufigen Gesprächen über Heiraten unverständlich, da sie doch auf ihre eigne Heirat so gut wie keins erübrigt hatte und das nicht mal bereute. Sie hatte irgendeinen Mann geheiratet. Ein Ereignis, das zu ihrer Zeit nach der Ordnung das Lebensziel jedes Mädchens war, hatte sie nebenbei erledigt, als ob es in dieser Angelegenheit keine großen Unterschiede gäbe im Effekt. In der Dorfschule und in Stellung war sie als gescheit unangenehm aufgefallen. Die Bauernsöhne suchten arbeitskräftige Weiber, ledig hätte Berta als unvollständiger Mensch gegolten, der Trottel Emil wollte auch eine Frau, wozu also lange suchen? Die Nachricht, daß nach wie vor nicht Anne, sondern Manfred den ehelichen Zustand für sehr erstrebenswert hielt, riß Berta zu Tränen hin. Kichertränen, die sie mit einer Papierserviette abwischte. Der Blumendruck hinterließ auf ihrem Gesicht rote Farbflecke. »Man muß wahrscheinlich blind sein, um diese schöne Unordnung deutlich zu sehen«, sagte sie nach einer Weile und verlangte zwei Chrysanthemenblätter in den Malzkaffee.

11. Kapitel

Wunderlicher Begleitbrief der Sendung aus Odessa

Liebe Laura,
an den Gestaden des Schwarzen Meeres hatte ich Gelegenheit, mich über Deine Lebensläufte zu beraten, und hoffe nun, daß ich mich bald revanchieren kann. Die Zusage meiner befähigten und einflußreichen Schwägerin liegt jedenfalls vor. Sobald sie Zeit hat, wird sie die Genehmigung einholen, einen Himmelswagen flottzumachen. Denn wer nicht liebt, lebt ein Leben weniger, pflegt die abgesetzte Göttin Demeter zu sagen. Und wenn Du auch den Mangel augenblicklich noch nicht spürst, weil Wesselin Deine Aufmerksamkeit aufs schönste fesselt, so würde der natürliche Entwurf auf die Dauer doch sein Recht fordern. Schließlich hat die alte Göttin den Menschen, der ursprünglich beide Geschlechter in sich vereinigte, nur deshalb geschlechtlich getrennt, um seine Lebensintensität zu steigern. Meine Schwägerin Melusine riet zur Generation der Zwanzigjährigen, die sie unter den gegebenen Landesumständen als optimale Variante bezeichnete, und brachte Lutzens Sohn aus erster Ehe in Vorschlag. Da ich Dein Vorurteil, das passende Alter von Männern betreffend, kenne, handelte ich aber eine gemäßigte Lösung aus. Halte also in nächster Zeit immer ein gutes Bier bereit

und sei recht herzlich gegrüßt
von Deiner Beatriz.

12. Kapitel

Rügen und Warnungen

Laura schickte Beatriz den Verlagsvertrag nach Odessa postlagernd zur Unterschrift. Zuzüglich eines Zettels, der Beatriz beruhigen sollte. Laura hatte drauf vermerkt, daß sich die Trobadora um die Konzeption und andere technische Probleme nicht zu kümmern brauchte, an ein schwerwiegendes Buch wäre nicht gedacht, Beatriz hätte wenig Arbeit in Aussicht und einen Batzen Geld. Beatriz schickte den Vertrag ohne Unterschrift zurück und antwortete mit einem wütenden Schreiben. Darin bezeichnete sie Lauras Vorsätze zur Buchherstellung als schandbar. Mit solchen könnte man weder ein gutes noch ein schlechtes Buch schreiben, sondern gar keins. Solange Laura unfähig wäre, sich zu überzeugen, die größte Spielfrauendichtung der Welt herzustellen, sollte sie an derlei Unternehmungen erst gar nicht denken. Raimbaut d'Aurenga hätte selbst den albernsten Gelegenheitsvers mit Offenbarungsüberzeugung verfaßt, nichts erbrächte nichts. Der schlimmste weibliche Fehler wäre der Mangel an Größenwahn. Um etwas Größeres zu tun, brauchte man erst mal Mut, etwas Größeres zu wollen. Daran gebräche es Laura wie den meisten Frauen. Romanschriftsteller bezeichnete Beatriz als Leute, die aus Feigheit ihre Gedanken in fremden Köpfen versteckten. Und überhaupt warnte Beatriz die Freundin vor einer großen Arbeit. Sie schrieb: »Das ists eben, woran unsere Besten leiden, gerade diejenigen, in denen das meiste Talent und das tüchtigste Streben vorhanden. Goethe hat auch daran gelitten und wußte, daß es ihm geschadet hat. Denn die Gegenwart will ihre Rechte; was sich täglich dem Dichter an Gedanken und Empfindungen aufdrängt, das will und soll ausgesprochen werden. Hat man aber ein größeres Werk im Kopfe, so kann nichts daneben aufkommen, so werden alle Gedanken zurückgewiesen, und man ist für die Behaglichkeit des Lebens selbst solange verloren. Welche Anstrengung und Verwendung von Geisteskraft gehört nicht dazu, um nur ein großes Ganzes in sich zu ordnen, und welche Kräfte und welche ruhige ungestörte Lage im Leben, um es dann in einem Fluß gehörig auszusprechen. Hat man sich nun im Ganzen vergriffen, so ist alle Mühe verloren; ist man ferner bei einem so umfangreichen Gegenstande in einzelnen Teilen nicht völlig Herr seines Stoffes, so wird das Ganze stellenweise mangelhaft werden, und man wird gescholten; und aus allem entspringt für den Dichter statt Belohnung und Freude für so viel Mühe und Aufopferung nichts als Unbehagen und Lähmung der Kräfte. Faßt dagegen der Dichter täglich die Gegenstände auf und behandelt er immer gleich in frischer Stimmung, was sich ihm darbietet, so macht er sicher immer etwas Gutes, und gelingt ihm auch einmal etwas nicht, so ist nichts daran verloren.«

13. Kapitel

Das mit einer Urkundenfälschung beginnt und mit einem Wutausbruch endet

Wesselin sorgte durch seine Anwesenheit, die erdhafte Heiterkeit und Disziplin verbreitete, dafür, daß seine Mutter den prinzipiellen Brief von Beatriz gelassen zur Kenntnis nahm. Sie fälschte also die Unterschrift der Freundin, wodurch sich ihre Geldsorgen bald milderten. Windeln- und Wäschewaschen erledigte Laura nach Wesselins erster Mahlzeit, die sechs Uhr in der Früh stattfand. Laura brauchte für die Zeiteinteilung keine Uhr, da ihrem Sohn eine von Natur gegeben war. Kinderaufzucht verlangt strenge, Erwachsenennaturen normalerweise zuwiderlaufende Ordnung. Diese Ordnungsmaschinerie zählt neben erzwungener Seßhaftigkeit zu den Strafen der Mutterschaft. Denn sie versagen das schöpferischer Arbeit sehr Zuträgliche, Frauen alltäglich Unmögliche: Improvisation. Besagte Strafen hielt Beatriz den Frauen von Kultur, nicht von Natur zugeordnet. Laura hatte sich Meditationen über diese angestammten Zustände aus verhaltensökonomischen Erwägungen untersagt. Auch beim Waschen und ähnlichen Tätigkeiten. Zumal sie wußte, daß Hausarbeit um so länger dauerte, je unkonzentrierter sie erledigt wurde. Lauras geschiedener Ehemann hub ähnlich wie Lutz unverzüglich über Weltpolitik zu palavern an, wenn er eine Küche betrat, mit Aufwaschen hatte Uwe auf diese Weise Stunden zubringen können. Laura vermutete an Beatriz ähnliche Unarten. Deshalb erschien ihr die Trennung auch als glückliche Fügung annihilationshemmender Art. Laura kochte die Windeln in einem zweihenkligen Topf, darin ihre Mutter früher Marmeladenvorräte für den Winter zubereitet hatte. Wenn Papierwindeleinlagen und Spee zu kaufen waren, gelangen die Windeln fleckenlos, Spee ist ein Waschmittel mit Weißmacher. In der Mütterberatung erschienen Frauen, die geplättete Windeln auf die Babywaage legten. Daß sich diese Frauen, bevor sie ihr Kind anfaßten, keine Bazillen abplätten konnten, bedauerte Laura, fühlte sich aber doch genötigt, hygienehalber einen weißen Kittel zu tragen. Hemdchen und Jüpchen kochte sie in einer Gänsebratpfanne, die ihr die Großmutter vererbt hatte. Da die wuchtige Fassadenäußerung des Balkons sein Inneres beinahe kostete und ein Dach nicht vertrug, war er auch zum Wäschetrocknen unbrauchbar. Eine Schleuder, deren Heultönen Wesselin hingegeben lauschte, hielt Laura also für ihre bedeutendste Neuerwerbung. Dennoch wurden die im Badezimmer gespannten Leinen nie leer. Im Gegensatz zu den selbst in Komfortwohnungen neuerlich üblichen Projektierungen hatte das Badezimmer ein Fenster. Dankbar übersah Laura jetzt krumme Türen und das hoch gelegene Abflußloch des Balkons, der sich deshalb bei Regen füllte und im Falle von Wolkenbrüchen Lauras Wohnzimmer und das darunter gelegene wässern konnte. Als Laura nach Laufereien und anderen ärgerlichen Zeitvergeudungen von der Versicherung amtlich erfuhr, daß so Versicherte die finanziellen Folgen eines solchen Falles höherer Gewalt in Form von Wolkenbruch selbst zu tragen hätten, begann sie sich über den prinzipiellen Brief von Beatriz zu ärgern. Schließlich warf sie sogar ein Buch an die Wand und schrie: »Ungeduld und Größenwahn werden dein Untergang sein!«

14. Kapitel

Nächtlicher Auftritt der schönen Melusine mit Ruß und Theorie

Drei Stunden nach dem Schrei explodierte zu mitternächtlicher Stunde Lauras Kachelofen. Mit Getöse von Zimmerlautstärke. Laura war jedoch bereits vorher aus leisem Schlaf gestört worden, Mütter von Kleinkindern schlafen nur leise, sie lauschen dabei wie Tiere in freier Wildbahn.

Weinen und Klagen hatten Laura aufgeschreckt. Sie lag auf einer Liege etwa vier Meter vom Katastrophenort entfernt. Ihre Bettdecke war beschwert mit Scherben. Ruß trocknete ihr den Rachen. Hustend arbeitete sie sich aus dem Schutt und wollte ins Nebenzimmer eilen, wo Wesselin schlief. Da erglomm ein Licht in der Finsternis. Ein weißes Licht. Es vergrößerte sich, da sich Ruß und Staub senkten. Als der Lichtkreis einen Durchmesser von einem Meter erreicht hatte, wurde er als Nimbus einer Sphinx erkennbar. Ihr dunkler Flugdrachenkörper hockte auf dem Scherbenhaufen, die helle Haut des weiblichen Menschenkopfs und der Brüste schien die Lichtquelle zu sein, Laura erklärte sich die Erscheinung mit Linsen. Nach abendlichem Genuß von Hülsenfrüchten litt sie gelegentlich unter Alpträumen. »Scheißlinsen«, sagte Laura. Die Sphinx räusperte sich, spuckte verächtlich in die Stube und sprach: »Du hast schwer gefehlt. Widerrufe dich! Laß ab von sündhafter Einmischung! Denn Ungeduld ist das einzigartige Talent der Beatriz de Dia, Größenwahn ihre außerordentliche Tugend. Wer ihr Talent und Tugend abdressiert, so geschehen ist jahrtausendelang ihren Schwestern, macht sich schuldig vor Gott, der kein Mann sein kann. Auch keine Frau. Der also beides sein muß, Mangel widerspricht dem göttlichen Prinzip der Vollkommenheit. Verstanden?« – »Ja«, antwortete Laura gehorsam, denn die Stimme der Sphinx hatte einen erpresserischen Unterton. Dennoch fand Laura den Mut, sich für einen Augenblick zu entschuldigen, um im Nebenzimmer nach dem Sohn sehen zu können. Sie leuchtete mit der Taschenlampe vorsichtig zum Gitterbett. Wesselin lag ruhig auf dem Rücken, der Kopf war zur Seite gedreht und flankiert von Unterarmen und Fäusten, liebliche Schniefgeräusche. Als Laura überflüssigerweise an der Bettdecke gezupft hatte, kehrte sie beruhigt ins Wohnzimmer zurück. Dort hockte die Sphinx noch immer auf dem Scherbenhaufen, weshalb Laura schlußfolgerte, daß die Störung nicht allein von der Linsensuppe verursacht sein könnte. Aber da der Sohn unversehrt geblieben war und wohlauf, war die Welt in Ordnung. Auch mit Nachtgespenstern. Die Sphinx schnob Feuer aus einer beneidenswert schönen Nase. Laura griff unwillkürlich an ihre, die keine Lichtquelle war, sondern nur durch runde Nasenlöcher Einsicht gewährte. Zwar widersprach die Existenz von Nachtgespenstern Lauras Weltanschauung, aber seitdem Beatriz de Dia in ihr Leben getreten war, erschien Laura Stimmigkeit für eine Weltanschauung nicht unbedingt erforderlich. Unstimmigkeiten empfand sie jetzt sogar angenehm, weil die in angeregte, vorher nicht gekannte Zustände versetzten. Ihrer einstigen Arbeitskollegin Grete, die die Existenz von Beatriz kurzweg leugnete, da sie der Logik widerspräche, antwortete Laura zum Beispiel: »Wenn Beatriz groß genug ist, uns die ungeschriebene Geschichte, die nicht von Männern gemacht wurde, persönlich zu überbringen, sollten wir wenigstens groß genug sein, an sie zu glauben.« Grete hatte Laura daraufhin beschuldigt, in Rätseln zu reden, was als unzeitgemäße Aussageform bewertet werden müßte. Laura hatte widersprochen. Ob die DDR jedoch auch eine Heimstatt für gespensterhafte Sphinxe sein konnte, bezweifelte die wachsame Laura. Deshalb fragte sie den menschenköpfigen Drachen: »Haben Sie eine Aufenthaltsgenehmigung?« – »Die Kybernetik lehrt uns, daß die höchste Form der Auseinandersetzung eines kybernetischen Systems mit seiner Umwelt darin besteht, daß dieses System ein inneres Modell der Umwelt konstruiert«, antwortete die Sphinx mit veränderter, sachlicher Stimme. »Spiele an und mit diesem Modell führen schließlich zur Konstruktion weiterer möglicher Modelle, möglicher Umweltsituationen, führen zu Modellen, die in Wirklichkeit Modelle von Phantasiewelten sind. Das trifft nicht nur für die Mathematik zu. Es ist im Prinzip auch möglich, physikalische Theorien zu entwickeln, die auf angenommenen Naturgesetzen beruhen, von denen wir mehr oder weniger genau wissen, daß es sie in der Realität gar nicht gibt. Die heute bekannten grundlegenden Tatsachen der Kosmogonie etwa sind mit einer Vielzahl kosmogonischer Modelle darstellbar. Und diese Modelle sind auch tatsächlich konstruiert worden. Sicher ist, daß höchstens eines, vielleicht sogar keines dieser Modelle richtig sein kann, nicht aber mehrere. Wir können uns auch ein Modell der künftigen kommunistischen Gesellschaft vorstellen, ja wir können mehrere Modelle konstruieren. Eine wirkliche Entsprechung zu diesen Modellen gibt es nicht.« Laura protestierte mit dem Zwischenruf: »Beatriz ist ein Mensch.« Die Sphinx kicherte und schlug mit den Drachenflügeln, daß der Ruß wölkte und Laura den Mund stopfte. Aber als Laura den Hustenanfall überstanden hatte, protestierte sie weiter. Nämlich: »Beatriz ist ein Mensch wie ich, was man von Ihnen nicht behaupten kann. Beweisen Sie also gefälligst Ihre Identität, wenn Sie schon zu mitternächtlicher Stunde gewaltsam in fremde Wohnungen eindringen, auf Hausfriedensbruch steht Gefängnis, he, wer sind Sie?« Die Sphinx streifte mit dem linken Drachenbein den blonden Haarvorhang vom linken Auge und sprach: »Ich bin die Schwägerin von Beatriz und heiße Marie von Lusignan. Man nennt mich schöne Melusine, ein gesellschaftliches Modell, das im Zuge der Aktivität des homo ludens konstruiert wird, braucht keinesfalls nur zum besseren Verständnis von Bestehendem zu funktionieren, sondern diejenigen Modelle sind geschichtlich viel wichtiger, denen in Gegenwart und Zukunft nichts Wirkliches entspricht und denen in der Zukunft nur deshalb etwas Wirkliches entsprechen wird, weil die Gesellschaft ihre Kraft einsetzt, um dieses Modell zu verwirklichen. Marx zum Beispiel hat so ein Modell entworfen. Auch die fünfundneunzig Thesen Luthers entwarfen ein Modell. Die Wirkung dieses theologischen Modells auf die damalige Zeit war gewaltig, obgleich es nie gesellschaftliche Wirklichkeit geworden ist. Das gilt auch für manche gesellschaftliche Utopie. Zu diesem Thema lesen wir in einem Text, den der Schriftsteller Hermann Hesse seinem ›Glasperlenspiel‹ vorangestellt hat: ›Denn mögen auch in gewisser Hinsicht und für leichtfertige Menschen die nicht existierenden Dinge leichter und verantwortungsloser durch Worte darzustellen sein als die seienden, so ist es doch für den frommen und gewissenhaften Geschichtsschreiber gerade umgekehrt: nichts entzieht sich der Darstellung durch Worte so sehr und nichts ist notwendiger den Menschen vor Augen zu stellen als gewisse Dinge, deren Existenz weder beweisbar noch wahrscheinlich ist, welche aber eben dadurch, daß fromme und gewissenhafte Menschen sie gewissermaßen als seiende Dinge behandeln, dem Sein und der Möglichkeit des Geborenwerdens um einen Schritt näher geführt werden.‹ Ich fliege ans Mittelmeer. Gute Nacht.« – »Gute Nacht«, erwiderte Laura fasziniert. Da hatte sich die Sphinx bereits tief in den Kamin gezwängt. Nur der Drachenschwanz hing noch aus dem Ofenrohr. Er war gepanzert und mit Zacken bewehrt. Beim Verschwinden klimperten die Zacken auf dem Rohrblech.

15. Kapitel

Darin unter anderem ein Dokument nachzulesen ist, das Lauras menschenbildnerisches Volksschaffen belegt

Lauras Wohnzimmer war drei Wochen unbewohnbar, von den Aufräumungsdreckarbeiten sowie von Schäden an Möbeln, Teppich und Tapete zu schweigen. Dann erbarmte sich für Geld, gute Worte und schöne Augen ein älterer Ofensetzer. Er beschuldigte Laura, Bohnerwachs gefeuert oder die Ofentüren vorzeitig geschlossen zu haben. Laura stritt zunächst entschieden ab, sich bei derartigen frühlingshaften Temperaturen mit Heizen zusätzlich zu quälen. Da sie jedoch dem autoritären Fachmann nicht die schöne Melusine als Alibi anzubieten wagte, nahm sie die Schuld schließlich auf sich. Zum Trost schenkte ihr die Nachbarin Herta Kajunke einen Triebwagen-Fahrschlüssel aus Messing. Liebhaberstück. Ohne Herta wäre die S-Bahn für Laura ein Transportmittel unter anderen geblieben. Laura bewahrte den Fahrschlüssel in der Vitrine auf. Johann Salman, der das Verschicken von Mitteilungen stets seiner Frau überlassen hatte, überraschte seine Tochter plötzlich mit einem Brief. Darin teilte er mit, daß sein Enkel dringend einen Vater brauchte. Kinder, die ohne Vater aufwachsen müßten, würden verquer. Außerdem müßte Wesselin täglich einen Teelöffel Bienenhonig kriegen. Laura konnte sich nicht genug wundern. Denn Johann Salman pflegte nie von Weiberkram zu reden. Tat auch sonst stets kühl, seine Frau war wohl so. Laura konnte sich nicht vorstellen, daß er in den langen Ehejahren fremd gegangen war. Daß er nicht fremd gegangen war, konnte sie sich allerdings auch nicht vorstellen. Beatrizens Schweigen über Anaximander beruhigte und erleichterte Laura. Letzteres wertete sie als stillschweigende Übereinkunft.

Eine Frau, die sämtliche Romane des Chrétien de Troyes gelesen hatte, mußte wissen, wer Anaximander war. Die mittelalterlichen Ritterromane waren Bildungsromane. Die die höfischen Tugenden Mâze und Treue anerziehen sollten. Zu diesem Zweck hatte sich zum Beispiel Ritter Erec erst unmäßig der ehelichen Liebe hinzugeben und sich zu verliegen. Ritter Ivain aber mußte unmäßig auf Aventüre gehen und sich verrittern. Beides entsprach nicht dem höfischen Menschenbild. Dann wurden die Ritter ausführlich beispielhaft gemäßigt: Erec mußte auf Aventüre und Ivain nach Hause. Die menschenbildnerischen Bestrebungen des Chrétien erschienen Laura im Prinzip sogar mitunter wie aus der Zeitung geschnitten. Was Lauras nicht ganz gutem Gewissen wohltat. Anfang Mai erhielt sie eine bunte Ansichtskarte mit dem Text: »Hier sind über die Hälfte des Territoriums Straßen, jeder vierzigste stirbt als Verkehrstoter, nix Anaximander, Deine unglückliche Beatriz, Los Angeles.« Zwei Wochen später erhielt Laura eine Briefkarte, darauf geschrieben stand: »Hier verhungern Menschen buchstäblich auf der Straße. Von Anaximander noch immer keine Spur, Deine geschlagene Beatriz, Kalkutta.« Am 12. Juli brachte der Postbote eine Sendung mit dem Absender »Beatriz de Dia, Zagreb, poste restante«, die folgenden Bericht unter der Überschrift »Conclusion« enthielt: »Als Professor S. den Wunsch seiner Familie nach einem neuen Haus erhörte und mit dessen Projektierung beschäftigt war, entschied er sich für grundsätzlichen Komfort. Die Spielräume der Kinder wurden im Atombunker untergebracht, dessen Baukosten die des Hauses mehrfach überstiegen. Nach dem Einzug verbrachte der amerikanische Professor seine knapp bemessene Freizeit vorzugsweise bei den Kindern, stellte gar seinen Schreibtisch in die Spielräume, an dem er nachtsüber zu arbeiten pflegte. S. war Physiker und Mitglied der Atomenergiekommission der USA. Nachträglich kamen ihm Zweifel an der Funktionstüchtigkeit der fensterlosen Räume, und er suchte nach besseren Varianten. Auch grundsätzlich, er wollte einen atomsicheren Spielbunker für Kinder ermitteln. Das Vorhaben machte theoretische Vorarbeiten erforderlich: den gewohnten wissenschaftlichen Weg durch Bücher und Statistiken. Zufällig gelangte Professor S. an statistisches Material über Kindersterblichkeit. Er übertrug es auf Millimeterpapier. Die Kurven mit den Werten der Länder, in denen infolge Erdumdrehung und Windrichtung nukleare Niederschläge nach Testbombenexplosionen niedergingen, ähnelten einander. Sie zeigten an, daß in diesen Ländern während der sechziger Jahre von hundert Kindern eins gestorben ist. Professor S. schloß, bereits eine von einem lokalen Atomkrieg erzeugte, um das Tausend- und Mehrfache höhere Radioaktivität würde Niederschläge über die Erde derart tragen, daß sie die Selbstvernichtung der Menschheit bewirkten: die Kinder müßten sterben, ehe sie zeugungsfähig wären. Also ließ der Professor Fensterhöhlen in den Spielbunker brechen und ging mit dem statistischen Material auf Vortragsreisen.« Laura las den Bericht bewegt. Und erfreut:

er erschien ihr als Genesungszeichen, Frucht ihrer mit nicht ganz lauteren Mitteln arbeitenden Menschenführung, Dokument für menschenbildnerisches Volksschaffen. Im Dankschreiben nach Zagreb mahnte Laura dringend ausführliche Nachrichten von der großen weiten Welt an. Reiseersatz. Hausfrauenentschädigung. Trostpflaster für stationäre Tätigkeit. Vergaß auch nicht zu erwähnen, daß Beatrizens Schwägerin Marie von Lusignan ans Mittelmeer geflogen wäre.

16. Kapitel

Himmelswagen mit ausgewiesenem Inhalt

Lauras Gewohnheit, sommers bei offener Balkontür zu schlafen, war ein Rudiment aus ihrer Kindheit. Denn Frischluft war in der Osterstraße 37 kaum zu erwarten. Bei westlichen Winden lieferte das Gaswerk die Gestänke, bei nördlichen Winden der VEB Isokond, ansonsten gemeine Autoabgase. Laura nahm diese Unannehmlichkeiten hauptsächlich in Kauf, um sich mit Vogelgezwitscher die Ohren vollzuschlagen. Es hub bei Morgengrauen an und erzeugte inmitten von Stein und Beton eine Illusion von Wald. Die sich in Lauras Träumen niederschlug. Ihre sommerlichen Träume waren grün gefärbt. Plötzlich fiel einer aus diesem Rahmen. Blau. Denn Lauras Ohren trafen quietschende Geräusche, die ihr Unterbewußtsein Bleßhühnern zuordnete. Vorstellungen von Wasser folgten: Seestücke. Sie strandeten Laura ins Wachsein. Nacht. Nach einer Weile fiel bläuliches Licht durch die Balkontür. Aber von Sonnenaufgang keine Spur. Hatte irgendein volkseigenes Unternehmen seinen Reklameetat ausgeschöpft, um Laura mit Neonlicht den Schlaf zu vertreiben? Sie sprang wütend vom Lager, um sich zu vergewissern. Da kam der Himmelswagen zum Stehn. Dicht überm Balkon. Er hing an Seilen, hatte Wolken aus Pappe und glich auch sonst den Barockschaukeln, die in Opern bisweilen vom Schnürboden heruntergelassen werden. Mit Engeln gefüllt. In dem Himmelswagen, der über Lauras Balkon sachte schwang, saß ein Mann. Steif wie knochenversehrt, Beine und Körper in eine Gerade gerichtet, die die blaue Bank nur gegen Anfang und Ende des Rückens knapp berührte: eigentlich lag er. Schlafend. Arme wie Flügel auf die Banklehne gebreitet. Die mürben Jeans brachten die Kniescheiben voll zur Geltung. Das Gesicht war von einer Mütze bedeckt. Seitlich der Mütze falbes, schulterlanges Haar. Auf einer Pappe, die mittels Schnur am Hals hing, ähnlich einer Erkennungskarte bei einem verschickungsbereiten Kind, waren folgende Angaben verzeichnet:

Vor- und Zuname: Benno Pakulat
Geburtstag: 17. 8. 1944
Geburtsort: Leipzig

Familienstand: Ledig
Schulbildung: Erweiterte Oberschule, Abitur
Beruf: Zimmermann
Wohnanschrift: 110 Berlin-Pankow, Florastraße 14
Arbeitsstelle: VEB Hochbau Berlin
Gesellschaftliche Beurteilung der Gewerkschaftsorganisation: Kollege Pakulat ist uns als zuverlässiger Arbeiter bekannt. Seine Brigade wählte ihn zum Gewerkschaftsvertrauensmann. In der Rhythmusgruppe unseres Singeklubs ist er aktiv tätig und tritt in Diskussionen klassenbewußt auf. Das Kinderferienlager unseres Betriebes hat in ihm einen einsatzfreudigen Helfer. Im vorigen Jahr wurde seine Brigade mit dem Staatstitel geehrt. Außerdem ist Kollege Pakulat Mitglied der Gesellschaft für Deutsch-Sowjetische Freundschaft.

Zur Beachtung! Das Lupfen der Mütze darf nur in Uhrzeigerrichtung vorgenommen werden.

Laura richtete sich nach der Anweisung und fand Benno Pakulats Gesicht blaß, ebenmäßig und weniger jugendlich, als sie nach Lutzens Berichten erwartet hatte. Als ihr die Mütze aus der Hand fiel, verschwand die theatralische Erscheinung mitsamt der Kopfbedeckung.

17. Kapitel

Glaubensbekenntnisse

Ein Steuerbescheid verriet den Eltern Lauras Spielfrauentätigkeit. Also daß ihnen die Tochter auch die Existenz von Beatriz de Dia nicht länger verschweigen konnte. Laura gab einen kurzen biographischen und philosophischen Abriß der Erscheinung und schloß mit einer Definition. Beatriz hatte nämlich eine Spielfrau gelegentlich als eine Art Stützpunkt bezeichnet. Ihre Tätigkeit wäre besonders stationär sehr nützlich, auch Männer gingen lieber auf Abenteuer, wenn sie Unterschlupf in Form von Ehe oder ähnliche Sicherheiten im Rücken wüßten. »Sei bloß nicht so dumm und laß dir wieder von einem Kerl einreden, daß eine Frau einen Mann braucht«, sagte Olga Salman unvermittelt, »die Kerle sollen ihren Dreck selber wegräumen.« Johann Salman hatte der Bericht über Beatriz in Wut gebracht. »Erzähl uns keine Märchen«, sagte er und daß er nicht aus der Kirche ausgetreten wäre, um sich andere Lügen einreden zu lassen. Dann schlürfte er anklagend Zichorienkaffee und erklärte in einer Lautstärke, die erforderlich ist, um sich auf fahrenden Lokomotiven mit Heizern zu verständigen: »Ich glaube nicht an Wunder!« – »Sondern«, sagte Laura und hatte Mühe, das sphinxhafte Gespenst Melusine zu verschweigen. »Sondern an die Realität«, sagte er. Und kein Wort über die Güte des Kuchens, den alle schlangen. Olga hatte ihn selbst gebacken und von Karl-Marx-Stadt nach Berlin geschleppt. Die Unaufmerksamkeit verdroß Olga selbstverständlich und beleidigte sie: ihr durchschnittlicher Gemütszustand war wieder erreicht. Kurze elterliche Abhandlung des Bohnenkaffeethemas mit verteilten Rollen, wobei der Vater üblicherweise auf die Unvernunft und Charakterschwäche der Süchtigen zielte. Die Mutter verachtete Leute, die nach Bohnenkaffee schlafen konnten. Als ihr Laura bei günstiger Gelegenheit in die Küche folgte und versicherte, daß Beatriz auf dem Sonnenberg von Karl-Marx-Stadt in einer Versschmiede gearbeitet hätte, hob Olga das Kinn, um ihre Tochter durch die der Brille eingeschliffenen Leselinsen zu betrachten. Natürlich Bemerkungen über Lauras mangelhaften Gesundheitszustand infolge unverzeihlicher Berufswahl. Irgendein benachbartes Mädchen hätte nach dem Staatsexamen einen gutbezahlten Posten beim Fernsehen erworben. »Die Hände von Beatriz fühlen sich an wie altbackene Schrippen«, entgegnete Laura. »Die Mimik ist ein bißchen starr, als ob die Haut zu eng wäre, wie geliftet, aber das glaub ich nicht, das Mädchen ist wirklich tadellos erhalten, ziemlich schön sogar. Als sie mir zum Abschied einen Kuß gab, wars, als ob ein Plasteball gegen meine Wange flog.« Laura holte die Reste des mittelalterlichen Hemds aus der Schublade, die Beatriz hatte in die Lumpen werfen wollen. Die Mutter prüfte die Qualität des verblichenen Stoffs, indem sie ihn gerafft in Händen drückte, dann glattstrich und nach Knittern absuchte. Hielt ihn auch gegens Licht, roch dran, besah die Rückseite der Stickereien und die Nähte von innen. Dabei schimpfte sie über das Eisenbahnunwesen. Der Vater hätte noch Urlaub vom vorigen Jahr ausstehen, ungesetzliche Zustände. Jeder Arbeiter versorgte sich hierzulande im Sommer mit einem Ferienplatz, nur die Eisenbahner könnten sich nichts vornehmen. Nicht alle, alle ließen nicht so mit sich umspringen, ein gewisser Schuster-Kurt zum Beispiel hätte im vergangenen Februar für sich und seine Frau beim Reisebüro zwei Ferienplätze gekauft und wäre im August vierzehn Tage nach Prerow gefahren. Obgleich dieser Personalemil von der Dienststelle ihm den bestellten Urlaub natürlich nicht hätte geben können wegen Lokführermangel. Der Schuster-Kurt hätte sich den Urlaub aber einfach genommen und fertig. Vater müßte seinen im November nehmen oder im April, seit sieben Jahren wären sie nicht aus dem Bau gekommen, Eisenbahn, mein Leben! »Unsereiner möchte auch mal achthundert Jahre verschlafen!« Johann Salman, der die beiden Frauen unentdeckt und offenbar schon eine Weile in der Tür stehend kontrolliert hatte, überhörte solche Klagen. Weil er sie ständig hörte. Nicht den Wunsch. Der brachte ihn auf. Denn er verachtete Leute, die in jungen Jahren alt und in alten jung sein wollten, unfähig, sich dem Leben hinzugeben und zu stellen, schwächlich. Er setzte das in Schlußworten auseinander. Olga Salman hatte in vierunddreißig Ehejahren gelernt, ihre Widerreden zu schlucken. Runter, zur Galle hin, wo sie gesammelt und aufbereitet wurden zu unbestimmter Bitterkeit. Die entlud sich dann in beinahe regelmäßigen Abständen jäh auf den ersten besten Gegenstand, der in die Quere kam. Kam keiner, konnte sie jederzeit in Abwesenheit auf einen ehemaligen Feldwebel zurückgreifen, der in Karl-Marx-Stadt benachbart wohnte. Obgleich bei Laura eheliche Freiheitsdressuren mißglückt waren, weshalb sie von gesundheitlichen Schäden besagter Art verschont geblieben war und ungebrochen, allerdings taktisch geübt durch Erfahrung, zog auch sie vor zu schweigen. Daß sie trotz ihrer Tätigkeit gezwungen war, hauptsächlich von den Ersparnissen zu leben, verheimlichte sie auch. Mit teuren Gerichten. Beim Abschied wiederholte Olga Salman reichlich: »Schöne Familie, man wartet monatelang, bis sie mal vollzählig ist, bäckt, schwitzt beim Friseur, und kaum ist man zur Tür rein, geht der Streit los. Noch dazu wegen Albernheiten.« – »Es gibt keine Wunder«, entgegnete Johann Salman. »Leider«, sagte seine Frau.

18. Kapitel

Darin ein erstaunlicher Brief der Kaderleitung der Berliner S-Bahn an Laura zu lesen ist

An Kollegin Laura Salman
1055 Berlin
Osterstraße 37

Betr.: Kadergespräch

Liebe Kollegin, Bezug nehmend auf das Schreiben Ihrer Freundin Beatriz de Dia vom 14. Juli d. J., teilen wir Ihnen mit, daß die Fälschung von Personalangaben gemäß Artikel 11, Absatz 2 eine strafbare Handlung darstellt. Reisedelegierungen werden bei uns nicht von adligen Damen, sondern von der Gewerkschaftsleitung beschlossen. Da von seiten der Dienststelle bisher keine Beanstandungen betreffs Ausführung betrieblicher Aufgaben vorliegen und fachliche Bedenken der von Ihnen gewünschten Wiedereinstellung auch nach Ablauf dreier Kinderjahre entfallen, ersuchen wir Sie in Ihrem Interesse, am 21. Juli 10^{30} in Zimmer 19 vorzusprechen.

Mit sozialistischem Gruß
(Unterschrift)
gez. Müller

Anlage: Abschrift des oben gen. Schreibens

19. Kapitel

Das die Abschrift des Schreibens wiedergibt, das Beatriz de Dia an die Kaderleitung der Berliner S-Bahn gerichtet haben soll

Beatriz de Dia
z. Z. Split
Plinarska 17 bei Sarić

Liebe Kollegen, hiermit beantrage ich einen Freifahrschein Berlin-Prag-Budapest-Zagreb-Split für die Triebwagenfahrerin Laura Salman, die bei Ihnen in einem vorübergehend ruhenden Arbeitsverhältnis steht. Gleichzeitig bitte ich um Erledigung der Paßangelegenheiten mit Bereitstellung entsprechender Reisedevisen. Meine Freundin Laura Salman, eine zuverlässige DDR-Bürgerin, muß die Reise umgehend wegen dringender Familienangelegenheiten antreten. Split ist ihre Geburtsstadt. Anderslautende Angaben entsprechen nicht der Wahrheit. Ich danke im voraus für Ihre Bemühungen.

Hochachtungsvoll
gez. Beatriz de Dia

20. Kapitel

Allerhand Leiden und ein Telegramm

»Sie ist verrückt«, rief Laura nach der Lektüre der Post und schreckte Wesselin, »sie muß verrückt sein, ich hab sie verrückt gemacht.« Wesselin begann zu weinen. Laura wirtschaftete verzweifelt im Stützpunkt. Der als Ausläufer von Klassischer-Erbe-Mode charakterisiert werden könnte. Stuckquadergezierte Erdgeschoßfassade, Stehbalkone, von Schmuckmauern verschwiegene Schornsteine, die nach Bauabschluß erhöht und also entblößt werden mußten, weil die Öfen rauchten, holzgerahmte Hartpapptüren. Über die kolossalische Steinbrüstung des Stehbalkons hatte Laura Aussicht auf das Brustbild eines gelben, firlefanzbaren Neubaublocks, der sich offen zu Dach und Ofenheizung bekannte. Zwischen Fernsehantennen gar Toilettenentlüftungsbatterien. Aus diesem geteerten Flachdach standen von links nach rechts eine Sirene, drei Schlote, etwas Hotel Berlin, viel Fernsehturm und das Kuppelgerüst eines Gasometers. Zusätzlich erhoben sich ab und zu aus dem Horizont zwischen der Sirene und den Schloten weiße oder graue Rauchpilze, deren Form Laura über die Windverhältnisse informierte. Über die Jahreszeiten konnte dieser ständige Ausblick auf die Welt keine Auskünfte geben, ausgenommen bei Schneefall. Nach den schlimmsten Befürchtungen, die auf Lauras Erfindung Anaximander gründeten, stellten sich auch praktische Vermutungen ein. Vielleicht war es Beatriz in Split einfach zu langweilig? Vielleicht sehnte sie sich nach einer Reisebegleiterin? Ungeachtet des bevorstehenden Kadergesprächs, in dem sich Laura für die üblen Scherzbriefe der Freundin zu entschuldigen hatte, machte sich plötzlich Sehnsucht breit. Wild schoß Hoffnung ins Kraut. Was Laura bisher konsequent unter Verschluß gehalten hatte, drängte jäh zutage. »Scheißfernweh«, sagte Laura und putzte Wesselin die Nase. Dann telegrafierte sie nach Split, Plinarska 17: »Anaximander entfällt stop komm zurück stop erbitte Ankunftstermin stop Laura.«

21. Kapitel

Das ein Melusinisches Schreiben an Laura wiedergibt

Liebe Laura Salman,

Bezug nehmend auf den Himmelswagen, den ich Ihnen kürzlich mit einem jungen Mann an Bord zur Ansicht brachte, teile ich Ihnen mit, daß sich die Erscheinung jederzeit wiederholen läßt. Sie müßten mich nur rechtzeitig telefonisch (22 88 020) von Ihren Wünschen in Kenntnis setzen, damit ich Zaubermarken beantragen und disponieren kann. Wenn Sie die Mütze nicht fallen lassen, dürfen Sie Herrn Pakulat unbegrenzt lange besichtigen und mit Bier sprengen. Auch Auskünfte erteilt er Ihnen bereitwillig, sobald Sie seinen linken Schuh und Strumpf ausgezogen und den großen Zeh angefaßt haben. Die Vorführungen erfolgen unverbindlich. Die Länge der Bedenkzeit überlasse ich ganz Ihrem Belieben. Zu anderen als den hier angeführten Informationen kann ich Herrn Pakulat allerdings nicht zur Verfügung stellen, da noch akute Explosionsgefahr besteht.

Mit schwarzkünstlerischen Grüßen
gez. Melusine
z. Z. Kaerllion am Usk

22. Kapitel

Darin ein Schriftstück veröffentlicht ist, das Beatriz ihrer Freundin Laura statt eines Ankunftstermins überbringen läßt von einer jungen Frau, die sich als Tamara Bunke vorstellt

Split ist ein Gewächs, das Laura verwandt ist. Man kann sich nicht satt leben dran. Ich bewohnte es für fünfundvierzig Dinar pro Tag. In einem Privatzimmer der ersten Kategorie. Eine ausführlich geschminkte Dame des Reisebüros hatte dafür zweihundertzwanzig Dinar Vorauszahlung verlangt. Da mir die Stadt in dem Moment noch unbekannt war, mußte mein Interesse an einem Kamin noch wach sein. Weshalb ich das Zimmer vor der Zahlung besichtigen wollte. In gemütlicher österreichischer Mundart entrüstete sich die Dame wegen mangelnden Vertrauens in ihre reelle Firma, bezeichnete ihr Angebot als vorletzte Unterkunft, raffte den Mietzettel und nahm mir alle Hoffnung, zehn Minuten später irgend etwas Bewohnbares zu finden. Meine Erfahrungen in Istrien, wo allerorten Tafeln mit der Aufschrift »Sobe«, »Zimmer«, »Camera« ausgehängt waren, hätten mich gelassen stimmen müssen. Zumal der angedrohte Verlust außerhalb der Mauern des Diokletianpalasts lag. Ich wollte innerhalb dieser Mauern wohnen. Ich hatte mir aus Geldgründen vorgenommen, die Vermittlung von Reisebüros hinfort zu umgehen. Eigentlich hatte ich das Büro nur betreten, um einen Stadtplan zu erbitten. Ertrug ich den gekränkten Blick der Bürodame nicht? Provozierte mich der unausgesprochene ehrabschneiderische Verdacht, zahlungsunfähig zu sein? Ich zahlte und betrat den Palast durchs Südtor. Das Photographen von Ansichtskarten und Kunstbüchern meiden. Weil es museal am wenigsten hergibt. Die ganze Südfront des Diokletianpalasts gibt museal am wenigsten her. Die Palmen vor der Südfront sollen vielleicht den pietätlosen Eindruck mildern, steigern ihn aber tatsächlich. Diese von Hitze und Straßenstaub ausgemergelten Bäume sind unbrauchbar für Idyllen. Auch im Dunst. Der Hellblau und Rosa aufs Wasser legt und Silber aufs Land. Im Westen der Bucht steigt es an. Zypressen spießen den hitzigen Himmel. Jenseits der Palmenpalisade der Südfront mag ungeachtet der verkehrsreichen Uferstraße die zeitlose Romantik des Meeres schaukeln. Hinter der Palisade steht Geschichte. In naturhafter, fast menschlicher Erscheinungsform. Das Südtor führt zunächst zu Dunkelheit, Windstille und Stufen. Aufwärts. Über blankgetretene Steinquader, die hohe Schritte verlangen, erreichte ich im Gewühl und Palaver der Touristen den Vorsaal: Vestibulium. Auf der offenen Kuppel des runden Baus lag Dunsthimmel. Das unbemäntelte Ziegelgefüge sandte Mittagshitze. In seinen Nischen, die laut Reiseführer einst mit Skulpturen gefüllt gewesen sein sollen, Knüllpapier und USA-Gattinnen in Photopose. Die Gatten stützten die Kameras auf den Bäuchen. Ihre Objekte, langmähnige Blondinen, in weiße Jerseyhosen gezwängt, hatte ich nach der Rückseite für Töchter gehalten. Von vorn boten sie deprimierende Anblicke. Das Bestreben Sechzigjähriger, wie vierzig aussehen zu wollen, kann zu ansehnlichen Ergebnissen führen. Im Rentenalter wie zwanzig aussehen zu wollen erweckt Eindrücke weit jenseits der Lächerlichkeit. Tragische. Im Peristyl hingen solche weiblichen Energiebündel, denen der Kraftaufwand für Kosmetik, Fitneßtraining und Hungerkuren von der körperlichen Erscheinung zu lesen war, in Plastestühlen. Ich konnte bald einen roten Stuhl erringen. Um das Marktgewimmel hinter der östlichen Kolonnade, den romanischen Glockenturm und die Kathedrale genießen zu können. Der Stuhl gehörte dem linken Café, das in die westliche Kolonnade gebaut ist. Der Genuß kostete eine teure Limonade, der Ober ließ keine Minute auf sich warten. Weshalb ich künftig Stühle mied. Verzehrte auch meine Mahlzeiten seitdem auf Stufen. Das Peristyl, eine Art Saal unter freiem Himmel, ist von Treppen umgeben. Einem Wasserbecken ähnlich, Planschbecken erscheint unpassend als Vergleich, da hier einst die prächtigen Zeremonien des vergöttlichten Kaisers abgehalten wurden. Heute ist das Peristyl der Platz in der Mitte der Stadt. Auch andere antike Palastbauwerke blieben bewahrt, weil sie einer neuen Bestimmung zugeführt wurden. Im Mittelalter wurde das Kaisermausoleum zur Kathedrale gewandelt und der Jupitertempel zur Taufkapelle. Die Unterwanderung des tyrannischen Baus begann aber bereits im siebenten Jahrhundert. Solange ich in Split weilte, erschienen mir Anfertigung von Jumbos und Warten auf die schöne Melusine als vergeudete Zeit. Ungeduld fiel ab. Und dieser Trieb zu Reinlichkeit. Körperlich und geistig. Ich wusch mich nur schwimmend im Meer. Ich duschte das Salz nicht aus Haut und Gehirn. Bald fühlte ich mich außen und innen von Kristallen durchsetzt, die wuchsen. Sieben Tage. Diokletian hatte den Palast in zehn Jahren errichten lassen und bezog ihn im Jahre 305 unserer Zeitrechnung, nachdem er freiwillig dem römischen Thron entsagt haben soll. Der Alterssitz war ursprünglich eine Kombination von luxuriöser Villa, römischem Heerlager und hellenistischer Burg. Im Jahre 615, als Awaren und Slawen bei ihrem Vordringen von Norden zum Meer das einst mächtige Salona zerstörten, suchten die obdachlosen Saloniter innerhalb der festen Mauern des Diokletianpalasts Schutz. Anfänglich dienten den Salonitern die geräumigen Kellerräume des Palasts zum Aufenthalt. Später setzten sie den Weg durch die Institutionen des Bauwerks fort, indem sie die repräsentativen kaiserlichen Räumlichkeiten in Wohnungen umwandelten. Im Stil der jeweiligen Zeit. Auch neue Gebäude wurden errichtet, wo irgend Platz war. Im Laufe der Jahrhunderte fügte sich Wabe zu Wabe. Die Schutzmauern des Palasts dienten der Verteidigung der Stadt und sind deshalb vollständig erhalten. Gründet Lauras pragmatischer Erfindungsgeist auf solchen Ansichten? Als mich Frau Sarić in das von mir blind gemietete Zimmer der ersten Kategorie geleitete, verlor ich nicht die

Fassung. Das Palastgewächs hatte mich präpariert. Als schönste Ausbildung seines Wesens erschien mir die Stirnwand. Die sich ursprünglich in ihrer ganzen Länge (215 Meter) im Meer gespiegelt haben soll und als eine der schönsten offenen Fassaden der antiken Baukunst gepriesen wird. Häuser überragen ihre Mauern. Die Fenster, die rücksichtslos in die passend vermauerten antiken Öffnungen gesetzt wurden, haben die Arkaden beschädigt, die Halbsäulen und den Fassadenkranz. Die überdachte, jetzt vermauerte Promenade, die dem müden Imperator einst Schutz vor Sonnenglut und Unwetter bot und einen wunderbaren Ausblick aufs Meer und die vorgelagerten Inseln gewährte, haben die zeitgenössischen Bewohner mit besetzten Wäscheleinen geschmückt, mit Vogelbauern, Blechbüchsen, darin Geranien wachsen. Angesteckt vom Zauber dieses pietätlosen Bilds, das Vertrauen in physische Schöpferkraft und unerschütterliche Gelassenheit suggeriert, sah ich ruhig auf die Lumpen. Mit denen die Vermieterin Sarić das Parkett des Schlafzimmers vollständig belegt hatte. Die Lumpen waren sauber, Frau Sarić ordnete die, die sich unter meinen Füßen verschoben hatten, bot Kaffee naturale, Schnaps naturale in italienischer Sprache, ich sah in der Lumpensammlung ein historisches Gewächs aus den Kleidern der dicken Frau. Anderentags küßte sie mich bereits auf die Stirn und erzählte, daß sie ihre drei Kinder allein hätte aufziehen müssen, da ihr Mann zweiundzwanzig Jahre in Brasilien lebte. Jetzt saß er abends barbrüstig in der Küche. Im Korridor lagen Autoreifen. Meine Vermutung, daß ich im Ehebett eines ehemaligen Ustascha lag, störte meinen Schlaf nicht. Ein seltsamer Geschichtsoptimismus, der Laura fremd ist, hatte sich meiner bemächtigt. Selbst Gelassenheit gerät mir mit Drall. Karl-Marx-Stadt fanatisiert. Deshalb war ich von diesem hastig häuserraffenden Talkessel gleich angezogen. Er steht mir genauer zu Gesicht als Alamaciz. Die christliche Kirche bekämpfte heidnische Bräuche am erfolgreichsten dort, wo sie die skrupellos vereinnahmte. Berlin entwickelte nie so guten Appetit. Von je hat es gestrichen, was nicht auf den modischen Speisezettel paßte. Diese Bearbeitung der Geschichte zwecks Handlichkeit mag Tageskondition demonstrieren. An Kraft und Gründlichkeit. Weitblick, Weisheit vergreift sich nicht an Gewächsen. Ich wurzele im zwölften Jahrhundert. Von Kunst. Laura wurzelt legendär. Von Natur. Ob sie es weiß? Eine gewisse Bele H., die ich in den Kellerräumen des Diokletianpalasts kennenlernte, erzählte mir, daß ihr die Geschichte am 17. Juni 1953 im Hörsaal 40 der Alten Universität zu Leipzig in Gestalt ihres verstorbenen Großvaters erschienen wäre. Umständehalber in legendärer Gestalt. »Denn nur die Geschichte der Mächtigen steht in den Büchern verzeichnet«, sagte Bele. Ich hätte die Frau für meine Sprachröhre gehalten, wenn sie nicht nachtblind gewesen wäre. Sie klammerte sich aber, während wir beinahe fünfzig dunkle Kellerräume durchstreiften, nicht nur an mich, sondern trat auf meine Füße. Als derzeitigen Beruf gab sie Forschungsingenieurin an. Als derzeitigen Wohnort Zwickau. In einem großen basilikaähnlichen Kellersaal war mir ihre Stimme entgegengekommen, Bele war von westdeutschen Touristen umstanden, die sie optisch nicht erkennen konnte. Akustisch hielt sie sich gut, die arrogante Betonung der sächsischen Mundart weckte sofort meine Sympathie. Als ihr ein Herr aus Kiel ein Fünfmarkstück in die hintere Hosentasche stecken wollte, entführte ich die Frau in eine winzige Kammer nebenan. Und durch viele Gänge und Gewölbe zurück ans Licht. Dort nahm sie wieder das Wort, um Brechts Gedicht vom lesenden Arbeiter tendenziös zu erwähnen. »Der Dichter läßt drin nach den Schöpferischen fragen, die nicht in den Büchern verzeichnet wurden. Nach den städtebauenden Sklaven zum Beispiel, die namenlose, aber sichtbare Spuren ihrer Fähigkeiten hinterließen: nach den Männern. Ich warte auf den Dichter, der eine lesende Arbeiterin fragen lassen könnte«, sagte Bele H. »Nach den Sklaven der Sklaven, die keinerlei sichtbare Spuren ihrer Fähigkeiten hinterlassen konnten.« – »Auf den Dichter warten Sie wahrscheinlich vergeblich«, sagte ich, »die Dichterin ist nahe . . .« – »Äh«, erwiderte Bele H. Da sie ihre Tagegelder, die ihr als Mitglied einer Handelsdelegation zugekommen waren, geschont hatte, konnte sie zwei urlaubsähnliche Tage an die Delegationsfrist anhängen. Wir verbrachten sie auf den mittelalterlichen Straßen der Altstadt. In denen Kinder wimmelten. Abends mieden wir den Marktplatz. In der Zeit von neunzehn bis zweiundzwanzig Uhr ist er Heiratsmarktplatz. Dicht an dicht standen die jungen Leute da, durchweg schön gewachsen, auffällig überlegt gekleidet. Ihr Palaver mischte sich zu gleichförmiger Phonmasse. Gefangen in einem rechteckigen, beleuchteten Fassadenraum. Bele und ich beobachteten von sicherer Seitenstraße aus sein Dach. Es war schwarz. Klar gestirnt. Nachdem Bele H. die erste Sternschnuppe bemerkt hatte, sprach sie: »Niemand, der sich müht, etwas Größeres zu wollen, kann den Beistand der Geschichte entbehren. Diese Gewißheit der Verwurzelung. Selbstbewußtsein schaffendes Traditionsbewußtsein. Stolz. Ein Adliger, der sich an einen Stammbaum lehnen kann, ist beispielsweise gegenüber Arbeitern und Frauen, die allein zu stehen glauben, im Vorteil.« – »Kennen Sie Uwe Parnitzke?« fragte ich, weil mich ihre Ansichten an seine erinnerten. Sie antwortete nicht. In Split erwuchs mir ein gewisses Verständnis für die Lumpentracht junger Besucher und die amerikanische Antiquitätengeilheit. Der Palast zog die Sehnsüchtigen an, die Hungernden. Sieben Tage spazierten meine Füße auf den historisch gewachsenen Fassadenresten der Frau Sarić. Und ich vermißte den fehlenden Kamin keinen Augenblick. Denn in Split fühlte ich mich nicht auf Wunder angewiesen – wenn ich von den amerikanischen Touristinnen absah. Übersehen konnte ich sie nicht. In diesem Völkergemisch, das Tag für Tag Geld in die Sehenswürdigkeit bringt, erkennt man die Amerikanerinnen nicht nur in Gruppen sofort, sondern auch einzeln. Diese Opfer des Erfolgsterrors, dessen Idol Jugend ist, passen ins Gewächs des altstädtischen Split wie Ballroben auf die Nacktbadeinsel Crveni Otok. Als ich in Rovinj Station machte, wurde das Hotel eines Abends von unmäßigem Lärm geplagt. Er stammte von Italienern und dauerte bis weit nach Mitternacht. Ich schätzte etwa hundert Personen. Am anderen Morgen stellte sich raus, daß der Lärm von einer Männergesellschaft erzeugt worden war, die achtzehn Köpfe zählte. Erhitzt von dem bevorstehenden Erlebnis der Roten Insel, auf die man von Rovinj aus mit dem Boot übersetzen kann. Im Schiff, das schief im Wasser lag, weil die aufgeregten Männer Sitzplätze verschmähten, erkundigten sie sich bei mir und anderen Fahrgästen wieder und wieder nach dem genauen Weg zum Nacktbadestrand, der das Ziel ihres Reiseunternehmens war. Obwohl ihnen versichert wurde, daß sie nicht fehlgehen könnten, blieben sie mißtrauisch. Wie man einem übergroßen Glück mißtraut, um es nicht zu gefährden. Angekommen, lungerten sie lange schamhaft mit schußbereiten Kameras hinter Büschen. Bis gegen Mittag behielten sie wenigstens die Socken an. Nicht auf Jugend legten sie unbedingt Wert, sondern auf Nähe. O Lust, stundenlang eine nackte Frauenhaut betrachten zu dürfen! In Split durchschau ich die Haut einer Frau. Im Gegensatz zu ihren Brüdern, die auf Lehrstühlen denken über die Welt, kostet sie von ihr. So kommt es, daß Laura von Straßen durchquert ist und von Schienen und Flüssen, die lagern Gegenstände ab in Gewände ihres Leibs, belebte und unbelebte. Die Unordnung nimmt zu mit zunehmendem Alter, der Ordnungssinn ab und die Furcht vor der Fülle. Drin die Frau versteht sich aufgehoben. Den königlichen Gang vieler dalmatinischer Frauen, deren Männer die Vormittage der Wochenenden bootfahrend auf dem Meer genießen oder faulenzend in Bädern und die Abende in Restaurants, erklärte ich mir in Split mit dem Gewächs. Auch die souveräne Hinnahme des Alters, äußerliches Sichgehenlassen, scheinbare Schlamperei. Die Amerikanerinnen brachten die Würde der alten Dalmatinerinnen grell zur Geltung. Können tägliche Blicke aus dem Küchenfenster auf eine unterwanderte Sklavenhalterburg so unverwüstlich machen? Lauras Küchenausblick bietet Beton. Neben der Mausoleumssphinx schmeckten die Sandwiches am besten. Bele H. trank Rotwein dazu, ich Milch aus der Tüte. Während der Siesta lagerten wir unsere Köpfe in den Schatten einer Wechselkurstabelle. Ich war der Reisebürodame dankbar für ihr beleidigtes Gesicht. Das mich zu meinem Glück gezwungen hatte. Sieben Tage Erholung vom Ich. Wie viele Lauras braucht das derzeitige Weltgebäude, um laurenzianisch durchwachsen zu sein?

23. Kapitel

Legendäres Traumgarn

Als die junge Frau, die sich als Tamara Bunke vorgestellt hatte, gegangen war, entsann sich Laura, den Namen irgendwann in der Zeitung gelesen zu haben. Großgedruckt. Im Kasten einer Todesanzeige. Auch erinnerte sie sich folgenden Satzes aus Che Guevaras Tagebuch: »Das Land, das ich mit meinem Blut tränke, ist das einzige Stück Erde, das mir gehört.« Nachts redete der Urgroßvater Laura so ähnlich in den Schlaf: Ich bin jetzt vierundsiebzig und für immer. Acht Kinder hab ich hinterlassen. Nichts ist geblieben. Im Dorf war ich bekannt als einer, der alles kann. Alles, das hieß: lesen, Uhren reparieren, Möbel und Ställe bauen, Krankheiten heilen, Regen machen. Was ich wirklich konnte, wußte Meta. Wenn eine Kuh schwer kalbte oder der Blitz in die Scheune schlagen sollte, suchten die Leute meinen Rat. Die meisten waren arm, der Rest geizig. Von dem, was ich wirklich konnte, ist nichts geblieben. Mein Vater sprach Deutsch wie eine Fremdsprache. Meine Mutter fluchte sorbisch. Die Leute behaupteten, sie hätte den bösen Blick. Sie hat mir gezeigt, daß man Regen machen kann. Was nicht auf dem vom Vater geerbten Feldstück wuchs, mußte mit Gelegenheitsarbeiten, Tüllstopfen, Bahnwärtern und Nachtwächtern, verdient werden. Im Winter gab es Schuhwerk zu reparieren. Im Sommer wurden Schnitter gebraucht. Die Frau holte jahraus, jahrein im Tragkorb Heimarbeit von der Plauer Tüllfabrik. Meta arbeitete in der benachbarten Baumwollspinnerei. Zwölf Stunden täglich. Rauhe Haut zog Fäden aus dem Tüll. Am besten vertrug er Kinderhände. Die Fünf- bis Sechsjährigen stopften noch gern. Wenn ich nachtwächtern ging, bediente meine Frau die Schranke. Meine Frau war leise. Die häufigen Schwangerschaften hatten ihren Körper ausgezehrt. Ich mochte ihn. Sie sah ihrer Schwester Meta nicht ähnlich. Das Bahnwärterhäuschen, in dem wir wohnten, stand an der Annaberger Strecke. Ich kannte alle Zugpersonale, die die Strecke befuhren. Wenn ich nachts von Amts wegen durch das Dorf ging, bereiste ich mit Meta den Himmel. Wochentags bediente sie eine Feinflyer. Sonntags besuchte sie uns. Die Kinder nannten sie Potschappler Tante, weil ihr eine in Potschappel ansässig gewesene entfernte Verwandte testamentarisch Ohrringe vermacht hatte. An den Drahtringen hingen blaue pupillengroße Steine, goldgefaßt. Ihr Gewicht zerrte die gelochten Ohrläppchen, sie sah mit vier Augen. Im Krieg 70/71 trug ich die Ohrringe im Rockfutter. Da hab ich bei Dijon statt Franzosen einem preußischen Feldwebel das Bajonett durch den Hals gerannt und wurde selbst verwundet. Das wird mich gerettet haben. Auch als ich heimgekehrt war und tagelöhnernd wieder mit meinem sichtbarlichen Lebenswerk beschäftigt, dachte ich nach, wie man die Welt ordnen könnte, und war unruhig und fand drei Modelle.

Gelungen ist nur eine Art Religion. Und davon ist nichts geblieben. Meta hat behauptet, ich wäre ein miserabler Liebhaber gewesen, wenn ich Kaiser gewesen wäre. Ihr Zopf reichte bis zum Hintern. Im Sterben gedachte ich ihrer in Eifersucht.

24. Kapitel

Das die erste Fernwehgeschichte der Spielfrau Laura bringt

Abstieg: Die Wohnung war im Hinterhaus gelegen, überm Büro der Weinhandlung Grün. Auf dem Hof, den alle Fenster zeigten, standen leere Flaschen, in Stiegen gestapelt oder frei, auch Korbflaschen, Eimer, Kartons, Mülltonnen und große Eisenkörbe, meist mit Wasser und geschälten Kartoffeln gefüllt. Auf dem Flachdach des einstöckigen Querbaus gegenüber spazierten Katzen. Der Korridor roch nach faulen Blumen. Seine weiten Wände waren in Sichthöhe mit bedruckten Papieren beklebt. Alle Wände der Wohnung trugen solche vergilbten Papiere, die Anke von Zeitungen, Magazinen und Litfaßsäulen geschnitten hatte. Anke ist meine geschiedene Freundin. Ich hängte die Kleider in den Schrank zu denen, die von ihr geblieben waren, und wartete einen halben Tag auf Lutz und eine Nacht und noch einen halben Tag. In dieser Zeit schaffte ich den Staub von Möbeln, Dielen und Teppichen, heizte alle Öfen, wusch gemoderte Speisereste von Tellern, kaufte Blumen ein, viel zu essen und hörte altitalienische Kanzonen aus einer Schallplatte und drei Lautsprechern. Ein Herr sang in der Altlage. Unirdische Töne, wie man sie Engeln nicht besser zuschreiben könnte. Anke hatte auch inzwischen ein Kind. Ihr einstiger Mann reiste im Ausland nach Freundinnen. Schnaps stand im Kühlschrank. Ich wartete verabredungsgemäß. Lutz ist Hausfrauen gewohnt. Drei Zimmer und Küche, auf Friedhöfen ist gut lieben. Meine Wohnung ist nicht mit Papier beklebt. Ich schäme mich. Dreizehn nackte Tage. Ich betrachtete Meeresstücke, Wolkenkratzer, Pinien, Notre-Dame von Paris, Schnapsflaschen mit fremdartigen Namen auf den Etiketten, weibliche und männliche Akte und Aktstücke. In der Toilette war selbst die Tür bedeckt. Alle Photos waren farbig. Manche Ansichtspostkarten trugen Stempelprägungen. Die Theaterplakate in der Küche waren gebeult vom Wrasen. Abziehbilder von der Welt. Das ist unser Teil. Meiner. Soviel ist gewiß, wenn ich sage: ich. Wenn ich sage: ich bin eine Frau.

25. Kapitel

Das ein überraschendes Lebenszeichen trobadorischer Art von Beatriz bringt, von Laura als Zeugnis für allseitige Gesundung gewertet

Liebe Laura, natürlich kann niemand von einer achthunderteinundvierzigjährigen Trobadora ordentliche Lyrik erwarten. Gedichte schreibt man gewöhnlicherweise bis achtzehn, ungewöhnlicherweise bis dreißig, außergewöhnlicherweise bis siebzig. Meinem Alter ist Prosa gemäß, für Professor Wenzel Morolf unpassend. Er arbeitet am Kernphysikalischen Institut der sibirischen Abteilung der Akademie der Wissenschaften der UdSSR. Ich bin ihm hier in Genua begegnet. Gib also bitte umgehend eine Kanzone bei einer entsprechenden Dichterin in Auftrag, die der russischen Sprache mächtig ist. Geld spielt keine Rolle. Das darfst Du der Kollegin natürlich nicht sagen. Um ihr eine Vorstellung von der Schönheit der Erscheinung zu geben, schick ich die schriftliche Teilwiedergabe einer meinem geistigen Fassungsvermögen zugemessenen Rede, die Morolf mir, befragt über seinen Forschungsgegenstand, in einer Hotelhalle gehalten hat. Die gedankliche Eleganz des Herrn hat die von der Dolmetscherin besorgte Rohübersetzung freilich eingeebnet. Sarah Kirsch zum Beispiel erschiene mir geeignet. Läuft Wesselin schon? Schöne Grüße

Beatriz

PS: Laurenzia, liebe Laurenzia mein,
Wann werden wir wieder beisammen sein . . .

26. Kapitel

Anlage zum trobadorischen Brief, darin anzüglich erzpoetische Ansichten beschrieben werden, die Forschungen auf dem Gebiet der unbelebten Materie eröffnen

Theorie und Experiment haben bewiesen, daß jedes Elementarteilchen einen Doppelgänger hat – ein Teilchen mit denselben Eigenschaften, außer, sagen wir, der Ladung und dem Spin. Teilchen und Antiteilchen vergleicht man oft mit einem Paar Handschuhe. Die »Antiwelt« ist ein Spiegelbild der Welt, das jedoch real existiert.

Als erster beobachtete Akademiemitglied Skobelzyn ein Teilchen der Antimaterie in kosmischen Strahlen. Das Teilchen verhielt sich äußerst sonderbar. Erst einige Jahre später wurde klar, daß es ein Antielektron war, in der Folgezeit Positron genannt. Später wurden auf dem großen amerikanischen Beschleuniger Berkeley das Antiproton und das Antineutron entdeckt, und auf dem Beschleuniger in Genf erhielt man den Kern eines schweren Wasserstoffisotops, das Antideuteron. Vor kurzem gewann man in Serpuchow den Kern des leichten Heliumisotops, das Antihelium.

Durch diese Versuchsreihe wurde die prinzipielle Möglichkeit der Existenz von Antimaterie nachgewiesen.

Die erste Konzentration von Antimaterie, längere Zeit im Raum schwebend, wurde in Nowosibirsk in Form eines intensiven Positronenbündels gewonnen. Im hellen Strahl der Antimaterie kann man sich sogar photographieren, wie das Frankreichs Präsident Georges Pompidou während eines Besuches in unserem Institut tat.

Wir nehmen an, daß wir bald nicht mehr nur leichte Teilchen erhalten werden, sondern auch Antiprotonen – den Urstoff der Antimaterie. Dann können wir einen ziemlich exotischen Versuch anstellen: An einem Antiprotonenbündel lassen wir mit derselben Geschwindigkeit ein Positronenbündel entlanglaufen. Die Bündel bilden Antiplasma, in welchem Atome des Antiwasserstoffs entstehen. Das werden die ersten Antiatome der Erde und vielleicht auch des ganzen Weltalls sein, vorausgesetzt, es gibt keine Antisterne und Antigalaxien. Aus Antiatomen könnte man im Prinzip chemische Verbindungen und Konstruktionen jeden Schwierigkeitsgrades bilden, auch lebende Antiorganismen.

Doch überlassen wir das vorerst den Autoren von Zukunftsromanen.

Für die Wissenschaftler ist es aber an der Zeit, ernsthaft über Annihilationsbrennstoff nachzudenken. Teilchen und Antiteilchen vertragen einander nicht und zerstrahlen beim Aufeinandertreffen. Dabei verwandelt sich die als Teilchen, Atome und Moleküle organisierte Materie und Antimaterie in elektromagnetische Schwingungen – Gammastrahlen und Lichtquanten. Hierdurch kommt es zu einer maximal möglichen Freisetzung von Energie pro Einheit der Masse des Brennstoffs – das Tausendfache der frei werdenden Energie einer nuklearen oder thermonuklearen Reaktion und das Milliardenfache der Energie des besten und modernsten Raketentreibstoffs. Das ermöglicht uns, heute wissenschaftlich begründet vom Flug zu fernen Sternen zu sprechen.

Bald werden wir eine größere Menge Antiwasserstoff besitzen, als wir in den vierziger Jahren an Plutonium, dem Haupt-Kernbrennstoff, hatten, da wir mit der Arbeit am Atomproblem begannen. Fünf Jahre benötigten die Wissenschaftler von der Entdeckung der Kernspaltung bis zur Erschließung der Atomenergie. Selbst wenn wir mit der Antimaterie weniger Glück haben und zehnmal mehr Zeit für die Erschließung brauchen, so sind fünfzig Jahre eine winzige Frist, um der Menschheit den Weg zu den Sternen zu bahnen.

27. Kapitel

Lauras Antwortbrief an Beatriz de Dia, Genua, postlagernd

Liebe Antilaura, ich kann Dir gar nicht sagen, wie ich mich freue. Auch versteh ich vieles nicht, man muß nicht alles verstehen. Selbstverständlich habe ich meine ordentliche Tätigkeit sofort wiederaufgenommen, Sarah Kirsch besucht und Dein Anliegen vorgebracht. Sie konnte den Auftrag nicht annehmen, da sie infolge eines zweijährigen Sohnes mit ihren Nachdichteverpflichtungen in Verzug geraten ist. Während der Unterhaltung hat Wesselin beinahe ein kleines rotes Pferd ihres Sohnes verschluckt. Sie riet mir, notfalls einen Dichter mit der Kanzonenanfertigung für Professor Wenzel Morolf zu beauftragen, und führte freundlicherweise gleich einige diesbezügliche Telefongespräche. Um die Eignung festzustellen, eröffnete sie die Telefonate mit der Testfrage: Was würdest du tun, wenn du eines Tages als Frau erwachtest? Von elf befragten Herren äußerten zehn Betroffenheit, Abwehr, Schrecken, einer ekelte sich gar bei der Vorstellung, als ob sie eine Verwandlung ähnlich der des Herrn Samsa in ein Insekt zugemutet hätte. Mit dem elften Dichter, dem die Vorstellung angenehm war, bin ich am 7. Oktober verabredet. Wesselin hat Mandelentzündung.

Schönste Grüße Laura

PS: Die Freude über Deinen Brief mußte ich in einer Geschichte abreagieren. Sie handelt, wie Du schon ahnen wirst, von unserer Sprachregelung Anaximander. Ich leg das Werk spaßeshalber bei.

28. Kapitel

Laura führt Anaximander spaßeshalber vor

Monoceros: Man sagt, es wäre so wild, daß es sich von keinem Menschen fangen ließe, nur von Jungfrauen. Mir lief es zu, als ich zehn Jahre alt war, das ist kein Wunder. Die Bande spielte Räuber und Gendarm. Ich hockte in einem blühenden Holunderstrauch, rieb Ameisen von Armen und Beinen, näßte die erhabenen Stichmale mit Spucke und lauschte durch den süßen Duft der Dolden. Der dröhnte in meinem Kopf. Bisweilen glaubte ich Steinschlag zu hören, wartete gar darauf, ungeachtet meines Wunschs, unauffindbar zu sein. Doch nicht vergessen. In unbequemer, gliedereinschläfernder Lage wich die Freude über die Unzugänglichkeit meines Verstecks am Grunde eines Porphyrsteinbruchs mehr und mehr der Sorge, daß dieses Spiel längst beendet und ein anderes begonnen sein könnte, von dem ich ausgeschlossen wäre. Aus dem Widerstreit zwischen Neugier und Ehrgeiz befreite mich das Einhorn. Es stand plötzlich vorm Strauch und spießte Blätter auf sein gewundenes Horn wie Warenhauspackerinnen Kassenzettel. Als ich erschrak, machte es sich unsichtbar. Es war so scheu, auch vor sich selbst, daß es am liebsten unsichtbar blieb. Diese Vorliebe kam mir gelegen. Nachdem es drei Dolden gefressen hatte, durfte ich aufsitzen. Das Fell war kurz wie bei Pferden, schimmelfarben, Körperbau und Gangarten waren auch pferdehaft, aber weicher, Auftrittserschütterungen teilten sich dem Hirn des Reiters vergleichsweise schmerzlos mit. Ohne Mühe erstieg es die Porphyrsteilwand. Ich hielt mich an der Mähne. Zwar kam ich zuerst am Sammelplatz an, doch mit größerem Effekt als der letzte Räuber. Weil das Einhorn unsichtbar geblieben war, erschien ich nämlich schwebend. Die beiden Platzwache haltenden Gendarmen glaubten, ich flöge. Schreckgelähmt standen sie, unfähig, mich zu fangen. Ich genoß den Triumph, stieg ab und machte mich davon. Aus Furcht, ihn zu verderben oder das Einhorn an den Anführer zu verlieren, wenn es plötzlich sichtbar würde. Der Anführer pflegte alles zu nehmen, was ihm gefiel. Auch zu Hause wagte ich nichts zu erzählen. Meine Mutter verbat sich Haustiere. Das Einhorn ließ sich geheimhalten, weil es anspruchslos und verläßlich war. Es fraß nur Worte und hielt sein Versprechen, sich nicht zu zeigen, bis zu meiner Deflorierung. Wenn es mich nicht begleitete, lag es unter meinem Bett im elterlichen Schlafzimmer. Das Geheimnis gab mir Gefühle der Überlegenheit und die Kraft, unauffällig sein zu wollen, um besser beobachten zu können. Nur einmal erlag ich der Versuchung und nutzte das Einhorn, um den Hochsprungwettbewerb eines BdJM-Sportfestes zu gewinnen. Woraufhin Klassenlehrer Adler auch tatsächlich meine Englischzensur um einen Grad anhob, da in einem gesunden Körper ein gesunder Geist zu wohnen hatte. Adler trug seine SA-Uniform auch beim Vorturnen an Geräten. In Begleitung des Einhorns erschien mir der Luftschutzkeller sicher. Mitte Mai 1945 lag ich mit dem Einhorn auf dem geschoßsplittergespickten Bleichplan und ließ mir zeigen, daß der Luftraum ein Himmel war. Beim Hamstern transportierte es mehr als eine Handwagenladung, entwich mit der teuer ertauschten Last im Falle von Kontrollen und half auch beim Kartoffelstoppeln. Es scharrte die Erde mit den Vorderhufen und spießte die Knollen. Meine Mutter wunderte sich, daß sich mein Korb so schnell füllte, überwiegend mit beschädigtem Gut. Das Horn entwendete auch Sofakissen, wodurch die von meiner Mutter drauf ausgeführte Stickerei in Form von Paradiesvögeln und tropischen Gewächsen verletzt wurde. Mir tats nicht leid. Unterm Kopf von Anaximander waren die Kissen nützlich, mit Handkantenschlägen aufs Sofa garniert, störend, nur Besuch wagte sich anzulehnen. Seit ich zur Oberschule ging, nannte ich das Einhorn Anaximander. Angeregt durch eine philosophische Bemerkung meines Geschichtslehrers. Die Namensgebung bewirkte einen grammatikalischen Geschlechtswechsel. Ich war ihm geneigt. Da der Schulweg lang war und die Straßenbahn überfüllt, benutzte ich Anaximander als Verkehrsmittel. Jeden Morgen schwebte ich über Ruinen. Luftlinie sparte zehn Minuten. Meine Mutter stand auch ungern früh auf. Ich glaube, sie hat sich gedemütigt gefühlt ihr Leben lang. Deshalb zog sie sich beizeiten zurück in ihren Stolz. Dort bedachte sie die Unbilden der Welt, verrechnete sie und schuf Gerechtigkeit: Die Frauen sind Kulis, aber die Männer sind Schweine. So brachte sie sich durch. Und sie war froh, daß sie eine Tochter hatte, und sie wollte mich auch durchbringen. Fünfzehnjährig blutete ich erstmals, und es schien ihr an der Zeit, mich in das Rechnungswesen einzuführen. Sie beobachtete mit Unruhe, daß ich meinem Vater ähnlicher wurde. Er hatte dreizehn Geschwister. Den Schwiegervater muß sie als Ungeheuer empfunden haben. Zärtlichkeiten wie Küsse – das Wort sprach sie mundartlich aus – erklärte sie zu Vorwänden. Die Männer wollten alle dasselbe. Ich zärtelte damals mit gleichaltrigen Jungen, denen ich dasselbe nicht zutraute. Aber ich sah mir die Erwachsenen daraufhin an, die Eltern zuerst. Dann vorzugsweise Lehrer, Opernsänger, Pfarrer und meinen Großvater mütterlicherseits, den ich bislang für den denkbar anständigsten Menschen gehalten hatte. Ich stellte mir alle vor, wie sie Sauereien machten. Die Welt war unheimlich geworden. Erregend. Überhaupt entsprach die fliegende Fortbewegungsart meinen damaligen Stimmungen und Ansichten: seitdem keine Fliegeralarme mehr drohten, schien das Jahr nur noch Feiertage zu haben. Ungeachtet der Ruinenstadt. Wegen ihr. Wenn ich mit Anaximander Ziegel putzen ging, war ihm ein Transparent an die Flanken gebunden. Wenn ich anläßlich von Aufklärungseinsätzen in Häusern sprach, nutzte ich Anaximanders übersinnliche Fähigkeiten, um den Überzeugungsvorgang zu beschleunigen. Zu diesem Zweck behängte ich seinen unsichtbaren Leib mit Plakaten. Er bewegte sie in den Hausfluren, wo die Versammlungen stattfanden, wie lebende Bilder. Erfolgreich. Nur einmal erlitt eine alte Frau durch die Erscheinung einen religiösen Rückfall. Da Spicken bei der Anfertigung von Klassenarbeiten allgemein als eines fortschrittlichen Schülers unwürdige Handlung galt, benutzte ich den hierfür hoch veranlagten Anaximander selten. Er hatte lediglich dem von mir als reaktionär empfundenen Chemielehrer Präparationsmaterial vom Pult zu entwenden oder Briefe zu befördern. Ich schrieb welche an verschiedene Jungen. Nicht gleichzeitig. Dennoch war Anaximander bisweilen ungehorsam. Die Briefe, die ich an meinen Freund Jochen richtete, trug Anaximander mit gesträubten Lippen. Das Rechnungswesen meiner Mutter beschäftigte sich mit Werten. Bevor ich nach Leipzig fuhr, wo ich immatrikuliert worden war, beschwor meine Mutter, daß der Einsatz in keinem Verhältnis zum Begebnis stünde. Eine verheiratete Frau wäre verpflichtet. Ich aber sollte das Leben genießen, solange ich noch ledig wäre. Ich sah der Entjungferung mit Neugier und Angst entgegen und zögerte fast ein Jahr. Der erste Beischlaf war eine Mitleidsaktion. Ich erinnere mich an die mühevolle schmerzhafte Einführung, die ich dem

Manne zuliebe erduldete, der vorher freundlich und vor allem vertrauenswürdig erschienen war. Danach wieder, deshalb konnte ich über den unheimlichen Zwischenfall hinwegsehen. Zumal er kurz dauerte, zwei, drei Minuten bei gelöschtem Licht. Ich glaube, ich bettelte noch dabei um Vorsicht, obgleich Papier geknistert hatte, was auf Kondom hoffen ließ. Außer einer Mischung von Selbstaufgabe und Ausgeliefertsein, die von Lektüre vorbereitet war, entsinne ich mich nur großer Angst und einiger Blutflecken auf dem Laken. Das Ereignis beeindruckte mich sentimental. Seines sündhaften Charakters wegen. Jedenfalls machte es erwachsen: ambivalent. Also hat mich Anaximander in selbiger Nacht verlassen und ist nie zurückgekehrt.

Viertes Intermezzo

Darin nachzulesen ist, was die schöne Melusine im Jahre 1964 aus dem Roman »Rumba auf einen Herbst« von Irmtraud Morgner in ihr 28. Melusinisches Buch abschrieb

Als Uwe heute in die Stadt einfuhr, empfing sie ihn mit Wärme, die eingeklemmt zwischen den Häusern hing. Der lichtblasse Himmel über der Stadt schien sich mit einem Gewitter zu tragen. Als Uwe den Mittelstreifen der Straße überquerte, spürte er anheimelnden Kellergeruch, der durch Entlüftungsroste dunstete: kühle, abgestandene Luft des unterirdischen Verkehrs. Uwe wandte sich um und ging weiter auf dem Mittelstreifen, auf den Entlüftungsrosten, auf dem Beton, den der unterirdische Verkehr gelegentlich erzittern machte. Kaum merklich. Aber Uwe spürte Kribbeln an den Fußsohlen. Ein wollüstiges Gefühl der Erleichterung überschwemmte ihn. Der lichtblasse Stadthimmel über ihm war ein gotischer Gewölbebau: Mittelschiff, Seitenschiff, Querschiff. Uwe lief langsam, mit sicheren Schritten, er hatte Zeit. Er dachte: Ich bin ein Mensch, der sich einen neuen Vater gesucht hat. Meinen leiblichen, den ich schon als Kind haßte, weil er mir seinen Namen vorenthielt, alle Kinder trugen den Namen ihres Vaters, nur ich nicht, meinen leiblichen lernte ich nach dem Krieg genau hassen, ganz genau. Und dann riß ich ihn ab von meinem Leben und wuchs allein, selbständig. Und ich suchte mir einen neuen Vater, einen, zu dem man aufblicken konnte, dem man sich verschreiben, an den man glauben konnte. Sein Angesicht war überall gegenwärtig, auf Bildern und Monumenten, in jeder Stadt, auch in dieser, man konnte von ihm singen und lesen, und manche, die ich verehrte, weil sie während der zwölf Jahre ihrer Überzeugung treu geblieben waren unter dem Galgen, nannten ihn *Väterchen*. Das erste Buch, das mich mit den Ideen der großen Revolution bekannt machte, war die *kurze Lebensbeschreibung*. Ich exzerpierte es fast völlig und bestand wenig später die Prüfung für das *Abzeichen für gutes Wissen*. Bronze. Ich hielt Vorträge über das große Leben, das auf zweihundertfünfzig Seiten kurz beschrieben war. Der Name wurde nie ohne den Schmuck eines Attributs oder einer Apposition genannt. Und mit achtzehn Jahren, am Geburtstag meines zweiten Vaters, trat ich ein in die Reihen derer, die ER führte. Denn ER sollte alle Heldentaten und Siege inspiriert haben, die errungen worden waren: *sa Stalina, sa rodinu*. Dann kam der 5. März. Ich saß in meiner Studentenbude und hörte immer wieder die Nachricht, die seit den Morgenstunden des 6. März, umgeben vom endlosen Zug der Trauermusik, in Abständen gesendet wurde. Vier Tage tönte der endlose Zug, und am Begräbnistag, zur Stunde der Beisetzung, heulten die Sirenen. Ich hielt Ehrenwache zu Füßen eines Denkmals, das in aller Eile herbeigeschafft worden war. Tonnen von Blumen umdrängten mich, es war, als hätte die Erde ihre sommerlichen Schatzkammern vorzeitig geöffnet, denn es war ohnehin alles aus den Fugen. Ich bin ein Mensch, der einen Vater verloren hat.

Der Mittelstreifen wurde aufgespalten von zwei Schienensträngen, die aus der Tiefe tauchten und sich erhoben zu einem Dach, das sich auf Pfeilern hielt, Magistratsschirm genannt. Drunter konnte man geborgen spazierengehen.

Sturm kam auf und warf sich unter das Dach. Es hatte jetzt Zulauf von beiden Straßenseiten, Uwe ging in Gesellschaft. Böen aus den Seitenstraßen überfielen die Schutzsuchenden. Papierfetzen wurden durch die Luft gerissen. Aber oben rollte in gleichmäßigem Rhythmus der Verkehr. Uwe blieb unangefochten und bei seinem Entschluß.

Die ersten Tropfen schlugen aufs Pflaster. Schirme wurden in Stellung gebracht. Dann fiel der Regen über die Stadt her. Das Unwetter wehte Wasserfahnen unter das Dach.

Uwe floh in den nächsten Bahnhof und löste eine Fahrkarte, die von einem musealen Apparat abgedreht wurde. Der gelbe Zug ließ nicht auf sich warten. Uwe stieg ein, fuhr noch einige Minuten in Höhe der zweiten Etage die Häuser entlang und trocken durch den Regen. Dann tauchte der Zug in die Tiefe, woher er gekommen war, wohin er gehörte, und es gab kein Wetter mehr. Zeitlose Kellerluft, violettes Licht, regelmäßige Zu- und Abnahme der Phonzahl entsprechend der Geschwindigkeit, ein Stangenwald zum Festhalten. Meterdicke Sicherheit vor Gewittern.

Dann stieg Uwe um, in einen gelben Zug, der nie ein Gewitter gesehen hatte, die Sonne natürlich auch nicht. Er vertraute sich ihm an.

Der Zug unterfuhr die Allee, die einmal SEINEN Namen geführt hatte. Auch SEIN Denkmal trug sie nicht mehr.

Uwe brauchte bis auf weiteres an nichts mehr zu denken. Er mußte nicht auf den Weg achten. Er ließ sich befördern.

Gegen Mittag erreichte er die Redaktion. Der Chef war unterwegs. Uwe sagte Plischka, daß sie einen anderen auf die Tagung schicken sollten, er wäre nicht der richtige Mann für so eine Sache.

»Wir haben keinen anderen«, sagte Plischka.

»Ich geh jedenfalls nicht mehr hin«, sagte Uwe.

»Du mußt, du hast den Auftrag.«

»Aber ich versteh nichts davon.«

»Da mußt du dich eben reinknien«, sagte Plischka. »Oder du mußt den Beruf wechseln.«

Den Beruf wechseln. Das sagte er allen unfähigen Journalisten. Außer ihm waren alle unfähig.

Uwe verließ die Redaktion und machte sich davon auf Nebenstraßen. In einer Häuserlücke plagten sich Kinder ab mit einem Drachen.

Aber Valeska hatte noch immer nicht geschrieben. Vielleicht war er wirklich unfähig.

Uwe hielt die erste beste Taxe an, die ihm in den Weg kam, und ließ sich dorthin fahren, wo die Stadt grün war. Keine Stadt, die er kannte, war so campinglüstern. Er durchstreifte eine Weile den sonnentrockenen Kiefernwald, schaufelte Steine in die Schuhe, Zapfensplitter, Sand. Aber dann zog es ihn doch zum Wasser, unwiderstehlich.

Der See spreizte sich in der matten Sonne, schlug ans Ufer, schaukelte im Schilf. Er ließ sich Boote über den Rücken laufen, windgetriebene, motorgetriebene, handgetriebene, er schmückte sich mit Möwen und Segeln und mit poliertem Mahagoni. Er hatte das Sommerblau des Himmels heruntergeholt und wiegte es in den Schlaf.

Eine Stadt wie geschaffen zum Träumen.

Aber Valeska hatte noch kein einziges Mal geschrieben.

Langsam schob sich eine Zille über den See, der zu seinem Nachbarn Verbindung hatte. Fuhr sie mit eigener Kraft, ließ sie sich treiben? Uwe legte sich auf den Rücken. Seine Träume senkten sich ins Wasser, mit Gedanken belastet, mit Erinnerungen, ein Lastkahn voll Grübelladung, und von Backbord kam Wind auf . . .

– als ich eine Zille war, eine junge mit wenig Tiefgang, brauchte ich keinen Motor, denn ich hatte die Strömung, und die Strömung gehörte dem Fluß, und der Fluß gehörte IHM: Ich gehörte IHM mit meiner kleinen Fracht; und ich befuhr eine Welt, die geordnet war, systematisiert, überschaubar, voller Horizonte, eine endliche Welt, und ich war natürlich stabil, als ich eine Zille war –

Der Wind brachte Kühle, Feuchtigkeit, und Uwes Anzug wurde klamm und sicher knittrig und wahrscheinlich fleckig – aber das war egal, nach dieser Niederlage war alles egal. Uwe war technisch total unbegabt, er war es immer gewesen, und er würde es immer sein. Und wahrscheinlich würde sich schon seine Tochter Juliane über ihn lustig machen, wenn er sie noch hätte, und es mußte ja so kommen, wenn ein Blinder über die Farbe schreiben wollte. Konnte eine Frau wie Valeska einen Blinden lieben, einen Halbblinden, einen, der unsicher herumtappte und anfällig war, labil. Vielleicht war er von Natur labil, man konnte sich seinen Charakter nicht aussuchen. Es gab Menschen, die waren für Barrikaden geboren, Kantus war vielleicht so einer, und dann gab es andere. Uwe gehörte zu den anderen. Zu den Träumern. Zu den Leisen. Die lauten Träumer hatten heute Chancen, aber die leisen? Er war irgendwie falsch, er spürte das schon als Kind, er wollte schon als Kind immer ganz anders sein. Damals wollte er immer eine Bande anführen, aber es gelang ihm nur zweimal. Zweimal setzte er sich durch gegen sich selbst, und er glaubte, das sei der Beginn einer neuen Etappe in seinem Leben. Es folgten noch viele neue Etappen. Fast jedes Jahr rief er für sich eine neue Etappe aus. Zum Beispiel, als man ihn in die Oberschule aufnahm, als er Mitglied der Jugendorganisation wurde, als er den unberechenbaren Christus und den leiblichen Vater von seinem Leben abriß und sich einen neuen Vater suchte. Einen, zu dem man aufblicken, dem man sich verschreiben, an den man glauben konnte. Leicht. Denn er war zu sehen. Und seine Stimme war zu hören. Und seine Armee hatte Uwe von dem Alptraum seines leiblichen Vaters befreit. Und die, die Uwe zu sich genommen hatten, als er kein eigenes Bett mehr hatte und keine Großmutter, sagten: *Wir werden siegen, weil uns der große Stalin führt.* Und da verlor sich langsam die Unsicherheit, die ihn immer verfolgt hatte. Und in dem Lebenslauf, den er mit den Bewerbungspapieren für die Immatrikulation abschickte, nannte er das den Beginn der entscheidenden Etappe. Und dann kam der 5. März.

– aber ich fuhr weiter, wie zuvor vertraute ich mich der Strömung an, die ER gelenkt hatte und die sich nun selbst lenken müßte in seinem Namen, und die Stabilität war befriedigend, als ich eine Zille war, bis zu dem Tage, als die Strömung wechselte –

Das war die schwerste Erschütterung seines Lebens gewesen, von der er sich wahrscheinlich noch immer nicht erholt hatte.

Er war kurz vorher zum Assistenten für das Grundlagenstudium gekürt worden, er berief sofort eine Versammlung ein, er war dem Instrukteur Jasak dankbar, daß der sich bereit fand, die Versammlungsleitung zu übernehmen. Uwe kannte ihn seit mehr als vier Jahren, und er wußte, was er von ihm erwarten durfte.

Jasak, Sohn eines Professors, der Rassentheorie gelesen hatte und jetzt einen Lehrstuhl im Westen der Stadt besetzt hielt, hatte mit seinen Eltern gebrochen. Dennoch fühlte er sich von seiner Herkunft belastet und war bemüht – vielleicht ohne sich dessen überhaupt bewußt zu sein –, diesen Makel durch besonderen Fleiß auszugleichen. Er war bekannt für seine Gründlichkeit und Prinzipienfestigkeit, »ruhig Blut«, sagte er, »wenn die Linie klar ist . . .«.

Uwe faßte sich und bereitete eine Rede vor: Unterstützung für Jasak.

Aber dann sollte sich herausstellen, daß Uwe ihm damit in den Rücken fiel.

Jasak sprach über den Parteitag, den die Chronologie als zwanzigsten zählte, mit der gleichen hochprozentigen Schärfe, dem gleichen unbeweglichen Gesicht wie über den vorangegangenen. Er redete über die Enthüllungen, als würden sie sich von selbst verstehen, als hätten sie sich bereits von selbst verstanden. Und mit der gleichen Selbstsicherheit und Strenge, die ihn von je auszeichneten, prangerte er jene an, die noch immer nicht einsehen wollten. Nur der Schluß seiner Rede wich eine Nuance ab vom Gewohnten: Jasak ließ den großen Lenin hochleben.

Für Uwe war die Wendung von Jasak so ungeheuerlich, daß er eine Weile brauchte, um sie zur Kenntnis zu nehmen. Aber dann schlug er um sich mit Gesten und Worten, und ihm war alles egal. *Sa Stalina, sa rodinu.*

Er verteidigte das Bild des *Giganten*, den er sich zum zweiten Vater erwählt hatte und ohne den er, wie ihm damals schien, kein selbstbewußter Mensch geworden wäre. Er hätte Jasak in das unbewegliche Gesicht schlagen mögen, das den Anschein erweckte, als ob ihn die Wendung keinerlei innere Kämpfe gekostet hätte. Er dachte: Verrat. Und er steigerte sich später immer weiter in eine Opposition hinein, die Jasak sorgfältig in einem Buch notierte, das numerierte Seiten hatte. Und eines Tages zählte er zusammen und stellte den Antrag, Uwe zur Bewährung in die Produktion zu delegieren.

Uwe arbeitete ein Jahr als Hilfsarbeiter in einer Druckerei. In derselben, in der Franz Kantus an der Setzmaschine saß. In derselben, die die Zeitung druckte, für die Uwe heute schrieb. Franz hatte ihn zum Schreiben ermuntert. Eigentlich blieb Uwe bei der Zeitung, weil Franz dort war. Später wohnte er bei Franz. Uwe hatte ihm alles zu verdanken.

Der Abend fiel über den See, unsommerlich zeitig, und zehrte die letzte Wärme des Oktobertages auf. Das Wasser färbte sich schwarz, in dieser Gegend schien sich die Nacht zu sammeln, bevor sie aufstieg: In Pfützen der Größe nach antreten, richt euch, stillgestanden, durchzählen . . .

– es war eine schöne Zeit, als ich eine Zille war, die Welt war endlich, und einer überschaute sie für alle, und die Schwachen fanden Schutz unter dem Dach seiner Größe, als ich eine Zille war; aber jetzt lebe ich lieber unter einem Dach, das ich mit gerichtet habe, obgleich das schwerer ist, besonders für die Schwachen, es ist einfacher, sein Herz an einen Menschen zu hängen als an Millionen, es ist leichter, in einem Gesicht zu lesen als in einer Wissenschaft; aber ich lebe lieber in einer Welt, die unendlich ist und unüberschaubar voll von Arbeit und Fragen und hungrig nach Talenten, obgleich es mehr Kraft kostet, selbst einen Kahn flottzumachen, als sich treiben zu lassen; ich möchte nie wieder eine Zille sein –

Der See lag nackt in der Dämmerung, entblößt von getakeltem Schmuck. Kein Boot kraulte mehr seinen Rücken. Dann verloren sich jenseits die Ufer. Und die Nacht plättete die Falten aus seiner Haut.

Schlafen. Endlich. Warten auf den Augenblick, den man nie erlebt, der sicher genauso ungewiß ist wie das Hinüberfallen in den Tod, Sichfallenlassen in das Nichts, in dem die unkontrollierten Träume hausen, das Vorzimmer des Augenblicks ist blau. Uwe ist schon im Vorzimmer. Ein rötlicher Fleck rotiert durch die Bäume, verfärbt sich, rotviolett, blauviolett, schwarz, gleich kommt schwarz, gleich kommt das Erlöschen, der Augenblick ist unwahrscheinlich schwarz, der Augenblick, der Augenblick. Aber er kommt nicht. Wieder nicht. Seit drei Tagen nicht.

Uwe konnte nicht mehr so schreiben wie bisher, er sagte sich: Ich bin ein Mensch, der schwer zum Thema kommt, vielleicht mache ich mein ganzes Leben lang Entwürfe, bis jetzt habe ich nur Entwürfe gemacht, à la Störtebeker, à la Stalin, à la Laura, à la Valeska, à la Franz, ich möchte so sein wie Franz, wenn er davon erfährt, gibt es Krach, er sagt immer, klammer dich nicht an Personen, halte dich an die Sache, aber für mich hat jede Sache ein Gesicht, die große hat das Gesicht von Franz, die kleine hat das Gesicht des Armeniers, seit drei Tagen verfolgen mich seine schwarzen Augen, ich kann die Tage nicht hingehen sehen, und meine Nächte sind schlaflos, ich kann nicht arbeiten, denn ich bin einunddreißig Jahre, und ich bin noch immer nicht zum Thema gekommen, das Thema bin ich, aber ich weiß nicht, wer ich bin, ich habe mich noch immer nicht gefunden, ich bin eine Produktion von Etappen, mein bisheriges Leben ist eine Sammlung von Lebensvarianten anderer Menschen, ich bin ein Mensch, der einen Vater verloren hat.

Als er erwachte, schlug ihm etwas ins Gesicht. Er griff danach mit der Hand, aber die Schläge hörten nicht auf, er konnte auch nichts sehen. Er glaubte zuerst, jemand hätte ihn blind geschlagen. Die Hände waren starr, wenn er sich bewegen wollte, spürte er Widerstand, kalt, naß, Nässe fiel ihm ins Gesicht, sammelte sich und lief in Rinnsalen über die Stirn und die Schläfen abwärts und juckte. Kälte lag auf ihm und unter ihm, und er konnte noch immer nichts sehen. Er begriff nur, daß es regnete, er dachte: Ich habe geschlafen, endlich, und dann sah er den Baum über sich.

Und stand auf.

Und ging zu Berta.

Sie begrüßte ihn nicht wörtlich. Sie sagte: »Ich dachte, es wäre Katschmann.«

»Bist du enttäuscht?«

»Ich warte auf ihn«, sagte Berta.

»Hat er Dienst?«

»Bis achtzehn Uhr, jetzt ist es kurz vor elf, vielleicht ist etwas passiert?«

»Er wird schon kommen«, sagte Uwe. Eigentlich hoffte er das Gegenteil. Obgleich er ihn nicht haßte. Manchmal bewunderte er ihn sogar. Aber er hatte immer die Vorstellung von einem Insekt, wenn er an ihn dachte. Und wenn er dann nicht schleunigst vor einen Spiegel trat, fühlte er auch an sich ein äußeres Skelett. Er fürchtete sich vor Katschmann, wie man sich vor etwas Vertrautem fürchten kann.

»Ich hab das Deckchen noch nicht fertig«, sagte Berta, »ich hab verschiedenes vorzubereiten, ich muß mir ein Kleid nähen . . .«

»Aber das eilt doch nicht . . .«

»Doch«, sagte Berta, »doch, das Kleid eilt.«

Frauen waren merkwürdige Geschöpfe. Jahrelang schleppten manche ein Fähnchen, Berta schleppte es jahrzehntelang, und plötzlich kam ihnen irgend etwas in den Kopf, und es gefiel ihnen nicht mehr, und sie brauchten sofort ein anderes. Augenblicklich. Valeska war auch so unberechenbar in ihrem Geschmack.

Katschmann war sicher auch nicht mit einem äußeren Skelett auf die Welt gekommen. Er hatte es sich zugelegt mit den Jahren. Das erste hieß vielleicht: Gehorsam. Gedienter Soldat, Katasterbeamter, Ostfront: Gehorsam. Dann kam wahrscheinlich der große Zusammenbruch für ihn, aber er hat offensichtlich schnell wieder etwas gefunden, an das er sich halten konnte. Er war in sowjetischer Kriegsgefangenschaft, er ist vielleicht sogar an einen vom Nationalkomitee geraten, jedenfalls muß er sich unverzüglich wieder ein neues Skelett gebaut haben, er zwang sich die Wandlung vermutlich schnell und rigoros ab und unterstellte sein Leben fortan uneingeschränkt und selbstlos dem neuen Prinzip. Es blieb ihm vielleicht dem Wesen nach noch lange fremd, sosehr er sich auch bemühte, er ließ sich umschulen, er wurde Elektromontageschlosser und arbeitete sich dann hoch zum Triebwagenführer. Seine Energie und sein Wille waren bewundernswert, er meinte es gut, er fuhr immer dieselbe Strecke, zuverlässig, es gibt Kutscher, Fahrer und Führer, meine Züge sind immer besetzt, meine Züge fahren sich schwer und brauchen viel Strom, linke Hand auf dem Fahrschalterknopf, rechte am Führerbremsventil, vor mir das Schienenband, das der Zug in sich hineinfrißt, mit sechzig, mit achtzig Stundenkilometern, Brücken, steile Bahndämme, braun vom Rost des Bremsstaubes, Bahnhöfe, auch verrostet, Häuser, Signalaugen grün, gelb, rot, Kais, Silos, ein Museum, aus weißem Marmor erbaut, ein Palast aus Marmor und Gold mit Hunderten von Gemälden, die Bilder priesen den großen Sohn von Gori in Hunderten von Situationen, in einem Stil: heroisch, es schien, als hätte ein Maler sie gemalt, neben dem Palast stand das Geburtshaus, eine winzige Bauernkate, schön in ihrer Bescheidenheit, von einem tempelartigen Gemäuer umbaut und fast erdrückt, er war nur einen Tag auf Reportage in Grusinien gewesen, vor vielen Jahren, er fühlte den Schienenstoß unter seinen Füßen, man kann den Zug nur fühlen, wenn man steht, ich stehe immer, SV 2: *Fahrt frei – Halt erwarten*, ich ziehe den Klinkhebel des Führerbremsventils langsam zu mir heran, die Gewalt des Zuges bäumt sich unter meinen Füßen, mit Achtungsdonner fahre ich in den Bahnhof ein . . .

»Er ist besoffen«, sagte Berta.

»Wer?«

»Ich war eben in der Küche, ich hab gedacht, irgend etwas sei heruntergefallen, aber es war Katschmann, er torkelte in der Küche herum.«

»Hauptsache, er ist da.«

»Aber er trinkt doch nie. Nicht mal Bier darf ich auf den Tisch bringen.«

»Ich wollte dich eigentlich nur fragen, ob Valeska dir geschrieben hat.«

»Nein«, sagte Berta, »ich schreib auch nicht gern Briefe. Vielleicht hat ihn jemand betrunken gemacht.«

»Ich geh jetzt«, sagte Uwe. Aber er konnte nicht gehen. Katschmann torkelte auf ihn zu und preßte ihn mit seinem schwammigen Körper gegen die Wand. Der kegelförmige Kopf schwankte dicht vor seinem Gesicht, eine große, rote, schnapsstinkende Boje. Uwe stemmte die Hände gegen Katschmanns Schultern, es war, als ob er in Teig faßte.

Plötzlich wandte sich Katschmann um und sagte: »Meine Braut hat also Besuch.«

»Ich konnte nicht wissen . . .«

»Aber ich«, sagte Katschmann, »bin ich dir etwa nicht mehr gut genug?« Er griff nach Bertas Arm.

Berta entzog ihm den Arm.

»Hast du denn ganz vergessen, daß er dich mal sitzengelassen hat?«

Berta stand aufrecht, die Lider halb über den weit vorstehenden Augäpfeln geschlossen.

Katschmann tappte wieder auf Uwe zu, aber er verfehlte ihn, fiel gegen die Tür, er trommelte mit den Fäusten gegen die Tür und schrie: »Sie gehört mir, Franz, sie gehört mir.«

Uwe hatte Mühe, ihn von der Tür weg auf einen Stuhl zu zerren. Erst als er saß und Uwes Arme ihn an die Lehne fesselten, erkannte Katschmann ihn. Seine grauen Augen, die schief in seinem Gesicht hingen, vom Gefälle der Lider seitlich herabgedrückt, wurden sofort klar. Er versuchte nicht mehr, um sich zu schlagen, er nahm die Schultern zurück und drückte das Kreuz durch, er war sofort ganz da, als er Uwe erkannte. Und er entschuldigte sich.

Und im nächsten Augenblick fragte er auch schon nach dem Artikel.

»Er ist noch nicht fertig«, sagte Uwe.

»Warum?«

»Weil er noch nicht fertig ist.«

»Das ist keine Antwort.«

»Doch.«

»Ich kann mich irren, du kannst mir widersprechen, aber ich sage dir: Das ist in dieser Situation keine Antwort.«

»Ich widerspreche dir.«

»Mit welchem Recht?«

»Aha.«

»In dieser Situation verlange ich . . .«

»Übrigens – die SU zieht ihre Raketen aus Kuba ab, laut TASS, Onkel Edgar, laut TASS.« Uwe beobachtete mit Genugtuung, wie sich die ausgeprägten Ohren Katschmanns entfärbten. Auch die besten Radarohren waren im Moment offensichtlich nicht in der Lage, ein amtliches Argument aufzufangen. Katschmann schien auf sein Gehirn angewiesen zu sein. Seine Schultern fielen nach vorn, der Rücken krümmte sich, er sagte: »Ich weiß, ich begreif es nicht, niemand begreift es, weil es ein Fehler ist, ich sage, und ihr werdet mir zustimmen, es ist ein Fehler, aber aus taktischen Gründen, ihr versteht, jetzt eine Fehlerdiskussion würde alles nur noch verschlimmern.« Er zerrte eine Flasche aus seiner Jackettasche und nahm einen Schluck. Und der machte ihn wieder besoffen. Er lallte etwas von Zurückweichen und daß das nicht passiert wäre, wenn ER noch lebte. Und dann sagte er mit schnapsschwerer Zunge: »Wir sind verraten. Der Russe hat uns verraten.« Und sein Kopf fiel vornüber. Uwe stemmte sich gegen Katschmanns Schultern und richtete ihn wieder auf, er griff in das teigige Fleisch. Aber Katschmann ließ sich nicht ins Bett bringen. Er kotzte sich aus im Bad. Als er wiederkam, mit nassem Schädel, sagte er: »Alles Scheiße. Aber Berta laß ich mir nicht wegnehmen. Wir heiraten.«

Neuntes Buch

Eine Frau namens Penthesilea bringt Laura eine Zinkkiste mit hadischen Erzählungen von Valeska Kantus nebst wunderbaren Aussichten, die Forschungen auf dem Gebiet der belebten Materie eröffnen

Als Wesselings Stimmung von Leiden verdüstert wurde, die der Zuwachs zweier Schneidezähne im Oberkiefer verursachte, empfing seine Mutter eine Zinkkiste. Die Überbringerin der fünfundfünfzig Zentimeter langen, zweiunddreißig Zentimeter breiten und siebzehn Zentimeter tiefen Kiste schlug den Stuhl aus, den Laura ihr anbot. »Starke Verbiegungen, die für Sitzen erforderlich sind, muß ich meiden«, sagte die Frau kauend. Die Kiste war verlötet. Das Handfleisch der Frau erschien Laura noch härter als das der Trobadora. Die als Absenderin der Kiste bezeichnet wurde. Die Frau nannte sich Penthesilea. Laura entsann sich, den Namen in Büchern gelesen zu haben. »Hat sich ein gewisser Achill nicht mal in Sie verliebt?« fragte Laura scherzhaft. »Nachdem er mich im Zweikampf zerhackt hatte«, antwortete Penthesilea ebenfalls scherzhaft, setzte Daumen und Zeigefinger der rechten Hand an ihre Zähne und zog einen Kaugummifaden armlang. »So stark war Achill nun wieder nicht, daß er sich in eine wie mich hätte verlieben können. Erst sterbend erschien ich ihm begehrenswert. Auch Helden brauchen Gefälle, um funktionieren zu können.« Penthesilea legte ihren Afro-Lockenkopf ins Genick, fädelte den Gummifaden zurück in den Mund und lachte so unmäßig, daß Wesselin zu greinen begann. Penthesilea reichte ihm eine Manschette ihres Hemds ins Laufgitter. Wesselin schob den Stoff zwischen die Kiefer und kaute inbrünstig. Laura bezweifelte, ob das Hemd hygienischen Mindestforderungen genügen konnte. Sein Material erinnerte an ein Bettuch von Liebesleuten. Laura vermutete, daß Penthesilea sich nicht setzen konnte, weil ihre Jeans zu eng waren. Oder zu mürbe. »Sie können sich auch aufs Sofa legen«, sagte Laura. »Ein Schnaps wäre mir lieber«, sagte Penthesilea. »Wie geht es Beatriz?« fragte Laura. »Wie es jungen Leuten geht: glänzend«, antwortete Penthesilea. »Haben Sie Beatriz in Genua getroffen?« fragte Laura wieder, nachdem sie den Schnaps gebracht hatte. Penthesilea fischte den Kaugummi, klebte ihn unter die Tischplatte, kippte den Schnaps und erwiderte: »Im Hades. Ich bin in Eile. Auf der Durchreise. Übermorgen muß ich wieder in Kaerllion am Usk sein. Ich begegnete Ihrer Freundin Beatriz zufällig auf dem 3721. Eleusinischen Feld. Sie suchte. Wie ich vergeblich. Bei der Fülle an Zugängen ist es nicht verwunderlich, daß die Organisation zu wünschen übrigläßt. Während des Vierteljahrs, da Pluto Persephone als seine Gattin bei sich hat, ist die Lage allerdings noch chaotischer. Denn die entthronte Königin der Unterwelt lähmt mit ihren Rachegesängen, die Kriege als schrecklichste Perversion des Patriarchats verschreien, die Arbeitsdisziplin des Abfertigungspersonals. Es besteht etwa zur Hälfte aus Teufeln. Die andere Hälfte wurde von Pluto übernommen. Der ist zwar auch entmachtet, hat sich aber mit dem Teufel arrangiert, weshalb er nicht wie Persephone im Bunker sitzen muß, sondern mit Bewachung herumlaufen kann. Allein achtzigtausend Hungertote täglich, hautbezogene Gerippe, Kinder mit aufgetriebenen Bäuchen, unter den Zugängen aus Vietnam sind Gebilde, die die menschliche Erscheinungsform teilweise oder gänzlich verloren haben. Ich erwähne nur die verkohlten Fleischklumpen der Napalmopfer, die Kontaktgiftmißgeburten, die Bombenzerrissenen, die von Foltern Zerstückten. Ein ehemaliger Gefangener war geteilt. ›Die Amerikaner banden meine Arme und Beine an zwei verschiedene Hubschrauber fest, starteten und rissen mich auseinander‹, erzählte der Geteilte. Ich hab viel ansehen müssen im Leben. Mein früherer Beruf hat mich abgehärtet. Deshalb wurde ich für diese Kurierarbeit ausersehen. Aber sie schafft mich. Über neunzig Prozent der vietnamesischen Zugänge sind Zivilisten. Manche der über Vietnam abgeschossenen US-Piloten tragen immer noch ein Stück Stoff mit sich herum, auf dem das Sternenbanner gedruckt ist und darunter ein Appell in vierzehn Sprachen. In den größten europäischen, in klassischem und modernem Chinesisch, in Vietnamesisch und den Sprachen der Nachbarländer. Der Appell lautet: ›Ich bin amerikanischer Staatsbürger. Ich spreche Ihre Sprache nicht. Durch einen unglücklichen Zufall bin ich genötigt, Sie um Essen, Unterkunft und Schutz zu bitten. Führen Sie mich bitte zu einer Person, die mir Sicherheit garantieren und veranlassen kann, daß ich zu meinem Volk zurückgeschickt werde. Meine Regierung wird es Ihnen lohnen.‹ Die eines natürlichen Todes Gestorbenen tragen die Krüppel und Reste auf den eleusinischen Feldern spazieren. Ich bin froh, daß ich nur selten geschäftlich im Hades zu tun habe. Als ich Beatriz kennenlernte, war ich hinabgestiegen, um der Leiterin des 3721. Feldes ihr Berufungsschreiben für Kaerllion zu überbringen. Die Leiterin, Conzetta mit Namen, ist in Palermo gebürtig. Sie war Arbeiterin in einer Fischfabrik. Jetzt wartet sie vorm Haus. Ich will die schüchterne Seele nicht zu lange warten lassen. Schöne Grüße, wie gesagt, von Beatriz, und in der Kiste schickt sie Ihnen vermischte Schriften einer gewissen Valeska, die gerade vierzigjährig als klinisch tot eingeliefert war. Verkehrsunfall. Ob die Wiederbelebungsversuche, die irdische Ärzte über Lautsprecher ankündigten, erfolgreich verlaufen sind, kann ich nicht sagen. Ich mußte zurück. Über Aornon. Ich benutze immer den Ausstieg von Aornon. Auf Wiedersehen.« Penthesilea löste das Gummiklümpchen von der Tischplatte, schob es in den Mund und verschwand kauend. Hatte sich diese Frau etwa auch mit Schlaftränken über die Zeit gerettet? War sie eine Hochstaplerin? Oder eine Trickbetrügerin? Laura fiel ein, daß die »Berliner Zeitung« unlängst vor einer

Trickbetrügerin gewarnt hatte. Eine Kontrolle von Lauras Geldtasche ergab keine Beanstandungen. In der Zinkkiste, die Laura vom Klempner auflöten ließ, befanden sich tatsächlich vermischte Schriften einer gewissen Valeska. Laura verkaufte die vermischten Schriften zum Abdruck mit dem Titel: »Hadische Erzählungen nebst wunderbaren Aussichten, die Forschungen auf dem Gebiet der belebten Materie eröffnen« an die Zeitschrift »Sinn und Form«. In der Rubrik »Anmerkungen« ließ sie notieren: »Valeska Kantus, geb. 1931, gest. 1971, Diplombiologin. Der Abdruck geht auf ein postum aufgefundenes Manuskript zurück. Darin sind die Erzählungen auf die Rückseite einer populärwissenschaftlichen Abhandlung notiert. Da der angegebene Autor der Abhandlung Rudolf Uhlenbrook wahrscheinlich eine Fiktion der Valeska ist, findet der Leser die Schriften originalgetreu wiedergegeben, aus drucktechnischen Gründen fortlaufend. Der Beginn des rückwärtigen Textes wird jeweils mit der eingeklammerten Bemerkung (R. U.) = Rudolf Uhlenbrook, der Beginn der Erzählungen mit (V. f. f.) = Valeska fährt fort angezeigt. Die Übersetzung aus dem Hadischen besorgte Beatriz de Dia.«

Valeska Kantus: Hadische Erzählungen nebst wunderbaren Aussichten, die Forschungen auf dem Gebiet der belebten Materie eröffnen
(V.) Scheidung auf melancholisch

1
Uwe war schöner als alle Männer, die ich gekannt habe und kenne. Gütiger. Gerechter. Schon wenn wir uns nur hundert Jahre später begegnet wären, hätten wir vielleicht lange aneinander Freude haben können. So sannen wir bald auf Flucht. Die beiden widerstrebte.

2
Ein natürliches Ereignis entfernte mich schließlich von Uwe. Am 3. Juni verließ ich die Poliklinik autark. Als geschlossenes System. Das zuständige Gericht war entfernt untergebracht. Ich holte die Eheurkunde aus der Wohnung und erreichte den festungsähnlichen Bau noch zu früher Vormittagsstunde. Beim Pförtner trug ich mein Anliegen vor. Er fragte, ob ich erforderliche Papiere und ein Stück Geld bei mir hätte, und wies mich ein ins labyrinthische Gemäuer, nachdem ich mich ausgewiesen hatte. Hier konnte ich nicht zum Ziel finden, wenn ich bei der ganzen Wahrheit blieb. Die heiter war trotz alledem. Heitere Scheidungsgründe sind keine. Ich bemühte mich, die finsteren, die ich mühsam gesammelt hatte, zu memorieren.

3
Raumwucherisches Vestibül, hoch hinaufgeführt, jedoch sparsam, in den Gängen geizig. Jugendstil. Also die Art, wie er das Geld zum Fenster

rauswarf, war finster. Für Kleidungsstücke oder Bücher, die er verlegt hatte, warf ers raus, für Medizin, er schluckte ständig irgendwelche Tabletten oder Tropfen, prophylaktisch vielleicht. Er traute seinem Körper nichts zu. Der organisch gesund wäre, wie die Ärzte versicherten, harmonisch gewachsen war er jedenfalls, schmal, sanftes Gesicht mit streng gebogener Nase, zögernder Blick hinter Wimperngardinen, jede Menge braunes Haar, alles nach meinem Geschmack. Aber nicht nach Uwes. Er bewunderte Muskelriesen, und er konnte nicht ernstlich glauben, daß die mich anwiderten. Vielleicht kaufte er deshalb so hartnäckig desodorierende Mittel, weil er seinen Körper sozusagen nicht riechen konnte. Ja, er hatte nie Geld, das war finster. Aber er verdiente auch weniger als ich. Und das bedrückte ihn. Gegen seine Überzeugung bedrückte ihn das. Die verlangte ihm nämlich ab, daß er sich freute. Und er hielt sich immer an das, was verlangt wurde: er war stolz auf mich.

4

An Kreuzungen trugen die Wände wegweisende Inschriften, deren Zahlen zu Respekt nötigten. Absperrungen mit Stallbäumen, die an eisenbefußten Pfählen hingen. Vorsicht fordernde Bohnerschilder an gleichen Pfählen. Auch seine Art, jedem privaten Ereignis zuerst die schwärzeste Seite abzugewinnen, war finster. Uwe hatte sich die Art während unserer drei Ehejahre angewöhnt, vorher war sie mir nicht aufgefallen. Konnte er ein Reportagenmanuskript nicht finden, das er für seine Zeitung geschrieben hatte, dachte er zuerst, er hätte es in der S-Bahn liegenlassen. Beantragte er Urlaub, dann mit der Erwartung, daß der ihm abgelehnt wird. Waren wir beide irgendwo eingeladen, war er überzeugt, daß die Leute eigentlich an mir interessiert waren, nicht an ihm. Er saß dann mit leidendem Gesicht herum. Ich glaubte lange Zeit, er würde sich langweilen, und versuchte, was Lustiges zu erzählen. Aber nach solchen Versuchen verstummte er gänzlich, was ich als Zeichen für schlechte Qualität meinerseits wertete. Zu Unrecht, wie sich jetzt herausstellte. Wenn ihn sein französischer Besuch Alain nicht besoffen gemacht hätte, würde ich noch immer glauben, was Uwe sich abverlangte. Nach dem Schnapsgeständnis sagte ich: »Aber ist es denn nicht ehrenvoller, von einem Menschen geliebt zu werden als von einer Kreatur, verdammt noch mal.« – »Theoretisch ja«, sagte er. »Ich kann das, und du kannst was anderes, glaubst du denn, ich lieb dich, weil du was darstellst«, schrie ich. »Ich lieb dich, weil du was bist, das ist doch mehr, verdammt noch mal. Das ist doch unmeßbar für deine Kollegen, und was weiß ich, wer dort alles rumstichelt. Das ist doch nur meßbar für mich, weil ich dich liebe, genügt dir denn das nicht, daß ich dich liebe?« – »Doch«, sagte er. Aus Überzeugung. Er war ein anempfindendes Wesen: eine Rarität unter Männern. Fähig, aus Sympathie krank zu werden. Wenn ich ihm mitteilte, daß mir mein Rücken weh tat, konnte ich erwarten, daß er bald auch in seinem Schmerz spürte. Von Charakter war Uwe aufmerksam, rücksichtsvoll, kein bißchen autoritär. Alles Eigenschaften, die er inoffiziell als Schwächen empfand. Und wahrscheinlich bekämpfte. Ich empfand sie als Stärken, das konnte ihn nicht lange trösten. Sein legerer Gang mit stark auswärts gerichteten Schuhspitzen, den seine Kollegen von der Zeitung »chaplinsch« nannten, überspielte seine Unsicherheit. War sie eine Wunde? Verfiel er etwa deshalb immer wieder auf Frauen, die er als überlegen empfand, weil er zeitlebens eine Mutter entbehrt hatte?

5

Das Wartezimmer des zuständigen Stadtbezirksgerichts war im linken neunten Quergang des dritten Stockwerks gelegen. Unter Nummer 379. Sie hing auf Blech gemalt an einem Armgestell. Über allen Türen hingen so Schilder. Alle Stühle und Bänke des Wartezimmers waren besetzt. Von Frauen. Wie viele von ihnen waren in der glücklichen Lage, die ganze Wahrheit verschweigen zu müssen, um zum Ziel zu gelangen? Seine Liederlichkeit war jedenfalls auch noch finster. Diese Fähigkeit, ein Zimmer in kurzer Zeit zu verschlampen mit Büchern, Zeitungen, Kleidungsstücken, Manuskripten, schmutzigen Tassen. Oh, seine äußerliche Liederlichkeit war wirklich eine Strafe. Wenn man seine innere Ordnungsliebe verschwieg. Die Fähigkeit zu lügen ging ihm nämlich geradezu ab. Etliche seiner Kollegen schrieben wie Uwe Artikel über die Gleichberechtigung der Frau und gingen im übrigen zur Tagesordnung über. Die sich nach überkommenen Sitten richtete. Uwe glaubte an das, was er schrieb. So, daß er deprimiert war, wenn er sich nicht danach richtete. Er lachte seine Kollegen und Freunde aus, die ihn nach meiner Promotion als »Prinzgemahl« bezeichneten. »Ihr denkt wie im Zeitalter des Handwagens«, sagte er ihnen lärmend und daß die Ehe keine hierarchische Einrichtung mehr wäre. Aber er lebte nur auf, wenn ich krank lag und auf seine Hilfe angewiesen war.

6

Rechts ein fahnentuchbezogenes Wandzeitungsbrett mit angesteckten Leninphotos. Links gerahmte, glasbelegte Bilder von Walter Ulbricht und Willi Stoph. Gegenüber zwischen Gardinen Hinweise und Preislisten auf einem Anschlagbrett. Dem von mir und meinem Ehemann gemeinsam erbrachten Monatseinkommen war ein Kostenvorschuß von neunzig Mark zugewiesen. Der finsterste Teil der halben Wahrheit, die vom Gericht später erwartungsgemäß auch als schwerwiegend gewertet wurde, war mir beim Sammeln beinahe entfallen. Weil er selbstverständlich war. Saß überhaupt eine Frau unter den Wartenden, die ihn nicht anführte? Also der Vollständigkeit halber: mangelnde Hilfe im Haushalt. Ich möchte allerdings nicht verschweigen, daß Uwe wirklich zwei linke Hände hatte. Nicht nur von Kultur, sondern auch von Natur. Das erschwerte seine Bemühungen, sittliche Trägheit und Bequemlichkeit zu bekämpfen. Eigentlich litt ich unter meiner Doppelbelastung weniger als er. Mich machte sie nur müde. Ihm machte sie ein schlechtes Gewissen. Das sich zuletzt aggressiv äußerte. Scheinbar gegen meine Gewohnheit, die Abseiten ernährungswissenschaftlicher Manuskripte zu beschreiben. Mit Märchen und dergleichen, so erfrischte ich mich. Ich nannte diese phantastischen Gebilde scherzhaft »Paralipomena für einen Mann«. Der natürlich Uwe war. Er lehnte es ab, dieser Mann zu sein. Er sagte: »Phantasterei ist Flucht, ein Zeichen für Kapitulation.« Ich sagte: »Im Gegenteil, sie ist ein Zeichen von Souveränität. Ja, von souveränem Wirtschaften mit den Gegenständen der Realität, wie Kinder es beispielsweise in ihren Zeichnungen tun.« – »Aber es zeigt einen Konflikt an«, erwiderte Uwe. Und ich stimmte ihm zu. »Einen Konflikt zwischen Erwartung und Realität«, sagte Uwe scharf. Und ich verwirrte ihn vollends, als ich ihm auch darin recht gab. Und er zögerte dann auch nicht, mich zu verdächtigen. Als Doppelzüngler sozusagen, denn ich hätte den Sozialismus als das Beste bezeichnet, was es gäbe, und mich als Utopistin. Der Widerspruch läge auf der Hand und wäre antagonistisch. Uwe trat den Beweis an mit der Definition: »Utopisch ist ein Bewußtsein, das sich mit dem umgebenden ›Sein‹ nicht in Deckung befindet.« Meine Märchen nannte er »Gegenbilder«. Es war ein erbitterter Streit. Der lauteste, den ich mit Uwe je geführt habe. Und doch ein Scheingefecht. Obwohl Uwe alle meine Antworten prinzipiell ablehnte. Ich antwortete ihm zum Beispiel, meine Märchen wären Aktionen, keine Modelle. »Ersatzhandlungen«, schrie er dazwischen. »Nein«, schrie ich zurück. »Es sind Liebesbeweise«, schrie ich, »für dich, weil ich gerecht sein will gegen dich und deine Art, dazu braucht man Kraft, für Geduld und historische Gerechtigkeit braucht man viel Kraft, mein Lieber, deine Liederlichkeit und naive Bequemlichkeit kosten mich immerhin täglich eine zweite Schicht, die mich als Wissenschaftlerin verbittern würde, wenn ich mich nicht in dieser gewissen utopischen Spannung halten könnte. Sie ist vielleicht sogar eine Art Lebenshilfe, aber eine aktive, nicht vergleichbar mit Religion oder Religionsersatz, den du betrieben hast, vielleicht noch immer betreibst, mein Vater glaubt das jedenfalls. Wenn ich historisch gerecht sein will, darf ich dir deine sittlichen Gewohnheiten nicht persönlich anlasten, sie sind die allgemein herrschenden. Unserem Staat darf ich sie aber auch nicht anlasten, sonst ist mir die Sicht verstellt für die großen Verbesserungen, die er gesetzlich in nur fünfundzwanzig Jahren durchgesetzt hat, das heißt, ich muß mich prinzipiell mit meiner Lage abfinden. Und das tu ich ja auch, niemand kann aus der Historie austreten, ich finde mich ab. Aber nicht passiv. Das wäre mein Ende. Ohne die Spannung, die ich mir zur Erfrischung von Leib und Seele ab und zu auf Manuskriptabseiten schaffe, wäre ich wissenschaftlich eine taube Nuß. Mein Optimismus lebt von dieser Spannung zwischen den Polen Realität und Kommunismus, meine Heiterkeit, ohne diese Spannung würde ich die Fähigkeit, Männer zu lieben, verlieren.«

7

Die Gardinen waren mit braunen Rosen bedruckt. Ich erfragte die mir zuvorgekommene Frau, deren Schönheit Einprägmühen erließ, und wartete zunächst stehend. Das fiel mir schwer. Auch Gürtel konnte ich nicht mehr leiden, obgleich die Rockbünde noch paßten. Abgehärmte Erscheinungen suchte ich vergeblich. Müdigkeit war reichlich zu sehen, nicht jene von Leere verwüsteten Gesichter, die Verkehrsmittel vormittags füllen. Gegen Mittag erschien der erste Mann. Ein Endvierziger, er blieb die älteste Person, bis der nächste, der ins Amtszimmer gebeten wurde, ich war. Eine junge Frau erwartete mich an der Schreibmaschine. Die Frau winkte freundlich nach dem blankgesessenen Stuhl und spannte Formulare mit Kohlepapier ein. Drauf schlug sie erfragte Personalien und zu meiner Verwunderung die Bezeichnung Kläger und Verklagter. Schwacher Versuch meinerseits, die Bezeichnung anfechten zu wollen, da Gewachsenes, Geschichte nicht anklagbar wären. Die Freundlichkeit der Frau nahm ab. Sie belehrte mich, daß Verbesserungsvorschläge und Eingaben anderenorts bearbeitet würden, und bat um meine Gründe. Ich zählte die gesammelten auf. Die Juristin fragte nach dem letzten ehelichen Verkehr. Ich nannte das Datum meines überlegten Überfalls. Wegen Überlastung erbat sie einen dreifach ausgefertigten Schriftsatz, in dem ich die Gründe für meinen Antrag aufführen sollte. In die Formulare schrieb die Frau und verlas: »Die Klägerin beantragt die Ehescheidung, da die Ehe ihren Sinn für die Parteien verloren hat.« Eine Durchschrift wurde mir ausgehändigt, nachdem ich neunzig Mark bezahlt hatte. Andernorts, wo eine Frau hinter einer großen Kassiermaschine saß und weder Zahlungsberechtigung noch -gründe erfragte, sondern die gewünschte Zahlsumme. Verwirrt empfing ich nach Abgabe einen schmalen Quittungsstreifen.

8

Der Schriftsatz über die Geschichte der Ehe, den nachzureichen ich ehrenwörtlich zugesichert hatte, beschäftigte mich drei Tage. Als historische Abhandlung, da war mir bewiesen, daß mein neuer Zustand mich tatsächlich gelöst hatte von Uwe. Das Gegenteil hatte ich gefürchtet. Auch die Müdigkeit spürte ich nicht mehr. Uwe verbreitete nämlich, seitdem er sich unterlegen fühlte, suggestive Müdigkeit, wenn er ein Zimmer betrat. Wie andere Aktivität verbreiten, Unternehmungsgeist. Am zweiten Tag fand ich einen Strauß Margeriten auf meinem Schreibtisch. Am dritten Tag dankte mir Uwe für meine Initiative. Mit Melancholie. Die seine Schönheit noch verbesserte. Denn sie war nicht nur ein Zug seines Charakters, sie war eine gesellschaftliche Erscheinung. Die schmückt, ein elegischer Mensch, der aus Einsicht anderen abläßt, kann leichter schön sein als ein angestrengter, der fordert. Daß wir aus Liebe geheiratet hatten und der Ehemann lauteren Charakters wäre, schrieb ich ausdrücklich. Wiederholte es auch vor der Richterin zur ersten mündlichen Verhandlung. Uwe begründete sein Einverständnis mit der Scheidung, indem er mir Überlegenheit zur Last legte. Die Schöffen, zwei ältliche Männer, nickten. Die Richterin hob die Augenbrauen. Zu schroff, wie mir schien. Obgleich ich ihr aus Rücksicht auf Uwe nur die halbe Wahrheit übermitteln konnte, hatte ich mehr Respekt erwartet. Für Uwe. Tragische Erscheinungen fordern Respekt. Er war ein Opfer von Verbesserungen. Ich mußte mich von ihm trennen, weil er sich übernommen hatte. Nachdem die Richterin die Verteilung hauswirtschaftlicher Lasten gründlich erfragt hatte, beschleunigte der Mangel an Kindern das Verfahren. Derart, daß die zweite Verhandlung in fünfzehn Minuten erledigt war.

9

Nach der Urteilsverkündung lud mich Uwe zu Schnaps in die nächste Kneipe. Ich nahm die Einladung an und lehnte Schnaps ab. Als Uwe unverständnisvoll fragte, riß ich ihn ab von mir, indem ich Alkohol als Leibesfrüchten unzuträglich erklärte.

(R. U.) »Da sich die landwirtschaftliche Produktion unserer Nahrungsmittel prinzipiell kaum von dem Zustand der frühen Zeit unterscheidet, haben sich hervorragende Chemiker immer wieder mit dem Problem synthetischer Nahrungsmittel beschäftigt. Grundsätzlich macht es keine Schwierigkeiten mehr, beliebige organische Stoffe zu synthetisieren. In den letzten vierzig Jahren wurden Fette und Öle synthetisiert, an der Synthese von Zucker und Kohlenhydraten wird gearbeitet, und die künstliche Herstellung von stickstoffhaltigen Produkten ist nicht mehr allzu fern. Man kann also die erforderlichen organischen Stoffe nicht nur auf landwirtschaftlichem Wege, sondern auch durch chemische Synthese oder mikrobiologische Verfahren industriell erzeugen. Ist aber diese industrielle Produktion von Nahrungsmitteln in nächster Zeit schon möglich?

Untersuchen wir zunächst, was der Mensch als Nahrung braucht. Wenn wir das Wasser nicht berücksichtigen, sind es fünf notwendige Bestandteile: Eiweiß, Kohlenhydrate, Fette, Vitamine und Mineralsalze. Der Energieinhalt der Nahrung muß täglich 2500 bis 4000 kcal betragen. Der Bedarf an Vitaminen und Salzen ist gering, aber unentbehrlich. Das bereitet keine Schwierigkeiten, da diese Salze billig und die Vitamine bereits industriell hergestellt werden.

Zwischen den Kohlenhydraten und den Fetten besteht gegenüber den Eiweißen ein grundlegender Unterschied. Die Kohlenhydrate und Fette sind die Energielieferanten, die sich gegenseitig im Organismus ersetzen können. Sie ›verbrennen‹ im Körper und verlieren dadurch ihre chemische Individualität. Die Fette des Organismus haben außer den energetischen noch eine strukturelle und physikochemische Aufgabe, denn sie bauen die Lipoidsysteme auf und lösen Vitamine. Für den Organismus sind außerdem 3 bis 6 g ungesättigte Fettsäuren unentbehrlich.

Die Eiweiße sind die einzigen Stickstofflieferanten für den Organismus. Sie sind aus Aminosäuren (Peptidketten) aufgebaut, zerfallen im Darm zu Aminosäuren und bilden die ›strukturellen Bausteine‹ für den Aufbau des körpereigenen Eiweißes. Von den 20 Aminosäuren, die für den Organismus erforderlich sind, müssen 8 unbedingt in einem bestimmten Verhältnis in der Nahrung enthalten sein, weshalb sie als unersetzliche Aminosäuren bezeichnet werden. Bei Kindern muß als neunte noch das Arginin vorhanden sein. Die übrigen Aminosäuren können vom Organismus selbst gebildet werden, wenn dieser über eine Stickstoffquelle verfügt, etwa in Form einer der Aminosäuren oder als Ammoniumsalze. Ein Überschuß an Aminosäuren wird vom Organismus verbrannt, ein Überschuß an Stickstoff als Harnstoff ausgeschieden. Verglichen mit den Fetten und Kohlenhydraten, sind die Eiweiße der teuerste Teil der Nahrungsration.

Der Eiweißmangel beim Menschen ist im wesentlichen ein Mangel an unersetzlichen Aminosäuren, denn der Eiweißgehalt allein bestimmt noch nicht die Vollwertigkeit der Nahrung. Einige pflanzliche Produkte (Erbsen, Sojabohnen, Hefe) zeichnen sich durch einen hohen Eiweißgehalt aus, aber ihre Aminosäurenzusammensetzung ist nicht ideal. Von allen Nahrungsmitteln hat die Muttermilch die günstigste Aminosäurenzusammensetzung. Aber da der Mensch die Muttermilch nur in einem Alter erhält, dem die Leser schon entwachsen sind, kann man sie hier nur als Maßstab betrachten. Dabei wird ersichtlich, daß die Kuhmilch dem schon nahekommt, daß Weizenmehl nur ein Drittel der optimalen Menge an Lysin enthält, in den Erbsen wenig Tryptophan und Methionin und in der Sojabohne wenig Leuzin vorhanden sind. Deshalb ist es die erste Aufgabe der Chemie, eine Diät aufzustellen, um die unersetzlichen Aminosäuren mengenmäßig auszugleichen. Gewöhnlich besteht ein Mangel – besonders in der pflanzlichen Nahrung – an Lysin und Methionin, manchmal an Leuzin und Tryptophan. Fügt man diese den pflanzlichen Eiweißen zu, so werden sie den tierischen gleichwertig.«

(V. f. f.) Evangelisation: Da Valeska an einem ernährungswissenschaftlichen Gegenstand arbeitete, über den aus Spionagegründen nichts veröffentlicht noch verlautbart werden durfte, interessierte sich Clemens für ihren Beruf. Zumal sich gerüchthaft herumgesprochen hatte, das Akademieinstitut wäre mit synthetischer Fleischherstellung befaßt. Clemens verlangte nach vertraulicher Bestätigung oder Kostproben. Um den lästigen Befragungen zu begegnen, ohne die Schweigepflicht zu verletzen oder das wissenschaftliche Ansehen in Zweifel zu ziehen, nahm Valeska zur archaischen Methode Zuflucht, die sie aus Gründen der Seriosität bislang gemieden hatte. Denn Zaubern gehört in die Größenordnung erfolgreicher, industriell nicht auswertbarer Laborversuche. Mit feenhaften Fähigkeiten kann man heutzutage bestenfalls im Zirkus auftreten. Valeska wollte die wissenschaftliche Laufbahn. In einem Institut, das 157 Wissenschaftler angestellt hatte, darunter 11 weibliche. Clemens las mit Farbstiften und Lineal. Valeska schlang. Er bevorzugte Bücher, die die Welt ordneten. Sie bevorzugte Bücher, die beschrieben, wie man Welt macht. Angesichts der Hypothese, daß in einer menschlichen Zelle alle Tätigkeiten programmiert wären, die entwicklungsgeschichtlich durchlaufen wurden, der Mensch also in verdeckten Programmen seiner Zellen alle möglichen Lebewesen aufgezeichnet trüge, das lebendige Universum bei sich hätte, selbst wäre, hatte sie sich entschlossen, Eiweißspezialistin zu werden. Selbstverständlich, weil sie mithelfen wollte, diese wunderbare, in den Räuschen der Liebe deutliche, aber wissenschaftlich noch unbearbeitete Erscheinung experimentell und theoretisch zu erforschen. Da die technischen Voraussetzungen für solche Forschungen vom einzelnen Wissenschaftler weder aufgebracht noch genutzt werden können, kann er auch seinen Forschungsgegenstand nicht unabhängig von Gegebenheiten wählen. Beruflich hatten Gegebenheiten Valeska zur Ernährungswissenschaft gebracht. Privat zog sie verschiedene domestizierte Tierarten in die engere Wahl. Wistarratten, die sie für Versuche benötigte, erschienen ihr zeitweise günstig. Schließlich entschied sie sich für Teilwiedergaben. Um das Nützliche mit dem Angenehmen zu verbinden, für menschliche. Im Verlaufe von Liebesspielen hatte es Valeska nämlich des öfteren gelüstet, von Clemens' Fleisch zu kosten. Allein wegen irdischer Unersetzbarkeit der begehrten Stücke war sie zurückhaltend geblieben. Nicht zuletzt aus taktischen Erwägungen. Eine Wissenschaftlerin, die als Fee entlarvt werden könnte, würde in Anbetracht der oft zitierten Tatsache, daß weibliche Gehirne durchschnittlich weniger wiegen als männliche, logischerweise auch ihre Berufsgenossinnen mystisch verdächtig machen. Um weitverbreitete Denkgefühle in Dumpfheit zu belassen, mußte Valeska überlegt zu Werke gehen. Sie nahm Clemens das Verschwiegenheitsversprechen mit Ehrenwort ab. Clemens schwor zusätzlich verschiedene Eide. Der gelegentliche Wunsch, von einer Frau verzehrt zu werden, erschien ihm bislang lediglich metaphorisch erfüllbar. Die unverhofften Aussichten beflügelten ihn, er sprach: »Wahrlich, wahrlich, ich sage euch, wenn ihr das Fleisch des Menschensohnes nicht essen und sein Blut nicht trinken werdet, so werdet ihr das Leben nicht in euch haben.« Und: »Wer mein Fleisch ißt und mein Blut trinkt, der hat das ewige Leben.« Eilegenötigt nahm Valeska zuerst ein hübsches Stück, das unterhalb des linken Schlüsselbeins gelegen war. Dem Alter angemessen schien ihr Marinieren in Buttermilch, nachdem das Haar abgesengt war. Behandelte das Stück auch in der Pfanne wie Wild. Gar war das Fleisch dennoch fest, bißweis zäh, doch süßer als Pferd, über alle Maßen und unbeschreiblich köstlich wie die Liebe selber. Clemens war auch sehr zufrieden. Er bedauerte, daß Valeska das entnommene Stück unverzüglich ersetzte, weshalb der Schmerz nur kurz währte. Valeska hätte seinen Wünschen nachgegeben, wenn sie in einer abgeschlossenen Wohnung tätig gewesen wäre, außer Gefahr kannibalistischer Anschuldigung. Unter günstigeren Umständen entsprach sie seinen Wünschen. Erlaubte auch, von ihr zu kosten, zaubern für den eigenen Bedarf fiel noch leichter. Clemens und Valeska gewöhnten sich ans Speisen. Bald glaubten sie augenblicklich, ihre Knochen trügen des anderen Fleisch. Valeskas Fähigkeiten, die Clemens eigentlich auf nicht untersagte Weise zeigen sollten, daß das Eiweißdefizit der Welt von 15 Mill. t gedeckt werden kann, bestärkten Clemens' Neigung zur Mythologisierung der Frau. Das heißt zur Arbeitsteilung zwischen Mensch und Natur. Valeska spürte Piedestal. Diese Erniedrigung verdarb ihr schnell Appetit und Lust, aus Futterhefe, die auf Erdölfraktionen gezüchtet war, Teilwiedergaben zu zaubern.

(R. U.) »Betrachten wir die industrielle synthetische, aber nicht biosynthetische Herstellung der Nahrung, so ist hervorzuheben, daß die Synthese des Eiweißteils der Nahrung nicht mit dem komplizierten Problem der Eiweißsynthese zusammenhängt. Das erklärt sich daraus, daß die Eiweiße der Nahrung im Verdauungskanal vollständig hydrolysiert, also durch Fermente zerlegt werden und nur in dieser Form in das Blut übergehen. Es geht also um die mikrobiologische oder chemische Herstellung der Aminosäuren. Das Aminosäurengemisch müßte in einer solchen Form dem Organismus zugeführt werden, daß eine jede von ihnen im Verdauungskanal im Tempo einer langsamen Verdauung verarbeitet wird.

In der Medizin gibt es schon synthetische Formen der Diät. Das sind wäßrige Stofflösungen, die aus einem Gemisch von Aminosäuren (vertritt den Eiweißkomplex), Glukose (vertritt die Kohlenhydrat-Gruppe), dem Äthyläther der Linolsäure oder einem anderen Vertreter der Fettsäure-Derivate und den notwendigen Vitaminen und Salzen bestehen. Abgesehen von der medizinischen Bedeutung, konnte damit bewiesen werden, daß eine Ernährung mit synthetischen Stoffen möglich ist. Eine Reihe von Aminosäuren kann gegenwärtig nur aus teuren Rohstoffen hergestellt werden. Aber bei größerer Produktion und durch neue Herstellungsverfahren lassen sich diese Kosten auch senken. So war es beispielsweise beim Methionin. Als es in der Viehzucht ausgedehnte Verwendung fand und aus Propylen synthetisiert wurde, fielen die Preise beträchtlich. Ähnlich steht es mit dem Lysin und der Glutaminsäure. Wenn man mikrobiologische Verfahren einsetzt, können die synthetischen Eiweiß-Lebensmittel noch billiger hergestellt werden. Bekanntlich haben alle Mikroorganismen Eiweißplasma, und viele von ihnen können für die Ernährung verwendet werden. So ist die Futterhefe, die man auf Zuckerabfällen der Landwirtschaft oder auf Monosacchariden züchtet, allgemein bekannt. Daneben gibt es noch Arten, die sich auf Kohlenwasserstoffen und Kohlenhydraten entwickeln, wenn man ihnen die notwendigen Salze (Ammonium- und Phosphorsalze) zuführt. Es gibt Mikroben, die von Methan, Paraffin und einer Reihe anderer Stoffe leben.

Hiervon ausgehend, schlug der französische Wissenschaftler Chamagnar vor, Futterhefen auf Erdölfraktionen zu züchten und die so gewonnenen Eiweiße in der Tierernährung zu verwenden. Gegenwärtig stellt ein Betrieb bei Marseille nach dieser Methode täglich etwa eine Tonne Eiweiß-Hefekonzentrate her. Aus einer Tonne Paraffin-Kohlenwasserstoffen erhält man 800 bis 1000 kg Hefe mit einem Eiweißgehalt von 40 bis 45 Prozent. Ihr einziger Mangel besteht in dem geringen Gehalt an Methionin. Der Herstellungspreis für eine Tonne soll 300 bis 450 Mark betragen.

Allerdings erfordert die Verwendung dieses Produkts als Futter oder Nahrung, daß man es entweder mit Methionin anreichert oder gleichzeitig Stoffe hinzugibt, die reich an dieser Aminosäure sind. Man könnte das Eiweißdefizit der Welt von 15 Mill. t decken, wenn nur 1 Prozent der Weltausbeute am Paraffin-Erdöl nach diesem Verfahren bearbeitet wird. Das ist sehr verlockend, zumal Bakterien gefunden wurden, die sich auf den Kohlenwasserstoffen des Erdöls entwickeln und eine reiche Methioninausbeute liefern könnten.«

(V. f. f.) Taraxacum officinale: Beispielsweise im Bleichplan möchte ich sein, nahe der ziegelgepflasterten Insel, auf der sich das Gerüst erhebt. Es trägt die Klopfstange. Der Staub, aus Teppichen und Bettvorlegern geschlagen, wird vom Westwind nach Osten geweht, weshalb ich die rechte Planhälfte bevorzuge. Lehmboden. Da wäre tief wurzeln nicht nötig. Zumal alle Haushalte ihre Wäsche bleichen und Regen am Nordrand des Mittelgebirges reichlich fällt, nie muß meine grundständige Rosette zu Boden. Dennoch liegt die Wurzelspitze siebzehn Zentimeter tief. Die Erde ist von rotbrauner Farbe, zäh, fäkaliengesättigt, zweimal jährlich wird die im Hof gelegene Klärgrube geleert, im Frühjahr mittels Saugrohrkette in ein städtisches Kesselfahrzeug, im Spätherbst auf den Plan. Die Grube ist mit zwei gußeisernen Platten abgedeckt. Wenn die Kinder Füße, Roller oder Dreiräder drüber bewegen, klirren die Platten, wenn sie häufig klirren, schimpft die Frau des Hausverwalters aus dem Speisekammerfenster. Die Frau des Hausverwalters hat einen Kropf. Sie bleicht nachts. Nur auf kurzem Rasen, nicht auf frisch gehauenem. Bevor sie die Wäsche, geordnet nach Art, so auslegt, daß rechtwinklig sich kreuzende schmale Gänge entstehen wie zwischen Beeten, zieht sie einen Rechen über den Plan. Dann sucht sie den Plan ab nach unsereinem. Mit einem Küchenmesser sticht sie die gezausten Kuhblumen aus der Erde und wirft sie auf den Komposthaufen ihres Hausgartens. Küchenmesser sind zu kurz für mich. Stets bleibt ein Wurzelstück in der Erde. Zwar spür ich den Schnitt, doch keinen Schmerz. Lust auch nicht oder Freude, ich bin. Die Frau des Hausverwalters sprengt Bettwäsche und Handtücher alle zwei Stunden mit einem Gartenschlauch. Reichlich bei Mondmangel, Daumen und Zeigefinger schmälern die Austrittsöffnung, die Nässe strahlt je nach Finger- und Wasserdruck. Auf dem Stoff entstehen Pfützen. Ich sauf mich voll. In zwei, drei Wochen ist die Rosette aus grobgezähnten Blättern wieder gemacht. Die jungen, an Vitamin A und C und an Bitterstoffen reichen Blätter werden vom Rentner Nussek als Wildgemüse gesammelt. Danach passieren sie einen Korb, Schüsseln, Münder, Mägen und Gedärm. Aufgüsse meiner Blätter und Wurzeln trinkt der Rentner bei Appetitlosigkeit, Verdauungsstörungen oder Leberleiden, wer mein Fleisch ißt und mein Blut trinkt, der bleibt in mir und ich in ihm. Der Renter wohnt im zweiten Stock rechts. Seine weißwaschsüchtige Frau beklagt ein Tischtuch. Auch das Kleid ihrer Enkelin hat der Milchsaft gefleckt, der ihm hohlen Blütenschaft und in den Blattrippen fließt. Der Saft tritt aus, wenn ich verletzt bin. Ihr Freund wog schwer. Er ritt sie und den Rasen nieder. Im Frühjahr trägt der Schaft einen gelben Blütenkorb. In den Blüten sind beide Arten. Ich warte auf nichts. Bin von Natur seßhaft. Kein Gedanke an Reisen und andere Gespinste. Sehnsucht ist mir unbekannt wie Sattheit. Bienen kriechen beim Honigsuchen Staub auf die Stempel. Wenn ich verblüht bin, pusten Wind oder Kinder meine Früchte in die Luft. Hunderte Früchte mit Haarfallschirmen. Sie steigen, fliegen, gehen sachte nieder irgendwo. Manche können in unfruchtbare Gegend fallen, alle nicht, ich bin unausrottbar: unsterblich. Selbst wenn die Hauswartsfrau eines Waschtags ein Stollenmesser ans Unkraut setzt und ich auf dem Komposthaufen verdorre. Schmerzlos. Manchmal möchte ich eine Pflanze sein, beispielsweise Löwenzahn, oder lesbisch.

(R. U.) »Nun zu den Fetten und Kohlenhydraten. Die Synthese der Grenzfette ist leicht. In Deutschland wurde schon während des zweiten Weltkrieges eine Synthese entwickelt, nach der mehrere Tonnen synthetischer Butter hergestellt wurden, die allerdings geringe schädliche Beimengungen enthielt. Das schließt nicht aus, daß die Synthese von absolut hochwertigen Fetten möglich ist.

Etwas schwieriger steht es mit der Synthese von Kohlenhydraten. Die Hauptschwierigkeit besteht nicht so sehr darin, daß die gesteuerte Synthese von komplizierten Kohlenhydraten noch nicht gelöst ist, vielmehr darin, daß die Kohlenhydrate unserer Nahrung – Zucker, Stärke – sehr billig sind. Zum Unterschied von den Eiweißen, an denen ein großer Mangel herrscht, sind Kohlenhydrate ausreichend vorhanden. Das bedeutet aber nicht, daß mit der Vervollkommnung der chemischen Methode – in jetzt noch unbekannter Zeit – der Vorteil der Synthese den landwirtschaftlichen Weg zur Produktion von Kohlenhydraten einmal nicht übertreffen kann.

Man könnte nun die Frage stellen, warum wir nicht die Herstellung von synthetischem Futter anstreben, um die menschliche Ernährung aus der Viehzucht zu sichern. Das hat einen sehr einfachen Grund: Das Futter wird vom Tier nur zu 7 bis 20 Prozent ausgenutzt, da der größte Teil dem physiologischen Eigenbedarf des Tieres dient. Wenn beispielsweise die vollständige Befriedigung des Bedarfs von 250 Millionen Menschen jährlich 6 Mill. t Eiweiß erfordert, so erfordert diese Bedarfsdeckung mit Produkten der Viehzucht schon 100 Mill. t.

Wie steht es nun mit den Bedenken, daß wir uns später von Pillen ernähren sollen? Darauf kann man eine beruhigende Antwort geben, denn die tägliche wasserfreie Portion Eiweiß von 80 bis 100 g Aminosäuren, 450 g Kohlenhydraten und 100 g Fett wird man nicht in Pillen pressen. Man kann diese Stoffe in eine Nahrung verwandeln, die schmackhaft und mannigfaltig ist und mit Appetit verzehrt werden kann.

Fast alle natürlichen Eiweiße unserer Nahrungsmittel sind geschmack- und geruchlos. Das ist am Beispiel des bis zur Farblosigkeit ausgewaschenen rohen Fleisches oder des Kaseins des ausgewaschenen Quarks zu belegen. Anders kann es auch nicht sein, denn die Eiweiße sind hochmolekulare und daher nichtflüchtige, also geruchlose Stoffe. Dasselbe gilt für die hochmolekularen Kohlenhydrate (Stärke, Fette). Geruch und Geschmack erhalten sie erst durch natürliche Beimischungen oder Zusätze und insbesondere durch Stoffe, die beim Kochen, Braten und Backen des Nahrungsrohstoffs durch die Wechselwirkung der Aminosäuren mit den Zuckern und Fetten entstehen.

Jeder Geschmack besteht aus vier Bestandteilen: süß, salzig, sauer und bitter. Nur sie können von den Rezeptoren der Zunge unterschieden werden. Wenn wir den Geschmack mit zugehaltener Nase – dies schaltet die Wahrnehmung der Gerüche aus – prüfen wollen, so kann jede beliebige Geschmacksvariante aus nur vier Lösungen von Zucker, Salz, Säure und bitterem Koffein gemischt werden. Viel schwieriger ist es mit dem Geruch, der mit dem Geschmack verbunden ist. Daraus entsteht das, was englisch ›flavour‹ heißt und in der gewohnten Nahrung sowohl durch Erhitzen als auch durch Hinzufügen von Gewürzen erreicht wird. Durch Kochen, Braten und Backen entsteht das appetitlich duftende Stoffgemisch. Auch dieser Vorgang ist leicht nachzumachen, indem man verschiedene Aminosäuren mit verschiedenen Zuckerarten erwärmt.

Im Institut für elementorganische Verbindungen der Akademie der Wissenschaften der UdSSR wurde folgendes festgestellt: Wenn man zu dem erwärmten Gemisch aus Aminosäuren und dem entsprechenden Zucker eine der Fettsäuren hinzusetzt, so ändert sich der Geruch, dabei kann man den appetitlichen Duft von Brathuhn oder Rinderschmorbraten synthetisch erzeugen. Werden Spuren des Oxyds von Trimethylamin hinzugetan, so ergibt das den Geruch von Seefischen. Es wird also nicht sehr schwierig sein, synthetischen Nahrungsmitteln auch ihre spezifische Duftnote zu verleihen.«

(V. f. f.) Petrefakt: Nach einem ernährungswissenschaftlichen Kongreß durchquerten wir auf der Rückreise ein Städtchen im Thüringischen. Am Marktplatz, dessen Häuserfassaden anläßlich des zwanzigsten Jahrestages der Staatsgründung restauriert wurden, ließ ich anhalten, um mich, einer Gewohnheit folgend, nach dem hiesigen Antiquariat zu erkundigen. Ich wandte mich an drei Frauen unbestimmt vorgerückten Alters. Sie standen tief im Gespräch. Gefüllte Einkaufstaschen hingen von ihren Händen. Dies und der Rock bedeutete ihr Geschlecht, jenseits von Mode und Geltungstrieb, selbstverständliche Neutralität, der Resignation nicht anmerkbar war, aber pflanzenhafter Eigensinn, Geschlossenheit. Solche besonders in Kleinstädten augenfällige Phänomene fordern mir Respekt ab, ich fragte leise. Die Frauen berieten sich untereinander, zogen auch Vorübergehende zu Rate, die sie namentlich ansprachen. Vom Antiquariat konnte nichts Genaues in Erfahrung gebracht werden, von einem Altwarenhandel viel, desgleichen von Kunstgewerbe und Lebensläufen. Als meine erfragt waren, zählten die Frauen Sehenswürdigkeiten auf, zuletzt und im Vertrauen eine Art Naturdenkmal. Es wurde im zweiten Stockwerk eines Mietshauses befindlich beschrieben. Die Wohnung würde der Tochter gehören, ich sollte mich ausländisch geben und auf Madrasch berufen, so der Name einer der mundartgewandten Frauen. Der Chauffeur des akademieeigenen Wagens folgte fluchend dem Gesetz der Einbahnstraßen. Wir fanden das Haus mit Mühe, weil ich eine stilhaltige, wenigstens altertümliche Fassade in der Vorstellung hatte. Die Wirklichkeit war unscheinbarer Altneubau. Gebohnerte Treppen, worauf emaillierte Schilder vorsichtfordernd hinwiesen. Grünpflanzen auf Flurfensterbrettern und den Wendekurven des Geländers. Juteabtreter. Der Chauffeur stellte mich einer zögernd öffnenden klimakterischen Person als englische Delegation hin. Der Mangel an frei konvertierbarer Währung schien das Mißtrauen zu verfestigen. Die Devisenforderung steigerte unsere Neugier derart, daß ich aus Furcht vor abschlägigem Bescheid zwanzig Mark hingab. Die Frau nannte ihren Namen und die Personenzahl ihrer Familie. Der kleine, quadratische Wohnungskorridor roch nach Schlangengifteinreibung und gebratenem Speck. Steinholzfußboden. Umhäkelte Messingklinken. Die rechte Hand der Frau Brak wies auf eine weißlackierte Tür, deren Fenstereinsatz mit Gardinen bespannt war. Bevor geöffnet werden konnte, mußten der Chauffeur und ich ein niedriges Schuhregal beiseite schieben. Die Sehenswürdigkeit war ein versteinerter Mensch. Er stand in der Zimmermitte, umfangen von Gegenständen. Oder gestützt. Durch zwei der Tür gegenüberliegende große storeverhängte Fenster fiel Licht ein, direkte Sonneneinstrahlung vermutlich, das Gegenlicht bildete die den Raum dunkel erfüllenden Gegenstände ab als unregelmäßiges Gitter. Es war nur durch eine Schneise betretbar, die zum Objekt führte und, den Auskünften der Frau Brak zu folgen, nachträglich angelegt worden war. Frau Brak sprach in hohen tremolierenden Tönen, die sie ihrem Bauch mit beiden Händen abzupressen schien. Ihre dreiköpfige Familie hätte eine Zweizimmerwohnung zu beanspruchen. Wir mußten die Schneise seitwärts betreten, körperliche Schmalseite zur Versteinerung gerichtet. Die stellte Frau Brak als ihre Mutter selig vor. Die aufragenden, bis zur Decke reichenden Wände wurden von Möbeln, Geschirren, Wäsche, Erinnerungs- und Kunststükken, Kartonagen und Blumen aus Wachs, Papier oder Chenille gebildet. In den Fugen nisteten Staub und Dämmerlicht. Geruch nach verdorbenem Grummet. Frau Brak zeigte uns eine Bruchstelle an der Hand ihrer Mutter, das Mittelfingerstück wäre von einem französischen Besucher abgebrochen und gestohlen worden. In Unterarme und Waden waren Monogramme und Daten eingeritzt. Das Runzelgesicht war unversehrt. Auf den ersten Blick Sandstein. Graue staubstumpfe Haarsträhnen hingen drüber, schwarze Nadeln hielten einen nestförmig gelegten Zopf auf dem Hinterkopf. Dem grünen kurzärmligen Kleid war eine buntgemusterte Schürze straff aufgebunden, die keine körperlichen Ausbuchtungen hervorhob, aber ein geknäultes Schnupftuch in der rechten Schürzentasche. Die baren Füße steckten in Walkfilzpantoffeln. Der Stein fühlte sich auch an wie ein verfestigtes Sediment. Die grünliche Färbung der Hände erinnerte allerdings an Diabas. Was wir über Werdegang und seltsames Ende der Kriegerwitwe Kaden erfuhren, ist mir unauslöschlich derart im Gedächtnis geblieben: Als Luise Kaden nach einem Streit die elterliche Wohnung verlassen und die, in der jetzt die Tochter hauste, gemietet hatte, war das Haus neu gewesen. Wände und Fenster waren nackt. Der Putz war noch feucht. Es roch hell. Zuerst verhängte Luise Kaden die Fenster mit Markisette. Dann kaufte sie Bett, Tisch, Stuhl und Schrank und bedeckte die Scham der Wände. Ein Jahr nach dem Einzug ließ sie tapezieren. Nun standen die Zimmer bei Eltern und Verwandten in wohnlichem Ansehen. Obgleich die Tapete nicht bis zur Decke reichte. Der Deckenanstrich täuschte aber Brokat vor. Der Estrich wurde nach und nach mit Teppichen bedeckt. Zusehends entfernte sich der Stein. Gänzlich, als die einzige Tochter heiratshalber auszog. Nun verbrauchte die Kriegerwitwe Kaden ihre kleine Rente, da sie sich nach der Erfahrung einer Inflation Sparen versagte und auch an einsam genossenen Speisen kein Vergnügen fand, hauptsächlich für Gegenstände. Jenseits ihres fünfundvierzigsten Jahrs begann sie sich dem preiswerten Erwerb dauerhafter zu- und entgegenstehender Stücke und deren Pflege zu widmen, später sammelte und versammelte sie systematisch. Bis ins hohe Alter, um sich das Gefühl von Lebensfülle zu erhalten. So kamen ihr die Gegenstände näher und näher, die Zimmer wurden kleiner, wuchsen auf sie zu. Das Schlafzimmer war zuerst gefüllt. Dann Küche, Bad, Korridor, ihre letzten

Tage und Nächte muß Luise Kaden stehend im Wohnzimmer verbracht haben. Rundum von Mauer gestützt. Von der Perpendikelspitze eines Regulators, der zwischen zwei aufeinandergestapelten Ledersesseln klemmte, war der rechte Oberarm der Luise Kaden laut Polizeiprotokoll schon durchbohrt gewesen, als die Wohnung im Februar 1945 auf Ersuchen des Hausbesitzers erbrochen wurde. Der Totenschein vermerkte Selbstmord als Todesursache. Frau Brak, die seit ihrer Verehelichung in Köln wohnte und nach Kriegsbeginn mit der Mutter nur brieflichen Kontakt gepflogen hatte, gelang es nicht, den nach ihrer Meinung unrichtigen Befund amtlich anzufechten. Obgleich sie auf die Todesnachricht hin sofort unter großen Widrigkeiten nach Thüringen reiste. Der Arzt, der den Totenschein ausgestellt hatte, war inzwischen dem Volkssturm zugeschlagen worden, eine zuständige Vertretung in den Wirren des Kriegsendes nicht auffindbar. Die Mutter mit dem Makel des Selbstmords zu beerdigen widerstrebte Frau Brak, zumal sie entdeckt hatte, daß der sonderbare Zustand der Toten Eile nicht erforderlich machte. Frau Brak hielt und hält eine Art Silikose für die Todesursache. Da sie ihre Wohnung und Habe bereits im Oktober 44 durch Bomben verloren hatte, beschloß sie, die Wohnung der Mutter samt Lebensinhalt zu übernehmen und das Kriegsende abzuwarten. Sie übersiedelte mit zwei Kleinkindern, der Mann war bei Smolensk gefallen. Als sie einzog, musterten die Hausbewohner sie mit grausengewürzter Neugier. Manchmal blieben Leute auf der Straße stehen oder rückten ab in Käuferschlangen. Der Hauswirt und andere Zeugen, die bei der Wohnungsöffnung zugegen gewesen waren, hatten das Gerede ausgelöst. Der Hauswirt bereute es nachträglich, auch, daß er anfangs die Räumung des Zimmers für ostpreußische Flüchtlinge erzwingen wollte. Artilleriebeschuß und der vorübergehende Einmarsch amerikanischer Truppen forderten die Aufmerksamkeit der Leute dann ab. Frau Brak beklagte aber, daß sie noch heute von manchen gemieden würde und unter Einsamkeit litte. Obgleich sie offiziell behaupte, ihre Mutter wäre eingeäschert. Nur der Hausbesitzer wäre eingeweiht. Er hätte ihr auch geraten, ab und zu sonntagnachmittags mit Blumen und Gießkanne zum Bahnhof zu gehen. Zu behaupten, die Mutter besäße auf dem hiesigen Friedhof ein Grab, würde in einer übersichtlichen Kleinstadt schnell als Lüge erwiesen. Frau Brak gestand uns, daß sie ihre Arbeitskollegin beneide, die auf der Grabstelle ihrer Eltern eine Bank aufgestellt hätte, wo man sommers angenehm im Schatten großer Kastanienbäume sitzen könnte. Zu meiner Überraschung schlug das anfängliche Mißtrauen der Frau jäh in Zutrauen um, sobald ich mich, befragt, als Biochemikerin erklärte. Obwohl mein Deutsch, das ich selbst befleißigt mit sächsischem Akzent spreche, mein englisches Auftreten zumindest zweifelhaft erscheinen lassen mußte. Jedenfalls erfuhr ich mit Einzelheiten, wie Frau Brak den überfülligen Inhalt von Schlafzimmer, Bad und Korridor bei Nacht in einen Hofschuppen verlagerte. Die

Beschaffung von Lebensmitteln beanspruchte Frau Brak im ersten Nachkriegsjahr dermaßen, daß sie für den Ehrenhandel kaum Zeit erübrigen konnte. Die zuständigen Stellen schienen auch uninteressiert und anderweitig überlastet. Im Juni 47 nahm Frau Brak Arbeit bei der Post, bis dahin lebten sie, Sohn und Tochter vom Schuppeninhalt. Den verhandelte Frau Brak auf dem schwarzen Markt oder tauschte bei Bauern gegen Eßwaren. Aus Lebenstrieb und einer Art Müdigkeit, die sich nach vielen vergeblichen Gängen auf Ämter einstellt, aus Resignation, Bequemlichkeit, möglicherweise auch wegen Überforderung der Frau, die einen Beruf lernen mußte und die Verantwortung für zwei Kinder allein zu tragen hatte, wurde der Ehrenhandel um die Todesursache verschoben und verschoben und unterblieb schließlich. Gefühle von Dankbarkeit für die Hinterlassenschaft, auch Ehrfurcht vor Toten bewogen Frau Brak, räumlich eingeschränkt zu leben und der Verstorbenen die Wohnstube zu belassen. Mit allen Gegenständen, so, wie sie sie in ihrer letzten Stunde umfingen, Ausgleich für Beerdigung, Sarg, Grabstelle und Grabbepflanzung. Frau Brak wies darauf hin, daß die Kosten für dergleichen weit niedriger lägen als der Mietwert des Zimmers. Von der isolierenden Wirkung des Denkmals zu schweigen, bis auf den heutigen Tag würde das Gebäude »Haus des Geheimnisses« genannt. Sie hätte sich inzwischen damit abgefunden. Da ihre Tochter studierte und der Sohn sich als Soldat auf Zeit bei der Nationalen Volksarmee verpflichtet hätte, würde sie das Wohnzimmer jetzt auch nicht mehr so entbehren wie früher. Die Kinder lehnten zwar die Möglichkeit einer Versteinerung bei Menschen im Gegensatz zu Dr. Wurche nach wie vor ab, suchten aber den Streit über dieses Thema neuerdings nicht mehr bei jedem Besuch. Daß sie mit Haß von ihrer Großmutter sprächen, müßte man ihnen nachsehen, weil sie die Großmutter nur tot erlebt hätten. Die Wohltaten, die der Tauschwert des Erbes in Hungerzeiten bewirkte, wären so schnell vergessen worden wie diese Zeiten selber. Spitznamen aber hingen einem an. Sogar der Verlobte riefe die Tochter jetzt noch Brakenhexe, wenn er sie ärgern wollte oder sich geärgert hätte. Frau Brak versicherte, daß die Tochter eines Tages noch mal auf diesen Namen stolz sein würde. Dr. Wurche, ein Freund des Hausbesitzers, hätte übrigens die Versteinerung als erster festgestellt. Zufällig, er hätte ein Zimmer in Untermiete gesucht und wäre auch Doktorrernat gewesen wie ich oder Doktoring oder -phil oder so, ein netter alter Herr. Der Hausbesitzer hätte ihn für einen genialen Astronomen gehalten und wäre überzeugt, doch noch zu Ruhm zu gelangen. Er hätte auch die ersten Besucher gebracht, durchweg Ausländer, von den Einnahmen verlangte er vierzig Prozent. Wenn seine Frau nicht ab und zu im Intershop kaufen könnte, drohte sie mit Scheidung. Er wäre gelernter Friseur. Die Schneise hätte er angelegt. Ein junger Amerikaner hätte übrigens für die Versteinerung zwanzigtausend Dollar geboten, aber die Ausfuhr von Antiquitäten wäre verboten. Auch könnte Frau Brak ihrer

Mutter nicht zumuten, im Privatmuseum von Kapitalisten ausgestellt zu werden, neben Pop und anderer Unkultur. Abgesehen von bestimmten Geldinteressen des Hausbesitzers, auf dessen Wohlwollen sie ja schließlich in gewisser Weise angewiesen wäre, hätte sie nichts gegen einheimische Besucher. Zumal auch sie unerschütterlich überzeugt wäre, daß die Versteinerung eines Tages zu Weltruhm gelangen würde. Ihr Mißtrauen richte sich lediglich gegen Mitarbeiter des Wohnungsamtes und der Hygieneinspektion. Da Dr. Wurche verstorben wäre und kein anderer Wissenschaftler entsprechenden Fachs in der Bekanntschaft, bat mich Frau Brak nach der Besichtigung, ein wissenschaftliches Gutachten anzufertigen. Den Brief an die örtliche Zweigstelle des Reisebüros könnte sie selbst verfassen. Frau Brak bot anfänglich zwei Prozent, später drei, fünf, schließlich gar zehn Prozent Gewinnbeteiligung für das Gutachten, schilderte auch inständig die günstige Verkehrslage sowie das zu erwartende finanzielle Interesse zuständiger staatlicher Stellen an der musealen Ausnutzung des Naturdenkmals. Als ich noch immer zögerte, erinnerte sie mich an staatsbürgerliche Pflichten. Der Hausbesitzer spekulierte darauf, das Haus bei bester Gelegenheit erpresserisch teuer sowie unter der Bedingung, daß ihm das Amt des Museumsdirektors zugesprochen würde, an die Stadt zu verkaufen. Da er bürgerlicher Herkunft wäre, reaktionäre Denkarten pflegte und Luise Kaden zu ihren Lebzeiten mehrfach mit Räumungsklage gedroht hätte, müßte man ihn überrumpeln. Zumal sein Anspruch auf Ruhm jeglicher Rechtsgrundlage entbehrte, schließlich wäre er mit Luise Kaden weder verwandt noch verschwägert. Ein belgischer Besucher hätte nicht nur die Mutter, sondern auch die Tochter als Heilige angesehen und sich entsprechend verhalten. Jedenfalls sähe Frau Brak nicht ein, weshalb sie, die schon in der Kindheit irgendwie gespürt hätte, anders zu sein, ihre Tage als Postangestellte beschließen sollte. Der Arbeitskräftemangel bei dieser Institution wäre katastrophal, Überstunden an der Tagesordnung, zu Weihnachten müßten Schüler angeworben werden, um den Arbeitsanfall auch nur annähernd bewältigen zu können. Einen ruhigen Posten wie Museumsdirektor hätte sie geradezu verdient. Wenn die Stadtväter tüchtig wären und die Fremdenattraktion mit einem Interhotel kombinierten, könnten die Einnahmen in frei konvertierbarer Währung erheblich sein. Die Attraktion würde ohne Zweifel in kürzester Frist weltberühmt, sicher, wenn die Tochter der Unsterblichen die Führung übernähme. Denn alles wäre erblich. Zur Beschleunigung des Vorgangs hätte sie die Teppiche vom Steinholzfußboden genommen. Frau Brak bat mich, das im Gutachten nicht unerwähnt zu lassen. Es ergäbe gewiß die Grundlage einer sensationellen Forschungsarbeit, die mir zu Weltgeltung verhelfen könnte. Ich erwiderte, daß Tatsachen stets den Archimedischen Punkt bildeten, von dem aus auch die wichtigste Theorie aus den Angeln gehoben werden könnte. Insofern wäre für den richtigen Theoretiker nichts interessanter als eine

Tatsache, die mit einer bisher allgemein anerkannten Theorie in direktem Widerspruch stünde, denn hier setzte seine eigentliche Arbeit ein. Dann bedankte ich mich mit der Begründung, in einem wissenschaftlichen Institut angestellt zu sein, dessen Forschungsgegenstand der Geheimhaltung unterläge. Der Abschied verlief in sachlicher Atmosphäre.

(R. U.) »Ein anderes wichtiges Problem ist die Konsistenz der Nahrung. Ein Gemisch von in Wasser unlöslichen synthetischen oder Hefepulvern, das ›ausgleichende‹ Geschmackszusätze enthält, kann man ebenso verarbeiten wie Mehl. So wird beispielsweise aus den Erdölhefen schon ein ausgezeichnetes Eiweißgebäck hergestellt. Durch Stoffe, die Sülzen bilden und dem Verdauungskanal bekömmlich sind (Agar-Agar, Stärke, rein synthetischer Polyvinylalkohol u. a.), kann man diese Nahrungsmittelpulver auch zur Herstellung von Pasten, Puddings, Sülzen und Gelees verwenden.

Aus solchen Kolloiden oder unmittelbar aus der Eiweißmasse der Hefen können Kaviarkörner, Fleischfasern und vieles andere hergestellt werden. Als Beispiel kann ich hier anführen, daß im Institut für elementorganische Verbindungen auf ähnliche Weise schwarzer Kaviar hergestellt wurde, der nach Aussehen und Geschmack nicht von echtem Kaviar zu unterscheiden war. Bei der erforderlichen Eiweißzusammensetzung können synthetische Lebensmittel (Fleisch, Pasten, Gelees, Puddings, Kaviar) jeden beliebigen und gewünschten Geschmack erhalten. Natürlich kann man nicht nur Gemischen von synthetischen Aminosäuren, sondern auch dem Hefe-Eiweiß Konsistenz, Geschmack und Geruch von Nahrungsmitteln tierischer Herkunft verleihen. Auch mit pflanzlichen Eiweißen, beispielsweise Hülsenfrüchten, ist dies möglich. Solches halbsynthetisches Fleisch wird bereits in den USA industriell hergestellt.

Selbstverständlich wird diese Nahrung nur allmählich in unser Leben eindringen. Zunächst können durch die Aminosäuren- und Eiweißkomplexe die natürlichen Nahrungsmittel veredelt und der Mangel an unersetzlichen Aminosäuren in ihnen behoben werden. Aber bald werden sie selbständige Bedeutung erhalten. Wir wollen der Zeit weit vorauseilen und uns vorstellen, daß eine ökonomisch tragbare Synthese von Nahrungsmitteln die traditionellen Herstellungsverfahren ersetzt hat. Einige riesige Werke stellen nun alle Nahrungsmittel für die Bevölkerung her. Die Landwirtschaft gehört der Vergangenheit an, Obstbau und Blumenzucht vielleicht ausgenommen. Überlebt hat sich auch die Industrie, die bisher die Landwirtschaft mit Maschinen, Treibstoffen, Düngemitteln und Pflanzenschutzmitteln versorgte. Viele Berufe werden sich verändern. Ich wage zu sagen, daß dies keine leeren Träume sind, obwohl bisher noch verhältnismäßig wenig geschafft wurde. Wir werfen hier ein Problem von gewaltiger Bedeutung auf, das die gemeinsame Arbeit der Chemiker, Biologen, Ärzte und Ökonomen erfordert.«

(V. f. f.) Konjekturalbiographischer Bericht einer Achtunddreißigjährigen: Im Alter von neununddreißig Jahren gründete Valeska eine Familie. Mit Gerda und Marie. Gerda hatte zwei Töchter, Marie einen Sohn, plötzlich hatten die drei Frauen zwei Töchter und zwei Söhne. Reichtum, den sie sich vorher hatten versagen müssen. Die Freunde wohnten außer Haus. Es stand auf dem Prenzlauer Berg. Alt, hohe Räume, die Frauen hatten ihre Wohnungen getauscht gegen eine fünfzimmrige Etage, vormals Arztpraxis. Jeder Frau gehörte ein Arbeitszimmer; Küche, Kinderzimmer und Familienzimmer waren allgemein zugänglich. Nachdem die Strapazen des Umzugs überstanden waren, machte sich im wöchentlichen Wechsel jeweils eine Frau für die Beschaffung der Lebensmittel, Saubermachen oder Kinderbeaufsichtigung verantwortlich. Da alle erwachsenen Familienmitglieder ranggleich Hausarbeit gewohnt waren, gewannen sie täglich Freizeit. Die Kinder waren sämtlich im Vorschulalter, die Mütter nicht in Schichtarbeit. Zwei hätten jeden Abend Theater besuchen können oder Kino, so viele gute Stücke und Filme konnten gar nicht gespielt werden. Aber es gab auch Versammlungen und Bücher und wissenschaftliche Arbeit. O wundersame Freiheit, exotische, fast unbequeme anfangs. Schon nicht zur Arbeit zu hasten fiel Valeska schwer, auch abends verantwortungslos an Geschäften vorbei nach Hause zu gehen. Der Weg, bisher ein Tunnel, den sie geneigten Kopfs durcheilte, gewann mählich Pflaster, Fassaden, Gewölk. Daß die Zärtlichkeitsform, jemandem Essen zu geben, von Frauen nur geübt, sondern auch empfunden werden kann, erlebte sie verwundert. Besonders, wenn ihr abends der Tisch gedeckt war. Sieben Esser saßen dran. Valeska hatte sich immer eine große Familie gewünscht. Besonders die Einzelkinder freuten sich der unverhofft gewonnenen Geschwister, renommierten mit ihnen. Auch mit ihren drei Müttern und drei Vätern, den Verlust der Privilegien verwanden sie schnell. Erziehung leichter gemacht. Brüderliches Leben: das heißt schwesterliches. Gerda war Diplomingenieurin für Elektrotechnik, Maria Finanzökonomin, Valeska habilitierte vorm geplanten Termin. Gewöhnt an die Zerstückung ihrer Kräfte, zwangsweise Simultanität von Tätigkeiten und Gedanken, saß Valeska anfangs unruhig in ihrem Zimmer am Schreibtisch. Mühsam trainierte sie sich aus der Hetze, die sich als Lebensrhythmus eingeprägt hatte. Da fiel ihr auf, daß Sparsamkeit mit Zeit zu Geiz entartet war. Die Fähigkeit, gelassen die Zeitung zu lesen, ein Buch oder wissenschaftliche Literatur, hatte sie derart verloren, daß Mühe erforderlich war. Freilich kann eine Mutter ihr Kind nie so weit vergessen, daß die Sorgen um sein Wohlergehen aus ihrem Kopf wichen und die besetzten Speicherplätze im Gehirn anderen Gegenständen zur Verfügung wären. Eine Frau muß selbstverständlich begabter sein, wenn sie das gleiche wie ein Mann erreichen will. In Berufen, die verlangen, daß der Mensch sich ausgibt, in wissenschaftlichen zum Beispiel, wird das deutlich, in anderen nicht, da verschleißen sich die Frauen nur schneller durch

Doppelbelastung, was dem Schönheitsideal strikt zuwidergeht. Valeskas Vater besuchte die Frauenfamilie regelmäßig. Die Kinder nannten ihn »Opa Franz«. Er erzählte ihnen Märchen, in denen Marx und Sibirien persönlich auftraten. Valeskas Mutter Berta nannten die Kinder »Oma Berta«. Sie strickte für die Familie. Rudolf kam unregelmäßig. Der Abstand hielt die Neigung jahrelang. Ohne Überanstrengung und Überforderung. Valeska wartete jetzt anders auf Rudolf als früher. Ruhiger, die Tage ohne ihn waren keine Makulatur, die Leidenschaft schrumpfte das Gegebene nicht mehr und blähte das Gewollte. Die Liebe verlor ihr dogmatisches System mit Naturereignischarakter, das die Welt mit großen Gesten vergewaltigt. Ereignisse und Gegenstände näherten sich vergleichsweise ihrem Eigenwert. In freundlichem Umgang war Vielfalt, schöne Menschengemeinschaft.

Fünftes Intermezzo

Darin nachzulesen ist, was die schöne Melusine im Jahre 1964 aus dem Roman »Rumba auf einen Herbst« von Irmtraud Morgner in ihr 35. Melusinisches Buch abschrieb

Schalmeientwist I

»Er aber sprach zu ihm: Mein Sohn, du bist allezeit bei mir, und alles, was mein ist, das ist dein.«

Lukas 15,31

Das Haus schwamm langsam in die Nacht hinaus. Pakulat kontrollierte den Kasten, damit er gut und sicher schwamm. Er schlurfte durch den Kellergang, der noch abgestützt war mit Holzbalken, vergewisserte sich, daß hinter den Lattentüren kein Licht brannte. Dann verschloß er Haus- und Hoftür und sah nach, ob die Flurfenster alle verriegelt waren. Er schleppte sich von Etage zu Etage, an den Wohnungstüren vorbei, von denen einige statt verzierter Rahmen und Glasfüllungen rauhe Sperrholzflächen zeigten. Schließlich erklomm Pakulat noch die Bodenstiege. Er leuchtete mit einer Stablampe durch die Verschläge, an denen noch grauer Feuerschutzanstrich klebte, schloß die Dachluken des Trockenbodens und hob die Leiter vom Ausstieg, die der Schornsteinfeger stehengelassen hatte. Dann kehrte er in seine Wohnung zurück in der Gewißheit, daß der Kasten gefeit war gegen Wasser und Feuer und also gerüstet für die Nacht.

Die Wohnung war leer. Pakulat merkte gleich, als er die Tür aufschloß, daß sie noch immer leer war. Er mußte zweimal schließen, und er unterließ es, im Korridor Licht zu machen. Er mochte die Leere nicht sehen.

»Raude«, sagte er und flüchtete sich in die Küche. Er stellte die Suppe zurück in die Ofenröhre und sah hinüber zum Tisch. »Der soll bloß kommen«, sagte Pakulat. Ohne den Tisch wäre die Küche auch leer gewesen. Der Tisch war das einzige, an das er sich halten konnte. Der Tisch und die Schlösser, die nebeneinander in einer Reihe an der Wand hingen, acht Vorhängeschlösser. Und daneben hingen an einem Ring die dazugehörigen Schlüssel. Pakulat nahm den Ring vom Nagel und zählte die Schlüssel. Er zählte sieben. Seit Wochen zählte er sieben. Seit Wochen fehlte einer.

»Der soll bloß kommen«, sagte Pakulat und schlurfte hin und her, von der Tür zum Fenster, vom Fenster zur Tür, vier Schritte hin, vier Schritte zurück. Eigentlich hätte es ihm unmöglich sein müssen, am Tisch vorbeizukommen. Denn der war breiter als die Küche. Eigentlich hätte es seiner Frau damals überhaupt nicht gelingen dürfen, diesen riesigen Tisch in dieser winzigen Küche aufzustellen. Aber es war ihr gelungen.

»Um zehn, und noch nicht zu Hause, unser Vater hätte uns rausgeschmissen, wenn wir uns das einmal erlaubt hätten«, sagte Pakulat zum Tisch, »einmal, so – und ich laß mir das wochenlang bieten, dem Kerl gehts zu gut, der Jugend gehts zu gut . . .« Er stützte sich auf die rechteckige Platte, die auf dicken, gedrechselten Beinen stand. Er sah das Blumenmuster auf der Wachstuchbespannung. Er sah die große helle Fläche, die der Tisch aus der Dunkelheit herausschnitt. Er dachte: Entwarnung. Und er sagte: »Der soll bloß kommen . . .«

Die Küche, das war für Pakulat die große helle Fläche des Tisches, der sich mit seinen Breitseiten Platz geschafft hatte zwischen den Wänden. Und dahinter, schwer zu schätzen für Pakulat, wie weit dahinter, denn eine Dimension war ihm verlorengegangen, irgendwo dahinter begann die Stadt, auch eine Fläche. »Wahrscheinlich ist er wieder bei diesen Krawallwurzeln«, sagte Pakulat. Er schleifte die Pantoffeln noch einmal durch die Küche, ehe er in das Zimmer des Sohnes ging, um nachzusehen, ob sich seine Vermutung durch Indizien bestätigen ließ.

Auf dem Schrank fehlte die Trompete. Pakulat stöhnte vor Zorn. Aber er spürte auch eine gewisse Genugtuung darüber, daß er richtig vermutet hatte. Und er sah sich nicht weiter im Zimmer um. Er wußte, daß die Trompete fehlte, er wußte, daß über dem Bett Aktphotos aus dem Magazin an die Wand gezweckt waren: er wußte Bescheid.

Und er schlurfte zurück in die Küche und sagte, wobei er jedes Wort mit einem Faustschlag auf den Tisch begleitete: »Dem gehört der Hintern versohlt.« Dann schob er sich einen Stuhl an den Tisch heran, zog seine Geldbörse aus der Gesäßtasche, warf sie auf die wachstuchbezogene Platte und setzte sich. Er schüttete die große, krummgesessene Geldbörse aus, wie er es immer getan hatte am Lohntag, wenn seine Frau ihn aus der Kneipe erwartete. Er kam nie spät, er trank vier Bier und vier Harte, und dann kam er. Aber trotzdem hatte er das Bedürfnis, die Scheine und Münzen auf den Tisch zu werfen, so nebenbei. Und eigentlich war dieser Augenblick das Schönste am Lohntag. Natürlich sah er Anna dabei nicht an. Er sah überhaupt niemanden an dabei. Aber er war sicher, daß sie ihn ansah, wie nach einem Schultersieg etwa. Auch heute hatte er vier Bier und vier Harte getrunken, auch heute hatte er das Bedürfnis, den Lohn so nebenbei abzuwerfen. Aber es war niemand da, der ihn ansah. Anna war vor sechs Jahren gestorben, und Benno trieb sich herum.

Pakulat nahm den Schlüsselbund von der Wand, griff einen Schlüssel mit wallförmiger Besatzung heraus, steckte ihn in eines der sieben Vorhängeschlösser und öffnete es.

Der Nachbar saß wie immer am Fenster. In einem Ohrensessel saß er, die Beine und den halben Oberkörper von einer Decke umwickelt. Die gelben Hände lagen auf den Lehnen. Der Kopf hing ein wenig nach vorn. Aus dem verdorrten Gesicht starrten große, trübe Augen.

»Wie gehts«, sagte Pakulat.

»Du liebe Zeit«, sagte der alte Mann. Seine dunklen Augen, die in den Höhlen lagen wie kalte Feuerstellen, starrten unverwandt auf das Fenster. Sooft Pakulat aufschloß, starrten sie auf das Fenster.

»Du siehst doch gar nichts mehr.«

»Die Straße«, sagte der alte Mann.

»Die Straße kannst du doch nur sehen, wenn es hell ist.«

»Meine Straße«, sagte der alte Mann.

»Weißt du, was da auf dem Tisch liegt?«

»Ich seh die Straße.«

»Mein letzter Lohn liegt da. Noch eine Woche, und dann ist Schluß.«

»Ich seh meine Straße.«

»Noch eine Woche und keinen Tag länger. Ich brauch das Geld nicht. Was ich brauch, ist Ruhe. Ich hab mir die Ruhe verdient, was?«

»Ich will meine Straße sehen.«

»Morgen, Opa, morgen, wenn es hell ist, kannst du sie wieder sehen. Jetzt gehen wir erst mal ins Bett.«

»Ich bin nicht müde«, sagte der alte Mann.

»Die Rente und das bißchen Miete langen natürlich nicht weit. Macht nichts, ich hab einen Sohn, der gut verdient, mein ältester, weißt du, Diplomingenieur klingt nicht schlecht, Lutz war schon immer tüchtig. Aber der Kleine. Halb elf, und noch nicht zu Hause. Was sagst du dazu? Ich sage: eine Schande.«

»Ich muß meine Straße sehen.«

»Man klotzt Jahr und Tag auf dem Bau herum, aber denkst du vielleicht, die Raude hält es für nötig, sich dafür zu interessieren, wo das Geld herkommt? Ich hätte auch das Zeug für eine Oberschule gehabt, sonst hätte ich ja nicht zwei Söhne mit Köpfchen. Mein Vater konnte mir keine Bücher kaufen, aber ich habe gewußt, wohin ich gehöre, ich war ein anderer Kerl, als ich so alt war wie Benno. Wenn der Krieg nicht dazwischengekommen wäre, hätte ich schon mit siebzehn Jahren eine Schalmeienkapelle dirigieren können. Ich war ganz schön begabt, zweifellos. Auf Kundgebungen und Versammlungen haben wir gespielt, *Wann wir schreiten Seit an Seit*, die schönen Lieder, jawohl, und mein Sohn, was macht mein Sohn mit dem Talent, das ich ihm vererbt habe?«

Pakulat strich mit der Handkante über den Tisch und schob die Scheine und Münzen zu sich heran. Er klaubte das Geld langsam zusammen, wog es in seinen Händen und betrachtete es, indem er den Kopf ein wenig nach rechts drehte. Die harten, krummgetrockneten Handflächen hielt er dicht vor das linke Auge. Es war groß, so groß, daß es die Lider kaum fassen konnten. Und blau war es und sehr beweglich. Es zwang dem müden Gesicht eine neugierige Spannung ab. Eigentlich nur der linken Gesichtshälfte. Die rechte hatte der stechende Blick eines Glaskörpers, der in der Augenhöhle schwärte, erstarren lassen.

»Ich geh ins Bett«, sagte Pakulat, »jetzt gehts zu Bett.« Er setzte sich aufs Fensterbrett und verschränkte die tätowierten Arme über der Bauchhose. Sein kurzer Hals versank in den Schultern.

»Die Straße«, sagte der alte Mann. Vielleicht bildete sich Pakulat auch nur ein, daß er es sagte. Denn was da im Lehnstuhl saß, seit Jahren immer und immer im Lehnstuhl saß, war eine Hülle. Das Leben war nach und nach aus ihr herausgeflossen und im Gemäuer der Straße versickert. Und nun war die Hülle leer. Pakulat bemerkte zum erstenmal, daß die Hülle leer war. Und er griff nach dem Schloß und drehte den Schlüssel nach rechts. Und er hätte den Schlüssel am liebsten weggeworfen.

Pakulat hängte das Schloß wieder an seinen Haken. Es war klein und rostig und sah ärmlich aus neben dem blanken Stahlmantel des Schlosses von Marquardt, Teilhaber der Firma Marquardt und Marquardt, Kunstschlosserei. Marquardt hatte mit seiner Frau die Wohnung von Pakulats Vater bezogen, nicht so, wie sie war, sondern nachdem zwei Monate Maler, Maurer und Tischler darin gewirtschaftet hatten. Jeden Sonnabendmittag lud Marquardt aus dem Kofferraum seines Wagens zwei Kästen Bier. Abends dann stellte er sich auf den Balkon und sang: *Stern von Rio, du könntest mein Schicksal sein . . .*

Als Pakulat den Nachbarn weggeschlossen hatte, war er wieder allein mit den beiden Kanarienvögeln, die in einem verhängten Käfig schliefen. Der Käfig hing in Höhe des Oberlichts neben dem Fenster.

Pakulat lehnte sich an die tüllbespannte Fensterscheibe. Er spürte, wie die Kälte des Glases durch das Hemd schlug, er spürte die dunkle Fläche der Stadt auf seinem Rücken. Eine belebte Fläche. Eine riesige, von Leibern wimmelnde Fläche, die das Haus umbrandete. Tag und Nacht. Auch wenn die Studenten schliefen, ließen sie nicht ab von dieser Stadt.

Pakulat rutschte vom Fensterbrett und zog das Verdunkelungsrollo herunter. Obwohl er wußte, daß das keinen Zweck hatte. Obwohl er wußte, daß alles sinnlos war. Seit gestern war alles sinnlos.

Pakulat spielte wieder mit dem Gedanken, das Haus zu verkaufen. Er hatte es vor drei Jahren von seinem Vater geerbt. Eigentlich hatte es Pakulat gleich seinem ältesten Sohn vermachen wollen. Aber Lutz, der damals in Untermiete hauste, ließ sich nicht mal dazu bewegen, in die Wohnung des verstorbenen Großvaters zu ziehen. Und Benno wollte das Haus auch nicht. Niemand wollte das Haus, das Pakulats Vater einst von der überraschenden Erbschaft seiner Frau gebaut hatte, zum Teil eigenhändig, denn er war auch Zimmermann, und von dem er geglaubt hatte, es würde seine Nachfahren ernähren. Jetzt ernährte es sich gerade so selbst, grob gesagt. Denn die Mieteinnahmen hatten sich im Gegensatz zu den Ausgaben seit 1912 nicht geändert. Deshalb konnte Pakulat für das Haus keinen Käufer finden. Niemand konnte für solche Mietshäuser mehr Käufer finden. Solche Häuser konnte man nur noch verschenken. Und Pakulat war auch das mißlungen. Bei den Söhnen jedenfalls. Der Fassadenputz war zwar von Granatsplittern hier und da gelöchert, aber wegschenken an irgendeine Verwaltung kam nicht in Frage. Weil es unmöglich war. Weil man ein Haus nicht zu einem seiner Fenster hinauswerfen konnte.

Pakulat setzte sich wieder an den Tisch. »Wegen mir kann er kommen, wann er will«, sagte er zum Tisch. Der Tisch war das einzige, das ihm geblieben war in dem Haus. Denn der Sohn, auf den er wartete, war verloren. Gestern hatte er ihn verloren.

Pakulat erinnerte sich, daß er gestern früh aufgewacht war, früher als sonst. Mit einer Vorstellung von Kaffee vor der Nase. Immer wenn er sich fühlte, als ob er Häuser wegtragen könnte, roch er Kaffee. Er war leise aufgestanden, um Benno nicht zu wecken, hatte zwei Eier gegessen und einen halben Königskuchen, hatte ein weißes Hemd und einen Schlips in die Tasche gepackt, die Säge unter den Arm geklemmt und war pfeifend zur Arbeit gegangen. Er hatte nicht viel fertiggebracht an diesem Tag, weil er dauernd den Kaffeegeruch vor der Nase hatte und viel pfeifen mußte und immer an das *Programm der kulturellen Umrahmung* dachte, das ihm Benno am Abend zuvor überreicht hatte – nicht gegeben: überreicht. Das Programm kündigte als letzte Nummer an: »Kapelle der 17. Erweiterten Oberschule, Leitung Benno Pakulat, *Wann wir schreiten Seit an Seit.*« Pakulat klimperte mit dem Hammer, schwappte den Mörtel über die Armierung, schwenkte den Aufzug ein, daß das Gerüst zitterte. »Wird gemacht«, sagte er. Und langsam reifte in ihm ein Entschluß. Zum Mittagessen gab er einen Kasten Bier aus, sagte seinen Leuten, daß er heute eine Stunde eher gehen müsse, und lieh die Brigadiervollmachten für diese Stunde aus an den Ältesten. Und als es drei Viertel drei war, riß Pakulat den Zimmermannssamt herunter, zog das weiße Hemd an, band den Schlips um und ließ sich von einem Omnibus ins Geschäftsviertel fahren.

Die Straßen waren voll um diese Zeit. Die Fabriken und Verwaltungen schütteten aus, was der Arbeitstag übriggelassen hatte von den Menschen. Ein heterogener Fluß zwängte sich durch das eng gemauerte Bett, Müdigkeit und Hast zusammengeschüttelt, ergaben als Mittelwert jene zähe Bewegung, die das Straßendelta der Innenstadt am frühen Abend füllte. Die Dächer der Autos schwammen auf dem trägen Strom wie Abwasserschaum. Vor den erleuchteten Schaufenstern entstanden Wirbel. Pakulat wurde mehrmals von diesen Wirbeln erfaßt. Er besuchte alle Musikgeschäfte am Platze. Schließlich kaufte er preiswert und gut.

Natürlich waren die Straßen nach wie vor menschenvoll. Natürlich trieb Pakulat, sobald er mit dem Gekauften aus dem Laden heraustrat, wieder im trägen Strom der Leiber, die ihn stießen, drückten, schoben, hemmten und mit ihren Gerüchen bedrängten. Natürlich dachte Pakulat wieder: Entwarnung. Aber er steuerte, so. Pakulat hatte in Wirklichkeit immer gesteuert. Er kannte sich aus in den Straßen. Er war zu Hause in dieser Stadt, die alt war und verhältnismäßig gut erhalten. Und die viele verhältnismäßig gut erhaltene Bewohner in Pakulats Alter hatte, wie er an diesem Abend feststellte. Studenten sah er natürlich auch, aber sie waren nicht in der Überzahl. Pakulat hob das verschnürte Etui, wie man einen Zeigefinger hebt, Achtung, und trieb sicher bis zur Schule. Das war ein roter Backsteinbau, dessen Fassade, sechzigjährig, drohend, geizig, mit Eisenhaken gespickt war. An einigen hing beschriftetes Fahnentuch, über Lattenrahmen gespannt.

Pakulat blieb nicht schüchtern am Eingang stehen wie die anderen. Die Elternversammlung mit *kultureller Umrahmung* sollte in der Turnhalle stattfinden, und also ging Pakulat auf schnellstem Wege in die Turnhalle. Wehrunwürdig, dachte Pakulat und lief durch abgewetzte Korridore. Durch ein von Lehrern und Lorbeerbäumen flankiertes Hallenportal. Durch alle Bankreihen. Er nahm Platz in der ersten Reihe. »So«, sagte er. Er konnte nur das kleine windige Wort herausbringen. Zu dem er immer flüchtete, wenn er Ordnung brauchte. Halt. Disziplin. Aber das kleine windige Wort war ohnmächtig gegen die Unordnung, die die Aufregung in seinem Kopf angerichtet hatte.

Und er mußte noch lange warten. Zuerst auf den Beginn des Programms und dann auf das Ende. Hätte Benno das Programm nicht auch eröffnen können? Die besten Nummern standen immer entweder am Anfang oder am Ende. Pakulat saß breitbeinig auf der niedrigen Turnbank, das Geschenk auf dem Schoß. Der Schulleiter las eine Rede vor, eine Entschließung, über die mit erhobener Hand abgestimmt wurde, protestierte gegen die Seeblockade der Vereinigten Staaten gegen die Republik Kuba sowie gegen die Anzettelung von Weltkriegen, der Schulchor sang, Gedichte wurden rezitiert, endlos. Pakulat klatschte, um die Schüler anzuspornen, das Tempo zu steigern. Er trommelte mit den Fingerkuppen auf dem verschnürten Instrumentenkasten. Gedichte vorlesen konnte schließlich jeder, lesen konnte jeder. Aber blasen, eine Kapelle leiten, dazu gehörte Talent . . .

Pakulats Instrument lag im Schutt begraben, ausgeglüht, verbogen – wer weiß. Er hatte lange dafür sparen müssen, weil er oft arbeitslos gewesen war. Wenn er als Zimmermann keine Arbeit finden konnte, arbeitete er als Hucker. Und schleppte sich die Beine krumm. Aber einen krummen Rücken hatte er nicht.

Nach dem Krieg hatte er sich keine Schalmei wieder gekauft. Zuerst gab es keine, und dann hatte er keine Zeit. Aber war es nicht schade um sein Talent?

– noch einmal dirigieren, noch einmal eine Kapelle anführen, tam-ta-tam-ta darira *und die alten Lieder singen,* Gartenfest, Sportfest, Agitprop, Saalschlacht, Pakulat kommt, Pakulat haut euch raus, Ringer und nichts im Bauch, Schultersieg, Anna, einen Mann, der zur freien Körperkultur geht, heirate ich nicht, Anna kannte mindestens fünfhundert Lieder, wenn sie anfing zu singen, hörte sie nicht wieder auf, der Schulchor singt vom Blatt, Affentänze aus dem Kopf und Volkslieder vom Blatt, vierzehn Tage mit dem Chor in ein Landheim, und ich hab die Jugend so weit, daß sie Volkslieder aus dem Kopf singt und Affentänze vom Blatt, wird gemacht, orientieren, lenken, führen, noch einmal eine Demonstration anführen und hinter sich einen Panzerzug Musik, metallische Schalmeienakkorde, Klingeln des Schellenbaums, Schläge von Trommeln und Pauke und Becken, noch einmal mit dem Taktstock den Gleichschritt bestimmen, linkszwodreivier, *mit uns zieht die neue Zeit*, und am Straßenrand verschleierte Damen, Monokelfressen, Spießer, das waren noch Demonstrationen, nicht so ein lahmes Gelatsche wie heute, da gehörte noch Mut dazu, hinter einer roten Fahne herzumarschieren, *wann wir schreiten Seit an Seit* –

Pakulat trommelte mit den Fingerkuppen auf der verpackten Schalmei. Er war sicher, daß er den Chor hinkriegen würde. Wie er seinen Sohn hingekriegt hatte. Plötzlich. Aber gesetzmäßig. Es gab nichts, was nicht gesetzmäßig verlief. Früher oder später. Dies hier verlief ziemlich spät. Dicknischel. Geschafft. Sonst würde er nicht mein Lieblingslied spielen, dachte Pakulat, wahrscheinlich ist das der Durchbruch, wahrscheinlich wird er eines Tages auch eine Schalmeienkapelle dirigieren, ich habe einen Durchbruch erzielt . . .

»Und nun auf besonderen Wunsch . . .« Die orgelnde Stimme des Sohnes riß Pakulat aus seinen Träumen. Er wischte mit der Hand übers Gesicht und kratzte das Lächeln aus den Mundwinkeln. Zeige- und Mittelfinger der rechten Hand legten sich auf den Daumen. Pakulat sah gespannt zur Bühne. Der junge Mann, knitterfreier Anzug, Maßkonfektion, zweihundertdreißig Mark, neue Schuhe, zweiundfünfzig Mark, Dederonhemd, fünfundsiebzig Mark, was Pakulat für die Lincoln-Krawatte bezahlt hatte, wußte er nicht mehr, der junge Mann Benno räumte das Mikrophon beiseite, in das er eben noch gesprochen hatte, wechselte noch einige Worte mit seinen Musikern, die hinter Pappschildern saßen, nahm die Trompete vom Klavier und stellte sich mit dem Rücken zum Publikum. Was wollte er denn mit der Trompete, dirigieren mit einer Trompete? Ich muß ihm einen Taktstock kaufen, dachte Pakulat.

Das Gemurmel der Eltern verstummte. Der Vater hob ein wenig die rechte Hand, deren Zeige- und Mittelfinger auf dem Daumen lagen. Der Sohn stampfte viermal mit dem Fuß.

Sportfest, Agitprop, Saalschlacht, Demonstration, ein Panzerzug Musik, linkszwodreivier, Pakulat marschierte in knitterfreiem Anzug, mit geraden Beinen, Puls ausgezeichnet, Luft kein Problem, wie ein Unsterblicher eben so marschiert.

Er marschierte eine ganze Weile, denn er konnte nur noch mit dem linken Ohr hören. Dann stutzte er. Da er wußte, daß die Hauptprobe in Anwesenheit des Direktors stattgefunden hatte, dachte er: Öffentliche Konversion. Er war mal bei den Freidenkern gewesen, und er wußte, daß öffentliche Konversionen gut wirkten. Er dachte: Zuerst das negative Beispiel, das die Vergangenheit der Krawallwurzeln symbolisieren soll, und dann kommts. Er konzentrierte sich auf das, was kommt, um den Lärm und die merkwürdigen Verrenkungen der Musiker leichter zu überstehen. Der Klavierspieler trat statt des Pedals den Fußboden. Der Pauker verplemperte die Kräfte an verschiedene topfgroße Trommeln und benahm sich auch sonst wie ein Verkäufer auf dem Topfmarkt. Der Bassist hatte keinen Bogen. Die Bläser spielten mit hohlem Kreuz, je höher der Ton, desto hohler das Kreuz, mit geschlossenen Augen spielten sie, ohne auf den Dirigenten zu achten. Kein Wunder, daß Benno die Lust verlor und auch was blies, jeder blies etwas anderes. Auf den Instrumenten fehlten die Notenklemmen. Mit roten Gesichtern bliesen die Kerle, breitbeinig, unanständig den Bauch vorgestreckt, quetschten und quetschten, und was kam raus aus diesen Instrumenten? Ein Ton. Eine Schalmei brachte das Vierfache.

Während Pakulat so über die sinnlose Vergeudung von Kraft und Talent nachdachte und das Geschenk auf den Knien schaukelte, traf ihn plötzlich etwas Bekanntes. Wie ein Hieb mit dem Schlagring. Wenn du nicht singst, schlag ich dich blind. Abführen. Er erkannte sein Lieblingslied, zerhämmert, synkopisiert, vertwistet. Benno nannte das: vertwistet. Der Sohn des Zimmermanns Pakulat hatte ein altes Arbeiterlied vertwistet?

Pakulat griff nach dem Geld. Und stopfte es wieder in die Geldbörse. Und starrte dabei unverwandt auf die wachstuchbespannte Platte, den Kopf ein wenig nach links gedreht. Und sah, daß das Blumenmuster nicht mehr da war. Vorhin hatte er es noch gesehen, wie neu war es gewesen, und jetzt war es fast weg. Nur Farbreste waren zu erkennen. Und dünne, dunkle Striche kreuz und quer von Messerschnitten. Und Druckerschwärze in Form von spiegelverkehrten Buchstaben. Und ein großes braunes Loch, das Anna gebrannt hatte, als ihr das Bunkerlicht aus der Hand gefallen war. Und Druckringe von heißen Tellern und Töpfen. Und ein paar Suppenkleckse, die noch frisch waren. Pakulat schmierte sie breit mit der Hand. Er wußte, daß sich das nicht gehörte. Aber er war zu müde, um einen Lappen zu holen. Er fürchtete sich davor, aufzustehen und sich umzusehen. Er sagte: »Das Haus ist wie neu.«

Niemand antwortete. Seit gestern war er allein. Verlassen. Sterblich.

Er nahm den Suppentopf aus der Ofenröhre, wickelte ihn in Zeitungspapier und dann in eine Decke und stellte ihn auf den Tisch. Er sah nur auf den Topf und auf das Papier und auf die Decke. Aber dennoch bemerkte er Sprünge in den Ofenkacheln. Und ihm schien, als sei Putz an der Türbekleidung abgebröckelt. Er dachte: Druckwelle. Obgleich er wußte, daß das Quatsch war. Aber er konnte sich seine Gedanken nicht aussuchen. Sieben Parteien wohnten in seinem Haus. An keine hätte er vermietet, wenn es nach ihm gegangen wäre. Niemand konnte sich seine Gedanken aussuchen.

Pakulat setzte sich wieder, griff dann hinter sich, fingerte, bis er Kühle spürte, Metall, halbrund, und den Bügel. Er hob ihn vom Haken und den Schlüsselbundring, steckte einen Flachschlüssel in den gekrümmten Schlitz, drehte den Schlüssel nach links, bis er den Widerstand spürte, und drückte den Riegel zurück. Der Bügel schnappte auf.

»Wo ist Ihre Wirtin?«

»Im Bett.«

»Und warum sind Sie nicht im Bett?«

»Weil ich noch zu tun habe, wie Sie sehen.«

»Ich sehe nur, daß Sie lesen.«

»Sehr richtig.«

»Lesen ist doch keine Arbeit.«

Der junge Mann, von dem die Tischlampe Gesicht, etwas Brustfläche, spitzgewinkelte Armstreifen, die Handoberflächen und die aufgeschlagenen Buchseiten aus der Dunkelheit herausschnitt, griff sich an den Mund, zog einen weißlichen Faden zwischen den Zähnen hervor, der immer länger wurde und immer dünner, stopfte ihn wieder zurück in den Mund und kaute weiter.

»Sie brennen bis in die Nacht hinein Licht, und Ihre Wirtin kann sich kaum einen Kaffee leisten.«

»Das Licht bezahle ich.«

»Ach.«

»Das Licht und die ganze Wohnung. Die Zweizimmerwohnung kostet siebenunddreißig Mark, und ich bezahle fünfzig für ein Zimmer.«

»Wovon?«

»Von meinem Stipendium.«

»Also von meinem Geld. Ich verlange, daß Sie mein Geld nicht sinnlos zum Fenster hinausschmeißen.«

Der junge Mann drückte die Radiotaste und zog die Antenne aus dem Gehäuse. Geschrei. Fremde Worte.

»Rücksichtslosigkeit!«

»Die Alte schläft sowieso nicht.«

»Ihre Wirtin ist nicht alt.«

»Sechzig nennen Sie nicht alt?«

»Wenn Sie solchen Lärm machen, kann sie ja nicht schlafen.«

»Sie kann nicht schlafen, weil sie denkt, ich könnte mal mit meiner Freundin schlafen.«

Pakulat schloß den Studenten weg. Er wußte Bescheid. Er hatte Schlüssel für alle Parteien. Nur für Benno nicht.

Pakulat hängte das Schloß wieder an den leeren Haken, rechts neben das Schloß der Familie Oberinspektor a. D., die aus Herrn Oberinspektor a. D., Frau Oberinspektor a. D. und dem Fräulein Tochter bestand. Es – denn sie hätte nicht zu ihrer Erscheinung gepaßt –, es spielte an Sonn- und Feiertagen auf einem Klavier, von dem der Herr Oberinspektor a. D. behauptete, das ersetze ihm voll und ganz den Flügel. Den Flügel der Sängerin Herzfeld hatte damals der Blockwart selbst genommen.

Das Haus schwamm auf den Fluten der Nacht. Der Kasten war gefeit gegen Wasser und Feuer. Denn er war gemacht für den Mann und für sein Weib und seine drei Söhne. Der gerecht ersehen war zu dieser Zeit. Der zu sich genommen hatte allerlei reinen und unreinen Viehs, Männlein und Weiblein. Desgleichen von den Vögeln unter dem Himmel. Und allerlei Speise auch. *Und die Wasser wuchsen und hoben den Kasten auf und trugen ihn empor über die Erde.* Und der Mann, der in dem Kasten saß, allein, denn sein Weib war gestorben, und Max war gefallen, und Lutz war verheiratet, und Benno trieb sich herum, der Mann, der für alle, die mit ihm waren, einen Schlüssel hatte – obgleich er die meisten nicht einmal für wert hielt, in den Kammern zu sitzen –, für alle, nur für Benno nicht, dieser Mann fragte sich, weshalb er nicht die Fenster und Türen auftrat und das Dach hob vom Kasten.

»Raude«, sagte Pakulat.

Die Küche schrumpfte ein. Runzlige Wände um ihn. Aus abgetretenen Dielen standen Nägel heraus, warzenartig. Die Leimfarbe löste sich blasig von der Decke. Plötzlich. Das Haus war plötzlich gealtert. Vorgestern noch war es gewesen wie 1912, und auf einen Schlag war es gealtert. Um Jahrzehnte, um Jahrhunderte, wie Pakulat schien. Er hätte sich sechshundert Jahre alt gefühlt, wenn er nicht früher bei den Freidenkern gewesen wäre.

Nur der Tisch war geblieben, wie er war. So groß. So hell. So jung. Die Wachstuchbespannung war heruntergekommen, und das Blumenmuster war hin, aber der Tisch war unverwüstlich. Die Toten waren unverwüstlich.

Anna hatte den Tisch in die Küche gestellt, als sie mit Benno ging. Die Leute hatten gesagt, daß der Tisch viel zu groß wäre für die winzige Küche und nicht einmal hineinginge, wenn alles herausgeräumt würde. Aber Anna hatte ihn gekauft. Vierundvierzig. Als fast jede Nacht die Sirenen heulten und niemand im Haus so dumm war, sich Möbel oder Kinder anzuschaffen. Anna hatte Geld zusammengekratzt für einen unpassenden Tisch. Und ihn untergebracht. Schwer zu sagen, wie sie das gemacht hatte. Pakulat war im Strafbataillon. Der Oberinspektor grüßte Anna nicht mehr. Die Frau Feldwebel ließ ihre Kinder nicht mehr mit Lutz spielen. Max war vermißt. Der Schwiegervater setzte ihr zu, weil sie ihren Mann nicht abgebracht hatte von seinen gefährlichen Unternehmungen. Ihre Mutter verreckte auf dem Treck. In den letzten Wochen schwollen ihre Beine so an, daß sie nur noch in Pantoffeln gehen konnte. Sie stand in

Pantoffeln in der Küche des Parkrestaurants und spülte Geschirr. Und in Pantoffeln kaufte sie den Tisch.

Sie gebar im Luftschutzkeller, und es ging ihr schlecht danach. Benno lebte so schwächlich, daß die Ärzte kaum Hoffnung zeigten. Aber Anna brachte ihn durch. Sie wickelte ihn auf dem großen Tisch. Später hungerte sie, um das Kind nicht hungern zu lassen. Aber Benno blieb schwächlich, auch als sein Vater, wieder heimgekehrt, hamstern fuhr, um ihn satt zu machen. Benno durchlitt alle Kinderkrankheiten. Mit fünf Jahren wurden ihm die Mandeln gekappt, und ein Jahr später brach er sich beim Rodeln das Wadenbein. Als er in die Schule kam, war er der Kleinste in der Klasse. Sportzensur: vier. Pakulat drückten die Leiden seines Sohnes, als wären es seine eigenen. Er liebte ihn anders als den fünfzehn Jahre älteren Lutz, der alle Raufereien gewann und mit vierzehn Jahren politische Reden hielt, öffentlich; er liebte ihn vielleicht ein bißchen, wie ein Großvater seinen Enkel liebt.

Benno kränkelte bis zum sechzehnten Lebensjahr. Dann schüttelte er die Leiden ab und wuchs und wurde kräftig. Pakulat freute sich, daß plötzlich aus dem kleinen Benno ein junger Mann geworden war, der ihn um Kopfeslänge überragte. Und er bedauerte es. Und er ließ es nicht zu. Manchmal. Gestern abend zum Beispiel. Der da gestern abend dirigiert hatte, das war der kleine Benno gewesen, für den der Vater ein Geschenk mitgebracht hatte. Aber er hatte sich benommen, wie sich der kleine Benno nie benommen hätte: ungezogen, undankbar, gemein.

»Er hat mich angespuckt«, sagte er zum Tisch. »Es war so, als ob er mich angespuckt hätte. Und dich auch, Anna, und alle, die verreckt sind, damit er leben kann, und alle, die sich abrackern, damit er lernen kann: mein Sohn. Mit so einem Sohn bin ich geschlagen.«

Pakulat war nach Hause gerannt, halb krank vor Enttäuschung und Scham und Wut, und hatte auf Benno gewartet, wie er jetzt auf ihn wartete. Er war durch die Küche geschlurft, vier Schritte zum Fenster, vier Schritte zur Tür, vorbei am Küchenschrank, auf dem das verschnürte Etui mit der Schalmei lag, und hatte gewartet auf den verlorenen Sohn. Der gestern noch nicht ganz verloren war. Der noch gerettet werden konnte über die Brücke der Reue.

»Salud«, hatte der Sohn gesagt, als er gestern nach Hause gekommen war. Und blieb in der Tür stehen. Und grinste. Und das war keine Reue. Das war keine Brücke. Empörung schlug den Vater stumm.

Benno schien das mit Genugtuung zu beobachten. Jedenfalls stemmte er einen Ellenbogen gegen das Türfutter und schlenkerte das Spielbein. Und zog laut Rotz hoch in der Nase. Und kaute.

»Na, hat dir der Schalmeientwist gefallen?«

»Hör auf zu kauen«, schrie Pakulat.

»Warum?«

»Hör auf zu kauen, sag ich dir.«

»Ich sehe, unsere Menschen sind begeistert.«

Pakulat riß seinen Schlips herunter.

Benno fuhr zusammen. Er hielt einen Augenblick den rechten Unterarm vor das Gesicht. Dann stemmte er den Ellenbogen wieder gegen das Türfutter und schlenkerte das Spielbein. Und zog laut Rotz hoch in der Nase.

»Hast du kein Taschentuch?«

»Doch.«

»Kannst du nicht still stehen?«

»Ich laß mich nicht abrichten.«

»Und ich laß mich nicht anspucken von dir, verstanden?«

»Nein«, sagte Benno. Er griff nach der Türklinke, unterbrach die Wendung, zögerte einen Augenblick, schien aber dann doch nicht widerstehen zu können und murmelte, daß er hoffe, einen Durchbruch erzielt zu haben.

Und da verlor Pakulat die Übersicht. Seine Erinnerung verdächtigte ihn sogar, getobt zu haben. »Ich habe ein schlechtes Gedächtnis«, sagte er zum Tisch. Aber daß er Ohrfeigen und Flüche ausgeteilt hatte, gab er zu.

Benno hatte sie scheinbar unbewegt entgegengenommen. Er hatte die Klinke wieder losgelassen und stand breitbeinig in der Tür, mit herunterhängenden, ein wenig abgespreizten Armen. Dadurch erschienen die Schultern breiter als sonst und der Kopf unverhältnismäßig klein. Vielleicht lag es auch daran, daß das falbe Haar kurz geschoren war. Das Gesicht war so klein, daß nur Augen und Schnurrbart darin Platz hatten. Die wimpernlosen Lider waren weit zurückgerissen.

»Lackaffe, mit siebzehn einen Schnurrbart, auffallen um jeden Preis, den Vater lächerlich machen . . .«

»Dich braucht niemand lächerlich zu machen, du machst dich selbst . . .«

»Daß du dich nicht schämst.«

»Du schämst dich doch auch nicht.«

»Mach, daß du rauskommst«, hatte Pakulat geschrien.

»Ich geh sowieso«, hatte Benno gesagt. »Salud.«

Dann war er hinter der weißgestrichenen Tür verschwunden und hatte sich nicht mehr sehen lassen. Bis jetzt. Jetzt war es halb zwölf. Pakulat starrte auf die Tür. Er sah, daß links von der Klinke die Farbe abgewetzt war.

»Flegel«, sagte Pakulat. Er sagte es mehrmals. Bis die Wut wiederkehrte. Und er hielt sie eine Weile, indem er sich entlastende Vorwürfe machte. Die wichtigsten teilte er dem Tisch mit. Er sagte: »Ich hätte ihn straffer rannehmen sollen, Überzeugen ist gut, aber einen Ochsen kann man nicht überzeugen, da hilft nur ein Knüppel zwischen die Hörner, manchen muß man zu seinem Glück zwingen . . .«

Es trieb ihn wieder um in der Küche. Er redete an gegen die Stille, die immer dichter wurde. »Mach dir nichts draus, Pakulat«, sagte er, »ihr könnt mich mal, alle könnt ihr mich, alle . . .« Aber er machte sich trotzdem was draus. Er konnte nicht an gegen die Leere, die plötzlich alles wegfraß, was gesichert schien. Nichts war sicher vor ihr. Am allerwenigsten er selbst. Alle Häuser, die er gebaut hatte, waren untergegangen in der Dunkelheit, auf der er schwamm mit seinem Kasten, die ganze Stadt war abgesoffen, und er hatte Lust, die Fenster und Türen des Kastens zu öffnen. Denn er war sterblich. Und also war es egal, ob er im Kasten starb oder ersoff. Seit gestern war er ohnehin so gut wie tot.

Worauf wartete er eigentlich noch? Daß ihn vielleicht doch noch mal jemand brauchte? Lutz brauchte ihn nicht. Der Betrieb brauchte ihn auch nicht mehr. Heute hatte man ihm seinen vorletzten Lohn ausgezahlt wie gewöhnlich, wie man jedem seinen Lohn auszahlte, der nächste bitte. Und in einer Woche, wenn er den letzten bekam, würde man wahrscheinlich auch sagen: Der nächste bitte. Niemand hatte ihn gefragt, ob er weiterarbeiten wollte. Natürlich hätte er nein sagen müssen, wenn ihn jemand gefragt hätte. Wahrscheinlich wußten alle, daß er nicht mehr konnte. Aber man hätte ihn doch wenigstens einmal fragen können. Einmal. Nein. Sie hatten ihn abgeschrieben. Wahrscheinlich hatten sie ihn schon vergessen. Er würde jedes Jahr eine Einladung zum Betriebsvergnügen kriegen, aus Mitleid, mit den Alten hatte man höchstens Mitleid, und damit war der Fall erledigt. Er war nicht mehr Pakulat, Zimmermann, Ringer, Dirigent, Arbeitsloser, Häftling, Strafsoldat, Betriebsleiter, Instrukteur, Brigadier. Er war irgendein »Alter«. Wahrscheinlich nannte man ihn schon lange »Alter«, er hatte es nur überhört. Weil er nur noch auf einem Ohr hörte. Das andere hatte man ihm taub geschlagen beim Verhör.

Pakulat griff wieder nach dem Schloß. Aber dann ließ er es doch hängen. Es gehörte der Familie, die über ihm wohnte und keine Zeit zum Schlafen hatte. Bis nach Mitternacht trampelten Vater, Mutter und Tochter über die Dielen und früh halb fünf schon wieder. Der Vater bearbeitete täglich mit dem Staubsauger das Linoleum, die Mutter putzte täglich die Aluminiumfensterbretter, die Tochter klopfte täglich die Bettvorleger. Der Konfession nach war die Familie vegetarisch und arbeitete im VEB Schlachthof. Pakulat hatte seit neunundzwanzig Jahren einen Schlüssel zu dieser Familie. Seitdem war jedes Fenster ihrer Wohnung, sobald sich dafür Gelegenheit bot, beflaggt. Nachts wurden die Fahnen eingeholt, und, wenn nötig, auf dem Boden getrocknet. Sobald der Morgen graute, hingen sie wieder, gebügelt. Pakulat brauchte das Schloß nicht zu öffnen. Er hatte den Schlüssel. Das genügte.

Er legte noch ein Brikett auf und wischte mit der kohlenstaubigen Hand über das linke Auge. »Dreck, verfluchter«, schrie er. »Scheißdreck.« Dann pellte er den Topf aus Decke und Papier und aß die Suppe, die er für Benno gekocht hatte. Er schöpfte mechanisch in sich hinein, den Kopf ein wenig nach rechts gedreht. Als die Suppe alle war, schabte er noch zwei-, dreimal mit dem Löffel über den Topfboden, ehe er es bemerkte. »Undankbares Volk«, murmelte Pakulat. Müdigkeit brannte ihm in den Lidern. Die Augenprothese drückte. Aber er nahm das Glasauge nicht aus der entzündeten Höhle. Er wollte nicht einäugig sein, wenn Benno kam. Und der kam, er konnte jeden Augenblick kommen, es war schon halb eins.

Eine Sekunde lang oder zwei hatte er sogar geglaubt, Benno sei schon gekommen. Wahrscheinlich, als er eingenickt war. Jedenfalls sah er Benno in der Tür stehen und mit dem Spielbein schlenkern. Die Tür war wie neu, und Benno durchkämmte sein blasses Igelhaar mit gekrümmten Fingern. Und zog Rotz hoch in der Nase und zwirbelte seinen Schnurrbart, der blond und ärmlich war und überhaupt. Aber dann hörte er auch Bennos Stimme, und die Tür war wieder hin. Benno hatte eine braune, orgelnde Stimme, die gar nicht zu dem blassen Gesicht paßte. Und was er sagte, paßte erst recht nicht zu ihm. Er hieß Pakulat, alle Leute wußten, daß er der Sohn des Kommunisten Pakulat war, und er sagte: »Die Invalidentute kannst du dir an den Hut stecken.« »Invalidentute«, hatte er gesagt. Eine Schalmei nannte er »Invalidentute«. Der Feldwebel hatte gesagt »Krüppeltute«. Als er noch nicht Feldwebel war, hatte er das mal gesagt. Und seitdem hatte Pakulat den Schlüssel zu dem verschnörkelten Schloß, das neben dem der Vegetarier hing. Der Feldwebel, der natürlich längst kein Feldwebel mehr war, sondern Buchhalter, sammelte nämlich, was Schnörkel hatte: alte Uhren, Porzellan, Türklinken. Er hatte Pakulat die Klinke von der Laubentür abkaufen wollen. Aber Pakulat war nicht eingegangen auf das Geschäft. Er wußte heute auch nicht mehr, warum, jedenfalls hatte ein Wort das andere gegeben, und schließlich hatte der Feldwebel, der damals noch gar kein Feldwebel war, aber schon den Ton hatte, gesagt: »Sie werden noch mal so klein werden, Sie, verlassen Sie sich drauf, so klein, sage ich Ihnen, so klein mit Krüppeltute.« Er hatte fasziniert auf den winzigen Spalt gestarrt, den er zwischen seinem Daumen und dem Zeigefinger gelassen hatte. Und dann hatte er den Zeigefinger auf den Daumen gedrückt. Aber es war ihm nicht nachzuweisen, daß er es gewesen war, der die Polizei auf die Spur gebracht hatte. Einer der Gruppe war hingerichtet worden. Wenn Pakulats Vermutung richtig war, wohnte unter ihm ein Mörder. Aber es konnte auch sein, daß ein anderer ihn verpfiffen hatte. Ein anderer aus diesem Haus . . .

»Raude«, murmelte Pakulat schlaftrunken. Aber er konnte sich nicht entschließen, ins Bett zu gehen. Er gähnte und klammerte sich an den Tisch. Die Arme, von denen die Ärmel weggekrempelt waren bis zu den Ellenbogen, lagen klafterweit ausgestreckt auf der Platte. Die Finger bogen sich um die Kanten und berührten mit den Kuppen die Zarge.

Dann begann der Tisch zu schrumpfen, langsam, er konnte sich nicht mehr behaupten gegen die Wände, er hatte keine Kraft mehr. Die Wände rückten zusammen, immer enger, Gefängnis, Zuchthaus, Einzelhaft. Vier winzige Schritte zum Fenster, vier winzige Schritte zur Tür, dreizehn Monate lang. Und hinter dem Fenster hoch oben, unsichtbar, irgendwo, vergittert: der Luftraum. In der Tür ein Loch auf der Lauer. Die Wände zerkratzt, zerritzt, Buchstaben, Zahlen, Rhomben mit einem Längsstrich.

– und der Kübel in der Ecke, und die Schüssel, die Schüssel ist leer, der Kalfaktor hat die Schüssel leer gebracht, Nummer 7311 zur Vernehmung, Licht, Schlagring, Wasser, *Stern von Rio*, wenn du nicht singst, hau ich dir das andere Auge auch noch klar, Licht, *du könntest mein Schicksal sein*, wer schwul ist, hat mehr vom Knast, Schlagring, aus Taubstummen machen wir Seife, Wasser –

»Benno«, murmelte Pakulat. Er fühlte einen Druck auf der Stirn. Und konnte nichts sehen. Und spürte einen strengen, chemischen Geruch. Und einen immer heftiger werdenden dumpfen Wirbel.

Es dauerte eine Weile, ehe er merkte, daß er mit dem Gesicht auf der Tischplatte lag. Die Stirnhaut klebte an der Wachstuchbespannung. Die Herzschläge trommelten auf ihn ein. Er schwitzte. Aber er verbot sich, das zu bemerken. Und er wollte sich auch nicht daran erinnern, daß Anna in ähnlicher Haltung gestorben war. Vor sechs Jahren. Aber Anna ließ sich nichts verbieten. Sie kam und ging, wann sie wollte. Und sie war einundfünfzig. Vor sechs Jahren und heute und immer. Nur Pakulat war älter und älter geworden, ohne es zu merken. Und plötzlich war er so alt, daß er seinen vorletzten Lohn in der Geldbörse hatte. Und in sieben Tagen kriegte er den letzten, und dann war Feierabend. Dann saß er am Fenster und glotzte wie der Nachbar hinunter auf die Straße.

In der Unordnung herrschte. Die Müllkästen standen oft tagelang an der Bordkante, ehe sie geleert wurden. Kinder spielten Kaiser-König-Edelmann. Hunde kackten sich aus in den Vorgärten. Die Straßenränder waren von Autos verstellt. Kofferradios lärmten bis in die Nacht hinein. Früh zerrten Frauen kleine unausgeschlafene Kinder hinter sich her. Die Litfaßsäule war mit Modeplakaten beklebt. Hier und da wurden Mobs zum Fenster hinausgeschüttelt. Im Schaufenster des Gemüsegeschäfts fehlte die Losung. Jeden Abend torkelten Besoffene über das Kopfsteinpflaster, als ob ununterbrochen Lohntag wäre. Halbwüchsige knutschten sich in den Haustürnischen. Unordnung, überall Unordnung. Nicht anders als im Betrieb, den Pakulat in einer Woche verlassen würde. Er hatte ihn mal länger als ein Jahr geleitet, vor siebzehn Jahren war das, der Besitzer hatte sich aus dem Staube gemacht, und irgend jemand mußte die Leitung ja in die Hand nehmen, irgendein Zuverlässiger mußte den Mut aufbringen. Pakulat war zuverlässig und erhielt den Auftrag. »Wird gemacht«, sagte er und dachte, es ist ja gar kein Baubetrieb mehr, es ist ein Abbruchbetrieb, ein paar Ruinen einreißen kann jeder, abreißen kann jeder, kann jeder, kann jeder. Aber womit, fragte er sich, als er den Betrieb übernommen hatte. Keine Geräte, kein Geld, keine Bauarbeiter. Nazis, die man anderswo rausgeschmissen hatte, wurden ihm als Arbeitskräfte zugewiesen. Er, der als Delegierter keinen auf den Bau gelassen hatte, dessen Flebben nicht in Ordnung waren, sollte als Betriebsleiter Nazis einstellen. Das ging über seine Kräfte. Nach einem Jahr wurde er abgelöst und konnte endlich tun, was er sich zwölf Jahre lang vorgenommen hatte: wieder Ordnung bringen auf den Bau, dafür sorgen, daß jeder Bauarbeiter ordentliche Flebben hatte. Neun Jahre arbeitete er als Gewerkschaftsinstrukteur hier und da, meist getrennt von der Familie. Als die Frau starb, war Benno elf Jahre alt. Pakulat konnte ihn nicht sich selbst überlassen. Er war auch müde geworden vom ewigen Herumziehen. Und er hatte es satt, sich mit Köpfen herumzuplagen, die Arbeit fraßen, von der man nichts sah. Oder kaum etwas. Oder jedenfalls nicht viel. Nicht genug. Zum Teufel mit den Querköpfen. Pakulat wollte endlich wieder mal was schaffen, was man anfassen konnte. Was blieb. Was ihn überdauerte. Er wollte noch mal so arbeiten, wie er in seiner Jugend gearbeitet hatte. Hoch oben auf dem Gerüst.

In einer Woche mußte er runter vom Gerüst. Und was würde geschehen, sobald er den Rücken kehrte? Ein anderer würde in die Brigade kommen, einer, den er früher nicht auf den Bau gelassen hätte. Und gestern hatte er sich schon vorgestellt. Pakulat hatte die Flebben verlangt, und der junge Kerl hatte gesagt, er sei nicht in der Gewerkschaft. Ohne mit der Wimper zu zucken, als ob er vom Wetter gesprochen hätte. Pakulat mußte am Ende seiner Arbeitstage erleben, daß sein Nachfolger ein Halbseidener war. Natürlich würde der Kerl nicht sofort Brigadier werden. Benno mußte ja auch erst studieren, ehe er Geologe werden konnte. Aber es war nicht ausgeschlossen, daß der Kerl nächstens ohne Flebben auf einer Baustelle schalten und walten konnte. Es war abzusehen, daß Benno bald bestimmte, was mit der Erde gemacht wurde. Konnte Pakulat in Ruhe abtreten, wenn es so um die Ablösung stand?

Die Wände rückten wieder zusammen, die Decke drückte, der Himmel, der ein Luftraum war . . .

Pakulat riß ein Schloß vom Haken und öffnete es mit einem Hohlschlüssel.

»Sie sitzen ja im Finstern.«

»Ja«, sagte das Fräulein.

»Sind Sie aus der Spätschicht gekommen?«

»Ja«, sagte das Fräulein.

»Warum machen Sie kein Licht?«

»Brauch kein Licht.«

»Aber Sie sehen doch gar nicht, was Sie essen.«

»Ich will nichts mehr sehen«, sagte das Fräulein und gab der Lampe Strom. Die hing an einem kordelumwickelten Stab von der Decke, ein seidenbespannter Schirm mit geraffter Blende und fünf Deckenstrahlern. Von denen strahlte allerdings nur einer, mit fünfzehn Watt etwa. Und der Schirm blieb ganz dunkel. Die Wände waren nicht zu sehen. Nur Bilder umgaben das Fräulein, Möbel und Bilder.

»Müssen Sie denn immer Spätschicht machen?«

»Ja«, sagte das Fräulein.

»Warum?«

»Weil es mir egal ist.«

»Versteh ich nicht.«

»Auch egal.«

»In Ihrem Alter muß man an seine Gesundheit denken.«

»Niemand denkt daran, warum sollte ausgerechnet ich daran denken.«

»Sie sind doch mindestens so alt wie ich.«

»Ja«, sagte das Fräulein.

»Und warum arbeiten Sie noch?«

»Weil ich nicht den ganzen Tag die Bilder sehen kann.«

Die Bilder, in schwarze Rahmen gefaßt, von unterschiedlicher Größe, füllten die Zwischenräume zwischen den verschnörkelten Möbeln. Hinter Glas lächelten Säuglinge, Kinder und junge Männer. Die Säuglingsphotos hingen oben. Wenn man genau hinsah, konnte man zwei Gesichter unterscheiden, die immer wiederkehrten. Das eine war braunweiß photographiert, das andere schwarzweiß. Die braunweißen Photos hingen hauptsächlich über dem Sofa und zeigten den Verlobten des Fräuleins unter anderem strampelnd auf einem Eisbärenfell, sitzend in einem Kleid, neben einem Palmentischchen stehend mit Matrosenanzug, Zuckertüte und Schulranzen. Brustbilder zeigten ihn mit Schülermütze, Hartmann und zuletzt mit einer Pickelhaube. Die Bilder des Sohnes hingen gegenüber rund um die Kredenz. Auch er war unter anderem strampelnd, mit Zuckertüte und mit verschiedenen Kopfbedeckungen zu sehen. Auf dem letzten Bild hatte er einen Stahlhelm auf. Es war ebenso wie das letzte Bild seines Vaters an der rechten unteren Ecke mit Strohblumen und einem Flor versehen.

»Sie schlafen zuwenig.«

»Ja«, sagte das Fräulein.

»Schlaf erhält gesund.«

»Noch einmal mach ich das nicht mit.«

»Sie sollten sich mehr schonen.«

»Das nächste Mal bleibt sowieso niemand übrig.«

»Sie haben in Ihrem Leben genug gearbeitet.«

»Vielleicht ist es schon losgegangen. Ich habe heute noch kein Radio gehört.«

»Sie sollten schlafen gehen.«

»Vielleicht ist das die zweite Sintflut, die die Bibelforscher prophezeit haben. Kuba soll doch so paradiesisch sein.«

Pakulat schloß das Fräulein sofort weg. Aber die Fluten der Nacht hatten ihn schon gepackt. Sie warfen ihn hin und her, und die Wellen kamen über. Denn der Kasten war nur gefeit gegen Wasser und Feuer. Er war gemacht für den Mann und sein Weib und seine drei Söhne. Aber es nützte dem Mann nichts, daß er sich gerecht ersehen glaubte zu dieser Zeit. Er hatte allerlei reinen und unreinen Viehs zu sich genommen, Männlein und Weiblein. Desgleichen von den Vögeln unter dem Himmel. Und allerlei Speise auch. Aber wenn die Wasser wuchsen, hoben sie den Kasten nicht auf und trugen ihn nicht empor über die Erde. Wenn kam, was man der Einfachheit halber als Flut bezeichnete, blieben die Wunder aus. Wenn die große Flut kam, verschlang sie Gerechte und Ungerechte. Und die Schöpfer der Flut.

Und die Erde würde wieder wüst und leer sein. Und es würde finster sein auf der Tiefe . . .

»Benno«, schrie Pakulat. Er erschrak vor seiner eigenen Stimme. Das Licht der Küchenlampe schnitt in die Augen. Die Erde, dachte er. Er wußte natürlich, daß die Erde eine Kugel war. Jeder wußte das heutzutage. Und Pakulat glaubte sie auch so zu sehen. Aber in Wirklichkeit sah er nur eine Fläche. Und alles, was darauf stand und wuchs, sah er auch nur in zwei Dimensionen, die Stadt zum Beispiel und das Haus und den Nachbarn und den Vegetarier und den Oberinspektor a. D. und den Studenten und Benno, alle sah er nur in zwei Dimensionen. Denn eine war ihm genommen worden. Und seitdem erschien ihm das Leben nur als eine Funktion von gesellschaftlichen Größen. Und auch jetzt, da es in Gefahr war, erschien es ihm so. Und er hätte darum gebangt, obgleich er sich irgendwie sicher fühlte in seinem Kasten, schwer zu sagen, warum, vielleicht, weil er den großen Tisch bei sich hatte, aber er hätte darum gebangt, wenn der verlorene Sohn heimgekehrt wäre. Doch es war um eins, und Benno war noch immer nicht zurück. Benno war in Gefahr. Die Erde war in Gefahr. Die Erde war unvorstellbar groß. Benno war unvorstellbar klein. Und Blut von seinem Blut. Und Fleisch von seinem Fleisch. Pakulat bangte um Benno.

»Gestern erst haben sie wieder einen angefahren«, sagte Pakulat zum Tisch, »schwer verletzt, ich sage immer, dös nicht so draußen rum, paß auf, wo du hinrennst, aber die Jugend hört ja nicht, vielleicht ist er inzwischen gekommen, und ich habe es nur nicht gemerkt . . .« Pakulat zog sich hoch am Tisch, stieß die abgewetzte Tür auf, tappte durch den finsteren Korridor, tastete nach der Klinke und öffnete. Pakulat schaltete Licht an. Das Bett war leer.

Er setzte sich auf die Bettkante. Die Kühle des ungeheizten Zimmers drang auf ihn ein. Ach Benno, du Raude . . .

Pakulat fiel ein eselohriges Buch auf, das auf dem Nachttisch lag. »Wie das aussieht«, murmelte er und langte danach. Er las: »Spanische Konversationsgrammatik.«

Pakulat brachte sich wieder in Gang, vier Schritte hin, vier Schritte zurück. Spanisch! Sein Sohn hielt es nicht einmal für nötig, dem Vater zu erzählen, womit er sich beschäftigte. Hatte ein Vater nicht ein Recht darauf, zu erfahren, was sein Sohn trieb? Wozu hatte man Kinder, wenn man an ihrem Leben nicht teilhaben konnte? Spanisch. Wozu hatte man Nachkommen, wenn sie sich nicht vor den Fehlern bewahren ließen, die der Vater einst gemacht hatte. Pakulat hatte sich auch in Bennos Alter mit allem möglichen beschäftigt, mit Angeln, Schlossern, Schustern, Tischlern und mit allerlei Viehzeug. Aber dann hatte der Vater gesagt, Schluß, und er hatte auf den Vater gehört und sich konzentriert auf eine Sache und war Zimmermann geworden. Wenn man etwas Anständiges werden wollte, mußte man sich auf eine Sache konzentrieren. Aber Benno hörte ja nicht auf seinen Vater. Benno trieb ein bißchen dies und ein bißchen das und nun auch noch Spanisch. In Russisch hatte er eine Vier, aber für solche Mätzchen fand er Zeit. Spanisch! Pakulat hatte in gutes Gedächtnis, er konnte sich noch genau erinnern, wie er sich gefühlt hatte als Siebzehnjähriger, jawohl. Er hatte Erfahrungen. Die er weitergeben mußte. Die er jeden Tag weitergab, auf der Baustelle, in der Straßenbahn, im Laden, sooft sich Gelegenheit bot. Nur Benno nahm ihm nichts ab. Wahrscheinlich war sein Sohn ein Querkopf. Querköpfe gab es immer.

Als Pakulat sich wieder wandte, um vier Schritte zum Fenster zu gehen, fing das linke Auge einen merkwürdigen Fleck. Pakulat zögerte zuerst, näher hinzusehen. Er wußte, daß über dem Bett Aktphotos hingen.

Er wußte Bescheid.

Aber dann sah er doch hin. Und entdeckte inmitten der Aktphotos das Bild eines jungen Mannes mit schwarzer, gekräuselter Fräse und Baskenmütze. Pakulat blinzelte, verstärkte das Auge mit einem Brillenglas, blinzelte wieder . . .

Er konnte sich nicht sogleich zurechtfinden nach dieser Entdeckung, die das Zimmer veränderte. Hatte er den Bärtigen bisher übersehen?

Konnte man so etwas übersehen?

Der Schlaf fiel ab von ihm. Pakulat steckte den elektrischen Ofen an und schüttelte das Kopfkissen auf. »Ich muß ihn suchen«, sagte er, obgleich der Küchentisch weit weg war, zog den Mantel an und verließ die Wohnung.

Er tappte die Treppen hinunter, die noch sehr gut erhalten waren, wie ihm schien, neu, dachte er. Vorhin war das Holz noch abgetreten, aber jetzt war es wieder ziemlich glatt gebohnert. Er passierte vier Wohnungstüren, von denen zwei statt verzierter Rahmen und Glasfüllungen rauhe Sperrholzflächen zeigten, drückte sich durch die Windfangtür und schloß die Haustür auf.

Und stieg aus dem Kasten, der plötzlich wieder gefeit schien gegen Wasser und Feuer. Und ließ ihn allein schwimmen in die Nacht hinaus.

Zehntes Buch

1. Kapitel

Text eines sensationellen Telegramms aus Rapallo

Bin Anaximander auf der Spur stop Beatriz

2. Kapitel

Laura telefoniert mit der schönen Melusine

Das Telegramm bestürzte Laura derart, daß der Schlaf sie floh. Als sie sieben Nächte in der Wohnung gewandert war, kam sie auf ein gewisses Angebot telefonisch zurück, indem sie die Nummer 2 28 80 20 wählte. Die Hitze in der Telefonzelle übertraf hundstägliche. Der Münzfernsprecher war ein Groschengrab. Aber nach dem zehnten Groschen stellte er doch eine von Knattergeräuschen begleitete Verbindung zu einer Stimme her, deren Tonfall Laura an die forsche Sprechweise ihrer Mutter Olga Salman erinnerte. Und zu Eile nötigte. Laura faßte sich also kurz und erbat etwas geniert das Exponat Benno Pakulat für eine unverbindliche Informationsbefragung. Die Stimme sagte die Lieferung für die kommende Nacht zu. Laura wartete nicht vergebens.

3. Kapitel

Erster Informationsauftritt von Laura Salman und Benno Pakulat

Schauplatz: Zimmer mit offener Balkontür.

Zeit: Spätsommernacht.

Laura im Nachthemd strickend vor der Balkontür. Quietschgeräusche. Blaulicht. Dann Himmelswagen von oben. Im Himmelswagen Benno Pakulat. Sein Gesicht ist von einer Mütze bedeckt. Laura hebt die Mütze, ohne den Schlafenden zu wecken, und sprengt es mit Bier. Dann zieht sie unsicher den linken Schuh und Strumpf von seinem Fuß und erfaßt den großen Zeh, den sie während des ganzen Auftritts nicht losläßt.

Laura (flüsternd): Lieben Sie Kinder?

Benno (monoton, ohne die Augen zu öffnen, Zimmerlautstärke): Seit ich weiß, was Kinder sind: ja. Vorher hab ich nur große Bogen gespuckt, wenn Sie wissen, was ich meine.

Laura (auch Zimmerlautstärke): Nein.

Benno: Mann, können Sie sich denn nicht son Typ vorstellen, son ganz normalen Typ, wie das Sprichwort sagt. Sie haben doch lange genug mit meinem Bruder zusammengehockt. Für Lutz sind Kinder erst dann wirklich da, wenn er sich mit ihnen unterhalten kann. Vorher weiß er nicht, was er mit ihnen andrehen soll, und vollwertige Menschen, die man ernst nehmen muß, sind Kinder für ihn sowieso nicht, da schlägt er ganz nach unserem Vater. Weshalb olle Pakulat zum Beispiel bei mir das Marksteinproblem schwer zu schaffen machte, falls Ihnen der Name was sagt. In der Politik fand olle Pakulat jede Menge Marksteine, aber an mir, Meisterin, wo war der Markstein an mir, der anzeigte, bis zu dem und dem Tag bin ich ein Batzen Lehm, aus dem man alles machen kann, und von dem und dem Tag an bin ich ein Charakter, den man achten muß. Und der nun seinerseits Lehm braucht.

Laura: He, das stinkt mir verdächtig nach antiautoritärer Erziehung, die nicht auf unserem Mist gewachsen ist. Noch nichts vom Jugendgesetz gehört, von Frauenförderungsplänen, jungen Naturforschern . . .

Benno: Ich red nicht von staatlichen Zuständen oder Gesetzen, die super sind, ich red von sittlichen, familiären. Wer andere Menschen unterdrückt, kann selbst nicht frei sein, heißt es, aber mein Vater, ein hochprozentiger Kommunist, hat keine Widerrede geduldet, na, Schwesterchen?

Laura: Wieso?

Benno: Meinetwegen auch Brüderchen, immer diese Sprachschwierigkeiten, schwesterlich ist ja auch ein etwas künstliches Wort, oder haben Sie schon mal gehört, daß der Staatsrat irgendwohin schwesterliche Grüße übermittelt?

Laura: Sie reden mir schamlos nach dem Mund.

Benno: Ich – nie! Von Frauen hab ich die Nase gestrichen voll.

Laura: Von Frauen auch?

Benno: Sauber.

Laura: Sie sind ein Menschenfeind.

Benno: Ein Menschenfreund, Meisterin, oder ist eine Frau, die einem Vater das Umgangsrecht mit seiner Tochter verweigert, etwa ein Mensch?

Laura: Ach, Sie haben eine Tochter?

Benno: Zwei. Als meine erste Tochter drei Jahre alt war, schlagartig sozusagen, fiel mir bei Kaffee und Kuchen plötzlich auf, daß ich gar nicht wußte, was das ist, eine Tochter, ein Kind. Mein väterlicher Arsch machte sich zwar kolossal wichtig in der Geburtstagsgesellschaft, aber tatsächlich war ich ein Penner. Ehrlich, ich hatte gepennt, drei Jahre alles verpennt, und nun rackerte ich mir mit Babysprache blöde Bluffs aus der Figur, ich klotzte wie besengt mit Plüschviechern auf dem Teppich rum und unterm Tisch, ich wieherte, ich sang sogar Alle meine Entchen und diese Dinger, wenn Sie Frauentagszeremonien erlebt haben, wissen Sie alles. Aber Sie kennen natürlich olle Pakulat nicht, mein leuchtendes Vorbild, das Fehler nur machte, um draus lernen zu können. Sie stellen die Frage nicht scharf, Kollegin. Ich dagegen, noch am selben Abend, haarscharf zuzüglich Überzeugungsarbeit, meine damalige Frau wollte nämlich eigentlich nur ein Kind, aber in Bestform frißt sich mein Charme durch die dicksten Bretter, Salzsäure, ehrlich.

Laura: Warum tun Sie eigentlich jünger, als Sie sind?

Benno: Wie?

Laura: Ich versteh nicht, warum Sie sich mit Worten und Klamotten und was weiß ich mit welchen Tricks noch wehren, ein erwachsener Mann zu werden, der Sie doch tatsächlich sind, Ende Zwanzig, wenn ich recht informiert bin. Warum wollen Sie kein erwachsener Mann werden?

Benno: Weil mich erwachsene Männer ankotzen.

Laura: Und erwachsene Frauen?

Benno: Ich hab immer auf älteren Frauen gestanden, Backfische, die Tag und Nacht kichern, konnten mich nie hochbringen, meine ehemalige Frau war fünfzehn Jahre älter als ich, aber nicht, was Sie denken, Kollegin. Ich bin nicht weg von ihr, weil sie mir zu alt war, sondern sie ist weg von mir.

Laura: Geschieden?

Benno: Nicht nötig, wir waren nicht verheiratet, aus Prinzip, ich weiß nicht, ob Sie den Stil kennen, welcher jugendliche Charakterkopf möchte schon als Ehemuffel gelten. Aber wir lebten natürlich zusammen, vierter Stock Hinterhaus, da hab ich zwei Kochstuben zu einer Wohnung ausgebaut, sauber, jede Menge Sonne da oben unterm Dach, jetzt wohne ich bis zu den Waden im Keller, und in meiner Baukunst nistet Herr Diplombiologe.

Laura: Der jetzige Mann Ihrer ehemaligen . . .

Benno: Der Ehemann.

Laura: Also war sie doch offenbar eine Frau, die geheiratet werden wollte . . .

Benno: Was heißt offenbar, sie hätte nur den Mund auftun brauchen, ein Wort, und ich hätte mir Herrn Standesamt gekauft, mit Ring, mit Blumenstrauß und Ring und Kick und Kack, bin ich ein Unmensch? Aber sie ist einer. Verbietet dem Vater, seine Kinder zu sehen, und wissen Sie, was die Jugendhilfe sagt?

Laura: Sie haben das Umgangsrecht.

Benno: Genau. Ich habe das Umgangsrecht, und die Mutter hat das Erziehungsrecht. Aber das Umgangsrecht ist eine Kann-Bestimmung, Meisterin, kein Gesetz. Selbstverständlich wird dem Erziehungsberechtigten von Amts wegen gut zu- und ins Gewissen geredet, er wird auf seinen unmoralischen Egoismus aufmerksam gemacht und dran erinnert, daß Kinder kein Besitz sind und dergleichen. Ich behaupte ja auch gar nicht, daß ich meine erste Tochter aufgezogen habe. Aber meiner zweiten

Tochter bin ich ein Vater gewesen, ein richtiger, nicht so ein Typ mit Besucherstatus. Ich hab das Kind früh fertiggemacht und in die Krippe gebracht, ich habs abends geholt, gebadet, gefüttert, gewindelt natürlich auch, wenns krank war, hab ich nicht die Verantwortung auf meine Frau abgeschoben, sondern selber an Windelboxen und in Arztzimmern geschwitzt, mir die Nacht um die Ohren geschlagen und auch mal Rotz und Wasser geheult vor Angst. Ich brauch Ihnen nicht zu sagen, daß so was bindet, Meisterin. Nur so was, Zusehen schafft keine schwerwiegenden Erfahrungen, nur Umgang, Begreifen, Angreifen. Als meine zweite Tochter sprechen lernte, nannte sie mich und meine Frau »Mama«, wann zum Teufel schützt unser Staat endlich die Lebensinteressen unserer werktätigen Väter durch entsprechende Gesetze?

Laura läßt erschrocken Zeh und Mütze fahren. Die Erscheinung nach oben quietschend ab.

4. Kapitel

Darin nachzulesen ist, was die schöne Melusine aus einem Magazin in ihr 73. Melusinisches Buch abschrieb

Vor vierzig Jahren untersuchte F. S. Hammet die Folgen von operativer Entfernung der innersekretorischen Nebenschilddrüsen bei Ratten. Werden sie entfernt, so fällt ihr in die Blutbahn abgeschiedenes Sekret aus, was ernsteste Folgen für den Kalziumstoffwechsel hat. Der Kalziumgehalt des Blutes sinkt rapid; gewöhnlich tritt binnen zwei Tagen der Tod ein. Bei Hammets Experimenten erwiesen sich aber gewisse Ratten als widerstandsfähiger und überlebten den Eingriff etwas länger. Diese Gruppe von widerstandsfähigeren Ratten unterschied sich von den anderen, früher sterbenden nur durch eines: Sie waren vom Laboratoriumspersonal regelmäßig gehandhabt worden, während die weniger widerstandsfähigen völlig ohne Berührung aufgewachsen waren. Die Arbeiten von Hammet blieben lange Zeit unausgewertet. Aber vor einigen Jahren wurde ihre Bedeutung erkannt. Seitdem wird die Untersuchung fortgesetzt. Dabei werden Ratten verwendet, die in ihrer Erbausstattung auf Grund sorgfältiger Züchtung so gut wie identisch sind. Im Versuch werden die erbgleichen Tiere in zwei Gruppen geschieden. Die einen bleiben vom Menschen und von anderen Tieren unberührt, die zweite Gruppe wird nach einem streng genormten Verfahren zu bestimmten Zeiten gestreichelt. Werden nun beide Gruppen schweren Belastungen ausgesetzt – »stress« ist der dem Englischen entlehnte, von dem aus Österreich-Ungarn stammenden Kanadier H. Selve eingeführte Fachausdruck dafür –, so wird dies von den gestreichelten Tieren besser vertragen als von den ungestreichelten. Die Belastung kann die Form von Nahrungs- und Wasserentzug, von Bewegungseinschränkung, von Infektionen, Verwundungen und Überanstrengung haben. Bei solcher Belastung erhöht sich die Hormonausschüttung der Nebennierenrinde. Diese Hormone, welche den Stoffwechsel beeinflussen, erhöhen den Widerstand gegen Belastung. Bei sich steigernder Belastung steigern die beiden Nebennierenrinden ihre Hormonausschüttung und bei fortgesetzter Belastung vergrößern sich die Nebennieren. Gezärtelte Ratten zeigen diese Vergrößerung trotz Belastung nicht. Sie werden auch schwerer, behäbiger als ungezärtelte. Sogar die Lernfähigkeit von gezärtelten Ratten übersteigt die der ungezärtelten. Sie lernen besser, in Irrgärten der kürzesten Weg zum Futter zu finden, sie begehen weniger Fehler und vermeiden Sackgassen. Ihre nervliche Balance scheint gediegener zu sein.

5. Kapitel

Lauras Eilbrief an Beatriz de Dia nach Rapallo, postlagernd

Liebe Beatriz, komm bitte sofort zurück. Du bist in den PEN-Club gewählt worden. Die Laudatio hielt der Dichter Dieter Meicke. Ich hab sie mir schriftlich geben lassen, damit Du das Dokument einsehen kannst. Der Sommer ist hier auch viel gesünder. Wesselin kann schon Deinen Namen sagen. Auf Wiedersehen!

Laura

Anlage

6. Kapitel

Anlage zum Eilbrief nach Rapallo, postlagernd

Reichsbahnbad: Die besten Ansichten vom Meer gewinnt man in der Waschschüssel. Stehend, die Zehen aufwärts gebogen vom Behältnis, die Knöchel vom Spiegel umspielt. Den Mangel eines relativen Wasserüberflusses, welchen das Reichsbahnbad mit anderen Freibädern gemein hatte, wogen aber Ruß, Flugasche sowie Ansichten und Geräusche des angrenzenden Bahnbetriebswerks mehr als auf. Das Etablissement erscheint mir optimal. Ich besuchte es regelmäßig als Kind, im Hochsommer täglich. Der Anmarsch verbrauchte mehr als eine halbe Stunde. Er hub an von der Hilbersdorfer Höhe, wo das Pflaster der Dresdner Straße unter Ahornriesen gelegen war. Beschattet. In der Kurve blieb ich gewöhnlich stehen und sah ab von allen widrigen Begebenheiten, hinunter. In die Talmulde waren die hörnchenförmigen Dächer beider Heizhäuser eingepaßt, auch Verwaltungs- und Stellwerksgebäude, Signalbrücken. Wasserkräne, Kohlenbunker, Kohlenladeanlage, Schwimmbecken, Sprungbretter. Wenn die Luftströmung den Heizhaus- und Lokomotivschornsteinen entsteigenden Rauch aus dem Tal ließ, konnte ich das Schienenmuster erkennen, worüber sich Züge, ablaufende Waggons und rangierende Lokomotiven bewegten. Es schwankte sanft im Hitzeflimmern. Der Weg abwärts durch rußbeladenen Kümmerwald dehnte sich auf angenehm qualvolle Weise, denn Rauch- und Sumpfgerüche waren schon deutlich. Bei Nordwestwind konnte ich Rangierbefehle und Schimpfreden des Bademeisters bereits vor der Schonung verstehen. Dort knisterte in manchen Jahren der Kot von Eichenwicklern, der aus den schütter gefressenen Bäumen fiel, im dürren Laub wie Regen. Hitze und Grillengezirp über der Schonung erschien mir als ein Berg von Sonnenstich. Durch den mußte ich mich letztlich fressen mit Füßen und Schweiß. Benommen kaufte ich die Eintrittskarte von der strickenden Frau des Bademeisters, ging auch so zum chassislosen Personenzugwaggon, der Umkleidekabine für die Mitglieder des Schwimmvereins und deren ebenso privilegierte Angehörige. Ich war Angehörige, brauchte nicht zu bangen um Kleid und Proviant, wenn ich das Wasser belebte. Endlich. Es roch zart faulig, schmeckte auch streng. Wenn ich mich vom Dreimeterbrett senkrecht reinfallen ließ, sah es dunkelbraun aus, dann grünbraun, vor dem Auftauchen grün und luftblasenbewegt. Es brannte die Augen und reinigte die Nase, als ob eine Flaschenbürste in Gebrauch wäre. Im Juni bereits nahm es dickflüssiges Aussehen an. Obgleich der Bademeister mit strengen Schimpfreden, die er durch ein Sprachrohr zielte, die Reinheit des Wassers verteidigte. Zu kalter Jahreszeit war er als Streckenarbeiter unterwegs, während der Badesaison war er seßhaft. Auf einem weißgestrichenen Turmstuhlgerüst, das in Schlamm stand. Neben dem Schwimmbecken, in Höhe der Trennungsschnur. Die Schnur forderte von den Badegästen, sich für die erste oder zweite Menschenkategorie zu entscheiden. Ich entschied mich selbstverständlich für die erste. Solange ich noch nicht schwimmen konnte, hielt ich mich an der Stange und schlitterte mit den Füßen die algenglitschigen Bassinwände auf und nieder. Als ich die Fähigkeit erworben hatte, interessierte sie mich wenig, weshalb ich sie lediglich benutzte, um so schnell wie möglich aus dem Wasser raus auf eins der Sprungbretter zu gelangen. Die Sprungbretter standen auch in Schlamm. Er schmiegte sich zärtlich zwischen die Zehen. Nahe dem Wasserbecken und gleichförmig parallel zu ihm erstreckte sich ein Sandbecken. Der Sand war graubraun, versetzt mit Flugasche, die der Wind vom Bahnbetriebswerk herüberblies. Ein Maschendrahtzaun trennte das Bad von der Schlackenhalde, auf der sich der angrenzende Lokfriedhof erstreckte. Das Gras war grau und das Birkenlaub, alle Farben ergrauten schnell, auch die Stoffarben. Auch die Leibfarben. Ein kurzer Aufenthalt am Reck- und Klettergestänge, das auf stiebenden Mischsand gebaut war, erbrachte Badereife. Den Vorwürfen meiner Eltern angesichts blauer Lippen und ragender Rippen, die als schädliche Folgen von Badesucht vorgehalten wurden, konnte im Reichsbahnbad durch natürliche Argumente begegnet werden. Nirgends war das Badevergnügen so unruhe- und anstandsgesättigt wie in dieser deutschen Einrichtung. Amtlich verlangte der Bademeister den Wassergierigen durchs Sprachrohr eine Vorreinigung im Waschraum ab, ernstlich interessierten ihn seine Hühner. Sie spazierten auf der Liegewiese zwischen den auf Decken ausliegenden Leibern. Er war bedacht, daß sein Teint den seiner Gäste an Dunkelheit übertraf. O Lust, auf der Kokosmatte des Dreimeterbretts zu stehen, wenn Flugasche auf die Haut niederging und Rauschen von D-Zügen und Pfiffe von Lokomotiven, wenn das Brett zu schwanken begann unterm Druck der Füße und mich hinaushob in den unbestimmten Überfluß der Erwartung. Die Reise endete kopfüber. Bisweilen spürte ich den schlammigen Grund am Scheitel. Das Meer hatte ich durchflogen.

7. Kapitel

Alltag mit Oranienburger Rätsel

Laura sorgte sich um Beatriz. Die verwirrt in der Fremde herumirrte. Allein. Eigentlich: allein gelassen. Laura hatte die Freundin losgeschickt. Unter Selbstvorwürfen verfiel die natürliche Heiterkeit der Spielfrau. Denn sie hatte oft mit Neid von Männerfreundschaften gelesen, die, ohne schwul zu sein, von schöner Heftigkeit waren: ein gemeinsames Unternehmen befestigte sie. Bestenfalls eine Idee. Die auszubauen und zu verteidigen band. Solcherlei Tätigsein von Männern und Frauen war dagegen meist kurzlebig, denn von Sexgewittern bedroht. Freundschaften unter Frauen aber hatte Laura noch seltener als Solidarität gefunden. Auch weil Freundschaften Zeit brauchen. Das Hobby der meisten Frauen war zwangsweise die zweite oder dritte Schicht: Haushalt, Kinder. Für den täglichen Weg von der vielfältig gebückten bodenständigen Tätigkeit der Haushälterei zu jenen gewissen Erhebungen, wo sich Gedanken nun mal aufhalten, konnten junge Frauen noch am ehesten Kraft erübrigen. Die achthunderteinundvierzigjährige Beatriz de Dia, die Laura auf wunderbare Weise zugewachsen war, mußte sie allen Scherereien zum Trotz geradezu als Idealfall empfinden. Einzigartig. Und Laura wollte unbedingt festhalten an der Hoffnung, die sie auf Beatriz gesetzt hatte. Irgendwo mußte sich die Freundin die Hörner abstoßen, irgendwann mußte sie vernünftig werden. Weil sie weise war. Keine Mühen zu scheuen, um den Frauen Geschichte persönlich zu überbringen, war weise. Zu weise? Der Kummer wuchs derart, daß Laura mitunter Wesselins Geschrei als störend empfand. Er begann stets zu brüllen, sobald sie das Zimmer verließ. Zum Brüllen suchte er die linke sofanahe Ecke des Laufgitters auf. Das

Laufgitter war ans Sofa gebunden, damit Wesselin nicht mit dem Käfig wandern konnte. Er weinte die Klageecke in wenigen Minuten naß. Spielte aber dabei, um keine Zeit zu verlieren. Betrat Laura das Zimmer, wechselte Wesselin jäh von erpresserischem Lärm zu Gelächter. Ohne das Spiel zu unterbrechen. Räder waren sein Lieblingsspielzeug. Der Großvater hatte etliche am Laufgitter angeschraubt. Auch an Großmutters Küchentisch und am Besenschrank. Olga Salmans Proteste hatte er überhört. Lauras Proteste gegen das Umräumen und Umarbeiten ihrer Wohnung nach Spielgesichtspunkten hatte er verständnislos zur Kenntnis genommen. Johann Salman konnte seinen Enkel, der vor kurzem die ersten Worte sprach, ernstlich fragen: »Was spielen wir jetzt?« Und er tat nicht nur erfreut, wenn Wesselin den Rädern Schwung gab. Wesselin nannte Räder »Datz«. Johann Salman erlaubte sich Spiele allerdings nur, wenn Kinder als Vorwand zur Hand waren. Erwachsensein empfand er offenbar als Zustand, der gewisse Bewegungskorsetts erforderte. Laura hatte in den Augen ihres Vaters nie Tränen gesehen. Sie bezweifelte, ob die Anstrengungen, die sich Johann Salman und solche Männer abverlangten, um dem männlichen Ideal zu genügen, von Olga Salman und solchen Frauen überzeugt honoriert wurden. Freiwillig. Für politische Debatten war Uwe der geeignete Partner Johann Salmans gewesen. Johann schätzte nämlich auch uferlose Unterhaltungen mit eigenbaulichen Verstiegenheiten. Und Karl-Marx-Stadt. Er hielt die für die proletarischste Stadt des Landes. Neuerdings riet er brieflich, eine Heiratsannonce aufzugeben, und verordnete Laura und Wesselin täglich zwei Eßlöffel Weizengranulat. Allem Künstlichen mißtraute er einschließlich Kunst. Perlonsocken lehnte er ab, desgleichen heißgepreßtes Öl und Mineraldünger. Synthetische Nahrungsmittel, an deren Entwicklung in der Sowjetunion, in den USA und vermutlich auch in Lauras Land gearbeitet wurde, hielt er für giftverdächtigen Ersatz, den anzubieten er sich in Friedenszeiten verbat. Er und seine Frau verköstigten sich wenn möglich mit nicht oder vorsichtig gekochten Gemüsen, Bienenhonig und Lebensmitteln, die es in Reformhäusern zu kaufen gab. Als Laura in Beatrizens Oranienburger Wohnung Miete bezahlte und Post abholte, nannte die Wirtin das Gerümpel, mit dem das Zimmer möbliert war, Antiquitäten. Ihren Mann bezeichnete sie in seiner Gegenwart als Wrack. »Sehn Se sich dat Wrack an«, sagte sie fröhlich. Er saß schweigend in einem Sessel, neben sich die Beinprothese. Wirtin Buche staubte die Beinprothese ab und erzählte apropos von ihren Entbehrungen seit dem ersten Weltkrieg und daß nur dumme Schafe Krüppel heiraten würden. »Zweiundfünfzig Jahre Urlaub für Urlaub angeln – wären Sie so ein dummes Schaf?« Laura sichtete heftig Briefe. Wie die Hausleute und Beatriz nannte der Mann seine Frau »die Buchen«. Neben geschäftlichen Mahnbriefen und Einladungen fand Laura ein absonderliches Antwortschreiben, als dessen Absender ein gewisser Christoph Arnold zeichnete. Er gab an, wunschgemäß allerlei

Recherchen angestellt und schließlich folgendes in Erfahrung gebracht zu haben: »Sie machen nach gewissen gesprochenen Gebeten und gehaltenen Fasttagen die Gestalt eines Menschen von Ton oder Leimen, und wenn sie das SCHEM HAMEPHORASCH darüber sprechen, wird das Bild lebendig. Und ob es wohl selbst nicht reden kann, versteht es doch, was man redet und ihm befiehlt, verrichtet auch bei den polnischen Juden allerlei Hausarbeit, darf aber nicht aus dem Haus gehen. An die Stirn des Bildes schreiben Sie: EMETH, das ist Wahrheit. Es wächst aber ein solch Bild täglich, und da es anfänglich gar klein, wird es endlich größer als alle Hausgenossen. Damit sie ihm aber seine Kraft, dafür sich endlich alle im Haus fürchten müssen, benehmen mögen, so löschen sie geschwind den ersten Buchstaben, aleph, an dem Wort EMETH an seiner Stirn aus, daß nur das Wort METH, das ist Tod, übrigbleibt. Wo dieses geschehen, fällt der Golem über einen Haufen und wird in den vorigen Ton oder Leim resolvieret . . . Sie erzählen, daß ein solcher Baal Schem in Polen, mit Namen Rabbi Elias, einen Golem gemacht, der zu einer solchen Größe gekommen, daß der Rabbi nicht mehr an seine Stirn reichen und den Buchstaben E auslöschen können. Da habe er diesen Fund erdacht, daß der Golem als ein Knecht ihm die Stiefel ausziehen solle; da vermeinte er, wenn der Golem sich würde bücken, den Buchstaben an der Stirn auszulöschen, so auch anging; aber da der Golem wieder zu Leimen ward, fiel die ganze Last über den auf der Bank sitzenden Rabbi und erdrückte ihn.«

8. Kapitel

Rede auf eine Einrichtung, gehalten von Laura Salman, gerichtet an die Zimmerdecke

Vor dem Möbel sitz ich meine Abende ab. Notgedrungen. Freiwillig. Auch gern. Meist tätig mit Nadeln, die Bänder verschlingen. Die Nadeln schlagen hohe Klopftöne aus dem Korbstuhl. Wenn ich die Ellenbogen auf seine Lehne stütz, drückt das Rohr vertiefte Muster in die Haut. Änder ich den Druck, antwortet es knarrend. Mit antwortfähigen Möbeln ist gut hausen. An Strom geschlossen, fällt die Einrichtung Bänder aus ihrem Fenster aus. Es ist in Holz und Folie gefaßt. Gewiß nah und ungewiß weit hinterm Fenster wird das Band gearbeitet. Auf für mich undurchsichtige Weise. Mein Vater kann nicht erklären, was Elektrizität ist, aber er kann elektrische Geräte reparieren. Der Mechaniker, der neulich mit dem Kundendienstauto vorfuhr, warf seinen Koffer auf den Tisch, als er meine Einrichtung sah. Er behauptete, in diesem Jahr bisher 1826 Dienstleistungen ausgeführt zu haben, keine an solchem Typ. Und er wechselte eine defekte Röhre gegen eine neue. Mit Erfolg, da erschien mir ein Wort der

Verteidigung und Rechtfertigung angebracht. Ich sprach auch aus Freude. Vorzüglich über die ordentliche Bandqualität. Der Mechaniker bestritt sie nicht und sagte, solche alten Typen wären nicht mehr reparaturwürdig. Ich war sicher, daß er auch nicht erklären konnte, was Elektrizität ist, und fand das beruhigend und in Ordnung, weil ich dachte, daß Menschen von je mit schwer erklärbaren Gegenständen in Ordnung gelebt hätten: in Gewöhnung vertraut; der Organismus eines Baums wäre womöglich vergleichsweise noch schwerer erklärbar. Ich nahm die Garantiekarte für die neue Röhre entgegen und zahlte ohne Trinkgeld. Denn ich habe nichts zu repräsentieren: die Einrichtung ist ein Gebrauchsgegenstand. Abends entwirft sie Band, bisweilen so viel, daß ich die Nadeln nicht schnell genug bewegen kann. Dann liegt es barock gefaltet im Zimmer oder hängt. Es ist aus Bildern und Tönen gemacht. Auch bei der Beschäftigung habe ich Geschrei von Wesselin als fixen Lärm im Ohr. Er schläft nebenan, derweil mir Rostock und Moskau und Detroit und der Mekong durch die Finger gehen. Schöne Landstriche, Großtaten der Produktion, Rassenkrawalle, Staatsaktionen und eine vietnamesische Leiche verwirk ich heute, glatt links. Alle Kleidungsstücke, die ich für mich und Wesselin derart hergestellt habe, bevorzugen das Muster. Alltagsgarderobe. Wenn sie abgetragen ist, wirft man sie weg und zieht neue an.

9. Kapitel

Text eines unerhörten Telegramms aus Rom

Anaximander entdeckt stop Beatriz

10. Kapitel

Lauras Eilbrief an Beatriz de Dia, Rom, postlagernd

Liebe Beatriz, komm bitte unverzüglich zurück. Du bist in die Stadtverordnetenversammlung von Berlin gewählt worden. Außerdem ist von einem gewissen Christoph Arnold ein Antwortschreiben eingegangen, das mir verdächtig erscheint. Der Spätsommer ist heuer ideal. Wesselin läuft. Wenn ihn niemand führt, hält er sich an seinem linken Ohr fest. Auf baldiges Wiedersehen!

Laura

Anlage

11. Kapitel

Anlage zum Eilbrief nach Rom, postlagernd

Zusammenfassender Bericht vom derzeitigen Stand der Verhandlungen zwischen dem Dichter Paul Wiens einerseits und der Spielfrau der Trobadora Beatriz andererseits über die Verfertigung einer Kanzone für Professor Dr. Wenzel Morolf: Am 1. Mai 1971, 17 Uhr 10 Ortszeit begann im Foyer der Berliner Kongreßhalle die von Sarah Kirsch vermittelte Begegnung zwischen der Spielfrau Laura und dem Dichter Paul Wiens. Als den Besuchern des Buchbasars von den Ordnern geschäftsschlußhalber der Aufbruch nahegelegt wurde, da kam mir der Herr mählich zu Gesicht. Vorher war er belagert. Durch das Gedränge, das ihn ummauert hatte, waren ab und an einzelne Leute gebrochen, die Papiere in Händen hielten. Manche Blätter waren mit Mustern beschrieben, manche mit Worten, manche mit Mustern und Worten. Ich erkundigte mich und erfuhr, daß der Verkauf von wörtlich beschriebenen Papieren zu festen Preisen stattfände. Die Gelder wären in eine Sammelbüchse des Vietnam-Solidaritätsausschusses zu entrichten. Als die Ordner den Tisch freigelegt hatten, hinter dem der Dichter Wiens rauchte, konnte ich dessen Auslagen betrachten. Verschiedene Bücherstapel und einen knappen Quadratmeter Karton. Der war mit bedruckten und maschinenbeschriebenen Papierstücken beklebt, drauf grad und quer zu lesen stand in anderer, nicht setzbarer Anordnung:

V erse — L yrik für
A uf — A lle
B estellung — L ebenslagen

Haben Sie Ärger im Kollektiv?
Liegen Sie schief?
EIN REINER REIM HILFT IMMER!
Sogar gegen Liebeskimmer . . .

Systematische Erziehung der Gefühle:
Für Erwachsene zwei Zeilen 1 Mark
Gereimt das Doppelte, mithin 2 Mark
Zaubersprüche 1 Mark Zuschlag
Wirkung garantiert!
Auf Wunsch wird die Bedichtung vertraulich behandelt. Kinder und Berufslyriker zahlen die Hälfte des halben Preises.

Ich bestellte unter Vorlage meines Sozialversicherungsausweises, darin von der Steuerstelle der Beruf beglaubigt vermerkt ist, vertraulich eine dreistrophige Kanzone, gereimt und zauberspruchverstärkt, für die Hälfte des halben Preises, in russischer Sprache. Für die zusätzlich geforderte deutsche Übersetzung der Kanzone forderte der Dichter ein Zeilenhonorar von vierzig Mark plus dreißig Prozent Eilzuschlag. Der Vertrag wurde gegen dreiundzwanzig Uhr desselben Tages im Restaurant Ganymed beiderseits mündlich unterzeichnet. Die Verhandlungen fanden in kameradschaftlicher Atmosphäre statt. Seitdem lasse ich dem Dichter monatlich eine schriftliche Mahnung zugehen.

gez. Laura Salman
Spielfrau

12. Kapitel

Zweiter Informationsauftritt von Laura Salman und Benno Pakulat

Schauplatz: Zimmer mit offener Balkontür.
Zeit: Frühherbstnacht.
Laura im Bademantel strickend vor der Balkontür. Quietschgeräusche. Blaulicht. Dann Himmelswagen von oben. Im Himmelswagen Benno Pakulat. Sein Gesicht ist von einer Mütze bedeckt. Laura hebt die Mütze, ohne den Schlafenden zu wecken, und sprengt es mit Bier. Dann zieht sie sicher den linken Schuh und Strumpf von seinem Fuß und erfaßt den großen Zeh, den sie während des ganzen Auftritts nicht losläßt.
Laura (sachlich): Warum hat Ihre Frau Sie eigentlich verlassen?
Benno (mit geschlossenen Augen): Tja.
Laura: Aha.
Benno: Gar nicht aha, oder sehnen Sie sich etwa auch nach Kerlen, zu denen Sie sagen können: Du bist so schön brutal?
Laura: Im Gegenteil.
Benno: Ach.
Laura: Na erlauben Sie mal . . .
Benno: Eine Frau, die jahrelang auf meinem Bruder stand, kann nichts Gutes gewohnt sein. Oder hat sich Herr Diplomingenieur etwa bei Ihnen von sich erholt?
Laura: Lutz kam nur in feiertäglicher Stimmung.
Benno: Steil. Seine zweite Variante muß echt optimal gewesen sein. Im Gegensatz zur ersten Variante, das war die Ehe mit dieser wissenschaftlich talentierten Karla, wenn Sie wissen, was ich meine. So was von Ausschuß wie diese erste Variante können Sie sich nicht ausdenken. Denn Karlas erzwungene Hausfrauenrolle hat meinen Bruder ehrlich belastet. Mit schlechtem Gewissen. Das auch noch von Vater Staats Propaganda täglich aufgebraten wurde, das beutelt. Eine Weile versuchte mein Brüderchen, das schlechte Gewissen loszuwerden durch Flucht nach vorn: er trocknete

ab und diese Dinger, wegen denen ganze Fernsehserien angestrengt werden. Er half, der Gute – wenn ich helfen höre, entsichere ich den Revolver. Oder hat sich Ihr verflossener Ehemann etwa für jeden Finger bedankt, den Sie zu Hause krumm gemacht haben? Aber bald war Herrn Diplomingenieur natürlich dieser Fluchtweg zu beschwerlich. Denn er hemmte die Erstürmung der Festung Wissenschaft. Ehrlich. Blieb die Flucht zurück: die zweite Variante, wie der Name sagt. Heirat einer siebenhundertsechsundachtzigprozentig überzeugten Hausfrau, die Lutz das schlechte Gewissen abnahm. Aufstieg zum Ernährer. Schatzi, willst du dies, Schatzi, willst du das, und prompte Bedienung ist noch nicht alles, die Frau zeigt außerdem Dankbarkeit. Das ist Komfort. Ruhmreicher beruflicher Aufschwung. Urkunden an die Wand, Orden an die Brust, Auto, Glück. Das aber bald durch gewisse Tendenzen getrübt wurde, die die erste Ehevariante in Herrn Diplomingenieur hineingetragen hatte: mein Bruder hatte Blut geleckt. Eine emanzipierte Freundin wurde also unentbehrlich. Sie, Meisterin, opferten sich in dankenswerter Weise eine Weile für diese Rolle . . .

Laura: Ich opferte mich nicht, in meiner Generation ziehe ich diese Rolle die einer Hausfrau entschieden vor.

Benno: Peng. Aber was empfanden Sie der zweiten Frau von Lutz gegenüber? Schuld? Eifersucht?

Laura: Solidarität.

Benno: Und für meine Ehemalige etwa auch Solidarität?

Laura: Nein.

Benno: Ihr Glück. Ich fürchtete schon, Sie wären lebensmüde. Zahlvater ist bei mir nämlich ums Verrecken nicht drin. Ich möchte mal erleben, was Sie austun würden, wenn man Sie eines Tages zur Zahlmutter degradiert.

Laura: Sie meinen, wenn man mir meinen Wesselin wegnehmen würde? Mord, ich würds nicht überleben. Einen Liebhaber verlieren ist manchmal hart. Aber ein Kind verlieren, das ist, als ob man dir die Arme abhackt, oder die Beine, oder alles zusammen . . .

Benno: Sag ich ja: einen Krüppel hat sie aus mir gemacht. Und nicht mal aus Rache oder so, wir hatten uns ja nicht als Erbfeinde getrennt. Sie hat mich aus Bequemlichkeit abgehackt, Tatsache, der Einfachheit halber, damit die Kinder dem neuen Vater keine Schwierigkeiten machen. Denn wenn Kinder zwei Väter haben zum Vergleich, entsteht natürlich eine Art Wettbewerbssituation zwischen den beiden Vätern. Und die Anstrengung möchte sie meinem Thronfolger ersparen. Und sich auch. Klar. Reibereien, bei denen die Mutter instinktiv zu den Kindern hält, graben der Liebe das Wasser ab. Vielleicht erregen sie sogar die Eifersucht von Herrn Diplombiologen, es gibt Kerle, die selbst auf ihre leiblichen Kinder eifersüchtig sind. Erwachsene, die Kinder wie Stückgut verladen, gehörten verknackt. (Mit veränderter Stimme:) Denn unsere Kinder sind nicht unser Besitz. Sie sind Söhne und Töchter der Sehnsucht, die das Leben hat nach sich selbst. Sie kommen durch uns, nicht von uns. Wir können ihnen unsere Liebe geben, aber nicht unsere Gedanken. Wir können ihrem Körper ein Zuhause geben, aber nicht ihren Seelen. Denn ihre Seelen wohnen in dem Haus von morgen, das wir nicht besuchen können, nicht einmal in unseren Träumen. Wenn wir wollen, können wir uns bemühen, zu werden wie sie. Aber wir dürfen sie nicht dahin bringen, zu werden wie wir. Denn das Leben geht nicht rückwärts und hält sich nicht auf beim Gestern.

Laura (ehrfürchtig): Reden Sie in Zungen?

Benno: In Zitaten.

Laura: Nach dem, was Sie so reden, zu urteilen, müßten Sie ein Mann aus dem Bilderbuch sein. Und wo liegt der Haken?

Benno: Welcher Haken?

Laura: Na der, wegen dem Ihre Frau Sie rausgeschmissen hat. Zuviel Alkohol?

Benno: Zuwenig Ehrgeiz.

Laura: Faul.

Benno: Sind Sie etwa auch son Typ, der jeden Arbeiter mit Grips als faul bezeichnet, wenn er sich nicht schleunigst aus der Arbeiterklasse rausqualifiziert? Meine Frau lag mir ständig mir irgendwelchen Selbststudiumsvorschlägen in den Ohren, ehrlich. Haben Sie auch son Drang zum Höheren? Und zu diesen Synthetiklappen aus dem Exquisit – warum nicht gleich mit Geldscheinen den Wanst bepflastern. Und wo kein Auto ist im Haus, da siehts gar öd und traurig aus. Scheißstatussymbole. Kann ich mir von ner Polstergarnitur was abbeißen? Warum soll ich die Anschaffmode nachmachen, nur weil sie von drüben kommt? Na schön, die Konsumverweigerungsmode kommt auch von drüben, dort wird jeder Nonkonformismus binnen kurzem konformistisch vermarktet, aber das kann mich doch nicht dran hindern, mir unter Lebenskomfort was ganz Bestimmtes vorzustellen. Das mit Konsumkomfort jedenfalls nicht zu verwechseln ist.

Laura: War Ihre Verflossene eine Konsumfrau?

Benno: Sauber. Kaufen machte sie high. Sparen und kaufen, o Elend, dieses Strebertum ist eine Seuche. Mich bringts glatt um.

Laura: Hatte die Frau einen Beruf?

Benno: Textilfacharbeiterin, inzwischen hat sie wahrscheinlich schon den Meister gemacht, der Herr Diplombiologe hat ja genügend Vorsprung. Sie braucht nämlich einen Mann zum Aufblicken. Kann ein Meister zu einem Zimmermann aufblicken? Solange ich mit ihr zusammen war, mußte die Arme ihre Qualifizierung stoppen, um das sittliche Gefälle zu erhalten – ein hartes Los.

Laura lacht.

Benno: Warum weinen Sie nicht?

Laura läßt erschrocken Zeh und Mütze fahren. Die Erscheinung nach oben quietschend ab.

13. Kapitel

Darin nachzulesen ist, was die schöne Melusine aus den Memoiren der Krupskaja in ihr 94. Melusinisches Buch abschrieb

Als Iljitsch und ich nach dem Smolny übersiedelten, wurde uns das Zimmer einer ehemaligen Erzieherin zugewiesen. Hinter einem Wandschirm stand ein Bett. Um in das Zimmer zu gelangen, mußte man durch den Waschraum gehen. Iljitschs Arbeitszimmer konnte man mit dem Fahrstuhl erreichen. Eine Delegation löste die andere ab. Besonders viele Delegationen kamen von der Front. Wenn man zu Iljitsch ging, traf man ihn meistens im Empfangszimmer an. Dicht gedrängt standen hier die Soldaten, reglos lauschten sie den Worten Iljitschs, der am Fenster stand und sie über irgend etwas aufklärte. Hier, in diesem ewig überfüllten Smolny, lebte und wirkte Lenin. Alle zog es zum Smolny hin. Ein Regiment Maschinengewehrschützen bewachte den Smolny. Dieses Regiment stand im Sommer 1917 auf der Wiborger Seite und befand sich völlig unter dem Einfluß der Arbeiter jenes Stadtteils. Am 3. Juli erhob sich dieses Regiment als erstes, bereit, sich in den Kampf zu stürzen. Kerenski hatte beschlossen, an diesem Regiment ein Exempel zu statuieren. Die Soldaten wurden entwaffnet, auf einen Platz geführt und als Verräter gebrandmarkt. Der Maschinengewehrschützen bemächtigte sich jetzt ein noch stärkerer Haß gegen die Provisorische Regierung. Im Oktober hatten sie für die Sowjetmacht gekämpft, und danach übernahmen sie den Schutz des Smolny. Lenin wurde einer der Maschinengewehrschützen beigegeben, und zwar Genosse Sheltyschow, ein Bauer aus dem Gouvernement Ufa. Er war grenzenlos naiv. Es gab nichts, worüber er sich nicht wunderte; er staunte über den Spirituskocher und besonders darüber, daß er brannte . . . Ich arbeitete von früh bis spät, anfangs im Wiborger Bezirk und später im Volkskommissariat für Bildungswesen. Es konnte sich niemand so recht um Iljitsch kümmern, Sheltyschow brachte ihm das Mittagessen und Brot – Iljitsch erhielt die für alle übliche Ration. Manchmal brachte Maria Iljitschna etwas zu essen; da ich aber nicht zu Hause war, gab es niemanden, der sich darum kümmerte, daß Iljitsch regelmäßig die Mahlzeiten einnahm. Vor kurzem erzählte mir ein junger Bursche namens Korotkow, der damals zwölf Jahre alt war und bei seiner Mutter wohnte, einer Reinemachefrau in der Küche des Smolny, sie hätte einmal Schritte im Speisesaal vernommen, habe hineingeschaut und Iljitsch gesehen, der ein Stück Schwarzbrot mit Hering verzehrte. Als er die Reinemachefrau gesehen habe, sei er ein wenig verlegen geworden und habe lächelnd gesagt: »Ich habe Hunger bekommen« ... Zu guter Letzt hatte sich die Mutter Schotmans, eine Finnin, unser angenommen. Sie hing mit großer Liebe an ihrem Sohn und war sehr stolz darauf, daß er als Delegierter am II. Parteitag teilgenommen hatte und Lenin behilflich gewesen war, sich in den Julitagen zu verbergen. Nun herrschte eine solche Sauberkeit und Ordnung in unserem Heim, wie Lenin sie liebte. Sie belehrte jetzt Sheltyschow, die Reinemachefrau und die Serviererinnen im Speisesaal. Beruhigt konnte ich jetzt aus dem Hause gehen, da ich wußte, daß für Lenins leibliches Wohl gesorgt wurde.

14. Kapitel

Laura wendet sich an den ABV

Als Laura wieder Post abholte, händigte Wirtin Buche die Briefe aus mit der Bemerkung, männliche Untermieter wären ihr verständlicherweise lieber. Frauen hätten immer mal was zu waschen oder zu kochen. Und wenn sie schwanger würden, könnte man sie auch nicht ohne weiteres rausschmeißen, immer diese Angst. »Haben Sie etwa auch Kinder? Ach Gott, ich habe immer zu meinem Mann gesagt, Kinder sind totes Kapital. Die Möbiusen parterre rechts hat ihr Kind besoffen gestillt, und nun hat es Gelbsucht, gestern war ein Herr hier, der hundertzwanzig Mark für das Zimmer geboten hat.« Laura steckte der Wirtin Buche zehn Mark in die Schürzentasche und wandte sich mit dem Antwortschreiben eines gewissen Eberhard David Hauber vertrauensvoll an den zuständigen Abschnittsbevollmächtigten. Laura vermutete in dem grotesken Schreiben einen Code und Beatriz in Geheimdienstfängen. Hatte ein Schurke Beatrizens Geistesverwirrung für seine schmutzigen Ziele genutzt? War sie erpreßt worden? Der ABV notierte sich Lauras Vermutungen und versprach, den Fall prüfen zu lassen. Das Antwortschreiben des gewissen Eberhard David Hauber, Absendeort Strasburg, hat folgenden Wortlaut: »Heinrich Müller, Münzmeister von St. Gallen, hat ein fünfzehn Centner schweres Automatum erfunden, und lässet selbiges anjetzo hier in des Raths-Herrn Hommels Hause den Leuten ums Geld sehen. Neben der Maschine sitzet ein hölzerner Mann, der vom Kopfe bis auf die Füße bekleidet ist, und den er Hartmann Holzhalb nennet. Dieser umfasset mit der rechten Hand eine Kerbe, und treibet dieselbe mit seiner hölzernen Achsel, Elnbogen und Hand so geschickt herum, als ein lebendiger Mensch. Mit der linken setzet er ein Sprach-Rohr an den Mund, und indem er die untern Kinn-Backen bey den Reden beweget, lässet er recht deutlich eine Menschen-Stimme vernehmen. Die Antwort, welche er auf die vorgelegten Fragen erteilet, ist niemals ungereimt. Beschaut man ihn von vorne, richtet er seine Augen gerade vor sich hin. Betrachtet man ihn von der Seite, so wendet er die Augen gleichfalls dahin. Er besiehet mit bloßen Augen, auch durch eine Brille, das ihm vorgehaltene Geld, gedruckte Zettel und die Zuschauer, deren Kleidung und Stellung des Leibes er auch zu kennen weiß. Er läßt sich aller Orten gerne betasten. Nur wenn man ihm das Bein aufheben will, säufzet er über podagraische Schmerzen. Jedoch schüttet er, wenn seine Beine wieder in Ruhe gelassen wurden, ein großes Gelächter aus.«

15. Kapitel

Zweite Fernwehgeschichte der Spielfrau Laura

Schuhe: Es war eine Frau, Walli mit Namen, die bevorzugte kleinwüchsige Männer. Mit ihnen erschien ihr die Liebe kurzweiliger: der Rollentausch einfacher. Sie heiratete einen Mann namens Sigmund. Er konnte ihre Pullover tragen, sie seine Oberhemden. In den Flitterwochen gaben sie der Sehnsucht, der andere zu sein oder ihn bei sich haben zu wollen, nach, indem sie Kleidungsstücke tauschten. Die symbolische Handlung und der im Stoff gefangene Geruch des begehrten Körpers tröstete, beruhigte und erregte sie. Den Vorteil, daß auch ihre Schuhmaße nicht differierten, erkannte die Frau später. Sie nutzte ihn nach der Geburt ihres ersten Sohnes, als die große freudige Erschütterung dieses Ereignisses von der Aufmerksamkeit verdrängt wurde, die ihre nun gewählte Beschäftigung als Sekretärin erforderte. Dem angestrebten langjährigen Medizinstudium hatte sie aus familiären Rücksichten entsagt. Sigmund, der gleichzeitig mit Walli das Abitur an der Arbeiter-und-Bauern-Fakultät abschloß, mit um einen Grad schlechterer Note als sie, studierte Maschinenbau. In Dresden, er besuchte die in Leipzig verbliebene Familie fast jedes Wochenende. Walli konnte seine Hilfe entbehren, sie war eine kräftige Frau. Beim Abitur hatte sie ungeachtet der Wehen, die sich während der Russischklausur einstellten, die Prüfung sorgfältig erledigt, war überhaupt Arbeiten von Haus aus gewohnt, sie entstammte einer bäuerlichen Familie. Um die Trennung leichter zu ertragen, kaufte Walli sich ein Paar braune Schnürschuhe und übergab sie Sigmund mit der Bitte, das Schuhwerk gelegentlich in Dresden zu tragen. Sobald er das Staatsexamen abgelegt hatte, wollte sie sich an der Philosophischen Fakultät der Karl-Marx-Universität für ein slawistisches Studium bewerben. Nach Büroschluß, wenn der Sohn aus der Krippe geholt, abgefüttert, ins Bett gebracht und die Hausarbeit getan war, las sie energisch russischsprachige Bücher. Als der Sohn fast drei Jahre alt war, gebar sie eine Tochter. Sigmund bestand das Staatsexamen mit der Note 2 und fand eine Anstellung als Ingenieur in Karl-Marx-Stadt. Dort und auf Dienstreisen trug er Wallis Schuhe, sooft er sich unbeobachtet fühlte. Wenn er Löcher in die Sohlen und die Absätze schief gelaufen hatte, ließ Walli sie beim Schuster reparieren, wobei sie darauf achtete, daß gutes Material, möglichst Leder, verarbeitet wurde. Das slawistische Studium schlug sie sich aus dem Kopf und strebte statt dessen eine Ausbildung als Unterstufenlehrerin an, sobald die Tochter, die den Tageskrippenaufenthalt gesundheitlich nicht vertrug, das Kindergartenalter erreicht haben würde. Nach der Geburt des zweiten Sohnes freute sich Walli, endlich die beinahe vierjährige Hausfrauentätigkeit beenden und wieder als Sekretärin arbeiten zu können. Zumal der Familie in Karl-Marx-Stadt eine Wohnung zugesprochen wurde. Bei kleinen häuslichen Abendgesellschaften, wenn Sigmund und seine anwesenden Arbeitskollegen dem Wein zusprechen und Dienstreiseerinnerungen austauschen und die anwesenden Ehefrauen zu Konfekt und Strickzeug greifen, zieht Walli gewöhnlich die Schuhe an und verschränkt die Arme über der Brust. Sonst verwahrt sie die Schuhe, wenn der Mann sie nicht trägt, in der Wohnzimmervitrine neben Kristall und Porzellan.

16. Kapitel

Text eines absurden Telegramms aus Venedig

Anaximander gefunden stop Jagdbericht demnächst zu erwarten stop Beatriz

17. Kapitel

Dritter Informationsauftritt von Laura Salman und Benno Pakulat

Schauplatz: Zimmer mit offener Balkontür.
Zeit: Herbstnacht.

Laura im Bademantel, strickend vor der Balkontür, die Beine in eine Decke gehüllt. Läßt das Strickzeug ab und zu fahren und haucht in die Hände. Quietschgeräusche. Blaulicht. Dann Himmelswagen von oben. Im Himmelswagen Benno Pakulat. Sein Gesicht ist von einer Mütze bedeckt. Laura hebt die Mütze, ohne den Schlafenden zu wecken, und sprengt es mit Bier. Dann zieht sie geübt den linken Schuh und Strumpf von seinem Fuß und erfaßt den großen Zeh, den sie während des ganzen Auftritts nicht losläßt.

Laura (forsch): Also Sie sind sauer auf Ihren Bruder.
Benno: Ich wär froh, wenn ich einen hätte.
Laura: Was?
Benno: Bruder ist für mich nämlich kein verwandtschaftlicher Grad,

sondern ein sozialer oder was. Wer aber andere unterdrückt, ist asozial, und mit asozialen Elementen pflegt ein Repräsentant der Arbeiterklasse, dessen Brigade ständig um irgendwelche Titel kämpft, keinen Umgang. Tätense respektive hättense, sagen wir mal, Sie könnten glatt mein Bruder sein, Meisterin, ehrlich.

Laura: Wahrscheinlich haben Sie keine Ahnung, wie einer lebt, der nie einen Achtstundentag hat. Und ein richtiges Wochenende auch nicht. Sogar in den Urlaub schleppte Lutz stets Arbeit mit. Fachbücher, Dokumentationen, die sich ansammelten, weil er in der Mühle nicht ernstlich zum Lesen kam – in Wissenschaft und Technik kann nur mitreden, wer genau Bescheid weiß oder gar nicht. Es gibt sicher Leute, die so ein Pensum samt Verantwortung souverän verkraften. Aber Lutz ist weder körperlich noch geistig eine Kraftnatur. Ihm fliegt nichts zu, er muß hart arbeiten. Und das ohne Vorlauf. In eurer Familie gabs, soviel ich weiß, kaum Bücher. Während der Zeit, wo viele seiner späteren Studienkollegen sich spielerisch ein Polster anlasen, das den Rücken stützt, hat Lutz Fuchsbaue ausgegraben oder was weiß ich. Und dann sah er sich plötzlich stammbaumbedingt vor die Tatsache gestellt, ein Vertreter der herrschenden Klasse zu sein, ein Repräsentant, eine Respektsperson, der er Irrtümer, Leistungsschwäche und Unsicherheiten nicht zubilligte. Krieg mal so einen Kraftakt aus dem Stand hin ohne Gewaltsamkeiten. Versuchs mal – aber Sie haben es gar nicht erst versucht. Sie haben das dünnste Brett gebohrt.

Benno: Und Sie?

Laura: Ja – aber versucht hab ichs.

Benno: Und jetzt haben Sie ein schlechtes Gewissen? Mensch, Meisterin, lassen Sie sich doch nicht durch dieses doofe Leistungsdenken Ihren gesunden Menschenverstand vernebeln. Einem Brigadier unseres Betriebes, dessen Brigade die höchsten Prozente bringt und die steilsten Wettbewerbsinitiativen, rannten zum Beispiel mit sechzehn, siebzehn die Kinder weg, eins nach dem anderen, viere hat er. Alle viere haben unausgebacken geheiratet, weil zu Hause keiner für sie Zeit hatte. Drei haben Kinder und sind schon wieder geschieden. Klar, die Flucht in die Ehe hat ihre Schwierigkeiten nicht behoben, sondern sozusagen auf eine höhere Ebene gehoben. Verstärkt, mit Pflichten und Verantwortung, woher soll ein junger Mensch Liebe für Kinder nehmen und Geduld und Verständnis, wenn er in dieser Beziehung ein Defizit mit sich rumschleppt, greif mal einem nackten Mann in die Tasche. Was nützen Vater Staat die hohen ökonomischen Prozente des Brigadiers, wenn sich Psychologen und Ärzte mit seinen Kindern und Enkeln befassen müssen. Krücken, die natürlich Geld kosten – aber von Geld will ich gar nicht reden, schließlich wird der Sozialismus für den Menschen gemacht und die Ökonomie auch für den Menschen und nicht umgekehrt.

Laura: Sie machen Ihren Bruder wirklich schlechter, als er ist.

Benno: Er könnte zweihundertsieben Prozent besser sein. Ehrlich. Solange er den verantwortlichen Umgang mit seinen Kindern nur als unbequem empfindet, natürlich nicht. Ich glaub nämlich, daß der verantwortliche Umgang mit Kindern den Menschen besser macht: geduldiger, einfühlsamer, zärtlicher, weiser. Ich möchte mal einen Vorgesetzten haben, der ein richtiger Vater ist. Kollegin, Sie haben versagt. Bewußtseinsmäßig. Sie hätten Ihrem Kollegen Liebhaber aufklärerisch beibringen müssen, daß er nicht nur Bequemlichkeit zu verlieren hat, sondern auch eine Welt zu gewinnen. Ein wachsamer Staatsbürger kann doch so eine Bewußtseinsniete nicht einfach weiterreichen.

Laura: Ich hab Lutz weiterempfohlen, weil ich ihn nicht mehr liebte. Liebe braucht das Geheimnis.

Benno: Und Sie hatten ihn durchschaut.

Laura: Beatriz de Dia erschien mir für ihn auch passender. Und gesünder. So eine große Schriftstellerin . . .

Benno: Gibts gar nicht.

Laura: Wie?

Benno: Große Schriftstellerinnen gibts gar nicht. Kanns nicht geben. Die griechische Kultur hatte die Sklavenhalterordnung zur Grundlage, die moderne Kultur die Frauenhalterordnung – einen Zimmermann mit Abitur können Sie nicht für dumm verkaufen.

Laura: Tiefstapler.

Benno: Ach, Sie möchten die herrschende Klasse durch Wegqualifizieren von Kadern systematisch schwächen, bis nur noch Dummköpfe Arbeiter sind . . .

Laura: Demagoge.

Benno: Klassenfeind.

Laura: Frieden.

Benno: Aber nicht nur so einen, der zwischen Staaten stattfindet. Nicht nur ne Weltfriedensbewegung im großen. Sondern auch eine im kleinen. Damit endlich dieser Scheißkrieg zwischen den Geschlechtern aufhört. Ich möchte nämlich zu gern für so was Ähnliches wie Ehe sein.

Laura: Ach.

Benno: Ehrlich. Und Sie? Haben Sie nicht zu meinem Bruder gesagt, die Ehe würde der Liebe das Wasser abgraben oder so ähnlich.

Laura: Ja.

Benno: Und jetzt, was sagen Sie jetzt?

Laura: Jeder Mensch weiß, daß er mal sterben muß. Er sagt es auch, gibt alles zu. Heißt das aber, daß er ernstlich dran glaubt? Ich glaub, daß man nur leben kann in der leiblichen Überzeugung, die Ausnahme zu sein. Die irgendwie durchkommt.

Benno (traumrednerisch): Unsereiner wundert sich jetzt schon mal. Aber wir werden uns noch viel mehr wundern. Und noch ganz anders, hoff ich. Denn es ist kein Ende abzusehen. Uns steht kein langweiliges

Leben bevor, wenn die Weiber erst tun wollen, was sie tun wollen, nicht, was sie tun sollen. Was werden sie als Menschen sagen über die Männer, nicht als Bilder, die sich die Männer von ihnen gemacht haben? Was wird geschehen, wenn sie äußern, was sie fühlen, nicht, was zu fühlen wir von ihnen erwarten? Neulich sagte die Gattin eines Dichters, von Frauen wären keine Liebesgedichte zu lesen. Die Gattin hat recht, nur wenige Damen möchten ihren Ruf dem Geruch der Abnormität preisgeben. Frauen ohne unterdrücktes Liebesleben gelten als krank (nymphoman). Männer solcher Art gelten als gesund (kerngesund). Kann sein, wir werden eines Sommertags nicht mehr unsere Nacktheit auf dem Bauplatz verschleudern, kann sein, wir gestatten uns eines Tages nicht nur beim Zwiebelschneiden eine Träne. Ach, einmal den Hof gemacht kriegen, öffentlich, wenn die Emanzipation der Weiber dazu führt, bin ich ihr Mann.

Laura läßt bewegt Zeh und Mütze fahren. Die Erscheinung nach oben quietschend ab.

18. Kapitel

Darin nachzulesen ist, was die schöne Melusine aus Lauras Notizbuch in ihr 189. Melusinisches Buch abschrieb

Faust im Deutschen Theater in der Schumannstraße. Die Inszenierung war vier Jahre alt. Abgespielt. Wodurch der Zuschnitt besonders markant hervortrat. An abgetragenen Kleidern wird die Paßform auch deutlicher sichtbar als an neuen. Der alte Faust war sehr gut. Er sprach die Verse ohne Opernintonation. Einfach. Wodurch ihre Schönheit nackt zutage trat. Und ihre Bosheit und ihre Aktualität, und ihre Wucht. Solange Faust alt war, redete er nagelneu. Geradezu modern. Sobald Faust jung war, mußte er alt reden. Was dem ausgezeichneten Schauspieler Düren irgendwie gegen den Strich ging. Er half sich aus der Klemme durch Hunzen. Und er hunzte bis zum Schluß, die Verse wurden in einem Affenzahn heruntergeschnattert. Mephisto hielt die Spitze. Pro Zeile zwei, drei Wörter, mehr nahm er gar nicht erst in den Mund. Wer den Text nicht anhand dieser Brocken aus dem Gedächtnis ergänzen konnte, war schon aus technischen Gründen am Begreifen gehindert. Nun werden Verstexte nicht neuzeitlicher, indem man sie zerredet. Die Gretchenrolle wurde auch historisch inszeniert. Gretchens Beschränktheit war gut zu erkennen. Fausts ebenso zeitbedingte Beschränktheit an seinem Liebhaberverhalten wurde nicht inszeniert. Vielleicht, weil die Regisseure Heinz und Dresen ihr Verhalten in solchen Zuständen nicht als zeitbedingt empfinden. Natürlich bin ich weit entfernt, etwa Herrn Dresen zu unterstellen, er würde angesichts eines albern dressierten Backfischs in ekstatische

Worte ausbrechen. Herr Düren, der den alten Faust als erzgescheiten Mann spielte und verjüngt nicht plötzlich dumm tun konnte, zernuschelte den Enthusiasmus, damit der nicht als Sexualnotschrei verstehbar war. Natürlich erhitzten sich wie Goethe ganze Generationen von großen Männergeistern an einem »Blümlein«, das sie fanden, indem sie im Walde so für sich hin gingen, das ist nicht ehrenrührig. Was soll man machen? Der Mensch gewöhnt sich an alles. Und wenn man sich eine Behauptung lange genug eingeredet hat, glaubt man sie schließlich. So entstehen Gewohnheiten. Konventionen. Und die müssen auf dem Theater natürlich als Konventionen gespielt werden. Der Enthusiasmus des jungen Faust ist – vom Sexdampf abgesehen – ebenso konventionell wie die niedergeschlagenen Augen Gretchens. Denn Gretchen ist keineswegs ein wildes »Blümlein« im Sinne von Stück Natur, sondern eine Züchtung. Seit ihrer Schwangerschaft macht sich Faust in der Inszenierung nur noch als Stichwortgeber bemerkbar. Für die Kerkerszene sperrten die Regisseure Gretchen in einen kubikmetergroßen Bunker, der mit einer Brechstange verriegelt war. Der Bunker stand allein auf der riesigen leeren Bühne. Derart brachten die Regisseure die Inszenierung groß zu Ende.

19. Kapitel

Jagdbericht der Trobadora Beatriz, Laura überbracht von einer Frau, die sich als Aspasia vorstellt

1

Als ich das Blech vor den Mauern der Stadt ausgesperrt sah, war ich meiner Sache so gut wie sicher. Obgleich ich die Spur in Mestre verloren hatte. Unweit des Ponte della Liberta, der den Industrieort mit der Lagune verbindet. Überleben kann ein so empfindsames Wesen wie das Einhorn hier keinen Tag, denn die Abgase der Petrolchemischen Werke töten selbst Steine. Außerdem muß schon ein vom Verkehr gegeißelter Mensch unweigerlich der architektonischen Pracht Venedigs erliegen, wenn er den vorgelagerten Blechhaufen erblickt. Der an einen riesigen Autofriedhof erinnert. Ich schloß also logisch, daß Anaximander keine Wahl geblieben sein konnte. Und ich bedauerte, aus konspirativen Gründen auf Wetten verzichten zu müssen.

2

»Die Stadt wird Sie treffen wie ein Schlag«, hatte mir eine Reisebekanntschaft aus der zweiten Klasse prophezeit. In Italien reiste ich nach Erfahrungen nur noch zweiter Klasse. Wer nämlich in dem Land soviel Geld für eine Fahrkarte erster Klasse erübrigen kann und muß, weil es nicht für einen Chauffeur reicht, gehört einer Gesellschaftsschicht an, die auf Würde sieht. Das ist eine Arbeit. Sie beschäftigt derart, daß natürliche Anlagen geopfert werden müssen. Auf der Strecke Turin–Mailand erlebte ich erster Klasse beispielsweise Angehörige dieses redegewaltigen und mitteilungsfreudigen Volkes, die stundenlang nebeneinander oder einander gegenüber sitzen konnten, ohne ein Wort zu wechseln. Kaum einen Blick. Von irgendwelchen Gefälligkeiten oder Hilfeleistungen ganz zu schweigen. Vielleicht benötigten die Herren alle Kraft, um bei Temperaturen über vierzig Grad teure Anzugjacken, Hemdkragen und Schlipse zu erdulden. Diese Standesinsignien, ohne die würdeschaffender Abstand noch mühevoller zu erarbeiten ist. Für Recherchen waren diese Leute jedenfalls ungeeignet. Der Zug fuhr langsam in die Falle. Ein Kopfbahnhof. Normal überfüllt wie alle vom Massentourismus heimgesuchten Bahnhöfe während der Saison. Gewohnte Empfindung, daß der Mensch nach Tonnen gewogen wird. Auch wenn Livrierte ihn untertänig empfangen. Auch wenn er in schrillen Edellumpen auf dem Fußboden lagert oder schläft. Anstelle der üblichen Selbstbedienungskarren für Koffer reichlich Träger. Erst als ich den Bahnhof verließ, erwies sich die Prophezeiung als solide.

3

Den ersten Schlag empfing ich nicht vom Gemäuer, sondern von der Stille. Denn ich kam von Rom. Und anderen Garagen. Wo die Ohren so abhärten, daß sie gegen Menschenlärm unempfindlich werden. Eine Stadt nur für Menschen? Aus technischen Gründen – aber die Gewißheit war zu köstlich, als daß ich sie sofort zweifelsfrei hätte glauben können. Wer sich monatelang durch Autoschneisen schlägt und bis zum Hals in Karosserien steckt, empfindet bald den Kopf als seine Körpergröße. Auf der nackten Piazzale Roma wuchs ich jäh. Mir zu. Und über mich hinaus. O Lust, buchstäblich auf Fußwegen Wassern zuzuschreiten. Exklaven. Idealen. Man müßte alle städtischen Straßen fluten! – »Gondola?« Die Frage unterbrach zwar meine futurologischen Inspirationen, erschien mir aber zu ihnen passend. Von Pastellen benommen, lächelte ich, sämtliche schmerzhaft erworbenen Verhaltensgrundsätze mißachtend. Und der Gondoliere, eine grauhaarige Schönheit mit gezwirbeltem Schnurrbart, ergriff meinen Koffer. Und geleitete mich, die roten Bänder seines Strohhuts taumelten in der Morgenbrise. Da ging ich ungeschirmt, geblendet, wunderbar erlöst als wie von Gegenliebe. Die Erleuchtung lag dunstig überm Wasser des Canale Grande, drauf in taubenblaun und rosa Stücken. Die von den Wellen gegeneinander und auf und nieder bewegt wurden, auch vermischt. Solches Wasser zu ebner, kalksteinbelegter Erde! Selbst als ich heftige Verhandlungen zwischen Gondolieri und Kunden an der Anlegestelle beobachtete, tat ich nichts gegen meine Hochstimmung. Ließ mich im Gegenteil von der raffinierten Eleganz der Boote sogar zu Ausrufen hinreißen. Die Boote schaukelten zwischen

Stangen. Die unbearbeitet waren, verwachsen. Das steigerte die manieristische Wirkung der Kunststücke. Ihr schwarzer Lackanstrich erinnerte an Särge oder Klaviere. Blaugrüne Planen, rote Sitzpolster, Messingbeschläge: die Farbkombination stand der Bootsform an ästhetischer Perfektion nicht nach. Ich holte den neuen Reiseführer aus der Tasche. Um die genauen Namen der Pensionen nachzuschlagen, die ich im Zug finanztheoretisch in die engere Wahl genommen hatte. Da fiel mein Blick zufällig auf die Tabelle, die die Gondeltarife verzeichnete. Ich kannte die Tabelle natürlich, ich näherte mich nie uninformiert kapitalistischen Orten. »Von der Eisenbahnstation Piazzale Roma zu einem Hotel im Zentrum 1500 Lire für ein bis zwei Personen und vier Gepäckstücke.« Der Blick beruhigte mich. Gab mir aber eine Spur jener wachsamen Gespanntheit zurück, die ich mir als normales Reiseverhalten antrainiert hatte. Die Spur genügte für die Frage: »Wieviel?« Der Koffer lag schon in der Gondel. »Zehntausend«, sagte der Gondoliere. Der Preis bannte die heimtückische Hochstimmungsgefahr. Reichlich spät. Wodurch ich mich beim nun folgenden Feilschen in eine defensive Position gedrängt sah. Der Gondoliere ließ trotzdem schnell vier Tausender fahren. Dann verhielt er sich nach jenem Muster, das Pariser Boutique-Verkäuferinnen vollendet handhaben: Erste Phase: Lobpreisung des Kunden und seines Geschmacks, die Wohlhabenheit unterstellt. Zweite Phase: ehrabschneiderische Reden über den Kunden, die Geldmangel unterstellen. Wer die erste Phase – die abrupt eingeleitet werden muß, wenn sie voll wirken soll – übersteht, ist ein Charakterathlet. Auge in Auge mit den Pastellen des Canale Grande, darin sich byzantinisch-gotische Fassaden spiegelten, mußte ich Charakterathletismus beweisen. Verzichten auf Einzelbehandlung und Nähe, im Theater gelten die Logen und die bühnennächsten Plätze auch als die erstrebenswertesten. Ich reihte mich also ein. Und ließ mich schieben. Aufs Massentransportmittel Vaporetto. Da war ich dem Wasser so weit entfernt wie ein Busfahrer der Straße.

4

Eingezwängt von schwitzenden Leibern, erinnerte ich Bewertungen anderer Reisebekanntschaften, die dem Propheten das Wasser hatten abgraben wollen. Zum Beispiel: »Venedig hat ein ungesundes Klima. – Venedigs Glanz wurde auf Verbrechen gegründet. – Venedig ist ein einziges Museum, reiner Nepp. – Venedig ist eine vom Schwamm zerfressene, absaufende Ruine.« Ich nutzte die wechselhaften Räume, die zwischen den mich umringenden Köpfen gebildet wurden, als Fenster. Die mir Anblicke zuschnitten. Aus der Zuteilung an Rundbögen, Spitzbögen, Maßwerk, Säulen, Balkonen, Mosaiken und Statuen gewann ich ein Bild hinreißender Würde und Arroganz. Das Stein vom ersten Stock aufwärts bevorzugte. Abwärts aussätziger Putz oder entblößtes Ziegelmauerwerk, in den Fensterhöhlen der

Paläste schmutzblindes Glas, Bretter, Finsternis, aus der beladne Wäscheleinen leuchteten. Die Bugwelle des Vaporetto spülte die unteren Viertel der Portale. Sie waren rostig, rostzerfressen, angefault. Die Portaltreppe, die das Tal hinter der Bugwelle einen Augenblick entblößte, hatten Muschel- und Algenbesatz. Vor den Portalen mitunter Barken, die wie Tiere an Hauswände oder Bohlen gebunden waren. Manche Bohlen zeigten blau-weißen, auch rot-weißen Streifenanstrich, kordelähnlich. Ich war überzeugt, daß mich nur noch Tage von Anaximander trennten. Oder Stunden. Vielleicht war ich ihm schon einmal oder gar mehrfach ganz nah gewesen, ohne es zu wissen? Ich hatte seine Spur im sandigen Vorplatz der Wallfahrtskirche St. Ambroggio bei Rapallo entdeckt und aufgenommen. Und ich hatte sie verfolgen können über Carrara, Livorno, Sienna, Tarquinia, Rom, Perugia, Arezzo, Rimini, Ravenna, Ferrara, Padua bis nach Mestre, wie gesagt. Wahrscheinlich war Anaximander ins Meer gesprungen und nach Venedig geschwommen, um seine Spur zu verwischen. Ahnte er, daß er verfolgt wurde? Wenn der Vaporetto anlegte, was bis Haltestelle San Marco vierzehnmal geschah, wechselten die Leiber, die mich umringten. Und andere Haare flogen mir ins Gesicht. Die melancholische Märchenkulisse des Canale Grande durchlebte ich bei konzentrierten Knien. Die meinen Koffer klemmten.

5

Einen Pappkoffer. Eigentlich hätte ich meine Reiseutensilien in Säcken an ein Traggestell geschnallt transportieren müssen. Denn ich war jagdhalber auf Kontakte angewiesen. Reiche konnten bei solcher Beschäftigung Wohlstand oder Gesinnung tragen, mir blieb nur eine modische Variante: der Konsumverweigerungsstil. Zu dem mir die Pensione Atlantico unweit der Seufzerbrücke passend erschien. Sie beherbergte im Keller die Vertretung einer internationalen Studentenreiseagentur. Deren Kunden auch hauptsächlich das kleine, billige Hotel stopften. Als ich meinen Pappkoffer über zwei vor der Rezeption lagernde Schläfer gehoben hatte, fühlte ich mich als Reisemuffel. Und ich versteckte meine Verunsicherung schleunigst hinter einer Miene, die ich den gelangweilten der Rezeptionsmädchen anzugleichen bemüht war. Ein Spiegel neben dem Schlüsselbrett erleichterte meine Bemühungen. Die beiden Mädchen stellten sich mir nach Tagen als die Hotelinhaberinnen heraus. Das Frühstück pflegten sie lässig und ohne Eile aufzutragen. Die Schlurfgeräusche ihrer Pantoletten wurden von den Oi-Rufen der Gondolieri begleitet – die Kanalkreuzung vorm Hotel erforderte akustische Signale. Heller als halbdunkel war der Frühstücksraum nie, weshalb seine schwammürben Wände nur flüchtig mit Bastmatten und Fischernetzen verhängt sein mußten. Dennoch blieb mir auch hier die typische Last einzelnreisender Frauen, die an Alter und Wuchs die modische Norm erfüllen, nicht erspart. Die Last wird von der Gewißheit oder der Einbildung, taxiert zu werden, hervorgebracht. Nirgends konnte ich dieser Last entgehen. Und sie nahm zu. Seit meiner Abreise aus Berlin hatte sie sich mindestens verdoppelt. Und ehe ich Anaximander nicht gefunden hatte, war kein Ende abzusehen. Ich hatte mir deshalb angewöhnt, so schnell wie möglich zu schlingen und dabei etwas anzustarren. Etwas Neutrales natürlich, zum Beispiel den Sonnenfleck, der vorm Hoteleingang lag wie ein Abtreter. So fiel mir eines Morgens ein Paar ins Auge. Es zwängte sich nicht nur mit Lederkoffern, sondern auch mit neuen, sauberen Kleidungsstücken in den Undergroundstil. Von weitläufiger Reisetätigkeit geprägt, empfand ich für die Neuankömmlinge außer Mitleid gleich auch eine gewisse Abneigung wegen unangepaßten, das heißt geschmacklosen Verhaltens. Die Abneigung mag überwiegend von Neid erregt gewesen sein. Denn ich zwängte mich seit Wochen in speckige Jeans, die ich durch Waschen nicht verhunzen lassen durfte. Und ich sehnte mich nach einem Beiwerk, das mich äußerlich als vollständigen Menschen kenntlich machen konnte. Aber nur Christoph Arnold und Eberhard David Hauber hatten auf mein Schreiben geantwortet. Unbefriedigend. Das Beiwerk der Lederkofferfrau war relativ alt. Ich hielt es für einen jener Intellektuellen, die als Statussymbol eine mindestens zwanzig Jahre jüngere Frau mit sich führen, um ihren Erfolgsreichtum anzuzeigen. Als der Mann seine Baseballmütze von der Glatze hob, erschien die Frau mindestens dreißig Jahre jünger. Das Paar suchte im speisekammergroßen Foyer allen Ernstes nach Sitzmöbeln. Nach zehn Minuten Wartezeit rief der Mann akzententstellte italienische Worte. Das verstärkte meine Abneigung. Denn ich haßte diese Kartoffelfresser, die das Land jeden Sommer mit Überheblichkeit und Blech plagten. Der Mann steigerte seine sprachlichen Bemühungen seltsamerweise nicht, sondern erlahmte bald. Ohne Anzeichen von Resignation zu zeigen. Das Paar ließ sich auf seinen Lederkoffern nieder. Die junge Frau vertiefte sich in eine Zeitung, deren Aufmachung mir irgendwie vertraut vorkam. Der Mann blätterte in einem Buch und las draus ab und zu Sätze vor. Zum Beispiel: »Bürgerliche Futurologen behaupten, daß in der Zukunft der Automat dem Menschen seine Macht entreißen, ihn jeglicher sinnvoller Tätigkeit berauben, seine Bedürfnisse nivellieren und schließlich ihn dadurch moralisch völlig degradieren werde. Aber was wird wirklich sein?« Oder: »Diese undifferenzierte und globale Einschränkung der Möglichkeiten zukünftiger Automaten ist schon deshalb fragwürdig, weil wir vom marxistisch-leninistischen Standpunkt aus die prinzipielle Unbegrenztheit des menschlichen Wissens und damit auch die Fähigkeit des Menschen, schöpferische Prozesse zu simulieren, anerkennen.« Die junge Frau antwortete, ohne aufzusehen, mit einzelnen Wörtern oder wortähnlichen Gebilden. Die logodramatische Szene erregte zunehmend mein Interesse. Die Silbenkombination »Ökulei« wandelte meine Stimmung. Also daß ich den bestellten Frühstückstisch mit leerem Magen verließ und auf die Lautquellen zueilte. Die Ohren klangen mir laurenzianisch, also heimatlich. Jäh spürte ich Heimweh. Nach einem Land, in dem ich nicht geboren wurde. Nanu! Jedenfalls begrüßten wir einander wie Delegationsmitglieder von Arbeiterparteien.

6

Beim nachfolgenden Erfahrungsaustausch erfuhr ich, daß die Frauenbrigade »Olga Benario« des Berliner Werks für Signal- und Sicherungstechnik den ökonomisch-kulturellen Leistungsvergleich trotz meiner Lesung nicht hatte gewinnen können. Wahrscheinlich wegen meiner Lesung. »Du hast damals ganz schönen Mist gebaut«, sagte die junge Frau, die den Mann nicht als Gatten, sondern als Vater vorstellte. An den Namen Karin Janda konnte ich mich nicht mehr erinnern. Aber der Philosophieprofessor Leopold Janda war mir natürlich ein Begriff. Und die vernichtende Kritik seiner Tochter ärgerte mich bis auf den heutigen Tag. Obgleich ich längst wußte, daß sich mit Versen von Raimbaut d'Aurenga heute kein Blumentopf gewinnen ließ, geschweige ein Ökulei – die ausführliche Bezeichnung »ökonomisch-kultureller Leistungsvergleich« empfand ich nach wie vor als unpoetisch. »Willste nicht die Scharte bald mal auswetzen«, sagte Karin, die immer noch als Bibliothekarin im Werk arbeitete. »Wir sind nicht nachtragend, wer nicht arbeitet, macht auch keine Fehler: Lenin.« Rippenstoß, Schlag aufs linke Schulterblatt, »unsere Frauen brauchen politische Literatur, die fetzt«. Der Professor küßte mir betreten die Hand. Ich versicherte, daß ich von ihm sowieso keine Antwort auf mein Schreiben erwartet hätte. Er bezeichnete sein Versäumnis als unverzeihlich und entschuldigte es mit Vorbereitungsarbeiten für die internationale Konferenz für Problemlogik, die soeben in Rom zu Ende gegangen wäre. Außerdem nannte er mich »liebe Frau Magpyloni« und sicherte mir Hilfe zu. Indirekt. Er wäre mit Grundlagenforschung beschäftigt, die in nächster Zeit noch nicht zu praktisch ausbeutbaren Ergebnissen führen könnte. Aber er hätte Freunde, deren Hilfe er mir vermitteln könnte. In Venedig zum Beispiel wäre Roberto Venterulli ansässig, ein Automatenbauer von Weltrang. »Er hat den mechanischen Automaten zu höchster Perfektion vervollkommnet und leiht auch aus. Zu volkstümlichen Preisen. In allen größeren italienischen Städten hat er Ausleihstationen eingerichtet, die hiesige irgendwo im Getto. Während der Saison soll die Nachfrage nach männlichen Puppen besonders groß sein. Wenn Sie an Kreativitätsautomaten interessiert sind, müssen Sie sich allerdings noch einige Jahrzehnte gedulden.« Ich dankte verstimmt, erwirkte Vater und Tochter ein besonders preiswertes Zimmer und bot mich als Führer an.

7

Denn ich fühlte mich überlegen und verantwortlich. Ähnlich wie Kindern gegenüber. Weil ich einen vier Tage großen Erfahrungsvorsprung in Venedig hatte und außerhalb riesigen. Leopold Janda war weit gereist, aber noch nie in der Stadt gewesen. Seine Tochter hatte das sozialistische Landlager erstmals in ihrem Leben verlassen. Vor drei Wochen. An ihr war sozusagen noch deutlich die Landluft der Frankfurter Allee zu wittern. Und die arglose Umgangsart unter den Leuten dort. Die ich plötzlich sehnsuchtsgeschüttelt als Komfort empfand. Als Lebenskomfort, der allen Konsumkomfort in den Schatten stellt. Familiärer Empfindungen voll, geleitete ich Karin und Leopold Janda durch Straßen, in deren Erdgeschossen nur Läden und Restaurants nisteten. »Der Golem war ein künstlicher Mensch, der im sechzehnten Jahrhundert von dem Prager Rabbiner Löw aus Lehm geschaffen wurde«, sagte der Professor. »So die alte Legende, die, wie zahlreiche andere Meisterwerke der Weltliteratur, den bislang unerfüllten Wunschtraum des Menschen zum Ausdruck brachte, künstliche Wesen oder Maschinen zu schaffen, die bestimmte schöpferische Fähigkeiten des Menschen besitzen und deren er sich bedienen kann. Mit der Entwicklung des Computers und der Entstehung neuer Logiken, welche die logischen Gesetzmäßigkeiten des schöpferischen Denkens erforschen, kann sich der Mensch zum ersten Male in seiner Geschichte mit wissenschaftlicher Begründung die Frage stellen: Ist die Zeit herangereift, Automaten zu schaffen, die nicht nur physische und geistige Routinearbeit, sondern auch schöpferische Arbeit verrichten können? Ist es möglich, Automaten zu entwickeln, die Probleme, welche für den Menschen unlösbar sind, lösen, die Ideen entfalten, welche vom Menschen bislang nicht gedacht werden konnten?« Die Waren näherten sich den potentiellen Käufern bis vor die Schaufenster. Modewaren, Goldwaren, Souvenirs, Zutaten angepriesener lukullischer Spezialitäten in ornamentalen Arrangements. Leopold Janda konnte nicht an den Tausenden und aber Tausenden von bunten Glasperlenketten vorbeigehen, ohne ab und zu eine anzufassen. Sonst griff er gewisse Wissenschaftler an, die sich vor der Antwort auf die genannte Frage drückten. Indem sie der Weiterentwicklung von Automaten absolute Grenzen zu setzen suchten. »Manche Leute behaupten zum Beispiel, der Automat könne lediglich geistige Routinearbeit verrichten, aber niemals schöpferische«, verkündete der kleine Mann aufwärts. »Ja«, sagte ich ahnungsvoll. Abwärts. Aber der Professor blieb unaufhaltsam. »Diese Angst vor dem Automaten und die Meinung, er könnte jemals mehr sein als ein Hilfsmittel, ist Ausdruck einer dekadenten Gesellschaft, die unfähig ist, die Probleme der wissenschaftlich-technischen Revolution zum Wohle der Menschen zu lösen«, eiferte er. Karin schlenderte. Sah gelassen auf Gebäude und Waren. Bat nicht um Geld. »Die Jugend kann alles übertreiben«, murmelte der Vater resigniert. Auf dem Markusplatz wollte ich mich absetzen. Denn ich hatte gestern auf dem Campo S. Polo bereits den dritten Pferdeapfel entdecken können. Die ersten beiden hatte ich in der Nähe des Pesaro-Palasts gefunden. Da Pferdehaltung in einer Stadt mit Wasserstraßen als ausgeschlossen angenommen werden muß, wertete ich die Funde als eindeutige

Indizien. Konnte eine so attraktive Sehenswürdigkeit wie ein Einhorn zu irgendeiner Tages- oder Nachtzeit in Venedig spazieren, ohne von der Fremdenverkehrsindustrie ausgebeutet zu werden? Benutzte Anaximander eine Tarnkappe? Oder war er etwa unsichtbar von Natur? Janda kaufte seiner Tochter auf dem Markusplatz in aller Eile eine Tüte Kukuruz, bestreute Karin mit dem Futter, photographierte sie taubenbeladen und drängte weiter. Wohin zum Teufel? Ist irgendwo eine raffiniertere Anlage zu finden als diese von Raumnot umgebene freie Fläche? Gibt es auf der Welt überhaupt ein Bauwerk, das den Dogenpalast an Schönheit übertreffen kann? Seine maßlose Würde überwältigt. Er war mir beim ersten Anblick als einzig angemessener Zufluchtsort für Anaximander erschienen. In fieberähnlichem Zustand hatte ich die gemäldeschweren Säle durcheilt. Grandezza, wohin das Auge blickt. Bis ich an die Waffensammlung geriet. Dort sind die Saalwände mit Schlachtgeräten geschmückt. Über und über, die Mordwerkzeuge sind in Mustern angeordnet, Rosetten aus Schwertern und Spießen, Friese aus vielfältigen beilähnlichen Stählen, Schießeisenarabesken, Munitionsmäander, Rüstungen in verschiedenen Erwachsenen- und Kindergrößen. Ernüchtert hatte ich den Palast verlassen. In absoluter Gewißheit, daß seine rosa-weißen Marmormauern von Einhörnern geflohen werden. Wenn ich also den Markusplatz jetzt aufgesucht hatte, dann nur, um den beiden Jandas Kunsterlebnisgewinn zu verschaffen – ich verlor Zeit. Ein unschätzbarer Verlust für Jäger. »Hier könnt ichs sogar eine Woche aushalten«, sagte Karin. »Von früh bis abend keinen normalen Menschen vor der Pupille, bloß Touristen und Service und Kunst, das nervt. Aber trotzdem ist es hier wirklich noch relativ am besten. Für mich. Aber ich möchte ehrlich mal wissen, was sich der Deutsche Schriftstellerverband dachte, als er dich hierher delegiert hat. Sollst du hier etwa den Kapitalismus studieren?« – »Wie? Der Schriftstellerverband hat mich nicht delegiert«, sagte ich verblüfft. »Wer denn sonst«, sagte Karin. Der Professor bat mich, ihre linksradikalen Tendenzen zu entschuldigen. Noch kurz vor der Abreise hätte er die größten Scherereien mit ihr gehabt wegen Drall in entgegengesetzter Richtung. Disziplinarverfahren im Singeklub und so weiter, kleine Kinder, kleine Sorgen, große Kinder, große Sorgen. Warum drängte Leopold Janda ins Gettoviertel? Hatte er ein Interesse daran, daß ich mir einen Begleitautomaten mietete? Erst auf der Brücke »Von Christus oder dem Versucher« fiel mir ein Vorwand ein, mit dem ich mich verabschieden konnte.

8

Gegen zweiundzwanzig Uhr suchte mich der Professor in Begleitung seiner Tochter in meinem Zimmer auf und teilte mir mit, daß er die Ausleihstation im Getto ermittelt hätte. Leopold Janda lobte die Automaten als solide Handwerksarbeit. Karin riet verächtlich zu Konfektion. Sie erwähnte einige erstaunliche Artikel, die sie in Beate-Uhse-Läden mit eigenen Augen gesehen hätte, der Kapitalismus beutete selbst die ausgefallensten Geschmäcker geschäftlich aus. Verärgert gab ich mein Zimmer zur Besichtigung frei. Seine beiden Fensterbretter, knapp zwei Meter überm Kanalwasser gelegen, waren ideale Theaterplätze. Die allabendlichen Vorführungen mit Musik und Gesang fanden vor gut illuminierten, garantiert kostbaren Kulissen statt. Als kostbarste Kulisse erwähnte ich die Seufzerbrücke. Die kein Gondoliere seinen Kunden vorenthält. Demzufolge verschafften die von mir günstig gemieteten Fenster einen repräsentativen Überblick von der Lustfahrtenbewegung. In Venedig werden Gondeln nur noch zu Lustfahrten verwendet. Lasten werden in Motorbooten transportiert. Die den romantischen Stil der Vorführungen mitunter verhunzen. Bei Dunkelheit selten. Leopold und Karin Janda nahmen auf den Fensterbrettern Platz wie auf Fernsehsesseln. »Es liegt offen auf der Hand, daß die Schaffung einer neuen Generation problemlösender beziehungsweise schöpferisch tätiger Automaten, sogenannter Kreativitätsautomaten, solch weitreichende Umwälzungen in der Daseinsweise der Menschen hervorrufen würde, daß die Wissenschaft ihre Dimensionen heute noch nicht voll zu erkennen vermag«, sagte der Professor. »Aber: ist eine derartige Perspektive überhaupt real? Mehr noch, ist sie eigentlich wünschenswert? – Beginnen wir mit der Frage nach der Realisierbarkeit einer solchen Perspektive. Viele Wissenschaftler bezweifeln sie. Ihre Bedenken beruhen in wissenschaftlicher Hinsicht vor allem auf folgendem: Automaten können immer nur Programme beziehungsweise Algorithmen bearbeiten, die ihnen eingegeben werden. Der Kern des schöpferischen Denkens ist das Lösen von Problemen, das heißt, das Stellen und Beantworten von Fragen, für deren Beantwortung kein Algorithmus bekannt ist. Deshalb können auch keine Programme für Automaten ausgearbeitet werden, mit denen er Probleme lösen beziehungsweise schöpferische Arbeit verrichten kann. Nur der Mensch sei in der Lage, Probleme zu lösen. – Obwohl dieses Argument auf den ersten Blick bestechend erscheint, möchte ich es anzweifeln.« Karin zweifelte auch an. Hauptsächlich den Wert der Dolle-Minna-Bewegung. »Oder macht es vielleicht einen prinzipiellen Unterschied, ob ich mich vom Ehemann ausbeuten laß oder vom Fabrikanten? Frauen, die hier was wollen, müssen in die Politik einsteigen und ungeheuer gesellschaftlich was ändern, alles andere ist Onanie.« Der Professor hüstelte betreten. Beider Gerede empfand ich als Einmischung. In meine inneren Angelegenheiten. Erst zu mitternächtlicher Stunde, die der Campanile einläutete, wurde ich verlassen.

9

Gegen Mittag meines sechsten venezianischen Tages entdeckte ich am Haus Nummer 23 der Via Garibaldi drei Plakate. Eins kündigte ein

Volksfest mit kommunistischer Hochzeit an. Eins erinnerte an die sieben Märtyrer, die unter Anwesenheit der Einwohner am 3. August 1944 von den Faschisten erschossen worden waren. Auf dem dritten stand handgeschrieben: »A mon seul désir«. Hielt sich Anaximander etwa im volkstümlichen Viertel Castello verborgen? Gab es in den engen, wäscheverhangenen Straßen, darin Kinder wimmelten, überhaupt einen unbewohnten Platz? War die individualistische Losung ein Code? Jagdglückbesoffen stolperte ich zum Kai, dran drei Frachtschiffe vertäut lagen. Sanft schaukelte das Meer sie im Markusbecken. Im Dunst schwamm S. Giorgio Maggiore. Davor schwarz eine Gondelsilhouette. Ich wußte, daß der Gondoliere auf dem Heck stand. Ich sah, daß er auf dem Wasser stand. Balancierte. Ballett. Hingerissen ließ ich mich ins nächste Restaurant fallen. Ohne die Aushänge genau zu lesen. Ich las nur das Großgedruckte – à-la-carte-Essen konnte ich mir aus finanziellen Gründen nie zur Wahl stellen. Touristisches Menü 1200 Lire, las ich. Und bestellte und aß und trank. Die Rechnung bestrafte mich für meinen unverzeihlichen Leichtsinn. Sooft ich mich auf meinen Reisen in kapitalistischen Ländern hunger-, durst- oder stimmungshalber hatte hinreißen lassen, hatte ich schmerzlich zahlen müssen. 1900 Lire verlangte der Ober diesmal. Denn Gedeck, Wein und Bedienung waren im 1200-Lire-Reklamepreis nicht einbegriffen. Heimwehgeplagt suchte ich bis zum Einbruch der Dunkelheit. Verbissen. Ich wollte das Jagdglück erzwingen.

10

Als ich müde und erfolglos in die Pensione Atlantico zurückkehrte, bot mir der Professor Lire an. Für die Puppenmiete. »Am Geld solls nicht scheitern«, sagte er, »wenn ichs nicht hätte, würde ich Ihnen nicht borgen, mein Verleger in München hat ganz gut gezahlt. Im Auftrag unseres Büros für Urheberrechte selbstverständlich, alles reell, keine krummen Touren. Frau Magpyloni, Sie können mir die Summe bei Gelegenheit in Mark zurückzahlen. Stellen wir uns doch einmal die Frage, wie der Mensch Probleme löst. Findet er den unbekannten Problemlösungsalgorithmus (PLA), das heißt die Regeln und Verfahrensweisen, mit denen er die im Problem gestellten Fragen beantworten kann, ohne jegliche Voraussetzungen oder, genauer gesagt, ohne ein bestimmtes Problemlösungsprogramm (PLP)? Selbst die primitivste Methode des Problemlösens, die sogenannte Trial-und-Error-Methode, stellt, wenn auch in sehr elementarer Form, ein PLP dar. Mit anderen Worten, auch der Mensch kann kein einziges Problem ohne ein bestimmtes Programm lösen. Doch dieses PLP wird vom Menschen gegenwärtig noch weitgehend spontan benutzt, weil ihm die Gesetze, insbesondere die logischen Gesetze des Problemlösens fast völlig unbekannt sind. Das verleitet bürgerliche Wissenschaftler oftmals dazu, die Entstehung der Idee als Funktion der Intuition in das Unterbewußtsein zu verlegen und als nicht gesetzmäßigen Prozeß zu interpretieren.« Ich konnte nur mit Mühe an mich halten. Aber ich glaube, es gelang mir, das Geldangebot mit Pokermiene und neutralen Dankesworten zurückzuweisen. »Hab ich mich monatelang als unvollständiger Mensch durchgeschlagen, kann ich die letzten Tage auch noch unbegleitet durchhalten«, sagte ich. Sicher, daß mich Janda kurz vorm Ziel korrumpieren wollte. Mit einer persönlichen Lösung. Um die gesellschaftliche zu verhindern.

11

Da schloß ich nicht nur, den Vorschriften der Hausordnung folgend, die Fensterläden, um die Ratten auszusperren, sondern drehte auch den Zimmerschlüssel zweimal im Schloß. Dann verbrachte ich längere Zeit vor dem großen blinden Spiegel, der zwischen den Fenstern hing. Der Spiegel war echt blind. Auf Murano stellten Glaswerkstätten neue blind gefertigte Spiegel aus. Die teurer waren als die gleichen Muster in brauchbarer Ausführung. Ein Ausstellungsführer hatte mir mitgeteilt, daß amerikanische Käufer Antiquitätenimitationen bevorzugen. Für meine fix und fertig ausgewaschene Jacke hatte ich dreißig Prozent mehr bezahlen müssen, als für das gleiche Modell in neuer Ausführung verlangt wurde. Karin Janda nannte diese antimodische Mode konformen Nonkonformismus. Schöpfte sie ihre entschiedenen Worte selbst? Wollte mich Janda aus persönlichen Motiven abbringen? War er von der persephonischen Opposition auf mich angesetzt? Das Bett hatte Gefälle in Kanalrichtung wie der Fußboden. Der Lustverkehr war erstorben. Ich lag grübelnd. Lauschte der Stille. Die ab und zu von trunkenen Stimmen gebrochen wurde. Und von Plätschergeräuschen aus den Häusern fallender Abwässer.

12

Bei Morgengrauen schreckte mich das Müllboot aus meinen Grübeleien, die noch immer keinen Ausweg erbracht hatten. Sollte ich Leopold Janda zu erkennen geben, daß ich seine Pläne durchschaute? Sollte ich ihm und seiner Tochter ins Gesicht sagen, daß der Trick, sich mit marxistischem Anstrich und DDR-Pässen ins Vertrauen zu schleichen, bei mir nicht verfängt? Karin trug zu dick auf. Sollte ich untertauchen? Ich öffnete den rechten Fensterladen einen Spalt. Die Müllbootbesatzung hängte leere schwarze Plastesäcke an die Haustürklinke und sammelte gefüllte. Der Motor gab Knatterlaute von sich, die an Fürze erinnerten. Eine Ratte zog eine zarte, V-förmige Bugwelle durchs Wasser. Wie kamen Artikel eines solchen Mannes in die DDR-Wochenzeitung »Sonntag«? Ich durchsuchte den Zeitungsausschnitt, den Janda mir mit Widmung geschenkt hatte, nach faulen Stellen. Ich las: »Die Möglichkeit problemlösender Automaten hängt davon ab, daß der vom Menschen mehr oder weniger spontan vollzogene logische Prozeß des Problemlösens in die Form eines Programms gebracht wird, auf dessen Grundlage der Automat dann Probleme lösen kann. Genauer gesagt: Ein PLP muß geschaffen werden, das dem Automaten erlaubt, den jeweiligen PLA zu finden, mit dem er die von dem Problem aufgeworfenen Fragen, für deren Beantwortung kein Algorithmus bekannt ist, beantworten kann. Bisher hatte man angenommen, daß die Konstruktion von Kreativitätsautomaten vor allem auf Grund des unzureichenden technischen Niveaus nicht möglich sei. Es hat sich jedoch gezeigt, daß es nicht der Stand der Computer-Technik war, sondern vor allem die Begrenztheit der Logik, welche die Realisierung von Kreativitätsautomaten bislang unmöglich gemacht hat. Unter dem Einfluß von Aristoteles hat sich die Logik in ihrer jahrtausendlangen Geschichte fast ausschließlich mit den logischen Gesetzen von Begriffen und Aussagen befaßt. Die anderen Denkformen, die beim schöpferischen Denken eine besonders große Rolle spielen, wie zum Beispiel Fragen, Probleme oder Ideen, hat sie bislang weitgehend ignoriert. Dadurch war es auch der Logik nicht möglich, die logischen Gesetze des schöpferischen Denkens zu untersuchen. Mit der Entstehung der Problemlogik, das heißt der Logik, die sich mit den logischen Gesetzen des Problems befaßt, werden erstmalig die logisch-theoretischen Grundlagen geschaffen, die es erlauben, ein PLP zu formulieren, das bewußt diese Gesetzmäßigkeit nutzt.« Die Darlegung erschien mir schlüssig. An der Kanalkreuzung war ein Schimpfwortgefecht zwischen zwei Gondolieri ausgebrochen. Sie beschuldigten einander, beinahe einen Zusammenstoß der Boote verursacht zu haben. Vielleicht wollte mir Janda Anaximander abjagen? Im Auftrag der persephonischen Opposition. Oder aus privaten Gründen, seine Tochter hatte irgendwann erwähnt, daß er bereits einundzwanzig Jahre verheiratet wäre. Vielleicht interessierte ihn lediglich Anaximanders Horn? Um es pulverisiert als aphrodisierendes Mittel zu benutzen. Schlafgemieden spazierte ich über den steinernen Fußboden. Der nicht weniger wellig war als der von der Markuskirche. Wenn ich die Fersen stark anhob, konnte ich die bloßliegenden Deckenbalken mit dem Scheitel stoßen. Auf dem Kanal drängelten sich schon wieder Gondeln. Hatte Laura den Weltverbesserungsplan durch medikamentöse Massenbeeinflussung an Melusine verraten? Stand ich kurz vor der Entlarvung gegen Dilettantismus? Oder wegen Fraktionsbildung, dann hatte ich Lebensentzug zu erwarten. In Deckung wartete ich ab, bis Janda und seine Tochter das Hotel über die Brücke verlassen hatten.

13

Ich zahlte die Hotelrechnung während der Siesta. Und entkam trotz Gepäck unbemerkt. In der Mittagshitze traten nur Deutsche und Hunde das Pflaster. Später hörte ich Klingel- und Rasselgeräusche. Dann Sprechchöre. Unter den Kolonnaden der Prokurazien, wo die teuersten Läden und Cafés Venedigs nisten, wurde ich von einem Demonstrationszug aufgehalten. Die rhythmischen Sprechchöre forderten Gewinnbeteiligung und einen Verkäuferstreik für Sonnabend. Ich reihte mich kurz in den Zug ein. Um eine Frau abzuschütteln, von der ich mich verfolgt fühlte. Vier Pensionen lief ich vergebens an: Wochenendandrang. Der Diretissimo fuhr mir vor der Nase weg. Auf dem Campo Morosini kam mir die verdächtige Frau plötzlich entgegen. Und grüßte. Da stieß ich das Portal des ersten besten Palasts auf und rannte durch sechs Säle.

14

Die Tür des siebten war verhängt. Mit einer zeltähnlichen Dekoration. Cölinblaue Seide, darein goldene Ornamente gewirkt waren. Die Ornamente erinnerten an Bohrer oder Korkenzieher. Dicht unterm Zeltdach, das in eine kirchturmartige Spitze auslief, ein fransengeschmückter Querbehang. Bestickt mit der Losung: »A mon seul désir«. An der goldenen Dachspitze hing ein Wimpel. Ein Geräusch riß mich aus der Faszination. Unwillkürlich sah ich mich um. Konnte aber nichts Verdächtiges entdekken. Als ich mich wieder zum Zelt wandte, war es geöffnet. Und das Einhorn trat heraus. Gesattelt. Sein Fell war kurz wie bei Pferden, schimmelfarben. Körper und Gangart waren auch pferdehaft, aber weicher. Ich schnallte meinen Pappkoffer in den Sattel, bestieg das Tier, ritt aus und verließ Venedig in nördlicher Richtung.

Sechstes Intermezzo

Darin nachzulesen ist, was die schöne Melusine im Jahre 1964 aus dem Roman »Rumba auf einen Herbst« von Irmtraud Morgner noch in ihr 35. Melusinisches Buch abschrieb

Schalmeientwist II

»Du sollest aber fröhlich und guten Mutes sein; denn dieser dein Bruder war tot und ist wieder lebendig geworden, er war verloren und ist wiedergefunden.«
Lukas 15,32

Die Stadt trug Nebel. Er hatte seinen amorphen Rumpf über die Dächter gewälzt, die ihn stützten mit Firsten und Giebelspitzen. In den Straßen hing er durch. Bis zu den Fensterreihen der ersten Etage, manchmal sogar bis zum Erdgeschoß. Pakulat passierte nur Fassadenstümpfe. Aber er wußte Bescheid. Sparkasse. Kristall. Porzellan. Grünwaren. Ein- und Verkauf. Kolonnaden.

Zu den Kreuzgewölben war der Nebel noch nicht durchgedrungen. Rippen und Gurtbögen wurden deutlich herausgehoben vom Licht der Schaufenster. Die Kappen blieben im Halbdunkel. Wo sie hingehörten, denn sie hatten Wasserflecken. Pakulat brauchte den Kopf nicht nach rechts zu drehen, um zu sehen, daß sie Wasserflecken hatten. Seit eh und je hatten sie welche, seit Pakulat zum erstenmal die Kolonnaden betreten hatte. Damals war er noch ein Kind gewesen. Und das Antiquariat war ein Spielzeugladen gewesen. Und statt alter Bücher hatten Bleifiguren im Fenster gestanden, Hunderte, Tausende, ach Abertausende gewiß, die die Schlacht bei Fehrbellin darstellten. Und Pakulat hatte mit den Füßen gestampft und geschrien: »Ich will die Schlacht bei Fehrbellin ich will die Schlacht bei Fehrbellin ich will . . .« Und der Vater hatte geschrien: »Eine Kopfnuß kannst du kriegen . . .«, und die Mutter hatte gesagt: »Was sollen denn die Leute denken, der kleine Ulan ganz rechts kann nicht viel kosten.« Und Pakulat hatte den kleinen Ulan ganz rechts gekriegt, und jetzt ging er durch diesen Augenblick, da er die Bleifigur in den Händen hielt. Und er fühlte die Kühle des Metalls auf dem Handteller.

Aber die Kolonnaden dauerten eben nur einen Augenblick, und dann war der Nebel wieder da. Er hatte die Stadt nahezu begraben. Er schmeckte nach Ruß. Pakulat hielt sich ein zusammengefaltetes Taschentuch vor den Mund. Es war allerdings nicht angefeuchtet, und es hatte auch keine Gummischlaufen wie eine Schießbrille. Aber der Rauch war ja auch kalt und überhaupt nicht zu vergleichen. Und der Nebel sah nur aus wie Qualm. Vielleicht sah er sogar nicht mal so aus. Vielleicht war es ganz gewöhnlicher dicker Herbstnebel. Pakulat hatte ja nur noch ein Auge. Und dessen Sehschärfe schwankte. Manchmal sah er überscharf. Manchmal konnte er die Umrisse genau erkennen. Wahrscheinlich sah er im Augenblick überscharf. Die Insel war ja weit. Und irgendwie hatte es immer geklappt bisher. Pakulat wäre gar nicht auf den Gedanken gekommen, daran zu zweifeln, daß es auch diesmal irgendwie gut ging, wenn er nicht diesen Bärtigen über Bennos Bett entdeckt hätte. Natürlich hatte er nichts gegen diesen Mann, der aussah wie ein Schwerathlet. Für Sportler hatte er von je etwas übrig, und Baskettball mochte ja ein ernst zu nehmender Sport sein. Aber besonders vertrauenerweckend erschien ihm dieser zwei Meter lange Kerl, der ohne Konzept vierstündige Reden hielt und dabei wild mit den Armen gestikulierte, auch nicht. So ein hitziges Temperament war vielleicht gut für einen Liebhaber. Von einem Staatsmann jedoch hatte Pakulat andere Vorstellungen. Auf jeden Fall war der Mann zu jung. Und deshalb hing er wahrscheinlich über Bennos Bett. Und das war trotz allem gut, daß er dort hing. Das hatte Pakulat wieder Hoffnung gemacht. Der Sohn war vielleicht doch nicht verloren. Pakulat mußte ihn finden.

Er nahm die Hände aus den Taschen, um schneller vorwärts zu kommen. Es war, als liefe ihm die Straße unter den Füßen entgegen wie ein Förderband, unendlich, und er träte tatsächlich auf der Stelle. Aus den Nebelschwaden, die ihn umhingen, tauchte für Augenblicke ein Betrunkener, rülpste, rempelte ihn an. Die Silhouette eines Autos schwamm vorbei.

Pakulat hetzte durch das wattige Nichts, das die Stadt aufgesogen hatte, seine Stadt. Irgend etwas trieb ihn an, das nicht auf Puls und Bronchien Rücksicht nahm, irgend etwas trieb ihn vorwärts. Aber langsam wurde ihm doch klar, daß es unsinnig war, ziellos in den Straßen herumzulaufen. Er kehrte um und schlug den Weg zur Schule ein. Systematisch, dachte er, ich muß systematisch suchen. Er klingelte beim Schulhausmeister. Im Erdgeschoß wurde ein Fenster hell, nach einer Weile wurde es geöffnet, und ein verwilderter Frauenkopf fuhr heraus.

»Haben Sie meinen Sohn gesehen?«

»Ein Besoffener«, sagte die Frau. Das Fenster schlug zu, das Licht erlosch.

Pakulat stand allein in einer Stadt, deren Einwohner nach Hunderttausenden zählten. In der er Bescheid wußte. An der er gebaut hatte. Wo er geboren wurde und begraben sein wollte. Natürlich hatte er als Toter nichts davon, wenn er in dieser Stadt verfaulte und nicht irgendwo anders. Natürlich war es überhaupt unsinnig, an den Tod zu denken. Die mittlere Lebenserwartung billigte Pakulat noch dreizehn Jahre zu. Aber diese Zahl war ja nur eine durchschnittliche Größe. Pakulat dagegen hatte kein durchschnittliches Leben hinter sich. Also war es ohne weiteres möglich, daß er noch älter wurde. Merkwürdig, daß er jetzt dauernd ans Altwerden dachte. Seit einiger Zeit ging ihm das im Kopf herum. Genaugenommen, seitdem der Polier zu ihm gesagt hatte: »Na, Alter, noch einen Monat, und dann ist Schluß.« Es war allerdings möglich, daß er »Alter« gar nicht gesagt hatte, sondern irgend etwas anderes, und Pakulat hatte erst später etwas Derartiges hineingehört. Aber »Schluß« hatte der Polier gesagt, daran konnte sich Pakulat genau erinnern. Schluß also. In einer Woche war Schluß, und Pakulat rannte durch den Nebel, der dabei war, die Stadt zu schlucken. Der riesige amorphe Rumpf, der in den Straßen so durchhing, daß er hier und da fast den Asphalt berührte, ließ kein Gebäude verschont. Er fraß sich immer tiefer in die Stadt hinein, an der Pakulat jahrzehntelang gebaut hatte. Ein Jahrzehnt ganz sicher umsonst, und Pakulat konnte noch von Glück reden, daß die Stadt relativ verschont geblieben war im Vergleich zu anderen Städten. Aber diesmal war auf Glück nicht zu rechnen. Diesmal stand sein ganzes Lebenswerk auf dem Spiel, sozusagen. »Lebenswerk« zählte Pakulat zu den überspannten Redensarten der Intellektuellen, für die er elementares Mißtrauen und Antipathie empfand. »Lebenswerk« kam für ihn überhaupt nicht in Frage. Aber es stand sozusagen auf dem Spiel. Das Spiel fand natürlich ganz woanders statt, auf einer Insel, wo Ananas und Pampelmusen wuchsen, die um die Weihnachtszeit in den Gemüsegeschäften teuer verkauft wurden. Genaugenommen auch nicht auf der Insel, sondern in der höchsten Instanz. Pakulat kannte sich aus auf diesem Gebiet. Er sah genau. Er sah nur noch mit dem linken Auge. Er konnte nichts anderes mehr sehen als dieses Gebiet. Bis zu dem Augenblick, da sein Sohn verloren schien. Auch auf diesem Gebiet. Da schrumpfte es. Da schien es zusammenzuschnurren zu einem Flecken, mit einem Durchmesser, nicht größer als die Länge eines Burschenschuhes. Der riesige amorphe Rumpf drohte die Stadt aufzufressen mit allen Häusern, die Pakulat gebaut hatte, mit allen Bewohnern, die Pakulat nicht kannte, zu denen er aber eine Art brüderliches Gefühl empfand, wenn er sie irgendwo nördlich oder südlich, wo man anders sprach, am vertrauten Dialekt erkannte. Er liebte seine Stadt und ihre Bewohner. Aber er konnte nur an einen denken, einen von Hunderttausenden, der es wahrscheinlich gar nicht verdient hatte, der mit seinem Vater allein war auf der Welt; die Welt: das war die Stadt. Er war weggelaufen von seinem Vater, und nun suchte der Vater ihn. Und er würde ihn finden, denn die Weltstadt war endlich.

Der Vater, der sich eine Weile verloren hatte und gebangt um die Stadt und ihre Bewohner und sogar um das Lebenswerk sozusagen, bangte wieder und ausschließlich um den Sohn. Sein Vorrat an Liebe, von dem er sein ganzes Leben lang weggeschenkt hatte, mit vollen Händen und vorwiegend ohne Hoffnung auf Gegenleistung, war beinahe erschöpft. Den Rest brauchte er für Benno. Pakulat merkte, daß er den Kasten, aus dem er vor einer Weile gestiegen war, auf dem Rücken trug.

Die Grundmauern der Schule standen exakt vor ihm und Teile des ersten Stockwerks. Er konnte sogar Mauerfugen erkennen. Denn Laternenmonde hingen reichlich in den Nebelzotten. Und er roch auch die Stadt, deren Ausdünstungen der amorphe Rumpf in die Straßen gedrückt hatte. Aber fühlen konnte Pakulat nur, was er auf seinen Schultern trug: den Kasten und das ungewisse Schicksal des Sohnes.

Sein Verstand allerdings, der wacher war und immer wacher, je kälter es wurde, sagte ihm natürlich, daß er keineswegs allein war in dieser Stadt und daß es vernünftig wäre, sich helfen zu lassen. Von wem? Lutz war verreist. Die Schwiegertochter durfte von alledem nichts erfahren, weil sie Benno nicht leiden konnte. Wenn Pakulat zu einem alten Freund ging, hatte er Vorwürfe zu erwarten. Und auf die Spur bringen konnte der ihn auch nicht. Benno verkehrte nicht in diesen Kreisen. Außerdem war es möglich, daß die Sache dadurch irgendwie offiziell wurde und vor die Partei kam. Und wenn Pakulat zur Polizei ging, wurde die Sache auch offiziell. Polizei war verfrüht. Polizei war der letzte Weg. Pakulat durfte den letzten nicht vor dem ersten tun. Die Schule war der erste gewesen. Aber nur der erste beste. Kein Wunder, daß ihn die Hausmeisterin für besoffen hielt. Wer annahm, daß zwei Stunden nach Mitternacht noch Schüler in der Schule waren, mußte ja besoffen sein. Oder verzweifelt. Aber verzweifelt war Pakulat nicht. Er hatte sich nie so etwas erlaubt, und er würde sich nie so etwas erlauben. Besoffen, dachte Pakulat. Er hatte einen starken Willen. Der war so stark, daß er Pakulat besoffen machen konnte ohne Schnaps. Einen Augenblick. Dann fühlte sich Pakulat wieder nüchtern und dachte, daß es vernünftig wäre, erst einmal zu Bennos Freund Nero zu gehen, der, wie sein Name sagt, das Schlagzeug der Kapelle bediente. Pakulat wußte, daß Nero eigentlich Matzke hieß. Danie oder Manie oder Stanie Matzke, und daß er der Sohn eines Budikers war. Und daß er dumm war natürlich, wahrscheinlich war er gleich dumm auf die Welt gekommen, denn im Suff gezeugte Kinder waren entweder blöd oder dumm. Und Budiker waren immer im Suff. Auf Kosten der Bauarbeiter soffen sie sich voll, und wenn es gut ging, fuhren sie noch einen Wartburg. Die Kneipe vom alten Matzke ging bestimmt gut. Kneipen an Straßenbahnendhaltestellen gingen immer gut. Also fuhr er auch einen Wartburg. Auf Kosten der Bauarbeiter. Oder wollte er etwa Pakulat einreden, daß er mehr arbeitete als beispielsweise ein Zimmermann? Aber ein Zimmermann konnte sich von seinem Lohn keinen Wartburg leisten. Pakulat haßte die Budiker, die ihm früher und heute am Lohntag das Geld aus den Taschen zogen. Vor dreißig Jahren hatte ihn mal einer wegen Hausfriedensbruch verklagt, und seitdem haßte er sie.

Pakulat ging durch die braungeräucherte Spelunke, die nicht größer war als ein gewöhnliches Zimmer, er stieß mit den Schuhen gegen Stuhlbeine und den Fuß eines winzigen Tisches. Er setzte sich auf einen wackligen Stuhl und bestellte ein Helles wie immer. Er bestellte es nicht immer hier. Seit einiger Zeit hielten sie ihre Versammlungen im Hinterzimmer einer anderen Kneipe ab. Diese hatte kein Hinterzimmer.

Der Wirt setzte ihm das Glas hin und sagte: »Sie haben meine Kunden rausgeekelt.«

»Wieso«, fragte Pakulat.

»Stellen Sie sich nicht dumm. Sie wissen genau, was ich meine.«

»Nein, tut mir leid«, sagte Pakulat.

»Mir auch«, sagte der Wirt und wollte das Glas wieder wegnehmen. Aber Pakulat ließ das nicht zu. Beide hielten das Glas umklammert. Das Bier schwappte. Pakulat spürte Nässe im Gesicht. Und im Nu war eine Rauferei im Gange. Pakulat war nicht faul, aber er hatte plötzlich gegen mehrere Uniformierte zu kämpfen. SA, wie er zu seinem Erstaunen feststellte.

Vor Gericht behauptete der Budiker, den Pakulat für zuverlässig gehalten hatte, Pakulat hätte ihm Bier ins Gesicht geschüttet und die SA-Leute seien zufällig vorbeigegangen. Pakulat dagegen hatte deutlich gesehen, daß wenigstens einer von ihnen aus der Küche gekommen war. Aber Pakulat hatte keine Zeugen. Er wurde des Hausfriedensbruchs in Tateinheit mit Sachbeschädigung schuldig gesprochen, und er mußte zahlen, sechshundert Mark. Das war viel Geld für einen jungen Zimmermann, der zwei Jahre arbeitslos gewesen war und Frau und Kind hatte und eine leere Wohnung. Sechshundert Mark mußte er dem Budiker in seinen schnapsstinkenden Rachen schmeißen. Und der Budiker, der, wie Pakulat während der Verhandlung klar wurde, die ganze Sache inszeniert hatte, um sich bei der SA anzuvettern, weil er einen politischen Riecher hatte, vielleicht auch, weil er auf diese Weise sein Gerümpel los wurde und billig zu neuen Stühlen kam, dieser elende Budiker renovierte und richtete auf Pakulats Kosten ein Sturmlokal ein.

Und seitdem mußte Pakulat, wenn er zu einem Budiker ging, immer erst durch das Sturmlokal gehen. Und eins von den vier Bieren war immer für die Katz. Eins brauchte er, um diese Erinnerung wegzuspülen. Aber jetzt hatte er kein Bier zur Verfügung. Jetzt blieb ihm keine andere Möglichkeit als zu rennen. Und die Stunde, in der er zur Finanzierung eines Sturmlokals verurteilt wurde, dehnte sich. Mindestens einen Kilometer lang.

Als er durch die Stunde hindurchgerannt war und außer Atem zu dem Wohnblock kam, in dem der Sohn des Budikers Matzke wohnen mußte, suchte er mit der Feuerzeugflamme den Namen auf einigen Klingelbrettern.

– Seifert, Hannemann, Merkel, zu einem Mitglied des Elternbeirats hat er Topfgucker gesagt, Ledermantel, Motorrad, Mutschler, Neukirch, auf jedem Rummel, keine Erziehung, Staatsbürgerkunde Vier, gefärbte Haare, Fischer, sich selbst überlassen, Thieme, Angeber, Kuddelka, der Apfel fällt nicht weit vom Birnbaum, Matzke –

Pakulat drückte den kleinen weißen Knopf bis unter das Niveau des Klingelbretts. Dann machte er zwei große Schritte weg von der Haustür, stampfte, schlug die Füße aneinander und sagte »Schweinewetter«. Und legte den Kopf in den Nacken. Nach einer Weile, die wahrscheinlich so lang war wie die Zeit, die man in Matzkes Kneipe verwarten mußte, ehe ein bestelltes Bier kam, fiel ein »Hallo« herunter.

»Herr Matzke, ist Ihr Sohn zu Hause?«

»Mein Mann ist verreist.«

Aha, verheiratet war der Junge auch schon, kaum volljährig und schon verheiratet. Mit einem Kind wahrscheinlich.

»Hör mal, Kind, ich muß mal einen Augenblick mit deinem Mann reden, es ist dringend.«

»He, erlauben Sie mal, was fällt Ihnen ein, wer sind Sie überhaupt.«

Als Pakulat einige Angaben zu seiner Person und zur Sache hinauf in den Dunst geschrien hatte, wurde ihm mitgeteilt: »Mein Sohn schläft.«

Die Alte also. Pakulat rannte seit über einer Stunde in der Stadt rum, und die Alte wollte ihren Sohn nicht mal wecken.

»Kriminalpolizei«, sagte Pakulat.

»Sofort«, fiel sofort herunter. Und es wurde auch gleich Licht im Treppenhaus. Und Nero, eins neunzig, öffnete die Haustür. »Naamd, wie gehts, lange nicht gesehen . . .«

»Weißt du, wo mein Sohn ist.«

»Mein Sohn?« Nero gähnte. Sein männliches Gesicht warf Säuglingsfalten.

»He, junger Mann, ich red mit dir.«

»Jaja, natürlich, selbstverständlich, das heißt, Moment bitte: Ausweis bitte.«

»Ausweis?«

»Propusk, verstehn?«

»Unverschämtheit.«

»Wachsamkeit. Sonst könnte doch jeder kommen und sagen: Kripo . . .«

»Ach so, nein, das war nur ein Witz, mein Name ist Pakulat, und ich dachte, du könntest mir sagen . . .«

»Na, das sind ja Witze. Mensch, hab ich einen Schreck gekriegt.«

»So.«

»Na klar. Mann, hab ich gebibbert, als ich die Haustür aufgeschlossen habe.«

»Ich hatte nicht den Eindruck.«

»Wenn man sich vor der Kripo anmerken läßt, daß man Angst hat, ist man ja gleich hin.«

»Hin? Wer ein ruhiges Gewissen hat, braucht auch keine Angst zu haben.«

»Ja«, sagte Nero und gähnte und sah auf seine knittrigen Schlafanzug-

hosen, die aus dem Bademantel heraushingen. »Ja, du hast recht.«
»Wieso ›du‹?«
»Bist du etwa kein Genosse?«
»Natürlich, aber deshalb kannst du doch ›Sie‹ zu mir sagen.«
»Ich sag zu allen Genossen ›du‹, weißt du, warum? Weil die dann denken, ich bin auch einer, und lassen das Aufklären. Willst du nicht mit hochkommen?«
Pakulat lehnte die Einladung ab und brachte sein Anliegen abermals vor. Aber Nero konnte ihm auch nicht sagen, wo Benno war. Benno wäre nach dem Unterricht sofort nach Hause gegangen. Er hätte es eilig gehabt.
»Vielleicht ist er bei seiner Frau«, sagte Nero.
»Bei meiner Frau? Meine Frau ist tot.«
»Ich meine, bei seiner, nicht bei deiner . . .«
Pakulat stützte die Hände auf die mantelgepolsterten Hüften. »Was denn, was denn . . .«
»Na ja, du verstehst schon. Unter Männern: ein scharfes Weib.« Nero bedauerte, daß ihm die Adresse des scharfen Weibes leider unbekannt wäre, und Pakulat verabschiedete sich.
Nero sah freundlich auf ihn herunter, klopfte ihm die Schulter und sagte: »Mach dir keine Sorgen, Opa, der kommt schon wieder. Wenn er bei Mieze ist, ist er gut aufgehoben.«
Die Tür fiel zu, der Schlüssel rasselte. Pakulat war wieder allein in der Stadt. Er trug wieder den Kasten auf dem Rücken. Das Haus stand in der Martinstraße, und trotzdem trug er es irgendwie auf dem Rücken. In der Martinstraße war es ein Haus und ein Kasten. Wenn er es auf dem Rücken trug, war es eigentlich nur ein Kasten. Merkwürdig. Der Kasten drückte schwer, denn er war immerhin zweistöckig, und 1912 baute man noch nicht mit Hohlziegeln. Aber Pakulat konnte ihn nicht absetzen. Er war auf wunderbare Weise mit ihm verwachsen, etwa wie eine Schnecke mit ihrem Haus verwachsen ist. Er konnte zwar mal nicht an ihn denken, aber auch wenn er müde war, wurde er die Last nicht los, er konnte sich höchstens in sie verkriechen.
Er ging also hinüber zur Endhaltestelle der Straßenbahn, die natürlich längst nicht mehr fuhr, setzte sich auf die Bank des Wartehäuschens und verkroch sich in seinen Kasten.
Und natürlich waren sofort alle da: der Nachbar, der Student, der Oberinspektor a. D. mit dem Klavier der Sängerin Herzfeld, die Schlacht bei Fehrbellin, der Kunstschlosser Marquardt, Teilhaber der Firma Marquardt und Marquardt, der Stern von Rio, das Sturmlokal, die beiden Kanarienvögel in ihren Käfigen, die vegetarische Familie, das Fräulein mit den Bildern, die Schwiegermutter, die auf dem Treck verreckt war und in einer Decke irgendwo am Straßenrand begraben lag, und der Feldwebel.
Und Anna.
Anna lag in einer Zinkbadewanne, angezogen, in Decken gewickelt, und

schlief. Auf der Stirn trug sie eine Motorradbrille. Die anderen saßen in der Nähe des Ausstiegs, mit Beuteln behängt, manche mit Gasmasken. Pakulat und Lutz saßen in der Nähe des Mauerdurchbruchs. Aber Anna schlief, wenn die Flak nicht schoß. Sie hatte einen kerngesunden Schlaf. Pakulat sah sie fast immer so in der Zinkbadewanne schlafen, wenn er an sie dachte.

– das war noch eine Frau, solide, schön ohne Kunst, ein Wunder, daß sie mich genommen hat, klein und remsig, wie ich war, früher sahen die Frauen aufs Wesentliche, bescheiden, sparsam, ordentlich, keine ordentliche Frau mehr zu kriegen, schon die dritte Annonce, und nichts, blondiert, Zigaretten, keine Flebben, so, Altersheim, wenn ich keine Frau wieder kriege, muß ich ins Altersheim, Niederlassung des Jenseits, in der einer den anderen durch Art und Zahl der Krankheiten zu übertrumpfen sucht und von Gesunden mit Verachtung gesprochen wird, ich will nicht lebendig begraben sein, ich will leben, leben, aber die Weiber sind rücksichtslos, mit Schülern treiben sie es, Moral ist Charaktersache, mich hat keine Mieze einwickeln können, mit siebzehn hatte ich ganz andere Interessen, aber Benno, die Raude, man denkt, man hat einen anständigen Sohn, die Weiber nehmen einem noch das Letzte –

Pakulat verkroch sich bis unter das Dach. Der Wind pfiff durch die Luken. Die Schiefer klapperten. Zusammenhalten, dachte Pakulat. Ein elementares Solidaritätsgefühl überschwemmte ihn. Starker Seegang. Steife Brise von Nordost. Wellen über. Die Männer mußten zusammenhalten. Natürlich war Benno noch kein Mann, sonst hätte er sich ja nicht von irgendeiner Mieze einwickeln lassen, grün war er noch und naiv und überhaupt. Aber dumm war er nicht. Er hatte zwar die Heiratsannoncen seines Vaters an den Rahmen des Leninbildes gesteckt, das in der guten Stube hing, und sich seine Backpfeifen verdient, aber war sein Mißtrauen gegen die väterlichen Heiratspläne nicht durchaus berechtigt? Zuerst hatte Pakulat gedacht: Kindliche Eifersucht. Aber jetzt schien ihm Bennos Ablehnung doch beinahe gerechtfertigt. Jawohl, die Männer mußten zusammenhalten. Pakulat war sogar bereit, Nero mit in den Kreis derselben aufzunehmen. Weil Nero ganz anders war. In dieser Nacht war überhaupt alles ganz anders. Das Haus war alt und rissig und die Küchentür abgewetzt und das Muster auf der Wachstuchbespannung des Tisches beinahe hin, die Stadt konnte man nicht erkennen, aber sonst sah alles anders aus. Auch dieser Nero. Bisher hatte er nur gefärbtes Haar und keine Erziehung und eine große Fresse und in Staatsbürgerkunde eine Vier. Und heute sagte er, daß Pakulat recht hätte, und duzte fortschrittlich mit reaktionärem Akzent. Pakulat fuhr seinen Kasten mit vierzig Knoten durch die Nacht in der Gewißheit, Nero innerhalb von vierzehn Tagen eines Landheimaufenthalts so weit haben zu können, daß der Volkslieder aus dem Kopf und Affentänze vom Blatt sang. Aus Nero ließ sich auf jeden Fall noch etwas machen. Und seitdem Pakulat wußte, daß über

Bennos Bett ein Bärtiger hing, hoffte er, daß auch aus seinem Sohn noch etwas zu machen war. Er mußte den Sohn nur erst mal finden. Ach, Benno, du Raude . . . Der Kasten schaukelte kaum noch. Pakulat lag in einer Flaute. Und lag. Und lag.

Als er erwachte, war es schon hell. Und der Nebel war gestiegen. Und die Stadt sah natürlich prompt auch anders aus als sonst. Vorläufig sah Pakulat zwar nur einige Häuser, aber die reichten ihm schon. Als er noch ein Kind war, hatten sich die Häuser an der Endhaltestelle der Straßenbahn ständig verändert. Sooft er hier vorbeikam, entdeckte er etwas Neues an den Häusern, einen komisch geformten Balkon beispielsweise oder ein Fenster, das gar kein Fenster, sondern zugemauert war. Dann wurde er erwachsen und hörte auf, sich zu wundern. Denn ein Erwachsener wundert sich nicht. Ein Erwachsener weiß Bescheid. Und seitdem standen die Häuser zeitlos steif und stur. Auch die neuen, die anstelle der zerbombten hinzugekommen waren, änderten nichts am Wesen des Bildes, das Pakulat seit beinahe fünfzig Jahren mit sich herumschleppte. Bis zu dem Augenblick, da er erwachte. Und einen Augenblick den Kasten vergaß. Weil er an den Bärtigen über Bennos Bett dachte und vielleicht auch an das, was die überspannten Intellektuellen »Lebenswerk« nannten und so weiter. Aber er mußte wie gesagt mit seiner Liebe haushalten; wenn Benno gefunden war, konnte er wieder freigebig sein, aber jetzt hatte die Welt erst einmal zu warten. Und dann war er ja wie gesagt mit dem Kasten verwachsen wie eine Schnecke mit ihrem Haus. Als er erwachte, kroch er heraus. Aber er trug den Kasten natürlich weiter auf dem Rücken. Und als die Grundmauern sich wieder tief genug in den Rückenspeck eingedrückt hatten und die Schulterblätter zu schmerzen begannen, war auch das Bild der Endhaltestelle wieder da, das Pakulat beinahe fünfzig Jahre mit sich herumgeschleppt hatte. Und er erhob sich, trat heraus aus dem Wartehäuschen und machte sich auf den Heimweg.

Als er in die Martinstraße kam, wo der Kasten ein richtiges Haus war und da stand, auch wenn er ihn auf dem Rücken trug, sah Pakulat, daß die Gardinen hinter Bennos Zimmerfenster aufgezogen waren. Pakulat hastete die Stufen hinauf. Er ist gekommen, er ist da, Benno, das Räudel . . .

Die Wohnung war leer. In Bennos Zimmer summte noch der elektrische Ofen. Trockene Wärme drang auf Pakulat ein. Er wehrte sich nicht.

Er schleppte sie mit in die Küche, schleppte sie hin und her, vier Schritte zum Fenster, vier Schritte zur Tür, vorbei am Küchenschrank, auf dem das verschnürte Etui mit der Schalmei lag, »Invalidentute«, hatte Benno gesagt, ach Benno, du Raude. Pakulat kochte sich einen Kaffee, setzte sich an den großen Tisch, aber das half in diesem Fall natürlich nicht, frühstückte, schmierte sich Brote, steckte den Fuchsschwanz in die Ranzentasche und setzte seine Mütze auf. Er setzte sie jedoch noch einmal ab, weil ihm einfiel, daß es gut wäre, etwas Schriftliches zu hinterlassen, etwa: Komm sofort auf die Baustelle, Dein Vater. Oder: Sofort meinen

Polier anrufen 5 76 83, Vater. Pakulat ging noch mal in Bennos Zimmer, weil er die Nachricht dort hinterlassen wollte. Außerdem brauchte er zu ihrer Anfertigung Papier und Bleistift. Als er den Schreibtischkasten aufschließen wollte, merkte er, daß der Schlüssel fehlte. Benno hatte etwas zu verstecken! Vielleicht Briefe von dieser Mieze?

Die Neugier zwang Pakulat, das Schloß mit dem Dietrich zu öffnen. Der Kasten war durchwühlt. Hefte, Briefpapier, Zeitungen, Bleistifte lagen durcheinander, Ordnung, segensreiche Himmelstochter.

Beim Aufräumen fand Pakulat ein blaues Buch. Die kunststoffbezogenen Deckel waren zusammengeschlossen. Geheimnisse hinter Schloß und Riegel also. Pakulat respektierte sie und legte das Buch zurück in den Kasten. Aber dann dachte er daran, daß Kinder ihren Eltern eigentlich nichts verheimlichen sollten. Heimlichkeiten – Schlechtigkeiten. Pakulat steckte das Buch in die Ranzentasche und ging zur Arbeit.

Unterwegs war er mehrmals versucht, in die Ranzentasche zu greifen. Aber er beherrschte sich. Auch in der Straßenbahn, wo er einen Sitzplatz hatte. Er legte beide Hände auf das kalkbespritzte brüchige Leder und sah aus dem Fenster. Die Scheibe zitterte und klirrte und war fehlerhaft und modelte die Leute dahinter wie ein Vexierspiegel. Viele Leute waren um diese Zeit auf den Beinen. Pakulat sah überwiegend junge Leute. Merkwürdig. Die Universitäten begannen doch erst frühestens Viertel neun mit den Vorlesungen. Aber Pakulat sah Studenten. Vielleicht hatten sie Produktionstag. Aber alle Studenten konnten doch nicht auf einmal Produktionstag haben. Jedenfalls sah Pakulat lauter Vexierbilder von Studenten. Kurzgeschorene Köpfe, Burschenstirnen mit Ponyfransen, hochgeschlagene Mützendächer, meterlange Schals, schwarzumrandete Augen, hautenge Hosen, Stöckelschuhe, Haartürme. Jetzt beherrschten sie also schon um sechs die Straße. Jetzt rissen sie also schon um diese Zeit die Stadt an sich. Seine Stadt. Die er mit gebaut hatte. Sein Lebenswerk sozusagen. Was würden sie damit machen?

Pakulat sah durch die bucklige Scheibe, indem er den Kopf ein wenig nach rechts drehte. Das blaue Auge, groß, daß es die Lider kaum fassen konnten, bewegte sich sehr schnell hin und her, nystagmusartig. Die linke Gesichtshälfte hatte sich verfaltet. Die rechte war wie immer glatt und starr. Der stechende Blick des Glaskörpers verlor sich hinter den aneinandergedrückten Leibern der Fahrgäste. Pakulat griff in die Ranzentasche und erbrach das Schloß des blauen Buches. Es sah aus wie das Schloß in der Küche, zu dem ihm der Schlüssel fehlte. Das in der Küche hatte er nicht aufzubrechen gewagt. Jetzt mußte er alles wagen. Es ging sozusagen um sein Lebenswerk und um seinen Sohn. In diesem Augenblick erschien ihm beides sogar beinahe wesensgleich.

Eine eigentümliche Erregung befiel ihn, als er den wachstuchbezogenen Deckel aufklappte. Kein Motto. Kein Zitat. Die erste Seite war leer. Pakulat begann zu blättern. Eckige Buchstaben, schief und gerade zusammengehängt, musterten in buckligen Zeilenketten das Papier. Pakulat ließ seine struppigen Augenbrauen spielen. Normalerweise hätte er es abgelehnt, etwas so unordentlich Geschriebenes zu entziffern. Mühsam begann er zu lesen.

Hölderlin schwört auf Schnaps. Besoffen machen und ran. Kat trinkt nur Brause. Kat sagt, Schnaps macht impotent, Kat hat Augen wie ein Mensch. Ich niet den Langen um, wenn er noch mal Kat zu ihr sagt.

Heute Lehrerpult zerhackt. Sauber. Riesenkrach. Lehrerkonferenz, Schülerversammlung, Elternbeirat und ähnliche Scherze in Aussicht. Erste Vernehmung nach der Tat: Warum zerhackt, unter welchem Boß zerhackt, mit Hilfe welcher Westliteratur zerhackt. Pause. Direktor brüllt, alle werden relegiert. Direktor brüllt sauber. Es wird Ernst. Also warum? Wenn wir das wüßten, brauchten wir unseren Arsch nicht auf Schulbänken plattzusitzen, sondern könnten ihn ausstellen für Geld. Mit anderen Worten: Wir hatten sieben Stunden runtergerissen und wollten mit Hilfe eines Handballs Physkultur sanimatsen. Aber der Schulhof war nicht up to date, und in der Turnhalle probten die Volkstanzwachteln. Wir zurück in die Klassenkammer mit Ball und dergleichen. Ist natürlich genauso verboten wie zu spät kommen, spicken, in Musik Skat spielen, vorpfeifen, Demonstrationen schwänzen, Lehrer duzen, Stuhlbeine ansägen, in Stabü langweilen, mit Lehrerinnen flirten, Zensuren fälschen, Jugendgesänge vertwisten und ähnlicher Klimbim. Aber die Volksmassen sind unbesiegbar. Wir also, zweiunddreißig Volksmassen, rein in die Klassenkammer und den Ball gewuchtet. Plötzlich schießt jemand den Schiller von der Wand. Sauber. Haben schon zirka sechzehn Bilder abgeschossen. Aber diesmal wurde uns up to date komisch. Mir auch. Genauso, wie mir manchmal bei Mieze wird. Aber ganz anders. Commandante schmeißt den Schiller in den Papierkorb. Armstrong zieht den Nagel aus der Wand. Kat nagelt damit den Papierkorb zu. Kat nagelt wie ein Mensch. Im nächsten Augenblick ist das Pult klar. Ganz einfach. Aber der Direktor fragt.

Die Bahn rumpelte durch eine Kurve. Pakulat verlor die Zeile. Das Neonlicht flackerte. An der nächsten Haltestelle stiegen wieder Studenten zu.

Old Pap ist ein Babelautomat. Groschen rein, Referat raus. Fünfer langt auch schon. Heute wieder fürn Fünfer Krieg und dergleichen. Langweilig. Tolle Narben hat er. Splitter, sagt er. Zur Achsel rein, zum Rücken raus. Ein richtiges Loch. Sauber. Aber bloß ein Splitter. Ich dachte, ein Geschoß und dergleichen.

Mit Mieze im Kino. Anschließend körpern. Ihr tut es ja nicht weh. Kat würde es bestimmt weh tun. Mit Kat würde ich so was nie machen. Ich liebe die kleinen Dicken. Kat ist überhaupt nicht dick. Vielleicht kann man es auch nur schlecht sehen. Sie hat immer solche fetten Strickjacken an. Vielleicht wächst es auch erst bei ihr. Mieze ist ausgewachsen. Duftes

Gefühl. Sie will immer nicht. Sie sagt, ich könnte deine Mutter sein. Schön wärs. Aber ich krieg sie rum. Sauber. Weil ich sie heirate. Dann muß ich mich nicht mehr vorsehen. Wenn die Klassenhengste von mir nicht wüßten, wie man sich vorsieht und solchen Klimbim, könnten wir einen Kindergarten aufmachen. Alle sind verrückt nach Mieze. An den Teenagern ist doch nichts dran. Die kichern doch bloß. Außer Kat sind alle doof. Kat ist ja auch kein Teenager. Kat spielt Fußball. Ich im Tor. Sie eine Flanke up to date von rechts. Gehalten. Knie aufgehauen. Kat spielt wie ein Mensch. Der Lange spielt wie eine gesengte Sau. Wenn er Kat einmal foult, hau ich ihn in Stücke.

Pakulat wischte sich den Schweiß von der Stirn. Im Wagen drängten sich die Studenten.

Castro im Fernsehen. Unsere Knitten finden ihn sexy. Er redet wie ein Mensch. Bloß zu schnell. Ich versteh Bahnhof. Der Zirkelmacker sagt, bis zum Abi sind wir fit in Spanisch. Fidel soll vier Stunden gequatscht haben. Vor zirka zehn Millionen Menschen. Kondition. Zigarre. Er antwortet auf Zurufe. Die Massen unterhalten sich mit ihm. Wenn er schwitzt, krempelt er die Ärmel hoch. Wenn er heiser ist, brüllen die Massen, mach mal Pause, und schaffen sich. Nach dem kubanischen Revolutionsmarsch kann man marschieren und tanzen. Man kann alles mögliche draus machen. Ich werde mit meinen Barbudo-Stompers eine Rumba draus machen. Damit treten wir im Club auf, wenn mein Bart fertig ist. Old Pap verlangt, ich soll ihn abrasieren. Der Bart kommt runter, wenn die kubanische Revolution gesiegt hat. Kat sagt, mit Bart seh ich zehn Jahre älter aus. Kat redet wie ein Mensch. Der Revolutionsmarsch ist ein Ohrwurm.

Old Pap in der Zeitung. Bild mit Schreibe. Aus der Jugend will er was machen. Jugend ist für ihn ein Batzen Lehm zum Kneten. Der Lange sagt: Zuchthäusler. Ich hau ihn k. o.

Ampère ist ein toller Junge. Hält eine rollende Kutsche für eine Tafel und kreidet darauf in einem Anfall von mathematischer Ekstase elegante Kalkulationen. Sauber. Immer unter Dampf. Elektrodynamik. Elektromagnetismus. Verse für seine Frau. Eine Art Esperanto und dergleichen. Ampère ist begeisterungsfähig wie ein Mensch. Ich möchte sein wie Ampère. 17 Uhr Rugby-Training.

Produktionstag. Der Meister sagt mir, daß die Ingenieure zur Verwaltung und die Scheuerfrauen zu den Produktionsarbeitern gezählt werden. Kaviar für Old Pap. Ein schlechter Arbeiter ist ihm lieber als ein guter Oberschüler. Jeden Tag die Platte mit den Arbeitergroschen und daß ich das musikalische Talent, was er mir vererbt hat, zweckentfremdet verbrate und daß es der Jugend zu gut geht und daß wir alles geschenkt kriegen und dergleichen – Mensch, behaltet euern Krempel. Und wir kriegen auch nichts geschenkt. Aber das begreift Old Pap nicht, weil er nur in Kampagnen denkt. Voriges Jahr, als ich noch Mathe studieren wollte, sagte er: Zahlenformalismus. Seitdem die Kampagne in Gang ist und ich nicht mehr will, heißt es: Wissenschaft der Zukunft. Wenn die Zukunft so aussieht, scheiß ich drauf und mach mir eine up to date. In der Mathe Mathe ist und Schwarz Schwarz und Weiß Weiß, nicht heute dies und morgen das und übermorgen wieder was anderes, je nachdem, ich hab einen Nischel zum Denken und keinen Automaten, der nach Lochkarten arbeitet. Alle die gleichen Gehirnautomaten, für alle gleichgestanzte Lochkarten, das wäre was für Old Pap. Das wär einfach. Das wär ein Leben. Aber nicht für mich. Muchas gracias. Backpfeifen. Old Pap weiß Bescheid. Er weiß immer Bescheid. Aber er kocht auch nur mit Wasser: predigt von der Zukunft und mißt sie mit Maßstäben aus dem Zeitalter des Handwagens. Ich sage: Alle klotzen ran, weil die Produktion unseres Betriebes im Vergleich zum Vormonat um 1,7 Prozent gesunken ist. Old Pap sagt: Aber gegenüber 1936 ist sie um 320 Prozent gestiegen. Sauber. Ich sag es. Old Pap trägt seine Vergangenheit im Bauchladen vor sich her. Ich sag es und dergleichen. Riesenkrach. Ich bin undankbar und politisch im Eimer. Studieren war seine Sehnsucht und dergleichen. Von Mutter bin ich anders informiert. Weil Old Pap vergessen hat, daß er im Kopfrechnen schwach war, ist Lernen für ihn eine Vergünstigung, keine Arbeit, und ein Student ist einer, der sich aushalten läßt auf Kosten anderer und ständig Dankgebete an seine Wohltäter murmeln muß. Wenn ich den Krempel hinschmeiße und in einem Betrieb anfange, bin ich etwas: Arbeiter. Ich kann konkurrieren mit Old Pap, der in meinem Alter schon Zimmermann war und dergleichen. Wenn ich das Abi mache und fünf Jahre studiere, sinke ich herab zum Intelligenzler. Mieze versteht alles.

Die Bahn fuhr immer schneller. Die Straßen waren schwarz von Studenten.

Blockade. Paredón para los terroristas. Rat der Barbudo-Stompers. Wenn die Raketen nicht wirken, müssen wir ran. Alle sind für Interbrigaden. Wenn es soweit ist, melden wir uns freiwillig. Das Horn nehme ich mit. Venceremos.

Pakulat erhob sich, zwängte sich durch den überfüllten Wagen bis zum Ausgang und sprang ab. Dann rannte er ein Stück zurück zu einer Taxihaltestelle. Kein Taxi zu sehen. Nur Interessenten. Pakulat stellte sich zu ihnen. Neben ihm stand ein Mann. An einen Laternenpfahl gelehnt. In drei Meter Entfernung etwa. Ein junger Mann. In gleicher Höhe. An einen Pfahl gefesselt. Augenbinde. Zehn Mann angetreten. Zehn Gewehrmündungen. Feuer. Drei Meter neben Pakulat fliegt einem jungen Mann der Rücken raus. Pakulats Uniform ist über und über mit Blut bespritzt. Er macht ein paar Schritte weg von dem jungen Mann. Damals hätte ihm das den Kopf gekostet. Heute konnte er sich das leisten. Heute sah er nur ab und zu mal einen Rücken rausfliegen, wenn jemand etwa in drei Meter Entfernung neben ihm stand. Vor zwanzig Jahren hatte er das oft gesehen. In drei Meter Entfernung allerdings nur einmal. Sein Freund wurde exekutiert, und Pakulat mußte zusehen, weil man vermutete, daß er auch mit griechischen Partisanen Verbindung hatte. Unzählige Male schon mußte er zusehen. Unzählige Male ging er durch diese Minute.

»Langweiliger Laden«, sagte Pakulat zu dem jungen Mann. »Sonst stehen massenhaft solche Karren rum, aber wenn man mal eine braucht . . .«

Pakulat rannte auf die andere Straßenseite und winkte allen Taxen, die vorbeikamen. Als er eine erwinkt hatte, wußte er plötzlich Bescheid. Und ärgerte sich, daß er nicht schon längst daraufgekommen war. Ganz klar: Benno hauste in der Laube. Wahrscheinlich, weil er sich bei Pakulat nicht entschuldigen wollte. Er war ein Dicknischel wie sein Vater. Und kein schlechter Hahn, wie sich herausgestellt hatte. Vielleicht hauste er mit dieser Mieze in der Laube. Pakulat trieb den Fahrer an. Die Zahlen am Taxameter wechselten so schnell, daß Pakulat unwillkürlich nach der Gesäßtasche griff, wo das Portemonnaie mit dem Lohn steckte. Geld spielte natürlich keine Rolle in diesem Fall. Aber man mußte es ja auch nicht diesen verhungerten Taxifahrern in den Rachen werfen. Man hätte ja auch gehen können. Wenn man früher daran gedacht hätte. Früher war vor einer halben Stunde. Lange her. Eine Ewigkeit. Früher hatte Pakulat für seinen Sohn keinen Schlüssel. Aber jetzt, Herrgott noch mal, ein ganzes Bund hatte er. Und keiner paßte richtig. So ein kompliziertes Schloß hatte er in seinem ganzen Leben noch nicht gesehen. Keine Ahnung, wie dieser verzwickte Mechanismus funktionierte. Die jungen Kerle waren unberechenbar. Und ganz anders. Pakulat hätte nie geglaubt, daß ein Mensch so anders sein kann. Irgendwie hatte er doch gehofft, daß Benno so würde wie er. Das hieß: besser. Denn er war ja sein Sohn.

Die Häuserfronten blieben zurück. Der Fahrtwind wehte scharfen Geruch nach chemischen Abwässern in den Wagen. Steine schlugen gegen das Chassis. Das Auto schaukelte über eine kleine Brücke, rechts und links die Schaumhauben des Flusses, dann Holzzäune, Drahtzäune, Gerümpelzäune und schließlich das Gerippe einer Ligusterhecke. Pakulat war am Ziel. Er überwand das Gartentor, den glitschigen Weg, die Laubentür – »Benno«.

Kein Benno antwortete, keine Mieze. Und auch die Flamme des Feuerzeugs holte die Gesuchten nicht aus der von Fensterläden behüteten Laubendunkelheit. Außerdem roch es auch so wunderbar abgestanden wie immer. Wenn Benno mit einer Mieze hier gehaust hätte, würde es bestimmt anders riechen. Sicher nach Parfüm oder ähnlichem Stinkadorius. Wer dazu fähig war, einen Minderjährigen zu verführen, gebrauchte auch Parfüm.

Bevor Pakulat ging, leuchtete er noch in seinen Werkzeugschuppen hinein. Er konnte nicht vorbeigehen, ohne sich seiner Schätze zu vergewissern. Hier war gesammelt, was früher mittel- und unmittelbar zum

Bundgeschirr eines Zimmermanns gehörte: Winkeleisen, Klopfholz, Stichaxt, Queraxt, Zimmermannsaxt, Breitbeil, Spitzhammer, verschiedene Handsägen, Fuchsschwanz, Nutsäge, Rücksäge, verschiedene Beitel und Bohrer, Zangen, Stemmeisen.

Pakulat hatte das Werkzeug mal seinem Ältesten vererben wollen. Aber der lag irgendwo in den Pripjatsümpfen. Als Lutz seine Lehre begann, brauchte ein Zimmermann nur noch einen Hammer, eine Säge und eine Axt. Und Benno brauchte für seine sogenannte Lehre nicht einmal mehr das. Der brauchte nur noch eine Sitzgelegenheit und Papier und Bleistift und Bücher. Zimmermann war ein Beruf. Aber Geologie? Mit Papier und Bleistift wollte Benno die Erde ankratzen. Vielleicht noch mit irgendwelchen Bohrern und Hacken. Aber das Werkzeug, das Pakulat von seinem Vater geerbt und mühsam über den Krieg gerettet hatte, konnte er nicht gebrauchen. Er sah es nicht einmal an. Er hatte überhaupt keinen Blick für so was. Natürlich war heute der Beruf des Zimmermanns beinahe überholt. Der Montagebau brauchte Kranfahrer, Schweißer, Versetzer, Einschaler, Verfuger, Anbinder. Pakulat arbeitete als Einschaler. Aber das konnte ihn doch nicht daran hindern, schön zu finden, was schön war. Und das Werkzeug war schön, ein Staat war es, ein Staat.

»Quatsch, hier rumstehen«, sagte Pakulat. Sein Sohn war eine ganze Nacht weggeblieben, und er vertrödelte Zeit mit dem Museum. Statt systematisch vorzugehen. Zum Beispiel gegen den Lehrer. Elternhaus und Schule. Aber was für eine Schule! In der Pulte zerhackt und Arbeiterlieder vertwistet wurden. Und Jungen nichts als Weiber im Kopf hatten. Und wie sie sie im Kopf hatten. Pakulat konnte sich nicht erinnern, jemals Weiber so im Kopf gehabt zu haben. Und wenn, hätte er sich geschämt, das zu Papier zu bringen. Über sozusagen Sakramente redeten diese Kerle wie von Schrippen. Aber nicht in Deutsch. Was da im Tagebuch stand, war ein Skandal, aber kein Deutsch. Und »Old Pap« war einfach eine Unverschämtheit. Pakulat war nicht alt. Er kriegte zwar in einer Woche seinen letzten Lohn, aber er ließ sich nicht abschieben. Am allerwenigsten von seinem Sohn. Für den eine Fahne wahrscheinlich nur ein rotes Stück Stoff war. Der Flausen im Kopf hatte. Heiraten waren doch Flausen. Und Interbrigaden auch. Keine schlechten zwar. Aber besonders gute auch nicht. War Fernweh etwa gut? Politisch betrachtet? Pakulat betrachtete alles politisch. Denn ein Auge hatte man ihm ausgeschlagen. Was suchte Benno in diesem Land, dessen Temperament etwas Beängstigendes hatte für Pakulat? Und ein Staatsmann mit so einem Temperament? Und eine Bevölkerung, die sogar die Internationale vertanzte? Revolutionsromantik, dachte Pakulat. Konnte sich ein Pathosfresser nach Revolutionsromantik sehnen, konnte sich so ein abgebrühter Kerl wie Benno überhaupt sehnen? War ein Junge, der mit siebzehn Jahren irgendeine Mieze heiraten wollte, überhaupt ernst zu nehmen? Fragen über Fragen. Dennoch: wer *Venceremos* schrieb, konnte nicht verloren sein. Pakulat verschloß seinen Garten, stieg wieder in die Taxe und gab die Adresse von Bennos Klassenlehrer an. Ein Lehrer wußte alles. Von Berufs wegen. Ein Lehrer war beinahe so unfehlbar wie ein Vater. Auch ein Lehrer dieser Schule? War der Direktor bei der Hauptprobe des Kulturprogramms zugegen gewesen? Wenn ja, war das Lied mit Wissen des Direktors vertwistet worden. Wenn ja, konnte auch der Klassenlehrer nichts taugen. Wie der Herr, sos Gescherr. Außerdem war der Lehrer viel zu jung für eine Vertrauenssache. Sollte sich Pakulat etwa von einem Dreißigjährigen abkanzeln lassen? Als die Taxe vor dem Haus, in dem der Lehrer wohnte, hielt, kam Pakulat ein besserer Gedanke: Katerbaum.

Auf zu Gustav Katerbaum! Pakulat kannte ihn von Jugend an. Sie hatten zusammen in Untersuchungshaft gesessen und nach 45 kurze Zeit gemeinsam im Antifa-Ausschuß gearbeitet. Seit zwölf Jahren leitete Katerbaum den Betrieb, in dem sich Benno bis zum Abitur den Facharbeiterbrief erschlossern sollte. Erschlossern! Andere aus seiner Klasse arbeiteten auf dem Bau, zwar nur als Maurer, aber immerhin, Benno schlosserte. Vielleicht schlosserte er eine Sonderschicht zu Ehren von irgend etwas?

Katerbaum bewohnte ein kleines Haus am Stadtrand. Der Fahrer schimpfte über die schlechte Straße. Pakulat hörte es nicht. Pakulat dachte: Budjonny schaffte alles.

Als der Wagen hielt, wälzte sich Pakulat aus der Tür, drückte den Daumen auf die Klingel, drückte und rüttelte am Gartentor, bis ein Fenster aufgeriegelt wurde. Pakulat brachte sein Anliegen vor. Laut. So laut er konnte. Frau Katerbaum hielt eine Hand hinters Ohr und sagte: »Was, wie bitte?« Dann verschwand sie. Die Hand hinterm Ohr.

Wenig später stampften Stiefel über den Kies. Aus dem Zierstrauchdikkicht tauchte uniformiert Kämpfer Katerbaum.

»Rot Front«, sagte Pakulat erschrocken.

»Was ist los? Probe oder Ernst?«

»Mein Sohn ist weg.«

Katerbaum senkte den Kopf, als ob er Pakulat auf die Spitzen seines Knebelbartes spießen wollte. »Und deshalb gibst du Alarm?«

Budjonny, dachte Pakulat. Froh. Erlöst beinahe. Das vertraute Gefühl von Ordnung und Disziplin war wieder da, mit dem er überstanden hatte, was schwer gewesen war in seinem Leben, und der Tisch, der riesige spartanische Tisch, den Anna in die winzige Küche gezwungen hatte, damals. Der einzelne war ohnmächtig. Disziplin summierte die einzelnen zu einer Macht. Benno hatte keine Disziplin. Benno zerhackte Pulte und wollte Geologie, wenn Mathematik verlangt war, und nannte seinen Vater Old Pap und zog Rotz hoch in der Nase und betete irgendwelche verrückten Einzelgänger an wie diesen Ampère. Alles sah anders aus an diesem Tag, aber Budjonny war geblieben, was er war. Budjonny und Pakulat. Eisern.

Als Pakulat sich erklärt und das Mißtrauen weggeräumt hatte, nahm ihn Katerbaum mit hinauf in sein Arbeitszimmer. Aber wo Benno war, wußte er auch nicht.

Er holte eine Schnapsflasche und Gläser aus dem Bücherschrank und sagte: »Er wird schon wiederkommen.«

Pakulat hörte den Worten nach, der vertrauten Stimme. Die Unruhe ließ ab von ihm. Er fühlte sich nicht mehr allein. Er dachte: Eine Million sechshunderttausend . . . »Lange nicht gesehen«, sagte er.

»Mein Großer trifft neuerdings auch manchmal erst spät ein.«

»Nachtschicht?«

Katerbaum zwirbelte den Schnurrbart. »Nachtschicht – sozusagen . . .«

»Ich habe meinem Vater immer Bescheid gesagt, wenn ich mal was vorhatte, Training zum Beispiel, weißt du noch, wie wir zusammen trainiert haben, Arbeitslosenunterstützung, nichts zu fressen und trainiert . . .«

»Jaja, ich weiß, dein Junge macht sich gut, hat mir der Lehrausbilder gesagt . . .«

»So.« Pakulat räusperte sich. »Kunststück. Wenn wir in unserer Jugend an weiter nichts zu denken gehabt hätten als an Lernen, was, Gustav . . .« Pakulat holte aus und schlug Katerbaum auf den Rücken. Ob er noch manchmal daran denke, wie sie zusammen Musik gemacht hätten? Ob er sich noch an den Generalstreik erinnere. Oder 1925: die Rechten hatten Pakulat aus der Gewerkschaft ausgeschlossen, und die Bauarbeiter wählten ihn mit hundertdreiundzwanzig gegen siebzehn Stimmen zum Delegierten der Generalversammlung. Oder 1927: Katerbaum zog als einziger Kommunist ins Stadtparlament von M. ein und verdiente sich bei der Aufdeckung einer Korruption den Spitznamen Budjonny. »Das waren noch Kämpfe, das waren noch Siege!«

»Ja«, sagte Katerbaum und hieb Schnaps und Gläser auf den Schreibtisch.

»Weißt du noch . . .«

»Ja, ich weiß, vielleicht hat er sich besoffen und findet nicht nach Hause?«

»Ich hab mich immer gefunden«, sagte Pakulat. »Aber wenn du mal deinen Dienstwagen für einen guten Zweck zur Verfügung stellen willst, deine Arbeit beginnt ja erst um acht . . .«

»Ich hab keinen Dienstwagen mehr.«

Pakulat sprang auf. »Wollen sie dich etwa auch . . .«

»Ich bin abgelöst«, sagte Katerbaum und knöpfte seine Uniformjacke auf. »Wachablösung. Gottverdammich.«

»So.« Pakulat klammerte sich an die windige Silbe. So. Die Alten zogen die Karre aus dem Dreck, und die Jungen . . . Pakulat umkreiste den Sessel, in dem Katerbaum saß. Er wußte nicht, was er von den Worten seines alten Freundes halten sollte. Wachablösung? Wollte er seinen Kummer hinter Opern verbergen? Mußte er Theater spielen vor einem, dem man nächste Woche den letzten Lohn auszahlte und Schluß. Gottverdammich, war denn Altwerden so schwer? Gottverdammich, ja, das hatte Katerbaum auch gesagt. »Wachablösung« und »Gottverdammich«. Pakulat fühlte, wie sein Dickkopf wuchs und immer dicker wurde. Als er so dick war wie ein Kürbis, sagte er: »Ich denk nicht daran, mich zur Ruhe zu setzen.«

»Ich auch nicht«, sagte Katerbaum. »Als Planungsleiter mach ich noch eine Weile mit.«

Pakulat stutzte. Was denn. Katerbaum resignierte. Budjonny gab sich geschlagen ... »Moment! Willst du etwa damit sagen, daß es gerecht ist, uns ...«

»Gerecht! So ein Quatsch, so ein Unsinn, so ein Mist. Man denkt, man hat es mit einem vernünftigen Menschen zu tun, und plötzlich kommt er mit so einem Mist daher. Gerecht! Natürlich ist es nicht gerecht. Das weiß doch schon mein Enkel, der noch in die Windeln kackt, daß das nicht gerecht ist. Es ist richtig, und damit basta. Jede Generation hat ihre Aufgabe, alles andere ist Mumpitz. Jawohl. Mumpitz, sage ich, Mumpitz. Natürlich bin ich Ingenieur. Das Diplom habe ich damals neben meiner Arbeit erackert, kein Zuckerlecken, wenn man bald fünfzig ist. Aber ich kann zum Beispiel keine Sprachen. Mit fünfzig kriegst du keine Sprache mehr rein in deinen Schädel. Mein Nachfolger liest Russisch und Englisch ohne Kaffee. Unsereiner kann ohne Kaffee keinen vernünftigen Gedanken mehr fassen, aber der ...«

»Und Erfahrung«, sagte Pakulat und bohrte seine Hände in die Hosentaschen.

»Bernd war ein Jahr mein Assistent. Eine hochqualifizierte Fachkraft, Gottverdammich, die Betriebe müßten sich um solche Kerle reißen, aber nein ... Erfahrung! Erfahrung kann man sammeln. Wer sich viel vorgenommen hat, braucht verwegene junge Leute, Feuerköpfe ...«

Katerbaum klemmte den Fuß eines Schnapsglases zwischen Zeige- und Mittelfinger und schob es über die Schreibtischplatte zu Pakulat hinüber. Dann goß er ein. Pakulat hob das Glas, sagte auch etwas, aber trank nicht. Er behielt es noch eine Weile in der Hand, dann stellte er es zurück auf die zerkratzte Schreibtischplatte. Die Hand ließ er auf der Platte liegen. Und betrachtete sie, indem er den Kopf ein wenig nach rechts drehte. Er senkte den Kopf, bis sich das linke Auge, das so groß war, daß die Lider es kaum fassen konnten, dicht über der schrundigen Hand befand. Der stechende Blick des Glaskörpers war auf den Bücherschrank gerichtet. Dann hob Pakulat den Kopf wieder ein wenig. Und richtete das große blaue Auge auf Katerbaum. Der ihm gegenübersaß. Hinter dem Schreibtisch. Zurückgelehnt. Die Arme auf die Sessellehnen gestützt. Flächig. Pakulat saß auf einem Stuhl, und Katerbaum saß im Schreibtischsessel. Herr Katerbaum. Von Budjonny war nur der Schnurrbart geblieben. Und der war auch nicht mehr viel wert.

»Menschenskind«, sagte Pakulat leise zu dem fremden Mann. »Menschenskind, man kann doch nicht den Ast absägen, auf dem man sitzt. Wir Alten müssen doch zusammenhalten.«

»Gegen wen?« Katerbaum zog die buschigen Brauen über die Augen wie eine Markise, hob den Telefonhörer ab und wählte.

»Was willst du machen? Die Polizei alarmieren?«

»Polizei! Das Konsum-Wunder ruf ich an.«

»Konsum-Wunder, so ein Unsinn.«

»Natürlich ist es Unsinn. Aber in dem Alter haben wir ja auch allerhand Unsinn gemacht. Hallo. Katerbaum. Guten Morgen. Verzeihung. Wie? Da hätte ich Sie ja beinahe nicht mehr . . . Herr Pakulat ist nämlich gerade . . . nein, der Vater. Ist der Sohn zufällig . . . na, mir können Sie es ruhig . . . wirklich nicht? Und auch keine Ahnung, wo er eventuell . . . aha, vielen Dank, guten Morgen, Verzeihung.«

»Mit wem redest du überhaupt.«

»Na mit der Flamme von deinem Sohn, guck nicht so, als ob du mich fressen wolltest.«

»Mit der Flamme von meinem . . . etwa mit dieser Mieze . . .«

»Mieze ist gut. Mieze paßt zu ihr. Ich nenne sie ›Konsum-Wunder‹. Unsere Verkaufsstellenleiterin, verstehst du, ein schönes Kind, höchstens fünfunddreißig . . .«

»So«, sagte Pakulat, »so.« Er hatte nicht mehr als das kleine windige Wort. Er stieß es noch mehrmals hervor. Dann schrieb er sich die Adresse der Verkaufsstellenleiterin auf und ging.

Und ging zurück in die Stadt. Frierend. Übernächtig. Es war noch immer nicht richtig hell. Solange sich der Nebel nicht auflöste, konnte es ja nicht richtig hell werden. Aber der Nebel war gestiegen, er hatte sich abgestoßen von den Firsten und Giebelspitzen und hing jetzt wie eine riesige Wolke über der Stadt. Kein Fliegerwetter, dachte Pakulat. Wenn er den Himmel betrachtete, dachte er: Fliegerwetter – oder: kein Fliegerwetter. Er hatte nur noch ein Auge. Und wenn er baden ging, konnte auch jeder die Narbe auf seinem Rücken sehen. Aber daß sein Himmel zerschlagen, zerschossen, verstümmelt war, daß nur noch ein Luftraum geblieben war über ihm, das konnte niemand sehen. Und niemand hatte je gemerkt, daß er in den Keller mußte, in die Nähe des Mauerdurchbruchs, wenn er sich an seine Frau erinnern wollte. Und daß er ihre Stirn nie richtig erkennen konnte, weil eine Schutzbrille sie verdeckte.

Kein Fliegerwetter, dachte Pakulat und lief schneller. Und stöhnte, weil der Kasten ihn drückte. Weil er zitterte unter seiner Last. Aber er konnte sie nicht loswerden. Er mußte sie zeit seines Lebens mit sich herumschleppen. Er haßte sie. Weil er die Schlacht bei Fehrbellin haßte. Weil er immer eins von den vier Bieren, die er zum Lohntag trank, brauchte, um durch das Sturmlokal zu kommen. Weil er, wenn jemand in etwa drei Meter Entfernung neben ihm stand, unwillkürlich darauf wartete, daß dem im nächsten Augenblick der Rücken rausflog. O er haßte diesen verdammten Kasten. Und er liebte ihn. Fünfundsechzig Jahre steckten in ihm. Was war ein Verbesserungsvorschlag gegen eine Saalschlacht. Was war ein geglückter Partisanenüberfall gegen ein Prozent gesteigerte Arbeitsproduktivität. Wem war sein Leben nicht lieb. Und wer mochte nicht achthundert Jahre alt werden. Deshalb war der Kasten nicht gefeit, solange der Sohn verloren war. Pakulat wollte weiterleben in seinem Sohn, er mußte weiterleben in ihm, er mußte ihn finden, damit der Kasten die virtuelle Flut überstand, die seit Jahren die Erde überschwemmte. Pakulat bekam in einer Woche seinen letzten Lohn, und Schluß, aber sein Sohn konnte den Kasten so rüsten, daß die Flut virtuell blieb und die Erfinder der Flut abließen von der Erprobung ihrer Erfindung. Wenn der Sohn den Kasten bestieg, konnte der Vater sagen: *Das ist das Zeichen des Bundes, den ich gemacht habe zwischen mir und euch und allen lebendigen Seelen bei euch hinfort ewiglich: / Meinen Bogen habe ich gesetzt in die Wolken, der soll das Zeichen sein des Bundes zwischen mir und der Erde. Und wenn es kommt, daß ich Wolken über die Erde führe, so soll man meinen Bogen sehen in den Wolken. / Alsdann will ich gedenken an meinen Bund zwischen mir und euch und allen lebendigen Seelen in allerlei Fleisch, daß nicht mehr hinfort eine Sintflut komme, die alles Fleisch verderbe.* So etwa würde der Vater sprechen können, wenn er von biblischer Wortgewalt wäre und den Wert von Abermillionen Vätern aufwöge und wenn er seinen Sohn gefunden hätte, der allerdings auch den Wert von Abermillionen Söhnen erbringen müßte. Aber Pakulat wußte ja nicht mal, ob Benno überhaupt etwas wert war. Solange er ihn nicht gefunden hatte, konnte er gar nichts sagen. Und er konnte nur hoffen.

Und ein bißchen schneller laufen. Und den Zettel lesen, auf dem die Adresse der Verkaufsstellenleiterin geschrieben stand. Motteler Str., stand darauf. Motteler Straße war weit. Irgendwo im Norden mußte sie liegen. Pakulat mußte die Stadt durchqueren von Süden nach Norden. Er mußte die Baustelle anrufen, sagen, daß er heute später kam oder überhaupt nicht, und dann mußte er die Stadt durchqueren. Die er mit gebaut hatte und die jetzt die Studenten an sich gerissen hatten. Jedes Jahr wurden es mehr Studenten. Und bald gehörte auch Benno zu ihnen. Waren die Studenten auch solche verlorenen Söhne? Pakulat ging in ein Telefonhäuschen und rief die Baustelle an und sagte dem Polier irgendeine Notlüge. Dann lief er weiter. Mal durch Straßen, die in dieser Nacht gealtert waren. Mal durch Straßen, die seiner Vorstellung entsprachen, weil sie seine Vorstellungen waren. Je nachdem, ob er zweifelte oder hoffte, ging er durch eine gealterte oder durch eine zeitlose Stadt. Wenn er hoffte, brauchte er den Kopf nicht zu heben, um nachzusehen, daß die Kappen der Kreuzgewölbe Wasserflecken hatten. Sie hatten seit eh und je welche. Seit Pakulat zum erstenmal die Kolonnaden betreten hatte und die Schlacht bei Fehrbellin im Schaufenster sah, seit er die Bleifigur des kleinen Ulanen in den Händen hielt. Wenn er zweifelte, fühlte er sogar, daß der Kasten, den er auf dem Rücken trug, abgeschabt war. Und er ahnte, weshalb den seine Söhne nicht haben wollten. Niemand, der jung war, wollte etwas Fertiges haben. Eine fertige Welt war für Leute, die das Leben vor sich hatten, ein Grund, sich das Leben zu nehmen. Aber Pakulat hatte das Leben beinahe hinter sich. Pakulat brauchte eine fertige Welt. Am Ende seines Lebens berührte er etwas Fertiges. Sein Lebensziel. Endlich. Er tangierte es. Er hatte so großen Respekt davor, weil er es nur tangierte. Benno war respektlos. Er ging um in dem Kasten, ohne sich vorzusehen, schmiß die Türen, zerkratzte mit seinen Schuhen die Dielen. Er schlief darin ungestört Nächte durch, als ob das etwas Selbstverständliches wäre. Und sobald er erwachte, übte er wilde Klänge auf der Trompete. Wenn Pakulat zweifelte, ahnte er, daß Benno den Kasten total umbauen würde, nicht wegreißen, aber umbauen. Als ob er gar nicht fertig wäre. Als ob er nur Rohmaterial wäre für seine Phantasie. Rohmaterial, dachte Pakulat. Traurig. Und begann zu hoffen. Wenn ihm so richtig zum Kotzen traurig war, begann er zu hoffen. Ach Benno, du Räudel . . .

Pakulat bestieg eine Straßenbahn, die ihn zur Motteler Straße fahren konnte. Zu dieser Mieze. Zu dieser fünfunddreißigjährigen Frau, die es mit einem Minderjährigen trieb. Weil kein anständiger Mann sie genommen hatte. Oder weil sie keinen gekriegt hatte von den wenigen, die der Krieg übriggelassen hatte. Oder weil sie pervers war. Eine Fünfunddreißigjährige, die es mit einem Minderjährigen trieb, mußte pervers sein. Pakulat wußte Bescheid. Warum fuhr er zu ihr, wenn er Bescheid wußte? Etwa um sich vormachen zu lassen, daß auch sie anders war? Sie war so und nicht anders. Und es kam überhaupt nicht in Frage, daß Pakulat seinem Sohn gestatten würde, so ein Weib zu heiraten. Er würde mit ihm reden, so und so, und fertig. Er hatte nicht mit diesem Weib zu reden, sondern mit seinem Sohn. Und zu diesem Zweck müßte er ihn finden. Aber wo?

Pakulat stieg aus und setzte sich auf eine der Bänke, die auf dem Platz vor der Universität standen. Auf die einzige, die leer war. Die anderen waren besetzt von Studenten, die frühstückten. Pakulat sah eine große, belebte Fläche: kurzgeschorene Köpfe, Burschenstirnen mit Ponyfransen, hochgeschlagene Mützendächer, meterlange Schals, schwarzumrandete Augen, hautenge Hosen, Stöckelschuhe, Haartürme. Und ein Knäuel Butterbrotpapier, das auf den Rasen geworfen worden war. »So«, sagte Pakulat. Er sagte nur das kleine windige Wort. Sonst hätte er mehr gesagt, allerhand hätte er dem Mädchen sonst gesagt, das Papier in städtische Anlagen warf. Aber heute sagte er nur »so«. Und griff nach dem wachstuchbezogenen Buch, das er noch immer in der Manteltasche stecken hatte. Er schämte sich ein bißchen, als er das erbrochene Schloß sah. Aber es war ihm ja nichts anderes übriggeblieben. Und eigentlich war sein Sohn selbst daran schuld. Ein Sohn verschloß sich nicht vor seinem Vater. So etwas machte ein anständiger Sohn nicht. Was da in dem Buch stand, machte ein anständiger Sohn alles nicht. Fast alles. *Venceremos* war gut. Interbrigaden war verständlich, aber das andere . . . woher hatte er nur das andere? Pakulat hatte versucht, den Sohn vor bitteren Erfahrungen zu bewahren, die er selbst hatte machen müssen. Benno sollte erkannte Fehler seines Vaters nicht wiederholen. Hätte er unter diesen Umständen nicht ein idealer Pakulat werden müssen? Was in dem Buch stand, ließ darauf schließen, daß Benno überhaupt kein Pakulat war, geschweige denn ein idealer. Er machte seine eigenen Fehler. Er war ganz anders. Er hatte sagenhafte Vorstellungen von Granaten. Ihn beschäftigten lauter unwichtige Dinge. Er lebte bloß und lebte und lebte, statt sich auf das Wesentliche zu konzentrieren. Das Wesentliche war *Venceremos.* Aber in deutsch. Warum schrieb Benno das nicht in deutsch? Warum zerhackte er Pulte? Wollte er etwa den Kasten auch zerhacken? Pakulat blätterte und las. Fremd, dachte Pakulat, alles fremd. Ampère. Spanisch. Jazz. Rugby. Vielleicht starb er mit ihm. Vielleicht hatte jeder seinen Kasten und starb mit ihm. Vielleicht hatte auch Benno einen auf dem Rücken, unsichtbar, genauso unsichtbar wie der, den Pakulat trug. Vielleicht trug jeder so einen Kasten. Schrecklich, dachte Pakulat. Und blätterte. Und las. Schrecklich? Warum eigentlich schrecklich? Vielleicht war die Welt nur deshalb schön, weil sie so verwirrend vielfältig war. Reisten die Leute nicht ins Ausland, um etwas Fremdartiges zu sehen? Waren sie nicht geradezu versessen auf Auslandsreisen? Pakulat brauchte nicht zu verreisen. Benno war für ihn Ausland genug. Ein Mensch, der keinen Krieg erlebt hatte. Konnte es etwas Fremdartigeres für Pakulat geben als so einen Menschen? Komisch, dachte Pakulat. Und blätterte. Und las. Und suchte nach Anhaltspunkten, die auf einen Kasten schließen ließen. Aber er fand keinen. Pakulat konnte sich nicht vorstellen, daß jemand leben konnte ohne Kasten. Natürlich hoffte er auf so eine Welt, in der das möglich war. Er hatte sein Leben lang dafür gearbeitet. Aber er konnte sich nicht wirklich vorstellen, wie das sein würde: ohne Kasten leben. Weil er sich nicht wirklich vorstellen konnte, wie das sein würde, wenn man sich nicht mehr schützen müßte vor Fluten. Wenn man bloß lebte und lebte und lebte. Wenn es keine extremen Situationen mehr gab, die zu extremen Haltungen zwangen. Zu frenetischen. War Pakulat frenetisch? Vorläufig jedenfalls war an Ruhe noch nicht zu denken. Nur Benno schien daran zu denken. Ja, er schien irgendwie schon in dieser unwirklichen Welt zu leben, dieser grüne Junge, dieses Räudel. Er schien von Disziplin nichts und von Phantasie alles zu halten. Von der Phantasie des einzelnen. Ampère. Obwohl er *Venceremos* schrieb: wir werden – und er dachte: wir haben. Schwach in Grammatik, dachte Pakulat. Ich muß ihn stark machen, dachte Pakulat. Zitternd vor Kälte. Übernächtig. Er blinzelte hinauf in den Himmel, den der Krieg ihm verstümmelt hatte.

Und er ging wieder durch Minuten, die er sich nicht aussuchen konnte. Immer wieder mußte er durch, die Minuten summierten sich zu Stunden, Tagen, Wochen, Monaten, zu Jahren vielleicht. Pakulat verlor noch heute Zeit an den Krieg, unwiederbringliche Zeit, Jahre vielleicht. Nicht nur sein Himmel, auch seine Tage waren verstümmelt. Obgleich er eine starke Vorstellungskraft hatte. Eine, die im Zuchthaus Kolchosen produzierte. Kein Fliegerwetter, dachte Pakulat. Und beobachtete, wie die Studenten sich erhoben und das Universitätsgebäude enterten, lässig, und er dachte, vielleicht haben sie gar keinen Kasten. Vielleicht leben sie ohne diese Last. Vielleicht wußten sie gar nicht, was das war: ein Kasten. Weil es eigentlich völlig sinnlos war, sich mit so was abzuschleppen, heute, wo die absolute Flut drohte. Glaubte Pakulat etwa im Ernst, er würde sie überleben mit einem lächerlichen Kasten? Man müßte ihn zerhacken, dachte Pakulat, man kann erst etwas ausrichten gegen die Flut, wenn man ihn zerhackt. Alle müßten ihre Kästen zerhacken, dachte Pakulat, alle, alle.

Und blätterte und las. Er las die letzte Eintragung. *Wir spielen Schallitäten zum Tanzen, Twist und solchen Klimbim. Dann ein paar Nummern zum Eng-Tanzen. Auf Wunsch. Die Hengste aus unserer Klasse wünschen sich immer solche Sauereien wie English-Waltz und Slowfox. Aber ich hab doch keine Mitschurin-Griebse auf den Augen. Ich beobachte doch den Langen schon die ganze Zeit. Er denkt, wenn ich die Kanne nehme und blase, bin ich weg, aber ich sehe doch jeden Mitesser auf seiner Nase. Ich seh doch, wie er den ganzen Abend schon mit seinen Ochsenaugen an Kats Pullover rumfummelt. Und wie ich also so einen fiesen Slowfox blase, um den Kulturplan vom Klubhausleiter zu erfüllen, notzüchtigt der Lange die Kat mit einer Verbeugung und will sie aufs Parkett schleifen. Ich hin und hau ihn tot.*

Pakulat entziffert den letzten Satz noch einmal, liest, liest. Aber es bleibt dabei. »Tot«, steht da. Tot, denkt Pakulat. Es dauert eine Weile, bis das letzte Wort, das Benno in das Buch geschrieben hat, in sein Bewußtsein fällt. Als es passiert, trifft es ihn wie ein Hieb mit dem Schlagring. Er will aufstehen, aber es gelingt ihm nicht. Irgend etwas drückt ihn gegen die Bank. Das große blaue Auge bewegt sich nystagmusartig hin und her, aber es kann nichts erkennen. Tot. Verloren. Schluß.

Er sitzt noch eine Weile da, dann hilft ihm jemand auf. Und fragt ihn, wohin er ihn begleiten soll. Aber Pakulat will keine Begleitung. Diesen Weg will er allein gehen. Den letzten. Den zur Polizei.

Die Polizei weiß noch nichts. Pakulat sagt ihr, was er weiß. Und geht wieder. Und schleppt auf dem Rücken, was er eben noch als lächerlich und anachronistisch erkannte. Ihm ist nichts geblieben als diese Last. Die Ruhe, die sie ihm suggeriert, ist eine Lüge. Er weiß, daß es eine Lüge ist. Aber er will es nicht wissen. Er weiß schon viel zuviel.

Die Stadt trägt den Nebel auf dem Kopf. Das Hochhaus balanciert den amorphen Rumpf. Er hat sich zusammengekrümmt und schaukelt über der Stadt wie eine vielköpfige Wolke. Pakulat hustet und muß oft stehenbleiben, weil er schlecht Luft kriegt. Er schlägt den Weg zur Baustelle ein. Aber er muß wieder umkehren. Die schwere Luft zwingt ihn umzukehren. Schluß, denkt er.

»Schluß«, sagt er, als er die Haustür aufschließt. Er schlurft durch den Flur, schleppt sich von Etage zu Etage, an Wohnungstüren vorbei, von denen einige statt verzierter Rahmen und Glasfüllungen rauhe Sperrholzflächen zeigen, und sieht nach, ob die Flurfenster verriegelt sind. Als er vor seiner Wohnungstür angelangt ist, bleibt er stehen. Und schließt erst den Briefkasten auf. Zeitungen quellen aus dem Briefkasten, etliche Zeitungen fallen Pakulat vor die Füße. Und ein Zettel. Auf dem Zettel steht: *Lieber Vater, hab die Vorwürfe satt, bewerb mich in Schwedt, salud.*

Elftes Buch

1. Kapitel

O du fröhliche . . .

Der Jagdbericht aus Venedig erschien Laura fast als Beweis für die Vermutung, daß Beatriz irgendwelchen politischen Erpressern oder ähnlichen Schurken in die Hände gefallen sein mußte. Sie hatten die Trobadora offenbar derart psychisch zerrüttet, daß Beatriz ihre Lügen bereits selber glaubte. In diesem Fall konnten Briefe nicht mehr helfen. Laura wandte sich ans nächste Volkspolizeirevier mit der Bitte, eine Fahndung nach Beatriz de Dia einzuleiten. Der Wachtmeister sprach von Schwierigkeiten, da die DDR derzeit noch keine diplomatischen Beziehungen mit Italien unterhielt. Auch der Schriftstellerverband und das Außenministerium sagten Bemühungen zu. Am Weihnachtstag kamen Lauras Eltern gegen drei. Da war der Schnee im Hof quadratisch und rechteckig gezeichnet von Teppichstaub. Statt Fichten hingen grünkohlgebauschte Netze von den Küchenfenstern. Wesselin hatte sich bereits in Schweiß gespielt. Er stülpte den Sturzhelm, den Olga Salman ihm überreichte, in Eile auf seinen Kopf und fragte sogleich und im Laufe des Nachmittags wiederholt nebenbei, ob noch mehr Besuch zu erwarten wäre. Die Stube roch nach Harz. Später nach glimmenden Kerzendochten. Wesselin schlief erst, als alle neuen Spielsachen in sein Bett geladen waren. Die Güterzuglokomotive vom Großvater legte er sich untern Bauch. An Lauras Pullover hafteten Fasern vom Weihnachtsmannbart, den sie von einer Larve geschnitten und wie eine Gasmaskenbrille mittels Gummischlaufen an ihren Ohren befestigt hatte. Während des Auftritts beobachtete sie Wesselin enttäuscht. Die Wirkung schien ihr im Mißverhältnis zum Aufwand zu stehen. Am Kostüm hatte sie einen halben Tag genäht, stotterte auch den ersten Satz, Wesselin spazierte in der Stube. Laura senkte die Stimme noch tiefer. Sie sprach in den Larvenbart wie in einen Topf, schwitzte. Als Wesselin zu singen begann, hielt sie Eile für geboten. Bald betrat sie abgeschminkt wieder das Zimmer und entschuldigte ihre Abwesenheit mit Besorgungen. Der Sohn verlangte zwei Scheiben Schwarzbrot. Er verzehrte sie in großer Geschwindigkeit. Von Befürchtungen ledig, trank Laura Schnaps mit den Eltern. Olga Salman frohlockte über die Pensionierung ihres Mannes, die im Oktober nächsten Jahres bevorstand. Johann Salman knackte Nüsse und schimpfte auf die Weihrauchkerzen, die Frau und Tochter abwechselnd dem hölzernen Bergmann in den Bauch schoben. Später reichte Laura Neunerlei in blauer Luft. Bei Fernsehen. Wenn Jesus von Nazareth nicht vor eintausendneunhunderteinundsiebzig Jahren geboren worden wäre, hätte Laura ihn an diesem Abend erfunden.

2. Kapitel

Teilwiedergabe eines Interviews, das Alfredo Maurer, Verleger der Melusinischen Bücher, einem »Spiegel«-Korrespondenten gewährt; das westdeutsche Nachrichtenmagazin veröffentlicht das Interview mit der Überschrift: »Matriarchalischer Akt über der Matratze«

Spiegel: Herr Maurer, Sie standen kurz vor der Pleite, bevor Sie sich auf Raubdrucke warfen. Die Melusinischen Bücher haben Sie zum Millionär gemacht. Verdanken Sie den geschäftlichen Erfolg der linken Mode oder Ihrem Reklamechef?

Maurer: Ach! Und Raubdruck ist auch so ein häßliches Wort, ich mag keine häßlichen Wörter, wenn von Damen die Rede ist.

Spiegel: Soweit wir unterrichtet sind, ist die schöne Melusine keine Dame, sondern eine Mystifikation.

Maurer: Sehr richtig, man kann nicht rauben, was niemandem gehört.

Spiegel: Haben Sie der schönen Melusine kein Honorar gezahlt, weil sie niemand ist?

Maurer: Ich habe ihr kein Honorar gezahlt, weil sie die Bücher abgeschrieben hat.

Spiegel: Es gibt heute berühmte Autoren, deren Vermögen auf abgeschriebenen Büchern gründet.

Maurer: Da ständig Dummheiten wiederholt werden, kann ich als toleranter Mensch nichts dagegen haben, daß auch mal Wahrheiten wiederholt werden. Ich würde die Melusinischen Bücher als Erbauungsliteratur bezeichnen.

Spiegel: Sie schwimmen auf der religiösen Welle. Aus Jesus ist bald nichts mehr rauszuholen, aber die alten griechischen Götter liegen markttechnisch noch brach. Deshalb schlug der Persephone-Poster so enorm ein – ich glaube, jede Woman's-lib-Tochter, die modisch auf sich hält, hat den matriarchalischen Akt über ihrer Matratze hängen. Herr Maurer, für Reklame haben Sie einen sechsten Sinn, aber für Poesie?

Maurer: Apropos möchte ich aus dem 64. Melusinischen Buch zitieren, das die schöne Melusine von Peter Hacks abschrieb. Nämlich: »Das Christentum ist nicht wahr in dem Sinne, daß, wovon es erzählt, geschehen oder, was es denkt, verständig wäre. Die Wahrheit, die es hat, ist nur dem zugänglich, der es nicht für wahr hält. Wer es nicht glauben muß, kann es brauchen. So erklärt sich, daß die Künstler, als sie Gott in seinem Jammer vor dem Gotteshause trafen, nach – eingestanden – anfänglicher Verlegenheit gern bereit waren, sich des schönen und durchsichtigen

Greises anzunehmen. Goethe ging ihnen auch hierin voran; Vorbildlichkeit und Verdienst des Faust-II-Finales können nicht hoch genug gerühmt werden. Von ihm weiß die Menschheit, daß die Religion von gestern die Kunst von heute ist. Das Geschäft ist, wie man so sagt, zum beiderseitigen Vorteil. Die Religion verdankt dem ästhetischen Bewußtsein eine postmortale Bleibe; in ihm erst hat sie Unsterblichkeit. Das ästhetische Bewußtsein verdankt der Religion, welche sich bei Lebzeiten ja als Welterklärung verstand, ein gewichtiges Erbe an poetisch schon aufbereiteter Realität. Keineswegs hat der Verfasser allein die aufhebenswerten Schönheiten des Christentums im Sinn. Wovon er, ausdrücklich, zu reden vorhat, sind dessen aufhebenswerte Erkenntnisse. Natürlich sind die Einsichten der mythischen und mythisch gefärbten Dialektik von vorwissenschaftlicher Art; hiermit ist nicht gesagt, daß sie sich erübrigt hätten. Die Wissenschaft weiß nicht alles. Und dort, wo sie weiß, taugt sie noch längst nicht für die Kunst. Die anschauliche Weise des Begreifens, welche nicht allein den Kopf, sondern auch die Haltungen des Begreifenden verändert, erzielt, wenn es ums praktische Urteilen geht, sehr häufig das reichere und richtigere Ergebnis. Die moderne Kunst bedient sich wieder der großen Bilder . . .«

Spiegel: Elegant und blitzgescheit, Herr Maurer, aber kaum erbaulich für ausgeflippte Typen, glauben Sie, daß alle Persephone-Poster-Käufer auch Melusine-Bücher-Leser sind?

Maurer: Melusine-Bücher-Käufer, das ist sicher. Wer sagt, daß Waren halten müssen, was ihre Reklame verspricht?

Spiegel: Der matriarchalische Reklameposter ist jedenfalls eine Irreführung, mit der Sie gewollt oder ungewollt gewissen Linkskräften zuarbeiten. Und daß die schöne Melusine ein okkulter Gegenstand ist, werden Sie auch nicht abstreiten können, Herr Maurer.

Maurer: Warum?

3. Kapitel

Benno Pakulat höchstpersönlich

Der Winter war mild. Der Februaranfang bereits frühlingshaft. Beatriz blieb verschollen. Am 11. Februar wählte Laura die Telefonnummer 2 28 80 20 und forderte Benno Pakulat wach an. Verbindliche Zusage für den nächsten Tag. Treffpunkt Milchhäuschen Weißensee. Als Laura mit Wesselin auf dem Arm zur angegebenen Morgenzeit das Etablissement betrat, pfiff Benno Pakulat eine Tonleiter rauf und runter und sah sich Laura an, auch rauf und runter. Als sie an seinem Tisch vorbeiging, sagte er »Donnerwetter«. Dann unterhielt er sich mit einem Mann über ihre Schuhe, denen hohe Absätze fehlten, den Brustumfang schätzten sie auf fünfundneunzig, Alter auf fünfunddreißig, zur besseren Konservierung der Frisur empfahlen sie Haarspray und priesen die Vorteile des molligen Typs im allgemeinen und im besonderen, da Laura mit Wesselin in einer Ecke des Lokals Platz genommen hatte, mußte Benno sehr laut sprechen. Er ließ sich und Laura einen doppelten Wodka servieren und prostete ihr zu, als sie der Bedienung ein Versehen anlasten wollte. Später ging er zu ihrem Tisch, entschuldigte sich, sagte, daß sie sich von irgendwoher kennen müßten, und besetzte den nächsten Stuhl. Er nötigte Laura die Getränkekarte auf und fragte nach ihren Wünschen. Da sie angab, keine zu haben, drückte er seine Knie gegen ihre, bestellte drei Lagen Sliwoviz und drohte mit Vergeltung für den Beleidigungsfall, der einträte, wenn sie nicht tränke. Obgleich Laura weder dankbar noch kurzweilig tat, sondern wortlos, bezahlte er alles und begleitete sie aus dem Lokal. In der Tür ließ er seine Hand wie zufällig über eine Hinterbacke gleiten, um zu prüfen, ob die Gewebestruktur in Ordnung war. Da er keine Mängel feststellen konnte, fragte er Laura, ob sie heute abend etwas vorhätte, und lud sie ein ins Kino »International«. Eine innere Anstrengung, die zunehmend ihr Gesicht zeichnete, verzerrte es jetzt grimassenhaft, konnte das Gähnen aber doch endlich lösen und die Zunge, also daß die Frau sprach: »Hören Sie mal, Sie haben ja durchschnittliche Umgangsformen.« – »Unerhörte«, entgegnete er, »die stoßen Ihnen nur nicht auf, weil Sie kein Mann sind.«

4. Kapitel

Benno Pakulat persönlich

Bennos Entgegnung übertraf alle Erwartungen Lauras. Sie streckte ihm also Wesselin hin. Dann ihre rechte Hand und sprach: »Laura Salman, wenn Sie wollen, können wir Freunde werden.« Benno griff mechanisch zu und verhielt dann starr in Verblüffung, auf dem linken Arm Wesselin, am rechten Laura. Hätte Wesselin ihn nicht ins Ohr gebissen, wer weiß, wie lange er derart gestanden hätte. So schrie er »au«, und Laura erklärte Wesselin, daß er Herrn Pakulat nicht beißen dürfte. »Woher kennen Sie meinen Namen?« fragte Benno. »Tja«, sagte Laura. Und Benno sagte auch »Tja«, weil ihm ihr Name ebenfalls schon irgendwie bekannt gewesen wäre, »woher nur?« – »Träumen Sie oft?« fragte Laura vorm Rasenufer des Weißen Sees, das unter Brotbrocken begraben lag. »Zu oft«, antwortete Benno, »warum?« – »Darum«, sagte Laura. Bänke und Wege waren von nichtberufstätiger Bevölkerung besucht. Da fiel ein junger Mann ins Auge. Seine Gangart, die man als luftschwimmerisch bezeichnen könnte, betonte die Rarität seiner Erscheinung unter Rentnern und kinderhütenden Frauen, die von körperlicher oder erzieherischer Mühsal behindert waren, den schmeichelhaften Morgen zu genießen. Laura war mit Benno Pakulats Gangart und Wuchs nicht weniger zufrieden als mit seinen Traum- und Wachauskünften. Wesselin faszinierte Bennos falber Schnurrbart. Er zauste den Bart, kostete dran und sang ihn an. Benno duldete es mit blicklosen Augen. Als Wesselin ihm ein Schwad Kopfhaar ausgerissen hatte, setzte Laura den Sohn zurück in den Sportwagen. Das folgende Protestgebrüll versuchte sie mit einem Schlüsselbund einzudämmen. Aber Wesselin warf die Wohnungsschlüssel aus dem Wagen. Benno hob sie jäh aus dem Staub und dankte. Dann wog er den Fund in der Hand, bevor er den Bauch einzog, um die Schlüssel auf der Spielbeinseite in die Hosentasche schieben zu können. Vor einer Bank fragte er, ob es gestattet wäre, und sagte »Meisterin«. Er nahm ebenso umständlich Platz, wie er sich gebückt hatte. Saß auch steif wie knochenversehrt, Beine und Körper in eine Gerade gerichtet, die die Bank nur gegen Anfang und Ende des Rückens knapp berührte: eigentlich lag er. Laura vermutete, er wäre krank geschrieben. Benno fragte, ob der Sohn ein Junge oder ein Mädchen wäre. Laura gefiel die Frage. Sie drückte die Lenkstange des Kinderwagens abwärts, um Wesselin freie Sicht auf die Enten und Höckergänse zu verschaffen, die über Brotbrocken spazierten. Benno fragte Wesselin, ob Laura die Mutter wäre. Laura sagte Wesselin, er sollte sagen, sie wäre die Großmutter. Ein alter Mann spießte Papier mit einem nagelbewehrten Stock. Er schleifte den Sack, darein er es sammelte. Da wölkte der Staub, der lose auf den Wegen lag. Mancherorts badeten Spatzen drin. Wenn die Höckergänse schwiegen, drang der Verkehrslärm von der Klement-Gottwald-Allee durch. Benno tippte mit der linken Schuhspitze gegen ein vorderes Schwingeisen des Kinderwagens und sagte »verbogen«. Laura erklärte den Fahrgestellschaden mit Materialschwäche. Benno kündigte Materialbruch an, falls sie den Wagen noch länger einseitig mit ihrem Gewicht belasten würde. Laura wies Benno die Schuld an eventuellen Federbrüchen zu, da Wesselin in Ermangelung von Bart und Schlüsseln auf Federvieh angewiesen wäre. Es wurde schon wieder mit Brocken beworfen. Bohlen, auf die Laufbretter der Badeanstalt montiert waren, ragten mannshoch wasserentblößt aus dem See. Die meisten der Leihboote lagen am Steg. »Man müßte auch sone Großmutter haben«, sagte Benno zu Wesselin, ohne seine Stellung zu ändern. Die Arme waren auf die Banklehne gelagert. Sie besetzten die. Laura saß krumm linksaußen und scharrte mit den Schuhspitzen im Sand. Auf dem Heimweg sagte Benno, Laura schöbe seltsam. Nicht wie Frauen üblicherweise, die mit beiden Händen die Lenkstange führten, sie bisweilen auch vorgebeugt belehnten, belasteten, als wollten sie ihr Besitzrecht körperlich zeigen. Da fiel auch Laura auf, daß sie den Kinderwagen einhändig zu bewegen pflegte, nicht symmetrisch hinter, sondern halb neben ihm gehend. Wie ein Mann, sagte Benno und fragte, ob Laura gekündigt hätte. Neugierhalber wartete sie vor einem Eisenwarenladen, in dem er Nähmaschinenöl kaufte. Prompt ölte er damit die Kinderwagenräder im Flur neben der Haustür. Der Wohnungsschlüssel war Wesselin wiedererstattet worden, als Laura ihre Absicht geäußert hatte, in anderthalb Jahren zum Fahrdienst zurückzukehren. Wenn der Sohn das Kindergartenalter erreicht hatte. Bald Wesselin gewindelt und abgefüttert war, klopfte Benno an Lauras im dritten Stock gelegener Wohnungstür. Sie öffnete. Benno fuhr den Kinderwagen einhändig zu ihr, bis der anstieß, dann so zu sich, wiederholte das mehrmals, wahrscheinlich lange, aber die Räder hatten auch vorher nicht gequietscht. Dann rangierte er den Wagen an die Preßpapptür, hinter der drei Stromzähler installiert waren. Die andere Hand hißte einen Drecklappen wie eine Fahne. Unversehens war die Fahne an Laura vorbei. Benno erklärte sie Wesselin als Taschentuch. Da hatte Wesselin schon den Daumen im Mund: Schlafouvertüre. Die Erwachsenen schlichen aus dem Kinderzimmer in die Küche, wo Benno alle Herdtüren ölte und Lauras Werkzeugkasten in Augenschein nahm. Sie äußerte sich belustigt über die Schaustellung. Er lobte das Werkzeugsortiment, nachdem er es zu ihrer Geschlechtsart ins Verhältnis gesetzt hatte, und lud sie ein, gelegentlich seinen Werkzeugkasten zu besichtigen. Laura und Benno brachen gleichzeitig in Gelächter aus. Aber Lauras Laune verschlechterte sich. Denn sie war übersättigt von solchen Schaustellungen. Benno winkelte seine Beine bis sein Gesicht im Spiegel erschien, zückte das stopplige Kinn, ordnete Strähnen vor Stirn und Ohren, Laura vermutete einen Mangel an Hinterkopf unter der angefetteten Haarfülle. Da er die unbequem erscheinende Körperstellung, ähnlich der von Tanzspielern, die rückwärts gebeugt ein Seil unterkriechen, beibehielt, fragte sie, ob ihm die Stoppeln in der Nachtschicht erwachsen wären. Und sie zeigte auf Lutzens Rasierapparat unterm Spiegel. Benno sagte, Mäuschen fänden unrasierte Männer männlich, und richtete sich langsam zurück. Er bewegte sich nur langsam. Bisweilen auch steif, als ob er Muskelkater hätte. Aber er bestätigte Lauras Vermutung nicht. Sie tauschten eine Weile Schilderungen von Wohnungsbaustellen und Betriebsunfällen. Und der Geruch von verbranntem Eisen erschien Laura einmal deutlich vor der Nase. Dann redete Benno wieder allerhand über Kinder, von denen er reichlich haben wollte. Und Laura redete auch allerhand drüber. Jedoch bestimmter. Faltenlose, nicht von Tabak ergraute Haut aus solcher Nähe forderte ihr Grundsätzliches ab. Sie sagte, unsere Kinder wären nicht unser Besitz. Sie wären Söhne und Töchter der Sehnsucht, die das Leben hätte nach sich selbst. Sie kämen durch uns, nicht von uns. Wir könnten ihnen unsere Liebe geben, aber nicht unsere Gedanken. Wir könnten ihrem Körper ein Zuhause geben, aber nicht ihren Seelen, denn ihre Seelen wohnten in dem Haus von morgen, das wir nicht besuchen könnten, nicht einmal in unseren Träumen. Wenn wir wollten, könnten wir uns bemühen, zu werden wie sie. Aber wir dürften sie nicht dahin bringen wollen, zu werden wie wir. Denn das Leben ginge nicht rückwärts und hielte sich nicht auf beim Gestern. Benno hörte staunend zu. Als sie geendet hatte, sagte er: »Meine Rede, das ist meine Rede, Meisterin, wortwörtlich meine Spezialrede. Ich hab sie mal irgendwo geklaut und schieß sie immer dann ab, wenn ich einen Stein im Brett brauch, Wirkung garantiert, ehrlich, der Hehler ist nicht besser als der Stehler, Meisterin, ich kann mich bloß nicht erinnern, bei welcher Gelegenheit ich die heiße Ware an Sie losgeschlagen habe.« – »Aber ich«, sagte Laura. »Tu nicht so geheimnisvoll«, sagte Benno. »Ich bin geheimnisvoll«, sagte Laura. »Und ich möchte dich«, sagte Benno. Laura tat verblüfft und entgegnete, daß er ihr Sohn sein könnte. »Ach«, sagte Benno, »aber daß mein Bruder, mit dem ich dich beobachtet habe, dein Vater sein könnte, stört dich nicht, steile Bretter quatschen, dünne bohren.« Laura verteidigte Lutz als einen Mann von unbestimmten Alter und bewies, daß auch Benno geheimnisvoll war. »Den Seinen gibts der Herr im Traum«, sagte Benno in Eile. »Die Frau«, korrigierte Laura. Den folgenden Heiratsantrag beantwortete sie mit einer Gegenfrage, die ihr Lutz gelegentlich gestellt hatte. Sie sagte: »Hast du überhaupt schon mal einen Toten gesehen?« – »Nein«, sagte Benno, »aber wenn du glaubst, daß mich das älter macht, kann ichs nachholen.« Und noch am selben Abend beschloß Benno, sich von der Kaderabteilung des VEB Hochbau beurlauben zu lassen und beim städtischen Bestattungsamt um eine Aushilfsanstellung als Grabredner zu ersuchen.

5. Kapitel

Erzählung »Posamenten«, womit Laura sich Benno bei Kaffee und Kuchen bekannt machen will

Posamenten: Bis zum Jahr 43 gelang es meiner Mutter, sich kriegshilfspflichtiger Tätigkeit überhaupt zu entziehen. Dann nahm sie Heimarbeit. Der Verdienst war gering, auch nicht interessant in Anbetracht der totalen Rationalisierung und regelmäßiger Luftangriffe. Bei Alarm ließ meine Mutter den Stickrahmen in der Wohnung. Er war etwa einen Meter lang, einen halben Meter breit, stand auf Böcken und war Eigentum der Firma Vogelbein, die seit Kriegsbeginn ausschließlich mit der Herstellung von Militärposamenten beschäftigt war. Geschäftsräume und Warenniederlassung befanden sich in der Wohnung der Familie Vogelbein. Meine spärlichen Erinnerungen an die Altstadt entstammen den Liefertagen, an denen die Luftlagemeldungen günstig lauteten, so daß ich meine Mutter begleiten durfte. Wir wohnten in der nordöstlichen Vorstadt. Eine Viertelstunde Straßenbahnfahrt gab mir die Vorstellung von großer Entfernung. Auch vor dem Krieg sind meine Eltern selten in die Stadt gefahren. Die Stadt: das war das Zentrum. Dort ballten sich Häuser,

Läden, Gestank, ungeheurer Reichtum schien mir versammelt und alte Männer, von denen ich vermutete, sie gehörten zu denen, die kleine Mädchen mit Bonbons in falltürenversehene Hinterhauswohnungen lockten. Die Firma Vogelbein verhandelte mit ihren Arbeiterinnen in einer Hinterhauswohnung. Herr Vogelbein übertraf meine Vorstellungen insofern, als er nicht nur verrunzelt und kahlköpfig, sondern überdies von einem Blutschwamm gezeichnet war, der die rechte Gesichtshälfte gänzlich bedeckte. Einmal küßte er seiner Frau vor meinen Augen die Hand. Ich hatte dergleichen noch nie erblickt und sah meine Vermutungen indirekt bestätigt. Meine Mutter hielt Herrn Vogelbein für einen weitgereisten Mann, weil er seinen Arbeiterinnen häufig von Safaris erzählte. Der Flur des Hinterhauses roch nach alten Fäkalien, die Wohnung nach Leim und Staub. Sie war mit häßlichen neubarocken Möbeln und Plüschgarnituren verstellt, auf und unter denen Tuch, Filz, Litze, Biesen, Tressen, Pappen, verschiedene Zwirne und Garne sowie gold- und silberfarbene Blechsterne in Schuhkartons lagerten. Die Kartons waren verbeult, der rote Plüsch abgewetzt. Meine Mutter lieferte die fertigen Achselstücke und Kragenspiegel auf die rote Plüschdecke des ovalen Mitteltischs, wo auch ein Vogelkäfig seinen Platz hatte. Ein Sittichpärchen streute Futter durch die Stäbe, das Männchen konnte Lili Marlen singen. Hirschgeweihe an den Wänden. In Gegenwart meiner Mutter fürchtete ich mich nicht. Sie lieferte alle vierzehn Tage. Frau Vogelbein hatte sie angelernt. Frau Vogelbein war jünger als meine Mutter und überragte ihren Mann um Haupteslänge. Meine Mutter stickte die Kragenspiegel bald besser als die Chefin, auch beim Flechten der Achselstücke erzielte sie schnell Präzision, sie war gelernte Schneiderin. Die Kragenspiegel, für Offiziere bestimmt, wurden mit Silberfaden gestickt. Auf grünes Tuch, dem eine Pappschablone aufgeklebt war. Der Silberfaden mußte die Schablone in schräger Richtung gleichmäßig verdecken. Er oxydierte leicht, Schweiß schwärzte ihn, deshalb heizte meine Mutter nur schwach und wusch sich oft die Hände. Die Schulterstücke wurden aus filzbezogenen Pappen gefertigt, denen geflochtene oder aneinandergefügte Litzen aufgenäht werden mußten. Die Filze hatten leuchtende Farben, die die Waffengattungen anzeigen sollten. Meine Augen streichelten begehrlich den Stoff. Herr Vogelbein schnitt die rechteckigen Fleckchen selbst zu und zählte sie auch selbst. Er verzählte sich nie. Nur etwas Biese, mit denen die filzbezogenen Pappen meist zusätzlich besetzt wurden, oder ein Stück Schnur oder Tresse blieben manchmal übrig. Ich nähte es sofort an Puppenkleider. Litze schien mir für diese Zwecke ungeeignet. Sie bestand aus zwei Dochten, die grau, selten silbern oder silberschwarz gestreift umsponnen waren. Ein Docht mußte mit einer Zange etwas gezogen werden, wenn die Rundung für das Knopfloch gebildet werden sollte. Falls Flugwarnungen länger währten, als zum Ankleiden nötig war, zog meine Mutter Dochte. Ich durfte helfen. Zum Sticken und Flechten brauchte sie Ruhe. Wenn mein Vater Fronturlaub hatte, arbeitete sie nachts und hörte den Londoner Rundfunk. Die Offiziersachselstücke wurden mit vier Strängen geflochten. Das Geflecht nähte meine Mutter auf Pappen, denen die geforderte Form aufgezeichnet war. Während der Flechtarbeiten benutzte meine Mutter die Zange ebenfalls, damit die Rundungen makellos gelangen. Meinen Wunsch, auch mal ein Schulterstück flechten zu wollen, wies sie ab. Obgleich Litze reichlich bemessen war, sie konnte keine Materialvergeudung dulden. Ich flocht meine Zöpfe vierstrangig und versuchte mir auszumalen, was Herr Vogelbein täte, wenn ich mir von einigen der herrlichen Filze eine Trachtenmütze mit Applikationen nähen würde, wie ich sie beim Zahnarzt in einer Modenzeitung gesehen hatte. Die Tatsache, daß Männer manchmal Mädchen umbrächten, war mir durch eine ältere Freundin zu Ohren gekommen und von meiner Mutter nicht bestritten worden. Von Grauen und Neugier geplagt, grübelte ich nach Tatmotiven. Auch die Art, wie die Mädchen zu Tode kamen, interessierte mich. Ich erhielt darüber dürftige, unverständliche Auskünfte. Da sich im fünften Kriegsjahr, abgesehen von uniformierten Fronturlaubern, die ich nicht zur männlichen Gattung rechnete, sondern zu der der Soldaten, nur noch wenige und zunehmend weniger jüngere Männer in den von Frauen belebten Straßen zeigten, erschien mir die Welt immer unheimlicher. Die Bomben fürchtete ich nicht, da ich wußte, daß Gott seine Hand auf mir hatte. Wenn ich von ihm träumte, trug er geflochtene Schulterstücke mit drei goldenen Sternen. Das Stadtzentrum mitsamt der Familie Vogelbein verbrannte am 5. März 45, kurz nachdem meine Mutter Material geholt hatte. Sie verarbeitete es bis zum vereinbarten Termin und versuchte in der Folgezeit telefonisch und auf Ämtern zu ermitteln, wer die Firma übernommen hatte. Die Ermittlungen verliefen erfolglos. Ende Mai fragte ich meine Mutter, ob ich die Filze von den Schulterstücken abtrennen dürfte. Ich erhielt die Erlaubnis im Juli und begann sofort mit der Mützenapplikation. Im August fuhren meine Mutter und ich für freie Kost und Logis hausnähen zu einem kinderreichen Bauern ins Erzgebirge, der bereits alle Kleider, denen ich entwachsen war, sowie die Hälfte unserer Bettwäsche und Bestecke für Kartoffeln und Leinöl genommen hatte. Die Mütze tauschte ich gegen eine hausschlachtene Leberwurst.

6. Kapitel

Bekanntmachung für Laura

Lauras Erzählung stachelte Bennos Stolz auf seinen Vater an, der vor sechs Jahren verstorben war. Danach hatte Benno in Schwedt gekündigt und war nach Leipzig zurückgekehrt. Ins väterliche Haus, das er bislang verachtet hatte, in die Wohnung. Er lebte noch zwei Jahre in der Wohnung. Weil er sich nicht entschließen konnte, das Haus zu verkaufen. Erst als das Dach von einem Sturm abgedeckt worden war und er das Geld für die Reparatur nicht aufbringen konnte, überließ er das Haus der Kommunalen Wohnungsverwaltung. Er übersiedelte nach Berlin – Arbeitskräftemangel hatte ihm zu einer Zuzugsgenehmigung verholfen. Sein Bruder Lutz, der längst hier wohnte, belächelte Bennos Entschluß, den väterlichen Garten in Leipzig zu behalten, als sentimental. Kein vernünftiger Mensch würde sein Wochenende in einer zwei D-Zug-Stunden entfernt liegenden, von chemischen Abwässern durchflossenen Laubenkolonie verbringen, wenn er die Berliner Seen vor der Nase hätte. Benno war egal, ob er als vernünftiger Mensch anerkannt wurde oder nicht, er verbrachte viele Wochenenden in der stinkenden Kolonie. Die wahrscheinlich bald abgerissen wurde, das Gelände war bereits für ein Neubauviertel verplant. Deshalb fuhr er mit Laura und Wesselin zunächst nach Leipzig und zeigte ihnen die väterliche Laube, bevor er ihnen sein Berliner Zimmer vorführte. Der größere Teil der Laube wurde vom Werkzeugschuppen eingenommen. Dort war versammelt, was früher mittel- und unmittelbar zum Bundgeschirr eines Zimmermanns gehörte: Winkeleisen, Klopfholz, Stichaxt, Queraxt, Zimmermannsaxt, Breitbeil, Spitzhammer, verschiedene Handsägen, Fuchsschwanz, Nutsäge, Rücksäge, verschiedene Beitel und Bohrer, Zangen, Stemmeisen. Wesselin stürzte sich begeistert auf die Werkzeuge und begann sofort zu spielen. Laura nannte die Sammlung Museum. Benno schlug vor, die Schätze im Keller unterzubringen, wenn sie eine gemeinsame Wohnung hätten. »Werden sie da nicht rosten?« fragte Laura. »Wenn der Keller feucht ist, müssen wir das Werkzeug auf den Boden bauen«, sagte Benno. »Eine Wohnung ohne entsprechenden Keller oder Boden ist für uns ehrlich unbewohnbar, einwandfrei.« – »Einwandfrei«, sagte auch Laura. Später, als Wesselin bereits schlief und der Mond die weißen Schaumflocken beschien, die neben der Laube auf dem Gewässer dahintrieben, erzählte Laura von ihrer Heidenauer Zeit. Als sie beim Kreisbaubetrieb als Maschinist gearbeitet hatte. Fachsimpeleien in feuchter Luft. Küsse. »Der alte Wittig, der damals Mitglied unserer Brigade war, hatte auch sone Werkzeugsammlung«, sagte Laura. »Wittig war bekannt wie ein scheckiger Hund, ein Original, bei feierlichen Betriebsveranstaltungen enterte er mitunter unbemerkt die Bühne und trug ›Die Fröschelchen‹ und andere Klamauklieder vor, mit Inbrunst, die Veranstaltungsleiter fürchteten ihn, weil er unaufhaltsam war, er las nur Gewerkschaftszeitungen, Rundfunk und Fernsehen lehnte er ab. Ich glaube, es wird immer schwerer, sich als Original zu behaupten. Die Massenmedien ebnen ein. Meine Großväter konnten selbstverständlich noch Lauben bauen. Ohne es gelernt zu haben. Mein Vater hats nicht versucht. Wenn er nicht selbst mit Häuser hochgezogen hätte, käm ich mir abhängig vor in meiner Wohnung. Nicht souverän. Ich glaub, mein Keller wär trocken genug.« – »Meisterin«, schrie Benno da, gabelte die klamme Laura auf seine Arme, schleppte sie in den Wohnraum der Laube und stopfte den Hundofen, bis er glühte.

7. Kapitel

Darin eine Geschichte nachzulesen ist, die Laura Benno zu mitternächtlicher Stunde auf dem Laubensofa erzählt

Sendung: Eines Tages, als auf dem Flugplatz Schönefeld wieder eine große Sendung seltener Tiere für den Tierpark eingetroffen war, entdeckte der Zoll bei der Übergabe eine überzählige Kiste. In der Kiste saß ein König. Der Zoodirektor hatte ihn nicht bestellt. Er weigerte sich, den König zu übernehmen. Die Weigerung begründete er ad a prinzipiell, wenn er alles, was ihm unaufgefordert gebracht oder geschickt würde, aufnähme, müßte er bald seine Mitarbeiter verfüttern. Auch ginge jegliche Konzeption zunichte, die Anlage wäre ein Tierpark, kein Tierstall. Ad b argumentierte er mit Besucherinteressen, denen ein subventioniertes Unternehmen pädagogischer Art Rechnung tragen müßte. Ad c bestand er auf Seriosität. Vertragspartner, die den Vertragsvereinbarungen zuwiderhandelten, hätten weder Devisen noch Tauschtiere zu erwarten. Überdies lägen bezüglich der Haltung von Königen in zoologischer Gefangenschaft seines Wissens keinerlei Erfahrungen vor. Er ordnete die Rückführung nach Asien zu Lasten des Absenders an. Gabelstapler bugsierten einunddreißig Transportkisten mit siebenundfünfzig Tieren auf Lastwagen. Die beförderten die Ladung vorsichtig zur Quarantänestation. Das teuerste Tier war ein Giraffenfräulein. Seine Kiste maß zwei Meter achtzig Höhe. Die Transportkosten des Königs waren niedriger, mit Löwen, Hyänen und Geiern verglichen jedoch erheblich, zubehörhalber, da ein König ohne Zubehör keiner ist, während ein Tier nichts braucht, um ein Tier zu sein. Thron, Krone, Schleppmantel und andere Insignien füllten seine Kiste zur Hälfte. Sie war mit rotem Samt ausgeschlagen. Seine goldenen Pantoffeln standen auf Maisstroh. Der Direktor betrachtete sie, als der erste Zorn verraucht war. Bald wagte ein Wärter, sich ihm und der Kiste zu nähern und politische Bedenken anzumelden. Derart, daß die unaufgeforderte Zusendung des Königs aus politischen, möglicherweise sogar fortschrittlichen Motiven erfolgt sein könnte, vielleicht befände sich das Absenderland in einem bürgerkriegsähnlichen Zustand. Die Tatsache, daß ein König nicht erschossen oder inhaftiert, sondern abgeschoben würde, müßte die revolutionäre Haltung der Absender nicht unbedingt in Zweifel ziehen, sondern könnte auf eine komplizierte innenpolitische Situation schließen lassen. Der Wärter hielt die originelle, auf den ersten Blick befremdlich erscheinende Art des Abschiebens für eine politische Demonstration. Der Zoodirektor hielt sie für eine Provokation, erklärte sich jedoch bereit, den König bis zur Klärung des Sachverhalts in die Quarantänestation überführen zu lassen. Dem politisch qualifizierten Wärter wurde die Haltung des Königs zugewiesen. Er bereute seine Initiative bald. Da der König jegliche Nahrungsaufnahme verweigerte, auch Getränke ablehnte, wenn sie ihm stehend gereicht wurden. Während der Wärter, in erpresserischer Weise auf die Knie gezwungen, Delikatessen aus dem Unter den Linden gelegenen Exquisitgeschäft servieren mußte, führte die Zoodirektion Ermittlungen und einen ausgedehnten Schriftverkehr. Ergebnislos, wahrscheinlich infolge turbulenter innenpolitischer Zustände im Herkunftsland des Königs oder wegen Überlastung der neuen Regierung. Der Zoodirektor vermutete, daß die angegebene Adresse des Absenders falsch war. Er reklamierte die von ihm unterzeichneten Briefe. Als auch diese Bemühung ohne Erfolg blieb, ordnete er zwangsweise Gewöhnung auf 1900-Kalorien-Normalkost bei einer täglichen Eiweißzufuhr von 70 Gramm und die Einquartierung des Königs ins Raubtierhaus an. Dort kann er werktags sowie an Sonn- und Feiertagen in der Zeit von neun bis achtzehn Uhr in einer schlingpflanzengeschmückten Vitrine besichtigt werden. Neben der Bengaltigerin Ira und Silberlöwen. Der Wärter glaubt, daß diese Nachbarschaft die Eitelkeit des Königs herausgefordert und ihn bewogen hat, den Hungerstreik abzubrechen, um seine körperliche Attraktivität nicht zu verlieren. Da der König nach wie vor Gespräche ablehnt – ob generell aus Vornehmheit oder nur, weil ihm die gebotenen Gesprächspartner nicht standesgemäß erschienen, ist noch nicht ermittelt –, kennt man bis jetzt weder Namen noch Nationalität. In die Messingtafel ist »König« eingraviert. Die Besucher lesen sie verwundert und tauschen Geschichtskenntnisse und Ansichten über Verfahrensfragen aus. Viele Frauen schreiben ins Beschwerdebuch, daß das Exponat politisch überzeugender wäre, wenn König und Robe gesondert gezeigt würden, einzelne bezweifeln die Echtheit der Halbedelsteine an Krone und Krummsäbel, wenige fordern die Entwaffnung des Königs aus Sicherheitsgründen, die meisten Männer sind für Erschießen und Ausstopfen. Daraus und aus den Zuschriften glaubt der Zoodirektor schließen zu können, daß dem Exponat ein gewisser pädagogischer Nutzen nicht abzusprechen ist. Allerdings hat er es im Friedrichstadtpalast noch nicht vorgeführt. Nur sonnabends, am Fasttag, ist dem König das Verlassen der Kabine zeitweise gestattet. Meist nutzt er dann die Gelegenheit für einen Spaziergang im Park. Da die goldenen Pantoffeln, Schleppmantel und andere Insignien beim Laufen hinderlich wären, leiht der Wärter dem König Lederschuhe und Trenchcoat. Die Kleidung macht ihn unscheinbar und unauffällig im Besucherstrom, ohne Halsband und Leine würde ihn niemand als König erkennen.

8. Kapitel

Prinzipielle Rede an Benno, gehalten von Laura bei einem Glase Rotwein

Herta? Für dich heißt die Frau Kajunke. Hausleute reden über vieles, das sie nicht verstehen. Meine Nachbarin hat mir ihren Fahrschlüssel geschenkt, als ich eine Prüfung wiederholen mußte. Den da, der am Bücherregal liegt, den kupfernen. Liebhaberstück. Man muß nicht Grabredner werden, um mit dem Tod näher bekannt zu werden. Ohne Herta wäre die S-Bahn für mich ein Verkehrsmittel geblieben, das man benutzt und fertig. Ich bestreit nicht, daß ich auch aus Neugier den Beruf gewechselt habe und daß ich fahrende Berufe bevorzuge. Aber das Beste kann seinen Glanz verlieren, wenn es alltäglich vor Augen steht. Herta hat mich neugierig gemacht, nicht auf die S-Bahn, zunächst auf sich. Ich kann Herta sagen, sie hat mich ausgebildet. Forderungen erziehen. Persönliche zumal. Die Person kann sich in Worten zeigen oder direkt. Je stärker die Person, desto stärker die Wirkung. Lehrer zum Beispiel, insofern diese Bezeichnung den Beruf bezeichnet und nicht die Tätigkeit, sind Magier. Eine Fernsehpressekonferenz, die der neugewählte Präsident Chiles Dr. Salvador Allende westdeutschen Journalisten gab, war beherrscht vom Glanz des Stolzes, der die Frager disqualifizierte. Das Glück, eine stolze Persönlichkeit zu erleben, erschüttert. Erschütterungen solcher Art fordern den Menschen. Unaufgefordert verkommt er. Da Herta mühsam anfangen mußte als eine der ersten Triebwagenführerinnen, hat sie am liebsten Frauen ausgebildet. Von ihr hatte ich mir angewöhnt, beim Fahren zu stehen. Linke Hand auf dem Fahrschalterknopf, rechte am Führerbremsventil, vor mir das Schienenband, das der Zug in sich hineinfrißt, mit sechzig, mit achtzig Stundenkilometern, Brücken, steile Bahndämme, braun vom Rost des Bremsstaubes, Bahnhöfe, auch verrostet, Häuser, Signalaugen grün gelb rot, Kais, Silos, den Schienenstoß fühlt man unter den Füßen und die Geschwindigkeit des Zuges und wie er besetzt ist. Die überfüllten Berufsverkehrzüge fahren sich schwer und fressen viel Strom. Man kann einen Zug nur deutlich fühlen, wenn man steht. Dein Entschluß, zwei Wochen Grabreden zu halten, war effektvoll, eine Trotzreaktion vielleicht, auch ein Kompliment für mich. Laß dir nicht einreden, daß du unrasiert älter aussiehst, Benno, eine Frau macht sich schließlich auch nicht älter, um sich ihrem älteren Mann anzupassen. Ach Benno, ich glaub, du hast mehr Sorgen, als du weißt. Übrigens: ein Zimmermann mit Kranführerausbildung ist mir natürlich überlegen, ich kann nur Schäden einkreisen, na? Im Traum kommt bei mir neuerdings immer SV2: Fahrt frei, Halt erwarten. Ich zieh den Klinkhebel des Führerbremsventils langsam zu mir heran, die Gewalt des Zuges bäumt sich unter meinen Füßen, mit Achtungsdonner fahr ich in den Bahnhof ein. Immer Ostkreuz. Keine Angst: alle fahrenden Leute meiner Familie sind seßhaft. Herta fährt . . . zigtausend Menschen täglich und kommt selbst nie an. Der Schichtdienst macht ihr jetzt ziemlich zu schaffen. Gesundheitlich. Sie hat auch als Wagenreiniger angefangen. Zwei Jahre auf der Waschrampe, ich bloß sechs Wochen, da waren meine Hände schon hin von der Lauge und vom Bimsmehl. Ohne Bimsmehl oder Schlämmkreide kriegst du den Rost nicht von den Wagen. Seit ich im Fahrdienst bin, riech ich Bremsstaub gern. Übrigens rufen nicht alle Hausleute Herta mit Vornamen. Eine Kollegin, die mir nach der Entbindung einen Kasten Konfekt ins Krankenhaus brachte, war in Wut wegen eines Unfalls. »Wer sich das Leben nehmen will, soll sich einen Strick kaufen oder den Gashahn aufdrehen oder sonstwas«, sagte sie, »bloß wegen diesem Selbstmörder ist unser ganzes Geld im Eimer«, sagte sie. Klar, bei solchen Verspätungen ist die Prämie hin. Die Leute duzen Herta, weil sie sie für eine Ehrenamtliche halten. Menschen trennen sich ungern von lieben Gewohnheiten. Kann sein, sie brauchen das Verachtenswürdige. Um ihre Rechtschaffenheit abheben zu können. Die verheirateten Frauen fragen sie noch heute, warum sie eigentlich nicht heiraten will. Aber sie springt ihnen nicht ins Gesicht. Sie fährt. Daß man dich altershalber nicht anstellen wollte, ist verständlich. Daß man dich überhaupt angestellt hat, wundert mich. Personalmangel wie überall, als Grabredner will niemand mehr arbeiten. Aus der Anzahl der Einladungen zum Fellversaufen schließe ich, daß du für Witwen trostreiche Worte findest. Für solche, die eine Leiche vorzuweisen haben. Herta hat keine vorzuweisen. Sie fährt noch immer gern. Aber sie hat nicht gern frei. Früher verschlief sie den freien Tag oder fuhr eine Sonderschicht. Jetzt setzt sie sich vor die Fernsehkiste und läßt sich was vorleben. Oder sie hört Schallplatten. Oder sie liest ein Buch. Mitunter spricht mich auch noch mal einer an, wenn ich Nachtdienst habe, sagt sie. Manchmal fährt einer im Dienstabteil so lange mit, bis ich meine Kilometer runtergefahren habe. Die Herren wenden sich der Einfachheit halber an eine Serviererin oder an eine Schaffnerin oder an unsereinen, sagt sie. Anfangs hat mich diese Tour angeekelt, sagt sie. Die Freundschaft mit Herta hat mir Antipathien eingebracht. Auch im Betrieb. Nicht offiziell. Schließlich hat Herta vier oder fünf Aktivistenspangen in ihrer Schmuckschatulle liegen. Ich verlange ja nicht, daß eine Frau von achtundvierzig Jahren für dich als Frau existiert, ich verlang nur, daß sie überhaupt für dich existiert, als Mensch. Herta sagt, viele Männer ihrer Generation wären menschlich verkrüppelt, entweder durch Erlebnisse im Krieg oder durch Erlebnisse danach. Sie würden mit diesem verdammten Frauenüberschuß auf andere Weise ebenso schwer fertig. Die meisten wären nicht mehr fähig zu lieben, sie glaubten, es wäre eine Gnade, wenn sie einer Frau gestatteten, eine Rarität zu lieben, sagt sie. Kann sein, so ein Angebot war der Anlaß, daß sie mal den Gashahn aufgedreht hat. Wer nicht liebt, lebt von sich getrennt, sagt Herta. Und wehrt sich. Aber sie lebt bezüglich ohne

Lebenslüge. Die Gattin von Buschmann predigt laut im Hausflur, verheiratete Männer wären für sie stets tabu gewesen. Als ob sie nicht wüßte, daß von den paar Männern dieser Generation, die den Krieg überstanden, selbst der größte Trottel eine Frau gekriegt hat. Für Herta gibt es nur verheiratete Männer. Du irrst, wenn du glaubst, das peinliche Problem hätte sich inzwischen vertan, wäre ausgestorben gottlob. Viele halten die Liebe für eine Saisonerscheinung, die im Leben zwischen siebzehn und fünfundzwanzig auftritt, fertig. Ich sage dir: Wer nur die Saison wahrnimmt, ist unbegabt für die Liebe. Herta hat mit neunzehn geheiratet, für die Hochzeit wurden dem Mann drei Tage Urlaub zugestanden, dann fuhr er an die Front zurück, und sie hat nie wieder von ihm gehört. Sechs Jahre später hat man ihn für tot und sie zur Witwe erklärt. Die meisten Frauen dieser Generation sind Witwen, ohne je verheiratet gewesen zu sein. Herta weiß das natürlich. Sie ist begabt für die Liebe. Begabte Männer sind angesehen. Begabte Frauen nicht – offiziell. Daß die meisten dieser Frauen sich ruhiger durchs Leben schlagen, erweist sie weder als unbegabter noch als normaler. Allen gleichermaßen schulden wir Achtung. Du hast den Krieg nicht wie ich in den Luftschutzkellern erlebt, du erlebst ihn so. Laß deine Urlaubsanstellung, Benno, klingel bei meiner Nachbarin Kajunke, wenn du mit dem Tod ein bißchen bekannt werden willst.

9. Kapitel

Laura fordert über Telefonnummer 2 28 80 20 die schöne Melusine persönlich an, um sich mit ihr zu beraten

Schauplatz: Lauras Zimmer.

Zeit: Spätwinternacht. Laura schaufelt die Glut aus dem Kachelofen in einen Eimer. Ab mit dem Eimer. Die Ofentür bleibt offen. Als Laura zurückkommt, setzt sie sich strickend vor eine Heizsonne. Geräusch ähnlich dem, das beim Kaminkehren entsteht. Rußwolke aus der geöffneten Ofentür, dann Melusine.

Laura (ungehalten): Schweinerei, gestern hab ich den Teppich geklopft, konnten Sie sich nicht etwas vorsehen?

Melusine (klopft ihren menschlichen Oberkörper, der mit einem geschwärzten Pullover bedeckt ist): Der Kamin ist zu eng. Ich hab mir den ganzen Rückenpanzer zerkratzt. Aber wenns Ihnen nicht paßt, kann ich ja wieder abfliegen.

Laura: Halt! – Beatriz wäre mir natürlich lieber gewesen. Warum können Sie Benno herbeischaffen und Beatriz nicht?

Melusine: Weil jede größere Zauberei von mir genehmigungspflichtig ist. Die Genehmigungen werden höchstenorts willkürlich erteilt oder verweigert, Persephone kann nur vermitteln. Eheanbahnungsanträge werden von Herrn Gott meist mit Wohlwollen bearbeitet. Ich nehme an, daß Sie mich in der Eheanbahnungsangelegenheit gerufen haben.

Laura: Ja. Das heißt: nein. Genauer gesagt: ich bin mir nicht sicher. Wer in verzwickten Lagen den Beistand und Rat einer Freundin entbehren muß, ist beschissen dran. Könnten Sie Beatriz einen Augenblick vertreten?

Melusine: Ich könnte, wenn ich kann.

Laura: Bestimmt, Sie kennen doch Benno in- und auswendig. Ist er so, wie er redet und tut?

Melusine: Ja.

Laura: Liebt er Wesselin?

Melusine: Sehr.

Laura: Liebt er mich als Vertreterin meiner Art oder persönlich?

Melusine: Ich glaube, auch persönlich. Aber wenn Sie ihn nicht lieben . . .

Laura: Meine Ehe und alle darauffolgenden eheähnlichen Zustände waren auf Liebe gebaut. Von meiner Seite jedenfalls, das ist sicher. Und die Liebe, die ja, wie Sie wissen, eine schöne Bewußtseinsverengung bewirkt, hat mir die Herren stets derart schöngefärbt, daß ich zunächst ihren Egoismus übersehen habe: ich baute auf Sand. Wenn überhaupt, käme für mich jetzt nur der umgekehrte Weg in Frage. Ich empfinde für Benno Freundschaft. Falls er für mich außer Liebe auch Freundschaft empfindet, tätliche meine ich, würde ich noch mal eine Heirat wagen.

Melusine: Ohne Liebe Ihrerseits?

Laura: Die wächst bei friedlichem Entgegenkommen.

Melusine: Glauben Sie?

Laura: Zu großen Entscheidungen muß man sich verhalten wie zum Tod. Natürlich weiß jeder Mensch, daß er mal sterben muß. Aber sein Körper glaubt nicht ganz daran. Er lebt, als ob er die Ausnahme wäre. Und nur so kann er leben.

Melusine: Ein Mann aus der Generation der Zwanzigjährigen hätte natürlich Ihren Vorstellungen noch weiter entgegenkommen können. Aber Sie wollen ja den Altersunterschied so gering wie möglich halten, warum eigentlich? Mit den neuen sittlichen Gewohnheiten verhält es sich nämlich wie mit den neuen wissenschaftlichen Theorien, über die Max Planck einmal äußerte, sie setzten sich nicht durch, indem die Vertreter der alten wissenschaftlichen Theorien von den neuen überzeugt würden, sondern indem die Vertreter der alten Theorien stürben.

Laura: Danke. Ich bin nämlich mit Benno morgen vormittag vorm Standesamt verabredet von wegen Aufgebot bestellen. Ich denke, ich werd hingehen. Ich war nämlich schon mal da. Um mich zu erkundigen, wie das neue Ehegesetz die Namen verordnet. Nach dem alten hatte ich bereits mal durch Heirat meinen Namen verloren. Mit einundzwanzig Jahren war das, da kränkte michs nur. Durch Scheidung hatte ich ihn wiedergewonnen. Für immer, dachte ich, in der Sowjetunion können die Frauen auch ihre Namen behalten, wenn sie wollen, ich war mir meiner Sache eigentlich sicher, wollte nur Bestätigung. Die Frau vom Amt eröffnete mir freundlich, daß Ehepaare auch nach dem neuen Ehegesetz einen gemeinsamen Namen tragen müssen, entweder den des Mannes oder den der Frau. Auf Wunsch großer Teile der Bevölkerung, sagte sie. Klar, welche großen Teile das sind, sagte ich und lachte höhnisch. Großzügigkeit kostet nichts, wenn man die Sitten auf seiner Seite hat. Die Frau vom Amt wechselte zur entschiedenen Tonlage über, in der sie feststellte, keine Beschwerdestelle zu sein, außerdem hätten bei ihr schon einige junge Herren vorgesprochen, die bereit gewesen wären, ihre Namen abzulegen. Ich schrie, ich bin kein junger Herr, für den es unbedeutend ist, unter welchem Etikett er ein Mann wird, ich bin eine fertige Frau. Wer einem vierzigjährigen Menschen einen anderen Namen aufpreßt, verletzt seine Integrität, ich heiß Salman, und mein Sohn heißt Salman – Punktum. So etwas hab ich gebelfert. Ein Schuß in den Ofen natürlich, Erbsen an die Wand beziehungsweise ans Gesetz. Wenn ich Benno, den ich auch für einen fertigen Menschen halte, die Verletzung seiner Integrität ersparen will, muß ich natürlich klein beigeben. Als Trostpflaster für die Kapitulation wird mir wegen meines Spielfrauenamts das Recht eingeräumt, meinen Namen an den Familiennamen anzufügen: Laura Pakulat-Salman also. Nicht umgekehrt – sogar die Reihenfolge ist streng vorgeschrieben. Mich ärgerts schwarz. Aber zur Hochzeit kann ich Sie leider nicht einladen.

Melusine (ergreift ihren Reptilschwanz und führt ihn dreimal über Lauras Scheitel): Meinen Segen haben Sie. (Durch die Ofentür ab.)

10. Kapitel

Beatriz kehrt zurück

Am 10. März 1972 las Laura in der Zeitung »Neues Deutschland«, daß das Gesetz über die Unterbrechung der Schwangerschaft von der Volkskammer der Deutschen Demokratischen Republik mit absoluter Stimmenmehrheit bei vierzehn Gegenstimmen angenommen worden war. Die Nachricht veranlaßte Laura, die Kleider abzulegen und sich im Spiegel eine Weile ihrer nicht mehr staatlich verwalteten Barschaft zu versichern. Sie als selbstverständliches Eigentum zu empfinden erschien ihr erlernbar. Am 13. März hielt Benno seine letzte Grabrede und ging am anderen Morgen wieder seiner Bauarbeit nach. Am 17. März morgens gegen acht Uhr stand Beatriz de Dia vor Lauras Wohnungstür. Müde, aber schön wie je. Laura wußte im ersten Augenblick der Überraschung nichts Besseres zu tun, als nach Wesselin zu rufen. Dann riß sie die Freundin in ihre

Arme, hieß sie lärmend willkommen und bedankte sich gleich für Benno, der Lutz in den Schatten stellte. Wesselin war seine Mutter noch nicht laut gewohnt. Er klammerte sich ängstlich, bald weinend an ihren Rock. Plötzlich verstummte er. Laura vermutete, aus notdürftigem Anlaß, und strebte weg in Richtung Topf. Da erblickte sie neben Beatrizens rechtem Hosenbein ein kleines Tier. Das von Laura gleich als Hund erkannt worden wäre, wenn ihm nicht ein korkenzieherähnliches Horn zwischen den Ohren aus dem Kopf geragt hätte. Wesselin patschte mit seinen Händchen meckernd auf dem falben Fell herum, streichelte es, küßte das Tier auf die Schnauze, lugte in seine Ohren, zog es am Schwanz. Das Tier duldete alles. Stumm. Erst als Wesselin, von der roten Farbe des Kopfgeschirrs angelockt, mit Appetit ins Leder biß, gab das Tier Laut. Es bellte. »Also doch ein Hund«, sagte Laura, noch bevor sie sich überzeugt hatte, daß das korkenzieherähnliche Horn am Kopfgeschirr befestigt war. Eine Leine führte vom Geschirr zu Beatrizens Armgelenk. »Willst du mir die Promenadenmischung als Einhorn andrehen«, fragte Laura ausgelassen. »Gott bewahre«, sagte Beatriz und überreichte ein Alabasterdöschen, »dein Stadtverordnetenmandat war doch auch eine Ente.« – »Aber die PEN-Wahl war keine«, sagte Laura und bestürmte die Freundin mit Neugier. Da erklärte sich Beatriz an Leib und Seele kerngesund, ließ sich zufrieden in einen Sessel fallen und sprach: »Zu Hause ist es doch am besten.«

11. Kapitel

Darin Ausschnitte jener denkwürdigen Rede nachzulesen sind, mit der Professor Dr. Ludwig Mecklinger, Minister für Gesundheitswesen der Deutschen Demokratischen Republik, das Gesetz über die Unterbrechung der Schwangerschaft vor der Volkskammer am 9. März 1972 begründete

Herr Präsident!

Sehr geehrte Abgeordnete!

Der vorliegende Gesetzentwurf wurde vom Vorsitzenden des Ministerrates in Durchführung eines gemeinsamen Beschlusses des Politbüros des ZK der SED und des Ministerrates an die Volkskammer eingereicht.

In ihm wird davon ausgegangen, daß mit der Gleichberechtigung der Frau in der Deutschen Demokratischen Republik in Ausbildung und Beruf, Ehe und Familie für die Frau auch das Recht verbunden sein soll, in eigener Verantwortung darüber zu entscheiden, ob sie eine Schwangerschaft austragen oder vorzeitig beenden möchte.

Der Gesetzentwurf sieht vor, daß eine bisher in staatlichen Kommissionen auf Kreis- und Bezirksebene über die Unterbrechung der Schwangerschaft getroffene Entscheidung vom sozialistischen Staat *vertrauensvoll* und *wesentlich erweitert* der Frau entsprechend ihrem Recht und ihrer Würde in der sozialistischen Gesellschaft übertragen werden soll.

Die Frau soll die Möglichkeit erhalten, über die Empfängnisverhütung hinaus dem biologischen Zufall einer Schwangerschaft entgegenzuwirken und in freier Entscheidung die gewünschte Mutterschaft anzustreben.

Immer wieder erleben wir es, daß eine nicht gewollte, unerwünschte Schwangerschaft außerordentlich komplizierte Probleme bei Frauen, in Ehen – auch in solchen, in denen der Kinderwunsch einen festen Platz gefunden hat – aufwirft. Nicht selten werden auch erfolgreich begonnene oder kurz vor dem Abschluß stehende berufliche Entwicklungen in Frage gestellt oder gar Ehekrisen ausgelöst. Das persönliche Glück der Frau und des Mannes, Glück und Harmonie der Ehe und Familie können durch schwere, manchmal für den einzelnen ausweglos erscheinende psychische Belastungen überschattet und gefährdet werden.

Natürlich kann unsere sozialistische Gesellschaftsordnung für sich in Anspruch nehmen – diesen Beweis hat sie längst erbracht –, daß keine Frau, keine Ehe und Familie mit ihren Problemen auf sich selbst angewiesen ist und damit allein fertig werden muß. Vielfältig und wirkungsvoll sind die Hilfe, der Rat und die Fürsorge, die täglich von den staatlichen Organen, den Mitarbeitern des Gesundheitswesens und anderen gesellschaftlichen Kräften auch zur Lösung solcher Fragen aufgewandt werden. Aber wir würden das Leben verkennen, wollten wir glauben, daß damit in jedem einzelnen Fall die Beseitigung solcher mit der unerwünschten Schwangerschaft oft einhergehender Konflikte verbunden wäre.

Ich habe in den letzten Wochen seit der Veröffentlichung des gemeinsamen Beschlusses viele vertrauensvolle Gespräche mit Ärzten, vor allem mit Frauenärzten, geführt. In diesen Gesprächen brachten Ärzte zum Ausdruck, sie wären mit der angekündigten neuen gesetzlichen Regelung von einer großen psychischen Belastung befreit, weil sie in Sprechstunde und Klinik doch häufig mit den ernsten Folgen der Selbstabtreibung und der Kurpfuscherei konfrontiert wurden.

Viele Ärzte wiesen auch darauf hin, daß sie oftmals die einzigen sind, denen sich die Frau mit ihrer von einer unerwünschten Schwangerschaft ausgelösten schweren Sorge anvertraut und die sie in ihre schwierige Situation einweiht, ohne daß davon die Öffentlichkeit etwas erfährt. Sie machten darauf aufmerksam, daß der Arzt bisher auf viel persönliches Leid und innere Not einschließlich der damit verbundenen psychisch bedingten gesundheitlichen Gefährdung nur mit dem guten Rat und einem helfenden Einfühlungsvermögen antworten konnte. Die gesetzliche Regelung wird deshalb in Zukunft viele Frauen vor schweren gesundheitlichen Schäden bewahren.

Sehr geehrte Abgeordnete! Solche gesetzliche Regelungen zu treffen, die es der Frau ermöglichen, über den Zeitpunkt der Schwangerschaft selbst zu bestimmen, wurde insbesondere von der revolutionären Arbeiterbewegung gefordert. Sie betrachtete die Erfüllung dieser Forderung als einen wichtigen Schritt im Prozeß der sozialen Befreiung der Frau und als unabdingbare Konsequenz in der Anerkennung und Gewährung eines elementaren Rechts an die Frau.

Dieses Problem hat sowohl in der gesellschaftspolitischen Literatur der vergangenen Jahrzehnte wie auch in der Kunst und in der Dramatik einen beredten Ausdruck gefunden. Die Reichstagsfraktion der Kommunistischen Partei Deutschlands stellte zum Beispiel im Oktober 1931 den Beschlußantrag, die Unterbrechung der Schwangerschaft gesetzlich freizugeben. Sie prangerte damit die Doppelmoral der Ausbeutergesellschaft an, die den Frauen der herrschenden Klasse kostspielige Schwangerschaftsunterbrechungen ermöglichte, während sie die Arbeiterinnen mit verlogenen Phrasen und kalten Paragraphen in ihrer Not und Gewissensqual sich selbst überließ.

Die Besitzenden in der Ausbeutergesellschaft haben immer einen Weg gefunden und finden ihn auch heute, eine ihnen unbequeme Schwangerschaft zu beseitigen, während viele Arbeiterinnen, Frauen und Mütter zu Handlungen gezwungen sind, die sie in Konflikt mit der Gesetzgebung und ihren persönlichen ethischen Auffassungen bringen. Unter kapitalistischen Bedingungen fordert die revolutionäre Arbeiterbewegung die Freigabe der Schwangerschaftsunterbrechung, ausgehend von der Erkenntnis, daß die Ausbeutergesellschaft nicht in der Lage ist, die sozialen Probleme im allgemeinen und die der Frau im besonderen zu lösen.

Die Verwirklichung dieser Forderung im Sozialismus hat einen grundsätzlich anderen Ausgangspunkt, wie dies auch die gesetzlichen Regelungen in anderen sozialistischen Ländern zeigen.

Der entscheidende Beweggrund, der Frau das Entscheidungsrecht über die Austragung einer Schwangerschaft zu übertragen, leitet sich aus der in der sozialistischen Gesellschaft realisierbaren Gleichberechtigung der Frau ab. In dieser Konsequenz erfüllt sich gleichzeitig für viele Frauen, Ehepartner und Familien der menschlich verständliche und vom Arbeiter-und-Bauern-Staat respektierte Wunsch, daß sich die Frau mit Freude und Erwartung auf die Mutterschaft einstellen kann und das Kind mit seinem Eintritt in das Leben von einem Klima des Gewolltseins und einer verantwortungsbewußt vorbereiteten Geborgenheit umgeben wird. Erwünschte Kinder bedeuten für die Frau, für den Mann, für die Familie Glück und Erfüllung. Erwünschte Kinder sind Ziel und Inhalt jeder harmonischen Ehe in der sozialistischen Gesellschaft.

Sehr geehrte Abgeordnete!

Ehe, Familie und Mutterschaft stehen unter dem besonderen Schutz des sozialistischen Staates. Im Artikel 38 der Verfassung der DDR ist dieses Prinzip verankert. Die Entwicklung gesunder, harmonischer und glücklicher Ehen, die Gründung dauerhafter Familien, die Förderung der Liebe zum Kind, die Erhöhung der Geburtenfreudigkeit sind unabdingbare

Attribute und prinzipielles Anliegen der sozialistischen Politik. Es sei daran erinnert, daß unsere Republik bereits im ersten Jahre ihres Bestehens, im September 1950, mit dem Gesetz zum Schutz für Mutter und Kind und über die Rechte der Frau ein klares Bekenntnis zum allseitigen Schutz der Frau, der Mutter und des Kindes sowie zur Gleichberechtigung der Frau abgelegt hat.

Das Familiengesetzbuch der DDR vom 20. Dezember 1965 stellt sich die Aufgabe, die Entwicklung der Familie in der sozialistischen Gesellschaft zu fördern. Allen Bürgern, besonders auch den jüngeren Menschen, soll es helfen, ihr Familienleben bewußt zu gestalten.

In unserem sozialistischen Staat ist das für die Gleichberechtigung der Frau charakteristische Recht auf Arbeit, auf Bildung und auf gleichen Lohn verwirklicht. Es ist heute bereits Selbstverständlichkeit der gesellschaftlichen Praxis. Vielfältige Maßnahmen zur Erleichterung des Lebens und der Verpflichtungen der Frau in Familie und Beruf wurden in Angriff genommen – und weitere werden folgen.

Diese konsequente Politik des sozialistischen Staates schuf gleichzeitig auch jene günstigen Bedingungen für einen umfassenden Gesundheitsschutz der werktätigen Frau und Mutter, mit dem heute die DDR in wichtigen gesundheitspolitischen Ergebnissen eine geachtete internationale Position einnimmt.

Mit diesen Erfolgen geben wir uns nicht zufrieden. Das Ringen um die Rettung und Erhaltung des Lebens unserer Jüngsten wird ebenso wie der Kampf um Leben und Gesundheit der Mutter mit großer Intensität fortgesetzt werden.

Die vorgesehene gesetzliche Regelung – darauf weisen auch viele Bürger in ihren Stellungnahmen zum veröffentlichten gemeinsamen Beschluß hin – stimmt völlig mit den Grundsätzen der Familien-, Sozial- und Gesundheitspolitik unseres sozialistischen Staates überein. Ja, noch mehr: mit ihren positiven Auswirkungen auf gewünschte Mutterschaft und bewußte Familienbildung kann und wird sie die Liebe zum Kind fördern. Sie wird viele Ehen festigen helfen, das harmonische Leben in vielen Familien unterstützen und ein wirksamer Beitrag für die gesellschaftliche Entwicklung der Frau in ihrer Persönlichkeit als Mutter und Werktätige sein.

Die Frauen der DDR werden von dem ihnen übertragenen Recht verantwortungsbewußt Gebrauch machen. Hunderttausende unserer Frauen beweisen mit ihren Männern gemeinsam dieses Verantwortungsbewußtsein gegenüber der Gesellschaft und ihrer Entwicklung, indem sie im Interesse des persönlichen, familiären Glücks und des gesellschaftlichen Erfordernisses Kindern das Leben schenken, sie mit viel Liebe und Fürsorge in das Leben hineinführen und sie zu zuverlässigen, charakterfesten, wissenden und vorwärtsstrebenden Bürgern unseres sozialistischen Staates erziehen. Eine solche Einstellung zum Kind und zur Familie wird stets die große und wirksame Förderung des sozialistischen Staates erfahren.

Der veröffentlichte gemeinsame Beschluß des Politbüros des ZK der SED und des Ministerrates hat in der Bevölkerung der DDR eine große Zustimmung gefunden. Die Bürger werten den Beschluß als logische Konsequenz einer gesellschaftlichen Entwicklung in der DDR, in der die Gleichberechtigung der Frau erreicht wurde.

Die Regierung hält es in diesem Zusammenhang für erforderlich, die Volkskammer über Fragen zu informieren, die in Diskussionen zur vorgeschlagenen gesetzlichen Regelung in den letzten Wochen von Bürgern gestellt wurden. Einige Bürger befürchten, daß mit dem Gesetz über die Schwangerschaftsunterbrechung Erscheinungen der Unmoral unter der Jugend begünstigt werden könnten und insbesondere bei jungen Menschen der Wunsch zur Familienbildung zugunsten einer Bequemlichkeitseinstellung verdrängt würde. Diese Auffassung kann nicht geteilt werden. Unsere Jugend hat stets das von Partei und Regierung in sie gesetzte Vertrauen gerechtfertigt. Oft hat sie in den vergangenen Jahren ihr hohes Verantwortungsbewußtsein an den entscheidenden Brennpunkten unserer gesellschaftlichen und volkswirtschaftlichen Entwicklung bewiesen – und tut dies auch heute.

Unsere verantwortungsbewußten jungen Bürger in jungen Ehen wollen auch nicht auf das glückliche Erleben der Familie, auf das Kind, verzichten. Sie wissen sehr wohl, daß die Familie in der sozialistischen Gesellschaft einen festen Platz hat, daß die Familienbildung von der Gesellschaft gefördert wird und die Kinder die große Liebe und Fürsorge des sozialistischen Staates erfahren.

Die Förderung der Liebe zum Kind, die Festigung der Familie in der sozialistischen Gesellschaft und die Erhöhung der Geburtenfreudigkeit werden in der DDR stets ein Grundanliegen der sozialistischen Politik bleiben.

Einige Bürger äußern die Sorge, daß Frauen in Wahrnehmung ihres Entscheidungsrechts gesundheitlichen Schaden erleiden können.

Natürlich ist auch eine vom Arzt fachgerecht durchgeführte Schwangerschaftsunterbrechung wie jeder andere chirurgisch-operative Eingriff nicht ganz gefahrlos. Erwiesen ist aber, daß mögliche gesundheitliche Auswirkungen einer fachgerecht, dem wissenschaftlichen Erkenntnisstand entsprechend durchgeführten Schwangerschaftsunterbrechung in gar keinem Verhältnis zu jenen schwerwiegenden gesundheitlichen Schäden stehen, die unsere Ärzte in der Vergangenheit als Folgen von Selbstabtreibungen und verantwortungsloser Kurpfuscherei behandeln mußten und die nicht selten zu einer Invalidität der Frau, in einigen tragischen Fällen sogar zum Tode führten.

Dank den Fortschritten in der Medizin und den Leistungen des Gesundheitswesens haben schon seit längerer Zeit die Frauen in der DDR die

Möglichkeit, mit sicheren Methoden der Empfängnisverhütung eine nicht gewollte Schwangerschaft zu vermeiden. Diese Möglichkeiten der Empfängnisverhütung als der erwiesenermaßen beste Weg zur individuellen Familienplanung werden weiter erforscht und ausgebaut.

Unsere Frauen werden in Zukunft noch stärker von diesem Weg der Empfängnisverhütung in ihrem Recht, den Zeitpunkt der Schwangerschaft selbst zu bestimmen, Gebrauch machen. Sie werden hierbei von den Ärzten und anderen Mitarbeitern des Gesundheitswesens durch eine verständliche individuelle Aufklärungsarbeit und durch eine Intensivierung der Tätigkeit der Ehe- und Sexualberatungsstellen unterstützt werden.

Der Ministerrat ist auch darüber informiert, daß sich kirchlich gebundene Frauen in ihren Vorbehalten gegen die gesetzliche Regelung auf ihre religiös motivierte Moralauffassung berufen. In diesem Zusammenhang muß jedoch klar und eindeutig festgestellt werden, daß das Anliegen dieses Gesetzes darin besteht, der Frau entsprechend der in der sozialistischen Gesellschaft erreichten Gleichberechtigung ein Recht zu gewähren. Natürlich bleibt es der Frau überlassen, von diesem Recht Gebrauch zu machen oder darauf zu verzichten.

Im Entwurf des Gesetzes werden im Interesse des Schutzes der Gesundheit und des Lebens der Frau die Grenzen einer gesetzlich erlaubten Unterbrechung der Schwangerschaft bestimmt. Danach ist die Schwangere berechtigt, die Schwangerschaft innerhalb von zwölf Wochen nach deren Beginn unterbrechen zu lassen. Der Minister für Gesundheitswesen wird in einer Durchführungsbestimmung u. a. klare Festlegungen darüber treffen, daß sich die Frau mit ihrem Ersuchen, d. h. ohne schriftlichen Antrag, an ihren Haus- oder Betriebsarzt, an einen in einer ambulant medizinischen Einrichtung tätigen Facharzt für Frauenkrankheiten oder an die zuständige Schwangerenberatungsstelle wenden kann. Der Minister für Gesundheitswesen wird die Aufklärungspflicht des Arztes gegenüber der Schwangeren über den Charakter des medizinischen Eingriffs festlegen und dafür Sorge tragen, daß in diese Aufklärungspflicht auch die Beratung der Schwangeren über die zukünftige Anwendung schwangerschaftsverhütender Mittel einbezogen wird. Das werden vertrauensvolle Gespräche sein, an denen unsere Frauen interessiert sind und deren Inhalt selbstverständlich strikt der ärztlichen Schweigepflicht unterliegt.

Die Vorbereitung, Durchführung und Nachbehandlung einer nach diesem Gesetz zulässigen Unterbrechung der Schwangerschaft sind arbeits- und versicherungsrechtlich dem Erkrankungsfall gleichgestellt. Diese Regelung entspricht dem in der DDR für alle sozialversicherten Bürger verwirklichten Grundsatz, eine ärztliche Behandlung unentgeltlich in Anspruch nehmen zu können.

Im vorliegenden Gesetzentwurf wird auch die unentgeltliche Abgabe ärztlich verordneter empfängnisverhütender Mittel vorgesehen. Die Regierung will damit die im Interesse der Frau liegende wünschenswerte Bevorzugung dieses Weges der Empfängsnisverhütung gegenüber der Schwangerschaftsunterbrechung besonders hervorheben.

Die heute schon von vielen jungen Bürgern genutzte Ehe- und Sexualberatung wird immer mehr zu einer Begegnung, in der sich der Bürger vertrauensvoll in intimen Fragen seiner Ehe und ihrer Gestaltung an fachkundige Berater wendet, die sein Vertrauen mit Hilfe und Rat beantworten.

Das Gesundheitswesen wird seine Anstrengungen erhöhen, um heute noch unerschlossene Ursachen mancher Kinderlosigkeit aufzuklären, um den in vielen Ehen bisher unerfüllt gebliebenen Wunsch nach einem Kind erfüllen zu helfen. Der große Beitrag, den die Frauen und Mütter für unsere gesellschaftliche Entwicklung leisten, hat stets die besondere Würdigung der Partei der Arbeiterklasse und der Regierung der DDR gefunden. Die DDR wird den Weg des umfassenden Schutzes und der Förderung der werktätigen Frau, der Mutter, des Kindes und der Familie durch den Einsatz ihrer gesellschaftlichen, wissenschaftlichen, ökonomischen, materiellen und kulturellen Ressourcen unter Führung der Partei der Arbeiterklasse zielstrebig fortsetzen.

Ich bitte Sie im Auftrag des Ministerrates, der Gesetzesvorlage Ihre Zustimmung zu geben.

12. Kapitel

Darin schließlich geheiratet wird

Auch nachdem Beatriz drei Tage und drei Nächte geschlafen hatte, verbrachte sie ihre Zeit mit Vorliebe in Lauras Sessel. Den Hund auf den Füßen. Die Stirn von Zufriedenheit geglättet. Die Lippen von Trägheit aufgeworfen. Denn mehr Worte, als die nötig sind, zu behaupten, die DDR wäre für Frauen tatsächlich das gelobte Land, kamen nicht drüber. Die zwangsweise seßhafte Laura aber erwartete dringend Nachrichten von der großen weiten Welt: Reiseersatz. Kein Satz von fremden Ländern und Leuten, kein Wort der Erklärung oder Entschuldigung zu den italienischen Telegrammen und zum Jagdbericht. Nicht mal utopische Reden und halsbrecherische Theorien. Schämte sich Beatriz nicht, die berechtigten Ansprüche der Freundin auf Hausfrauenentschädigung derart zu mißachten? War seelische Grausamkeit der Dank für Lauras stationäre Tätigkeit? Hatte die Trobadora etwa doch entgegen ihren Beteuerungen an Leib und Seele Schaden genommen? Lauras Enttäuschung wurde gemildert dadurch, daß sie sich ständig beobachtet fühlte. Im Gegensatz zu früher verfolgte Beatriz die hauswirtschaftlichen Tätigkeiten der Freundin mit

Interesse. Zunächst stumm. Nach einer Woche begann sie Laura zu befragen. Wie eine Mehlschwitze hergestellt wird, wollte Beatriz erklärt haben, mit welchen Waschmitteln Kochwäsche angesetzt wird, ob Papierwindeln krümeln, warum Laura ihre Gardinen naß vor die Fenster hängte. Laura beantwortete die Fragen gern. Zumal Beatriz bezüglich Benno zu Laura äußerte, so einen lieben Mann hätte sie auf ihren ganzen Reisen nicht zu Gesicht bekommen. Benno äußerte bezüglich Beatriz zu Laura, so eine hauswirtschaftlich interessierte Dichterin erschiene ihm nicht ganz geheuer. Da er die Liebe als indirekten Gottesbeweis atheistischer Art empfand, kam es ihm jedoch auf ein Wunder mehr oder weniger nicht an. Er hatte Laura das Vorleben der Trobadora nach einem schönen Orgasmus selbstverständlicher abgenommen als eine Zeitungsmeldung über Irland. Am dritten Tag nach der Ankunft fragte Beatriz Laura: »Bist du glücklich?« Laura antwortete: »Ohne die Abschaffung des Paragraphen 218 war die Pille eine Lösung für Übermenschen. Also für Leute, die nie irren, vergessen, fehlen. Das Medikament allein konnte die Frau nur relativ von Angst befreien, nicht prinzipiell. Erst jetzt gehört uns wirklich, was uns gehört. Die Auswirkungen sind noch unabsehbar. Jedenfalls wäre mein Leben gänzlich anders verlaufen, wenn ich von Jugend an im Besitz meines Körpers gewesen wäre. Ich hätte beruflich nicht nur unter Vorbehalt geplant, weniger Zeit mit sublimierten Romanzen vergeudet, heftigere Liebhaber gewählt, Uwe nicht geheiratet. Überhaupt wachsen Persönlichkeiten, die unter Angst leben, wenn überhaupt, ganz anders als andere. Denken anders, fühlen anders, produzieren anders mit Händen und Köpfen. Physische Unfreiheit verkrüppelt gewiß kaum weniger als politische. Und von Krüppeln sind keine originären Leistungen zu erwarten. Die Männer haben bisher bei den Frauen Schicksal gespielt. Das ist vorbei. Aber es wird sicher noch eine ganze Weile dauern, bis das weibliche Geschlecht gelernt hat, die Produktivkraft Sexualität souverän zu nutzen. Zuzüglich aller frauenfreundlichen Maßnahmen und Gesetze vorher ist mit dem neuen Gesetz in unserem Staat die rechtliche Gleichberechtigung verwirklicht. Auf der allein die sittliche Chancen hat zu wachsen, verordnen kann man sie nicht. Ich versteh, daß du dich jetzt ernstlich hier zu Hause fühlst.« Beatriz übernahm sämtliche privat-organisatorischen Vorarbeiten zur Hochzeit, die am 9. Mai im Klubhaus des VEB Hochbau auf dessen Kosten sozialistisch gefeiert wurde. Mit allen Mitgliedern von Bennos Brigade, deren Ehefrauen, Lauras Eltern, dem Singeklub »Salute«, Vertretern der Betriebs-, Partei- und Gewerkschaftsleitung und dem Standesbeamten. Nach der Standesamtshandlung überreichte der Brigadier Blumen und einen elektrischen Grill als Kollektivgeschenk, die Vertreter der Betriebs-, Partei- und Gewerkschaftsleitung überreichten Reden, Blumen und Bücher, der Singeklub sang Jugend- und Kampflieder. Nicht weniger als 46 Spargelcremesuppen, 58 Portionen Rumpsteak mit Champignons und Pommes frites, 57 Eisbecher, 31 Flaschen Weißwein, 18 Flaschen Rotwein, 110 Flaschen Bier, 21 Flaschen Selters, 4 Flaschen Brause, 12 Gläser Most und 64 Tassen Kaffee bongte die Klubküche. Ein Hochzeitslied, das Paul Wiens anstelle der Kanzone für Professor Wenzel Morolf kurzfristig im Auftrag angefertigt hatte, sang Beatriz, bevor die Kapelle »Grün-Gold« ihre Instrumente in Stellung brachte. Lauras Eltern applaudierten heftig. Das Lied überzeugte sie von der Existenz seiner Sängerin. Das Brautpaar ließ keine Tour aus. Da die Kapelle auffällig viele englische Walzer und ähnliche unanständige Tänze zum Anfassen spielte, wechselten sich Benno und Laura beim Führen ab, um für die richtigen Tänze Kräfte zu sparen. Während der Hochzeitsnacht wurde Wesselins Schlaf von der schönen Melusine bewacht.

13. Kapitel

Hochzeitslied, im Auftrag gedichtet von Paul Wiens, in Musik gesetzt und begleitet vom Singeklub »Salute«, vorgetragen von Beatriz de Dia, original wiedergegeben in der vom Dichter verfochtenen gemäßigten Kleinschreibung

Inmittst der hochzeitsmeute
hockt ihr nun hand in hand.
So sing ich EINS und läute
die zukunft ein und deute
das amtlich eingebleute
gesellschaftliche band:
Die ehe, junge leute,
das ist kein leichter stand,
das ist, nicht nur für heute:
einhelligkeit der häute,
langmut und dauerbrand.

ZWEI: Viel zwiander lüdern
sollt ihr als gatten nun,
euch und das kind umfiedern,
vielsinnig euch verbrüdern,
beflügeln zum taifun,
viel wünschen, viel erwidern,
viel aneinander ruhn,
mit euren vielen gliedern
einand viel gutes tun.

DREI: Doch im hoch der spiele,
wenn ihr euch rührt und reibt,

erinnert: Wir sind viele.
Es wechseln die gefühle,
solang ihr liebt und leibt.
Die lust ist aller mühle.
Die zeit uns alle treibt.
Mit uns bleibt im gewühle!
Ermannt euch und erweibt!

VIER: Der dies lied geschrieben,
bezirzt von Beatriz,
wünscht allen, die sich lieben,
nebst sattsam kraut und rüben,
ne latte zaubertricks,
auf breiter bank zu schieben
fein langsam lustig fix
und lebenslang zu üben
das her und hin des glücks.

14. Kapitel

Eine Art Ultimatum

Am Morgen nach der Hochzeit eröffnete die Spielfrau ihrer Trobadora, daß sie demnächst verreise. »Wohin soll denn die Hochzeitsreise gehen?« fragte Beatriz. »Ich verreise allein«, sagte Laura. »Und Benno behält Wesselin?« fragte Beatriz. »Benno fährt ins Fußballtrainingslager«, sagte Laura. »Du behältst Wesselin. Hast du dich etwa umsonst hauswirtschaftlich orientiert? Ich hab lange genug daheim gehockt, jetzt übernimmst du den stationären Dienst.« – Beatriz wußte gegen Lauras Logik nichts einzuwenden. Bewunderte die sogar, das Bild, das sich die Trobadora während der Reise von der Freundin gemacht hatte, war inzwischen zum Vorbild geraten. Dem nachzueifern sich Beatriz vornahm. Die Zeitungen, die sie seit ihrer Rückkehr las, bestärkten sie in diesen Bemühungen prinzipiell. Sie erkundigte sich also ungern nach dem Reiseziel. Und Laura sagte auch prompt: »Almaciz oder so.« Da erschien es Beatriz aus verschiedenen Gründen dringend an der Zeit, ihre Erzählunlust, die auf Erinnerungsunlust gründete, zu unterdrücken. Und noch vorm Mittagessen schilderte sie dem neuvermählten Paar ihre Erlebnisse in der Gegend von Rapallo. Die Schilderung ist gekürzt im nächsten Kapitel nachzulesen.

15. Kapitel

Rapallo und anderes

Wir kamen an einem Sonnabendnachmittag in Rapallo an. Wir, das heißt mein kurz angeheuerter Reisebegleiter – den ich Simon nennen will, Name und Nationalität des Herrn tun nichts zur Sache – und ich. Kurzer warmer Nieselregen. Apfelsinenstraßenbäume. Alle großen Geschäfte und die Banken natürlich geschlossen. Und mir waren die Lire ausgegangen. Ich trug nur Dollar bei mir, in einem Brustbeutel auf der Haut, noch knapp ein Viertel der Summe, die mir die schöne Melusine gezaubert hatte. Da ich fürchtete, vom Taxichauffeur und von Kellnern zu sehr übers Ohr gehauen zu werden, wenn ich mit Dollars zahlte, bat ich Simon, einen jungen, vertrauenerweckenden Verkehrspolizisten nach einer geöffneten Wechselstelle zu fragen. Der Polizist, sehr freundlich und hilfsbereit, schrieb die Adresse eines Tabakhändlers auf und schilderte ausführlich den Weg. Der Tabakhändler war auch sehr zuvorkommend. Am nächsten Tag kamen wir zufällig an einer Kurstabelle vorbei und merkten, daß wir um 1500 Lire geprellt worden waren. Nach der Ankunft stellten wir wie immer das Gepäck im Bahnhof unter und suchten nach Prospekten eine preiswerte Unterkunft. Unsere Wahl fiel schließlich auf das Hotel »Zur Palme«. Die verschrumpelte Tochter der Besitzerin, deren würdige Massen in einem der Vorraumsessel thronten, verhandelte und zeigte zwei Zimmer. Das teurere hatte einen Balkon, von dem aus etwas Meer zu erkennen war. Ich entschied mich für das teurere. Simon begleitete mich für freie Kost und Logis. Ein ortskundiger Lebenskünstler französischen Geblüts. Nachdem das Zimmer angezahlt war, hatten wir Augen für die Stadt. Die klein erscheint. Als Rahmen einer Bucht. Promenade mit Palmen und Restaurants natürlich. Steilküste an beiden Ausgängen der Bucht, daran Villen kleben. Pinien. Zypressen. Dunst. Gegen Abend holten wir das Gepäck mit dem Taxi. Auf Bahnhöfen oder anderen anonymen Orten benutzten wir aus Sparsamkeitsgründen nie Träger. Da trug jeder seinen Koffer. Gerecht. Aber sobald wir uns einem Hotel näherten, in dem wir absteigen und als Gäste behandelt werden wollten, mußte ich zur Dame entarten. Das heißt: arrogant auftreten und nichts tragen. Wild am Meer baden war in Rapallo und Umgebung ebenso unmöglich wie beispielsweise an der französischen Mittelmeerküste. Entweder die Ufer sind Privateigentum oder streifenweise zu Bädern gemacht. Sogenannter freier Strand, den man ohne Entrichtung von Eintrittsgeld betreten darf, war auch in Rapallo ein kleiner Steinhaufen, an den das Meer Unrat schwemmte. Auf diesem Haufen hockten dicht an dicht einheimische Kinder. Die kindlichen Urlauber besuchten mit den Müttern das ihrem Mittelstandsgrad entsprechende Bad. Vollständige Familien sieht man selten auf Reisen. Der solide

Ernährer mit Auskommen schickt Frau und Kinder im Sommer in Urlaub, arbeitet während des größten Teils dieser Zeit weiter und erholt sich im übrigen von der Familie. In den Großstädten herrscht folglich sommers Männerüberschuß, in den Urlaubsorten Frauenüberschuß. Am Sonntag suchten wir wider alle Vernunft nach Wanderwegen zu unverwalteten Küstenstücken, fanden natürlich nur Autostraßen. Am Montag entschieden wir uns für das Bad neben dem Mädchenpensionat. Eintrittspreis umgerechnet fünf Mark, Nagel zum Kleideraufhängen in einer Gemeinschaftskabine pro Person drei Mark, Liegestuhlzwang. Die Liegestühle stehen dicht gereiht wie Kinosessel. Auf Betonboden. In Cannes und Nizza sind in gleicher Anordnung Matratzen auf Sand gebreitet. Die je nach Preislage des Bads von unterschiedlicher Qualität sind und von unterschiedlich schönen Schirmen beschattet werden, die man auch mieten muß. Der Strand des Pallashotels in Nizza hat gesiebten Sand, der morgens ohne Fußspuren ist, zwischen den lakenbezogenen Matratzen Trennwände, die erste Matratzenreihe entspricht der Beletage, hinter der letzten Matratzenreihe die Snackbar. Da wir dem Bademeister kein Trinkgeld gaben, placierte er uns in der vorletzten Liegestuhlreihe. Da die südliche Sonne bewegungslos nicht lange auszuhalten ist, mieteten wir noch einen Schirm zu umgerechnet sechs Mark. Und dösten zwei Stunden, eingekeilt von Frauen, Öl- und Schweißgerüchen. Die Frauen hier unterhielten sich untereinander ebensowenig wie die Reisenden der ersten Klasse. Nur ab und zu war ein befehlendes Wort an die Kinder zu hören, die sich meist im Wasser aufhielten. Nach zwei verdösten Stunden verspürte ich keine Lust mehr zum Baden. Wir brachen auf, obwohl das Geld noch längst nicht abgesessen war. Nachmittags mit dem Schiff nach Portofino. Herrliche Fahrt die Buchten entlang. Bedeckter Himmel über der malerisch-düsteren Vegetation der Steilküste. Bleiernes Meer. Treibhausluft, Portofinos Hafen liegt versteckt. Schmale, winklige Einfahrt, von bewachsenen Felsen flankiert. Plötzlich entblößt der einstige Fischerort für die Touristen seine idyllischen Häuser. Halb. Wie Straßenmädchen in Ausschnittkleidern ihre Brüste entblößen. In den Häusern nur Restaurants und Läden. Vor den Häusern Händler und Händlerinnen, die auf Tischen, Stühlen und Bauchläden Andenken und Handarbeiten feilboten. Große Auswahl an Klöppelspitzen. Variable Preise. Amerikanische Touristinnen feilschten um große Spitzendecken und bewunderten uralte Klöpplerinnen, die in Tracht tätig an den Klöppelsäcken zu besichtigen waren. Ich kaufte ein Alabasterdöschen. Aufstieg zum Kastell, das verkäuflich war. Schilder mit der Aufschrift »da vendere« bemerkten wir häufig an Grundstücken und Villen. Vom Kastellgarten und anderen verschwiegenen Sitzgelegenheiten Blick auf düster-schöne Landschaftspracht, die der deutsche Maler Feuerbach auf seinen Bildern bevorzugte. An den Magnolien hie und da noch eine Blüte. An den Oleanderbüschen Fülle in Weiß, Rosa und Rot. Diese armähnlichen Pinienäste! Rückfahrt mit dem Schiff bis St. Margarita. In der Hoffnung, irgendwo einen Weg ausmachen zu können, der uns doch noch zu etwas Strandwanderung verhelfen könnte. Einstündiger Rückmarsch in den Fahrtwinden und Abgasen eines Autostraßenrands. Nach dem Abendessen Suche nach Simons Freund Gianino. Der an der Via Santa Maria wohnt und vor vielen Jahren für Simon eine Führung durch die Freudenhäuser Genuas veranstaltet hatte. Wir liefen und liefen, die Via Santa Maria dehnte sich, erst jetzt merkte ich, daß das kleine Küstengesicht von Rapallo täuscht. Dahinter versteckt sich ein weit ins Land gezogener nüchterner Ort. Der wächst, die Hausnummern der Via Santa Maria wurden bereits zweimal geändert. Gianinos Adresse stimmte nicht mehr. Aber wir konnten uns durchfragen zu ihm: als Mitglied der Kommunistischen Partei Italiens war er bekannt. Gianino, ein schwarzer Fünfziger, begrüßte uns stürmisch und entschuldigte sein Unterhemd und den Kittel seiner Frau. Sie wären eben von der Arbeitsstelle gekommen. Er von der zweiten, wo er von 16 bis 21 Uhr als Bademeister beschäftigt wäre – von 6 bis 15 Uhr arbeitete er als Dreher. Er bat auch zu entschuldigen, daß er die Frau ins Bad Geld verdienen schicken müßte. »Aber nur noch bis September«, sagte Gianino, »dann ist die Polstergarnitur bezahlt.« Er zeigte die stolz und bedauerte, unseren Besuch nicht geahnt zu haben, weshalb die Vasen auf dem Büfett der Diele fehlten. Gegenseitige Versicherung, ungebrochen links zu sein. Die Frau schenkte Schnaps aus für den Mann und die Gäste – nicht für sich. Robuste Gestalt, großflächiges Gesicht, müßig ordnete sie die Arme unter die Brüste. Während unseres Besuchs stand sie im Hintergrund, wenn sie nicht zu bedienen hatte. Sie sprach nur, wenn sie gefragt wurde. Kurz und schüchtern wie ein Kind. Sie war in Gianinos Alter. Mit dem einfachen Mobiliar und dem Mann ging sie schonend um wie mit Kostbarkeiten. Steinerner, glattgescheuerter Fußboden. In einem kleinen Nebenraum spielte uns Gianino eine Schallplatte ab, darauf auch seine Stimme konserviert war. Er stellte sich als Mitglied einer volkstümlichen Singgruppe vor, die jeden Sonnabend und Sonntag mit Genueser Liedern aufträte – hauptsächlich in Veranstaltungen der Partei natürlich – und bis zum September ausgebucht wäre. Aber eine Einladung in die DDR würde die Gruppe selbstverständlich jederzeit annehmen. Besondere Aufmerksamkeit erbat er für den Sopran, der von einem Mann intoniert würde. Solange die Schallplatte lief, löschte die Frau in der Diele das Licht. Als Simon nebenbei erwähnte, daß ich eine Schriftstellerin wäre, fuhr Gianino plötzlich seine schwarzen Augen raus und nahm fortan von mir Notiz. Gegen Mitternacht brachte er uns in seinem winzigen Auto zurück zum Hotel. Ins Werk fährt Gianino nicht mit dem Wagen. Weil die Autobahngebühr hin und zurück zweihundert Lire betragen würde, Benzin nicht gerechnet. Der stolze Kleinstwagenbesitzer steigt täglich aufs Rad und dann um auf die Eisenbahn. »Hier sind alle katholisch«, sagte er, »politisch, versteht ihr. Damit sie oben bleiben. Das ist unsere Diktatur.«

Zum Abschied zeigten wir uns gegenseitig geballte Fäuste. Am anderen Morgen Abstecher nach Genua. Mit dem Bus. Wer was von dieser Küste sehen will, muß sich in bewegliche Gehäuse flüchten, Schiffe, Autos oder Busse, der nackte Fußgänger hat hier keine Chance. Ich hatte mich in allen Reiseführern erkundigt und war neugierig auf die imposanten Gebäude der Altstadt. Wir irrten lange herum, um die Altstadt finden zu können, erhielten von Einheimischen widersprüchliche Auskünfte, drei hoben die Schultern, als sie nach den alten Palästen gefragt wurden. Schließlich fanden wir, was wir suchten, irgendwo zwischen neuen Geschäftshäusern. Eingepfercht, verbaut, verfallen. Die unerbittliche Gangart dieser Hafenstadt erlaubt sich keinerlei Pietät. Auf das in anderen Städten übliche Denkmal-Feigenblatt wird rücksichtslos verzichtet. Die Seitenstraßen zwischen den trivialen Altbauten erinnern an Felsspalten. Die sich nach oben verschmälern. Am Grund dieser schwarzen, sehr hohen Verliese Ramschläden, Kinder, Prostituierte, Marihuanahändler. Simon zeigte wieder seinen romantischen Hang zum Ordinären. Für ihn als Betrachter war es eine besondere Spielart des Exotischen. Ich als Beteiligte – einst in Paris sogar als direkt Beteiligte – fliehe diese Orte der Erniedrigung. Denn ihr Anblick macht mich rasend vor Zorn. Blind. Rachewütig. Utopisch einfallslos. Bald riet Simon zu Spaghetti, um einen Mann, der uns ab Busbahnhof gefolgt war, abzuschütteln. Wir entschieden uns für einen gekachelten Raum, wo Schauerleute Mittag aßen. Billig. Die abgearbeitete Kellnerin machte eine reelle Rechnung. Als wir abends nach der Ankunft in Rapallo in einem Promenadenrestaurant Eis aßen, behauptete der Kellner, kein Wechselgeld zu haben, verschwand mit tausend Lire und kam nicht zurück. Simons Ruf überhörte er eine Weile. Schließlich bequemte er sich und gab sich nicht mal Mühe, so zu tun, als hätte er unsere vierhundert Lire vergessen. Ich erwähne diese Unannehmlichkeiten, die einem ständig begegnen, keineswegs, um die Italiener schlechtzumachen. Ich halte die Schröpfversuche der kleinen Leute an den Touristen im Gegenteil für durchaus legitim. Wer sich ständig und immer mehr von den Schönheiten seines Landes enteignet sieht, hat wenigstens ein Recht auf materielle Rache. Kann man als Italiener auf einem schmutzigen Steinhaufen, der öffentlicher Strand genannt wird, sitzen, ohne rabiat zu werden? Woher soll eine Italienerin, die sich allein mit ihren Kindern durchs Leben rackern muß, weil Arbeitslosigkeit den Mann gezwungen hat, seine Arbeitskraft in Westdeutschland zu verkaufen, Sympathien für Wohlstandsurlauber nehmen? Ein Eisenbahnerstreik hielt uns länger in Rapallo als geplant. Der Streik verhalf uns zu ungestörtem Schlaf. Vorher zischten die Schnellzüge hinterm Hotel vorbei, das hörte sich an, als ob Gleise durchs Zimmer führten. Überm Bett die Reproduktion einer Madonna mit niedergeschlagenen Augen. Die Begrüßung eines fremden Mannes auf der Straße, wörtlich »Guten Tag« oder »Guten Abend«, muß von einer anständigen Frau ausschließlich sinngemäß aufgefaßt werden.

Der Sinn ist ehrabschneiderisch. Stumm abweisendes, feindseliges Verhalten daraufhin wird erwartet. Andernfalls darf direkt oder indirekt Nuttenstatus angenommen werden. In diesem katholischen Land hat der Verführer, der sich ruchloser Worte bedient, noch tolle Chancen. Etwa bei den Mädchen, die von ihren Müttern aufgetakelt zum abendlichen Korso über die Promenade geführt werden. Streng bewacht. Die italienischen Sitten erlauben den weiblichen Menschen in den Erscheinungsformen Mädchen oder Mutter. Überall in der Stadt waren Bewegungsautomaten mit Sitzflächen in Form von Tieren, Autos und Raketen aufgestellt, die Kinder nach Geldeinwurf einige Augenblicke lang rüttelten oder hoben. Meine Sehnsucht nach einem nichtverwalteten Stein wuchs. Simon schlug eine Schiffsfahrt nach San Fruttuoso vor, wo er ein einsames Kloster wußte und sonst nichts. Fahrt an Felswänden vorbei, die steil aus dem Wasser ragen. Steifer Wind drängte Schiff und Wasser gegen die Felsen. Das Kloster war nicht mehr einsam, sondern von Restaurants umgeben. Die keinen Rest Baugrund in der kleinen Felsennische gelassen hatten. Mietstrand, dessen Steine grau und weiß gestreift waren wie die Paläste und die Grabmäler der Doria, an manchen klebte Erdöl. Die Grabmäler zeigte gegen Geld eine Klöpplerin. Im Wasser lungerten alte Männer in Booten, die den Christus der Abgründe gegen Geld zeigen wollten. Der Besichtigungspreis für die im Meer versenkte Christusstatue war mir zu hoch, ich begnügte mich mit den Dokumenten ihrer Wohltaten. Die Kirche war voll von Seebruchbildern und Photos Geretteter. Zu Mittag leisteten wir uns zwei Liegestühle zu zweitausendvierhundert Lire und vier Sandwiches zu tausend Lire. Das eigentliche Erlebnis dieses Ausflugs war der Fußmarsch nach Portofino. Einheimische, die wir nach dem Weg fragten, nannten die Schiffsabfahrtzeiten. Was wir beabsichtigten, kann einem Südländer nur hirnrissig erscheinen. Aber die Sehnsucht nach einem verkehrslosen Weg hatte bei mir inzwischen schon fanatische Formen angenommen. Dieser war garantiert verkehrslos. Reichlich eine Stunde Aufstieg über Treppen. Meist beschattet von Lorbeergewächsen und Buschwerk, das saftig grün erscheint, aber hart ist und stachlig. An schattenlosen Stellen, wo Steine strahlten wie glühende Öfen, schwindelerregende Hitze. Bereits nach einer halben Stunde verhinderte die Strapaze jegliche Genußfähigkeit. Blicklos taumelte ich durch blühendes Myrtengesträuch. Und hätte vielleicht schlappgemacht, wenn nicht unverhofft auf der Höhe ein Haus gewinkt hätte. Osteria Turistica war am ärmlichen Haus zu lesen. Davor standen zwei halbverfaulte Holztische. Einer war weiß gedeckt. Die Bäuerin brachte Brötchen, Salami und Coca-Cola zu normalen städtischen Preisen. Ihr Enkeljunge deckte die Augen mit den Händen, um sich uns unsichtbar zu machen. Über uns ein Dach aus Weinblättern und Trauben. Abstieg durch das silbrige Gewölbe eines Olivenhains. Überirdischer Halbschatten. Der alle Strapazen vergessen machte. Unter den Füßen grauß-weiß gestreifte Steine der Art, die wir aus San Fruttuoso in unseren Taschen trugen: der Weg war mit Briefbeschwerern gepflastert. Überm Scheitel Frieden. Der Ölzweig ist sein Symbol, weil er ihn suggerieren kann.

16. Kapitel

Beatriz de Dia im Patenbetrieb des Aufbau-Verlags

Als der Aufbau-Verlag Beatrizens Rückkehr erfuhr, lud er zum Mittagessen. Zur Schildkrötensuppe eröffnete die Cheflektorin, daß die bisher beschriebenen Gegenstände den Montageroman nicht trügen, und schlug verschiedene stützende Gegenstände vor. So erfuhr Beatriz indirekt von der Urkundenfälschung ihrer Spielfrau. Blieb aber ruhig und versprach, sich an den Vertragstermin zu halten. Von den vorgeschlagenen stützenden Gegenständen zog Beatriz in die engere Wahl:

Petrolchemisches Kombinat Schwedt
(Patenbetrieb des Aufbau-Verlags)
LPG »Thomas Müntzer«, Eichwalde
VEB Elite-Diamant Karl-Marx-Stadt
Forstbetrieb Suhl
VEB Elektrokohle Berlin
GISAG-Kombinat Leipzig
VEB Kalibetrieb Zielitz

Bereits sieben Tage später fuhr ein Bus des Aufbau-Verlags, der mit Dichtern und Lektoren beladen war, nach Schwedt. Beatriz wurde der Gruppe zugeteilt, die eine Brigade der Betriebsabteilung TEN zu besuchen hatte. Vormittags am Arbeitsplatz. Nachmittags im Versammlungsraum. Abends im Klubhaus. Der Elektroingenieur G. leitete die Besichtigung der Arbeitsplätze, die in einer Montagehalle gelegen waren. Da wurden Facharbeiter besichtigt, Generatoren, Transformatoren, Kräne, Wandzeitungen. Da wurden Kontakte mit Augen und Handschlägen hergestellt. Da definierte der Elektroingenieur G. den Starkstrom und mühte sich zu erklären, was sich die Besucher unter Hochspannungsanlagen vorzustellen hätten. Beatriz schrieb mit. In Stichworten die Klagen des Ingenieurs über den Arbeitskräftemangel, vor der Reparatur müßten die Generatoren und so weiter geputzt werden, aber es gäbe keine Putzer, es gäbe nur Facharbeiter, die Qualifizierungswünsche seiner Leute wären mitunter so heftig, daß er bremsen müßte. Für die Aufzeichnung der Schilderung eines Gesamtenergieausfalls im Petrolchemischen Kombinat brauchte die Trobadora drei DIN A4-Seiten. Sechsunddreißig Stunden wäre damals die Abteilung TEN pausenlos im Einsatz gewesen. Bei solchen Havarien, die gottlob selten vorkämen, da die Maschinen und Geräte planmäßig überholt würden, wären die Mitarbeiter der Abteilung geradezu von der Uhr verfolgt. Die sozusagen Tausendmarkscheine fräße wie Elefanten Heu. Angetrieben durch das ekelhafte Gefühl, minütlich ärmer zu werden, würde bei solchen Gelegenheiten nach dem Defekt gesucht, fieberhaft. Ingenieur G. gestand, daß seine Frau behauptete, er wäre nicht mit ihr, sondern mit dem Betrieb verheiratet. Ein Feierabend für die Partei, zwei für Qualifizierung, zwei für AWG, das Wochenende verbrächte er allerdings mit seiner Familie regelmäßig außerhalb der Stadt. Da er aus dem Erzgebirge stammte und Ebenen schwer ertrüge. Nach dem Mittagessen, das die Besucher mit der Brigade im Speisesaal einnahmen, las der Dichter Pomerenke im Versammlungsraum. Pomerenke bat zu entschuldigen, daß er nur Gedichte schriebe. Seine Lektorin beteiligte sich rege an der Diskussion, die sich mit dem Vietnamkrieg beschäftigte. Beatriz verlas Auszüge aus dem Kommuniqué des Oberkommandos der bewaffneten Volksbefreiungskräfte Südvietnams über die großen Siege während eines Monats der Offensive vom 30. März bis zum 1. Mai 1972. Abends von 20 bis 24 Uhr Tanz mit den Brigademitgliedern und deren Angehörigen.

17. Kapitel

Von Beatriz verlesene Auszüge aus dem Kommuniqué der bewaffneten Befreiungskräfte Südvietnams über die großen Siege während eines Monats der Offensive vom 30. März bis zum 1. Mai 1972

Der Widerstandskampf unseres Volkes gegen die amerikanischen Imperialisten für die Rettung der Nation ist in eine neue Phase eingetreten und findet in einem sehr günstigen Augenblick statt. In Entfaltung der Position des Sieges und in Verwirklichung der Entscheidungen des Zentralkomitees der Nationalen Befreiungsfront und der Provisorischen Revolutionären Regierung der Republik Südvietnam haben sich die Armee und die Bevölkerung Südvietnams erhoben, den Feind allseitig und in großem Ausmaß angegriffen und politische und militärische Kräfte des Feindes vernichtet.

Unsere Armee und unserere Bevölkerung haben in allen Kampfabschnitten, von Trithien bis zum Mekongdelta, angegriffen und sich erhoben. Während eines Monats haben wir kontinuierlich und äußerst tapfer gekämpft, und unsere Armee und unsere Bevölkerung haben ruhmreiche Siege und außerordentlich große, allseitige Erfolge errungen. Einem großen Teil der feindlichen Elitekräfte wurden machtvolle Schläge versetzt, große Mengen Kriegsmaterial des Feindes vernichtet und viele in über zehn Jahren ausgebaute Verteidigungslinien des Feindes zerschlagen; der Zwangs- und Unterdrückungsapparat der US/Thieu-Clique auf der lokalen Ebene bis zur Provinzebene wurde gestürzt, in vielen Ortschaften der Plan der »Befriedung« vereitelt und viele große Gebiete befreit.

In fast allen Provinzen haben sich unsere Landsleute machtvoll erhoben, um Herr ihres eigenen Landes zu sein, und viele große Gebiete in den Provinzen Mytho, Bentre, Kienphong, Kientuong, Rachgia, Camau, Cantho, Soctrang und Travinh befreit.

Die bewaffneten Volksbefreiungskräfte haben stetig Fortschritte gemacht, zusammen mit den verschiedenen Waffengattungen viele großangelegte Operationen durchgeführt und dem Feind wuchtige Schläge versetzt. In einem kurzen Zeitraum haben wir viele Divisionen, Regimenter, Brigaden und Panzerverbände der Saigoner Marionettenarmee dezimiert, die von US-Militärberatern kommandiert wurden und weitgehend von der Feuerkraft der amerikanischen Luft- und Seestreitkräfte der 7. Flotte und auch von einigen Einheiten der amerikanischen Bodentruppen sowie der Söldnertruppen von Pak Tschong Hi unterstützt wurden.

In Koordinierung der Aktionen an allen Frontabschnitten haben die Armee und die Bevölkerung ganz Südvietnams den Partisanenkrieg verstärkt, logistische Basen der Amerikaner und der Marionetten machtvoll angegriffen, eine große Zahl von Lagern, Flugplätzen und Häfen sowie Hunderte Tonnen von Waffen, Bomben, Geschossen und anderem Kriegsmaterial des Feindes zerstört, strategische Verkehrslinien des Feindes unterbrochen, Straßen abgeschnitten, Wasserwege unbrauchbar gemacht, Luftlinien behindert, dem Feind sehr viele Schwierigkeiten hinsichtlich der Beweglichkeit der Entsatztruppen sowie des Munitionsnachschubs verursacht und den Nachschub an Nahrungsmitteln und Kriegsmaterial erschwert, so daß die eingekreisten feindlichen Truppen an allen Frontabschnitten in eine äußerst komplizierte Lage geraten sind.

18. Kapitel

Beatriz richtet sich immer besser ein und aus

Als Beatriz aus Schwedt zurückgekehrt war, begann sie, ihre bei Laura erworbenen theoretischen Kenntnisse praktisch zu nutzen. Sie tapezierte mit Benno Lauras Wohnung, half ihm beim Umzug und Einzug und verdingte sich als Kindermädchen, damit das junge Paar tanzen gehen konnte. Mitunter begnügte sich Beatriz allerdings auch mit Worten. Zum Beispiel redete sie die Betondecke, die Laura wöchentlich mehrmals auf den Kopf fiel, um zu einem Baldachin. Die Sehnsucht der verhinderten Triebwagenführerin nach Leuten und Bahnhöfen vertrieb Beatriz mit Sätzen wie: »Der Mensch ist um so größer, je mehr er entbehren kann.« Beklagte Laura, daß ihr Mann sich ungern das Haar wusch, sagte Beatriz:

»Augen, die nur sehen, was vorhanden ist, sind blind« und dergleichen. Immerhin dämpften die verschiedenen Hilfen der Trobadora Lauras Fernweh. Olga Salman schickte der Tochter wöchentlich Briefe, in denen sie von der Pensionierung schrieb wie vom Beginn des eigentlichen Lebens. Als Termin der letzten Fahrt gab Olga den 8. Oktober an. »Wird deine Mutter ihren Mann auf seiner letzten Fahrt begleiten?« fragte Beatriz. »Nein, wieso«, antwortete Laura und sah Beatriz verständnislos an. »Hat sie ihn jemals begleitet?« fragte Beatriz wieder. Laura belächelte die Weltfremdheit der Freundin. War aber mit deren Studienfleiß sehr zufrieden. Ja sie spürte Genugtuung ähnlich der, die Erziehungsberechtigte empfinden, wenn ihre Anweisungen befolgt werden. Beatrizens Botentätigkeit erschien ihr allerdings als Überspitzung. Die Trobadora hatte nämlich während ihres Ausflugs ins Petrolchemische Kombinat Schwedt einen Redakteur der Wochenzeitung »Sonntag« kennengelernt, von dem ihr eine Volontärstelle angeraten worden war. Das Angebot war Beatriz jedoch nicht bescheiden genug erschienen, weshalb sie sich für die Botenbeschäftigung entschieden hatte. Die Basisgegenstände, die ihr der Aufbau-Verlag vorgeschlagen hatte, wollte sie im Urlaub studieren – notfalls in unbezahltem, mehr Extrawürste billigte sie sich nicht mehr zu. Mit den Botenkollegen sprach sie verächtlich von Reiselustigen als von Leuten, deren großer Erlebnisverschleiß die innere Hohlheit kompensieren sollte. Ein Zufall und der Redakteur machten Beatriz mit Dokumenten einer einfachen Frau bekannt, die sie hinrissen. Erinnert an Uwe Pakulats Worte in Paris, fertigte Beatriz nach den Dokumenten, Erlebnissen im GISAG-Kombinat Leipzig und anderen Bitterfelder Eindrücken eine Legende.

19. Kapitel

Erste Bitterfelder Frucht: Legende von der Genossin Martha in Zeugnissen

Ich wollte mir von einem Menschen ein Bild machen, weil er keins wollte. Zufällig in Zeugnissen ist er mir begegnet wie die Liebe selber: sie. Eine Frau. Martha Lehmann mit Namen. Sie hatte die Angewohnheit, auf die monatlichen Mietzettel, also auf die Rückseiten von Postzahlkarteneinlieferungsscheinen, die laut Vordruck nicht zu Mitteilungen für den Empfänger zu benutzen sind, Mitteilungen zu schreiben.

M. L. 8. März 1945. Unser Rudi nun schon ½ Jahr nicht mehr unter uns. Unfaßbar. Helmut am 5. 2. beim Häuserkampf verwundet, Landsberg (Warthe) am 3. 3. 45 aus Lazarett entlassen. Dänemark. Anschrift abwarten. Unser Walter in Ungarn (Kloster). Papa Rentner und Siedler.

Mama Briefträgerin Leipzig N. 21. Zwei große Angriffe am 27. 2. 45 und 7. 3. 45. Gott war uns gnädig.

B. Ein Sohn der Frau, Walter Lehmann, sandte einen Lebensabriß von ihr zum literarischen Preisausschreiben der Zeitung »Sonntag«. Angelegt hatte er albumhaft aufgeklebt eine Auswahl jener Mietzettel zur Illustration: Selbstzeugnisse. Daneben zeugnisausstellende Papiere von Leuten, die Martha Lehmann persönlich kannten. Ich möchte Zeugnis ablegen für die Frau, weil ich sie nicht persönlich gekannt habe.

M. L. 11. 5. 46. I. Friedensmustermesse. Herrliches Wetter. Auch Messe auf dem Meßplatz. Papa Rentner. Mama Bahnarbeiterin. Helmut Schulleiter in Stahmeln. Rudi liegt in russischer Erde, unfaßbar. Walter Lehrerbildungsanstalt. Nun Frieden. Gott sei Dank.

B. Glückliche Umstände hatten mir die außerordentlich alltäglichen Dokumente vor Augen gebracht. Sie trafen mich wie erhabne Gegenstände selten. Auch derart, daß ich die Frau sprechen und sie beschreiben wollte. Einem Redakteur, der meinen Wunsch übermittelte, bedeutete Martha Lehmann ihre Abneigung gegen Bekanntmachungen. Erst als ich einen Brief aufsetzte, der Martha Lehmann umstimmen sollte, merkte ich, daß die Absage das Kostbarste der Erscheinung war.

M. L. 22. 7. 46. Mein Lehmann ist nicht mehr bei uns. Einfach unfaßbar. Helmut Schulleiter. Rudi liegt in Rußland. Walter macht Schullehrerprüfungen. Ich bei der Eisenbahn. Nun Frieden. Aber meine beiden liebsten Männer fehlen. Warum? Mein Lehmann, mein Rudi.

B. Ich glaube, die Bescheidenheit der Martha Lehmann gab auch der Wahrheit die Ehre. Frauen sind wesentlich noch nicht in die geschriebene Geschichte eingetreten, sie beginnen gerade. Die Überlieferung ihrer Wirkungsweisen ist fühlbar, nicht meßbar. Legendär.

M. L. 11. 4. 47. Nun ist der Frieden da! Aber Papa und Rudi fehlen uns sehr. Unfaßbar. Helmut Schulleiter in Stahmeln, Walter Lehrer im Süden. Mama Schrankenwärterin in Möckern, Bude 121. Nun ist die größte Kälte gebrochen, und es waren Anfang April schon mehrere Gewitter. Walter hat schon div. gesät und die Hecke geschnitten, und ich grabe um, da ich das gern tue. Ach, mein Lehmann, das erstemal nun ohne dich im Frühjahr in der Siedlung. Du fleißiger Mann. Dank für alles noch und für die Zuckerrüben.

B. In der Schönheit dieser alten Frau leuchtete die zähe, maßlose Liebeskraft des Lebendigen. Dieser demütige Stolz. Unantastbar. Die kommunistische Bewegung gründet auf solchen Menschen. In ihr verwirklichen sie sich. An außergewöhnlichen Ereignissen entzünden sich auch Hohlköpfe. Martha Lehmann war der Alltag nicht alltäglich, mehr kann kein Leben gewinnen.

M. L. 16. 12. 48 Bude 121. Eben (9^{45}) fuhr ein Heimkehrerzug durch nach Kaserne Möckern. Manche winkten mir freudig zu, manche blickten stur. Wie herrlich wäre es, wenn nun unser Rudi mit dabei wäre. Könnte nicht ein Wunder geschehen? Vielleicht geschieht es . . . Mildes Wetter.

B. Martha Lehmann stand nicht in Gottes Gnade, sondern in eigener. Sie gab ein Beispiel, weil sie keines gab. Ohne bestimmte Nachrichten von Menschen ihrer Art läßt sich die Welt auch auf die Füße ordnen im Bunde. Mit solchen Nachrichten leb ich versicherter. Denn sie enthüllen mir den Glanz des Wegs, von Zielen träumt sich leicht auch ohne Beistand. Neben die Rechenschaftsberichte des VIII. Parteitags stell ich die Schönheit dieser alten Frau.

W. L. Als 1949 der erste Schwerlastzug am Bahnwärterhäuschen meiner Mutter vorbeidonnerte, stand sie mit einem roten Fähnchen an der Strecke und grüßte den Lokomotivführer Paul Heine. Das rote Fähnchen war einunddreißig Jahre alt. Sie hatte ihren Söhnen zur Novemberrevolution 1918 solche Fähnchen gebastelt, damit die Jungen mit den revolutionären Matrosen Wilhelmshavens demonstrieren konnten.

M. L. 5. 5. 50 Bude 399 Rackwitz. Bald vier Jahre ist nun mein Lehmann fort von mir. Und unser Rudi fünfeinhalb. Einfach unfaßbar. Am 1. Mai habe ich Umzug mitgemacht von Mockau nach Leipzig. 1900 auch schon mal. Und 1919 mit Papa in Wilhelmshaven. Er schenkte mir ein Veilchensträußchen.

W. L. Mutter ist Arbeiterkind und wurde in Leipzig als älteste Tochter eines Modelltischlers geboren. Von Kind auf war Arbeit ihr Lebenselixier. Zuerst betreute sie ihre zahlreichen jüngeren Geschwister, war dann Kindermädchen bei fremden Leuten, machte vor und nach dem Schulunterricht Aufwartung da und dort. Als es zu Hause zu eng wurde, verdingte sie sich als Mamsell auf ein bayerisches Rittergut. Dort lernte sie den Bäckergesellen Eduard Lehmann kennen und zog mit ihm auf Arbeitsuche durch Deutschland. In einer Mansarde des Leipziger Ostens gebar sie ihm den ersten Sohn, in einem Gesindehaus nahe den Potsdamer Schlössern den zweiten und schließlich 1916 in Wilhelmshaven, allwo mein Vater endlich feste Arbeit auf der kaiserlichen Marinewerft gefunden hatte, mich, den dritten und letzten Jungen.

M. L. 3. 8. 50 Bude 399. Dreimal Nachtschicht. Mein Lehmann ruht in Wahren, Rudi im Osten. O wie vermisse ich meine beiden Lieben. Jetzt gibt es wieder mehr zu essen und zu rauchen, und nichts kann ich euch geben. Unfaßbar.

W. L. Im ersten Weltkrieg arbeitete meine Mutter als Briefträgerin, später als Näherin auf dem Bekleidungsamt, als Plakatankleberin und als Billettabreißerin in einem jener neueröffneten Vorortkinos. In den Inflationsjahren nahm sie einen Handwagen und Milchkannen in Kommission und trug Milch aus, den Liter Magermilch für 170 000 000 Mark und den Liter Vollmilch für 360 000 000 Mark. Mein Vater versuchte es dann mit einem kleinen Schwarzbrotstand auf dem Wochenmarkt, es folgte eine Zuckerwarenbude mit Schmalzbäckerei. Doch alle diese kleinen Geschäfte brachten meinen Eltern trotz großen Fleißes keinen Gewinn, weil die Konkurrenz der großen Marktbuden erdrückend war und unsere herzensgute Mutter zuviel Ware an die hungerleidenden Kinder verschenkte, die ständig unseren Stand umlagerten.

M. L. 21. 4. 51 Bude 45^{c}, Sonnabend 8^{30}. Mein Lehmann schon 58 Monate nicht mehr bei mir. Immer noch unfaßbar. Warum? Mein Rudi 79 Monate in fremder Erde. Unfaßbar. Warum? Heute fünf Jahre SED. Wetter kühl, ruhig. Flieger kreisen am Himmel. Hoffentlich kommt der Friedensvertrag 1951 noch zustande. 9^{00} Sonne kommt aus den Wolken. Nun geht das Säen und Pflanzen los. Das Hacken, Jäten und Gießen.

W. L. Überhaupt ging kein Bettler, ob groß oder klein, bei uns leer aus. Die Not ringsum bekümmerte meine Mutter. Sie suchte immer wieder nach einem Ausweg. Ein Verwandter schickte ihr regelmäßig die »Leipziger Volkszeitung«. Allmählich wuchs in Mutter der Glaube, daß die Arbeiterklasse imstande ist, die Not abzuwenden. Meine Mutter bat meinen Vater, der seit seiner Gesellenzeit Gewerkschaftler war und dann der SPD beitrat, sie mit zu den Versammlungen zu nehmen. Vater schlug ihr diese Bitten ab, weil ihm Politik für Frauen unpassend erschien, Mutter sollte sich um die Jungen kümmern.

M. L. 10. 5. 51 Bude 401. Eisheilige, Sturm, am 9. 5. sehr heiß, am 8. 5. zwei Gewitter. Nun wieder bald Sommer und wieder ohne meinen Lehmann und ohne unseren Rudi, beide vermisse ich sehr, der Schmerz wird immer größer.

W. L. Meine Mutter unternahm viele Bittgänge auf die verschiedenen Schulämter, um für ihre Söhne eine bessere Bildung zu gewinnen. Ihre Hartnäckigkeit siegte, Helmut, Rudi und ich gingen auf die höhere Schule und saßen zum Stolz unserer Eltern zwischen Offizierssöhnen, Direktorensprößlingen und Kindern reicher Geschäftsleute. Während der Wirtschaftskrise tagelöhnerte mein Vater – vorher Bäcker in Leipzig – als Tiefbauarbeiter, meine Mutter nähte unermüdlich Heimarbeit.

M. L. 2. 12. 51 Posten 399 Rackwitz. Herrliches Wetter. Mild. Dienst von 13^{00} bis früh 6^{00}. Mittags bald den Zug in Neuwiederitzsch verpaßt, aber die Zugschaffnerin hatte ein Herz und ließ den Zug noch eine Minute halten.

W. L. Mein Bruder Rudolf schloß sich der KPD an, wurde dort Lit-Obmann, versorgte unsere wissensdurstige Mutter mit Büchern von Gorki, Tolstoi, Sinclair und Andersen Nexö, erzählte ihr von Diskussionen in den Schulungsabenden, erklärte ihr geduldig Begriffe aus den Grundlagen des Marxismus und nahm sie auch dann und wann heimlich zu Veranstaltungen mit, auf denen Ernst Thälmann zu den Leipziger Arbeitern sprach. Mutter versteckte Rudis marxistische Literatur im Hause und versorgte ihn und seine Genossen, größtenteils mittellose jüdische Studenten, mit Margarinestullen.

M. L. 5. 1. 52 Bahnmeisterei Mockau, Unterzeichnete verpflichtet sich, 3 Prozent ihres Lohnes zum Aufbau Berlins zu geben.

W. L. In Aussprachen mit dem Vater trat Mutter parteilich für ihren fortschrittlich gesinnten Sohn ein. Den Zwiespalt in unserer Familie löste mein Vater auf seine Art: Er verbrannte Zeitungen, auch Briefe ausländischer Genossen, die an meinen Bruder gerichtet waren, beschimpfte unflätig den »Aufrührer« und warf ihn schließlich aus der elterlichen Wohnung.

M. L. 5. 8. 52 Bude 45^c. Nach Durchfahrt des 7623 ab Hbf. 14^{54}. An drei Stellen Stoppelbrand durch Funkenflug. Ich tat mein Möglichstes mit der Schaufel, aber da plötzlich Ostwind kam, rief ich zur Sicherheit Hbf. an. Der Brand dehnte sich deshalb so aus, weil die Stoppeln zu lang waren. Erst dachte ich, da liegt Stroh, aber das waren die Stoppeln, die sich umgelegt hatten, und da hatte das Feuer Nahrung. Bald kam die Feuerwehr und löschte. Nach der Durchfahrt des P 503 ab Hbf. 15^{44} fuhr die Feuerwehr wieder ab. Die Schranken hatte ich natürlich heruntergelassen.

W. L. Während mein ältester Bruder einem Lehrerstudium nachging, hing nun meine Mutter ihr Herz an mich, den Jüngsten, der bis dahin den häuslichen Parteikämpfen verständnislos zugeschaut hatte. So versorgte ich meinen »ausgestoßenen« Bruder mit Lebensmitteln, machte den Boten zwischen Mutter und Emigrant und wurde von der Mutter jetzt systematisch für die Idee meines Bruders Rudolf erzogen. Das heißt, ich erhielt mehrere Bände der AIZ mit den aufrüttelnden Photomontagen von John Heartfield zum Studium, dazu einfache Bücher von Maxim Gorki. Und Mutter kontrollierte streng, ob ich auch täglich bei einer Petroleumfunzel meinen Gorki ein Stückchen weiter las.

M. L. 8. 10. 52, 11⁰⁰ Autobahn Taucha. Regenschauer. Kalt. 3. Jahrestag der DDR. XIX. Parteitag der KPdSU. Am 7. 10. ein Teil Winterbirnen abgenommen. Dann kam Regen, und ich hörte auf. Heute pflückte ich weiter. Ach mein Lehmann, mein Rudi, es ist nichts ohne euch so allein.

W. L. Als 1932 Ernst Thälmann in einer Wahlversammlung auf dem Volkmarsdorfer Markt in Leipzig-Stünz sprach, nahm mich meine Mutter dorthin mit. Hätte damals Einigkeit die Leipziger und alle deutschen Arbeiter erfaßt, dann hätten ein Jahr später nicht die Nazis ihre verhängnisvolle schwarze Herrschaft antreten können. Mein Bruder Rudolf wurde von der Gestapo am Arbeitsplatz in einem Leipziger Antiquariat verhaftet und in die berüchtigte Elisenburg geworfen.

M. L. 30. 6. 53. Papa sieben Jahre tot. Unfaßbar. Viel Gewitter, Regen, und viel Sonne im Juni, richtiges Wetter für alle Pflanzen. Am 28. 6. die letzten süßen Kirschen geerntet, Himbeerernte auch bald beendet. Viel Stachelbeeren. Am 17. Juni wurde dank unseren sowjetischen Freunden größeres Unheil verhütet. Die Rosenbergs nun doch am 20. Juni früh 3^{00} hingerichtet.

W. L. Der Schmerz meiner Mutter war grenzenlos. Aber das Beispiel der Mutter aus dem Gorki-Roman, den Rudolf ihr zu lesen gegeben hatte, konnte sie beflügeln. Sie kümmerte sich intensiv um die Familie des eingekerkerten Sohnes. Sie versteckte seine reichhaltigen Notizen aus seinen Versammlungen in die Tiefen ihres Küchenschranks. Heute unersetzliche marxistische Literatur des In- und Auslands wurde im Küchenofen nächtelang verbrannt.

M. L. 8. 5. 54. Zum Tag der Befreiung 10 Mark für die Koreahilfe.

»Leipziger Volkszeitung« 1954: Draußen an der Tauchaer Strecke arbeitet als Schrankenwärterin die Mutter Lehmann. Tag für Tag versieht sie diesen verantwortungsvollen Dienst. Bei Wind und Wetter ist sie dort. Und dann gibt es ja noch viele andere Dinge, mit denen sie sich beschäftigt.

Weihnachten übergab Mutter Lehmann 20 Mark der Volkssolidarität für einen westdeutschen Friedenskämpfer. Sie schreibt Briefe an westdeutsche Patrioten. Vom westdeutschen Bundesgerichtshof in Karlsruhe fordert sie in einem Schreiben, daß der gesetzwidrige KPD-Prozeß abgesetzt wird. »Viel müssen wir noch für den Frieden tun«, sagt Mutter Lehmann immer wieder. Stets wirkt sie auch in ihrem Arbeitsbereich im Bahnhof Taucha dafür, daß die Vorschläge unserer Regierung wahr werden. Unentwegt ist Mutter Lehmann tätig. Sie will helfen, die Menschen von der Friedenspolitik unserer Regierung zu überzeugen. Sie verkauft Broschüren, und schlicht sagt sie: »Das ist mein Teil am Friedenskampf.«

W. L. Im Inferno des zweiten Weltkriegs wurde mein Bruder Rudolf aus der Haft entlassen und zwangseingezogen. Er fiel 1944 in der Ukraine.

M. L. 8. 9. 54, Posten 46 Taucha 13^{00}–21^{00}. Heute vor zehn Jahren mußte mein Rudi sein Leben lassen. Warum mein Rudi. Noch immer kann ich es nicht fassen. Der herrliche Sohn, der so freundlich, willig und fleißig war. Und wie schön könnte es mein Rudi jetzt haben. Das viele Obst in Papas Siedlung würde doch auch unseren Rudi erfreuen.

W. L. Der schwarz umränderte Brief des Leipziger Oberbürgermeisters mit der lakonischen Mitteilung, daß »Ihr Sohn den Heldentod für Führer, Volk und Vaterland« erlitten habe, erschütterte meine Eltern sehr. Aber seltsam, meine Mutter, die in den Monaten der Haft meines Bruders so viele Tränen geweint hatte, in den Bombennächten im Keller zum Entsetzen meines Vaters laut schreiend den wahnsinnigen braunen Trommler verflucht hatte, sie war jetzt unsagbar traurig, konnte aber keine Träne mehr weinen.

M. L. 13. 8. 55. Anläßlich unseres Landsonntags möchte ich auch meinen Beitrag leisten und spende zehn Mark für unsere Friedenskämpfer und zehn Mark für die Koreahilfe.

17. 12. 55. Liebe Genossen, anbei zehn Mark für unsere Friedenskämpfer.

7. 6. 56. Zum Geburtstag unseres Präsidenten Wilhelm Pieck hatte ich mich zu 20 Aufbaustunden im Sportforum verpflichtet. Anbei der Beleg, daß die Verpflichtung erfüllt wurde.

W. L. An der Seite unseres Vaters trat Mutter 1945 in die SPD ein, im April 1946 wurden beide in die SED übernommen.

M. L. 16. 4. 57. Lieber Genosse Oehmichen, leider muß ich Dich wieder belästigen. Aber ich bekam keine Solidaritätsmarken. Kollege Förster sagte, es sind noch keine da. Wie ist so etwas möglich, die Woche für Algerien war doch vom 7. bis 12. 4. Heute ist Thälmanns Geburtstag, da läßt es mir keine Ruhe, wenn ich nicht etwas für unsere Partei tue.

– Von meinem gefallenen Sohn Rudolf habe ich eine Aufnahme aus dem Felde. Mit noch drei Freunden spielte er Schach, ohne Uniform am Tage von Thälmanns Geburtstag 16. 4. 44. Und im Gedanken an meinen Sohn, der wirklich ehrlich für unsere Sache kämpfte, bitte ich, die Kleinigkeit für Algerien anzunehmen.

W. L. Während mein Vater als Invalidenrentner den Haushalt versorgte, meldete sich Mutter 1945 als Trümmerfrau zur Deutschen Reichsbahn. Später kam sie zum Streckendienst und qualifizierte sich mit sechzig Jahren als Bahnwärterin.

M. L. 29. 5. 58. Zu Ehren des V. Parteitags unserer SED für die KP in Frankreich zwanzig Mark.

W. L. Glücklich war unsere Mutter, als sie 1959 hörte, daß Mansfelder Bergleute auf einer Arbeitstagung und anschließenden Kundgebung, die vor dem aus Puschkino stammenden Lenindenkmal in Eisleben stattfand, beschlossen, als Gegengeschenk für den Ort Puschkino bei Leningrad ein Ernst-Thälmann-Denkmal zu schaffen. Mutter verpflichtete sich sofort zu 85 Stundenlöhnen = 100 Mark für dieses Mahnmal. Sie sagte in ihrer Verpflichtung: »Zum Gedächtnis des großen Vorbildes meines Sohnes Rudolf.«

»Leipziger Volkszeitung« 1960: Wir danken Ihnen herzlich für die uns übersandten 10,– DM, welche wir als Gipfelgepäck verwendet haben.

M. L. 1961 übernehme ich folgende Verpflichtungen:
1. Ausgestaltung der aktiven Sichtwerbung
2. Produktionsverpflichtung 16 Stunden zugunsten des Kontos Solidaritätsfonds
3. Geldspende 10,– DM jeden Monat, solange ich arbeite
4. 20 Stunden NAW
5. Ein Westabonnement der LVZ, solange ich arbeite

W. L. Nach Wegfall der kleinen Schrankenwärterposten ging meine Mutter in die Gepäckabfertigung.

»Fahrt frei« 7. 8. 62: Martha Lehmann von der Fahrkarten- und Gepäckabfertigung Leipzig Hbf. mag sich trotz ihrer 73 Jahre noch nicht zur Ruhe setzen, weil sie weiß, wie nötig unser Arbeiter-und-Bauern-Staat jede helfende Hand zum Aufbau des Sozialismus braucht. Sie macht nicht nur eben ihre Arbeit, sondern spricht mit den Kollegen und der »Kundschaft« höflich und in vorbildlicher Weise über Aktuelles. Regelmäßig gestaltet sie an ihrem Arbeitsplatz eine Sichtwerbung, die ihr meist

ihr Sohn malt. Monat für Monat spendet sie 10 Mark und mehr für die internationale Solidarität. Im Wohnbezirk kennt sie jedermann als unermüdliche Hausvertrauensfrau und Mitarbeiterin der Nationalen Front.

M. L. 8. 10. 63 (Agitationsbuch). Heute frug mich auf dem Bahnsteig eine Eisenbahnerin, was das für eine Auszeichnung wäre (ich trug das Emblem anläßlich des Tages der Republik). Als ich ihr das erklärte, meinte sie: Ich bekümmere mich nicht um politischen Kram. Ich sagte ihr, sie müsse mehr Zeitung lesen, dann wäre sie auf dem laufenden. Dazu habe ich keine Zeit, meinte sie. Es ist erschreckend, wie wenige Frauen die Zeitung lesen. Immer wieder empfehle ich den Frauen, die Zeitung zu lesen, auch manchen Männern, denn da erkennen sie alle Zusammenhänge der Maßnahmen unserer DDR.

Redaktion »Leipziger Volkszeitung« 14. 6. 63: Ihrer Bitte, Ihren Namen in die Liste derjenigen einzufügen, die gegen die widerrechtliche Einkerkerung von Dr. Grasnick in Westdeutschland protestierten, haben wir gern entsprochen.

M. L. 7. 10. 64. Fünfzehn Jahre Deutsche Demokratische Republik. Dank möchte ich unserer Regierung sagen für das Gesetz, wonach die Rentner, wenn sie gewillt sind, weiterhin arbeiten dürfen, ihren Fähigkeiten entsprechend. – Ich weiß noch, wie 1943 einige Junge zu mir und meiner Kollegin sagten, ihr müßtet längst unter der Erde liegen, ihr eßt uns bloß alles weg. Meine Kollegin und ich kamen grad vom Dienst. Sie kam später durch Phosporkanister um.

»Leipziger Volkszeitung« 16. 9. 68: Leser schlugen diesmal Martha Lehmann für unser LVZ-Präsent vor. Wir kommen gern dieser Bitte nach, denn die achtzigjährige Eisenbahnerin sorgt noch heute Tag für Tag unermüdlich für das Wohl der Frauen und Männer in den dunkelblauen Uniformen. Im oberen Stockwerk der Bahnhofsverwaltung, wo die Zugbegleiter übernachten oder sich nach dem anstrengenden Dienst eine erholsame Pause gönnen, hält sie mit Eimer und Besen die Räume peinlich sauber. Wenn jemand durch Krankheit oder Urlaub ausfällt, übernimmt Martha Lehmann, ohne lange zu überlegen, auch eine volle Schicht, obgleich sie eigentlich nur noch halbe Tage arbeiten wollte. Regelmäßig besucht die jung gebliebene Eisenbahnerin die Parteiversammlungen im Hauptbahnhof, sie kassiert die Beiträge einer DFD-Gruppe der Deutschen Reichsbahn. 1963 erhielt sie für ihre Arbeit die »Medaille für ausgezeichnete Leistungen«, und seit drei Jahren trägt sie die Verdienstmedaille der Deutschen Reichsbahn, Stufe II. Jeden Monat spendet sie zwanzig Mark für Vietnam und andere um ihre Freiheit kämpfende Völker.

B. Die historische Größe des Programms, dem wir uns in Gemeinschaft verschrieben haben, war Martha Lehmann bewußt. Nicht oft: stets. Deshalb hatten Kampagnen für sie keinerlei Routinecharakter, deshalb war ihr keine Arbeit gering. Sie lebte bescheiden ein großes Leben.

Kuntze, Reichsbahnoberamtmann, Dienstvorsteher Hbf. Leipzig, 8. 3. 69. Der Internationale Frauentag 69 steht ganz im Zeichen des 20. Geburtstags unserer sozialistischen Deutschen Demokratischen Republik. In diesen zwanzig Jahren des sozialistischen Aufbaus haben unsere Frauen und Mädchen Hervorragendes geleistet. In allen Bereichen unserer Dienststelle organisieren sie täglich mit die komplizierten Aufgaben des Betriebs- und Verkehrsdienstes. – Sie, Martha Lehmann, haben sich besonders für die weitere Verbesserung unserer Arbeit auf gesellschaftlichem und fachlichem Gebiet eingesetzt. Dafür spreche ich Ihnen Dank und Anerkennung sowie eine Belobigung nach der Eisenbahnverordnung vom 18. 10. 1956, verbunden mit einer Buchprämie, aus.

B. Jegliche Arbeit war für Martha Lehmann schöpferisch: selbstzeugerisch. Dem Redakteur, der meinen Besuch anmelden sollte, sagte Martha Lehmann: seit sie den Arbeitsplatz verlassen hätte, wüßte sie, daß sie nicht mehr lange zu leben hätte.

Martha Lehmann starb am Vorabend des 1. Mai an Altersschwäche. Ich erhielt die Nachricht von ihrem Tod, als ich damit beschäftigt war, uns in Dokumenten eine Nachricht von ihrem Leben zu geben.

W. L. Von ihrem letzten Arbeitsplatz brachte mir meine Mutter im Dezember 1971 ein kleines Thälmannbild mit. Bald fünfundzwanzig Jahre hatte dieses uns Arbeitern so lieb gewordene Photo unseres Ernst die Mutter auf ihren verschiedenen Dienststellen begleitet. Es war immer mit Blumen geschmückt, künstlichen oder solchen aus ihrem Garten. Ihr schiene, so sagte sie mir oft, als ob mit diesem Bild nicht nur der verehrte Arbeiterführer zu ihr spräche, sondern als ob auch Rudolf ihr bei ihrer täglichen Arbeit zuschaute. Ich habe das etwas unscheinbare Photo mit dem verblaßten Goldrähmchen ins Zimmer meiner Klasse gehängt, neben die Bilder von Walter Ulbricht und Lenin.

B. Von Martha Lehmann kann man sich kein Bild machen, weil sie sich keins aus sich gemacht hat. Ihr Leben war eins: vollendet. Es steht neben Arbeiterführern angemessen. Laßt uns die Genossin Martha erinnern in Trauer und Fröhlichkeit.

20. Kapitel

Melusine interveniert

Auf einem morgendlichen Botengang, da sie Fahnenabzüge von der Redaktion zur Druckerei beförderte, vernahm Beatriz Schimpfredenfetzen. Die vom Himmel fielen. Da der Himmel bedeckt war, konnte sie die Quelle nicht erkennen. Aus den Redefetzen konnte sie sich keinen Sinn bilden. Ging also unangefochten nach Arbeitsschluß zum VEB Elektrokohle Berlin, um an einer Gewerkschaftsversammlung ihrer Patenbrigade teilzunehmen. Gegrüßt durchschritt sie das Werktor. Vor der Halle drei lag Schutt. Die Werkbahn hielt Beatriz auf. Als der Zug vorüber war, verstellte ihr Melusine den Weg. »Willst du mich kompromittieren«, flüsterte Beatriz wütend. »Nein, du«, sagte Melusine, »du tust so, als ob es nur noch Frauen gäbe auf der Welt. Du schreibst über nichts anderes. Du diskreditierst die Absichten der persophonischen Opposition, du kommst deinen Verpflichtungen nicht nach. Wir wollen uns nicht an Herrn Gotts Stelle setzen. Wir wollen ihm lediglich eine Hälfte der Himmelslast abnehmen. Freundschaftlich. Herr Gott ist nämlich total überarbeitet. Und nicht weniger einsam als ein gewisser Johann Salman. Oder glaubst du, es macht Spaß, jahrzehntelang einem Beruf nachzugehen, der die Ehefrau nur geldmäßig interessiert? Glaubst du, er hätte sich diese Ernährerrolle ausgesucht, wenn er hätte aussuchen können? Schluß mit dem unhistorischen Moralisieren, oder wir schneiden dir den Lebensfaden durch.« Beatriz, die Lob erwartet hatte, bettelte beleidigt um Zimmerlautstärke. Melusine fragte, wann die Schwägerin endlich die versprochenen Protestsongs zu liefern gedächte, derentwegen ihr die Reise finanziert worden wäre. Nach einem Achtungspfiff startete die schöne Melusine und flog davon in nördlicher Richtung. Unbemerkt vom Werkschutz. Beatriz erreichte ihre Patenbrigade kurz nach Beginn der Gewerkschaftsversammlung. Auf der hauptsächlich Maßnahmen gegen Exportschulden beraten wurden.

21. Kapitel

Darin das Lied vom Kommunismus von Volker Braun nachzulesen ist, das Beatriz der ungeduldig fordernden Melusine anstelle eines selbstverfertigten Protestsongs liefert

1

Einmal, und das wird bald sein
Fließen die Flüsse bergauf
Und keinem wird es mehr kalt sein
Und die Sonne geht winters auf.
Von selbst fast deckt da der Tisch sich –
Brüder, ein Genuß!
Unser Leben ist nicht mehr das Rinnsal
Sondern der Überfluß.
Der Kommunismus kann nur das Werk vieler
Völker sein.
Brüder, laßt uns nicht allein!
Gemeinsam schaffen wir es schon –
Genossen, wann kommt eure Revolution?

2

Einmal, das kann uns glücken
Bestimmen alle den Plan
Und keiner beugt mehr den Rücken
Und kein Feiger dient sich voran.
Mit eigenen Gedanken denken
Ist uns ein Genuß
Unser Leben ist nicht mehr das Rinnsal
Sondern der Überfluß.
Der Kommunismus kann nur das Werk vieler
Völker sein.
Brüder, laßt uns nicht allein!
Gemeinsam schaffen wir es schon –
Genossen, wann kommt eure Revolution?

3

Einmal, wenn es bald wäre!
Gibts nicht mehr meins oder deins
Die Grenzen setzen die Meere
Und die Länder sind alle eins
Die Liebe eint nicht mehr zwei nur –

Allen ein Genuß
Unser Leben ist nicht mehr das Rinnsal
Sondern der Überfluß.
Der Kommunismus kann nur das Werk vieler
Völker sein,
Brüder, laßt uns nicht allein!
Gemeinsam schaffen wir es schon –
Genossen, wann kommt eure Revolution?

22. Kapitel

Zweite Bitterfelder Frucht: Abschied von Pauline

1
Es war ein Mann, der lebte zweiundfünfzig Jahre mit Lokomotiven. Als sein letzter Dienst bevorstand, bat ich den Mann brieflich um Erlaubnis, ihn begleiten zu dürfen. Er antwortete schriftlich, ich sollte mir keine Umstände machen, zumal es sich lediglich um einen kleinen Dienst handle, vom großen wäre er seit vier Jahren runter, gegen Morgen würde es jetzt auch schon kalt. Unbefugten, wozu selbst Rangierer zählten, wäre Mitfahren sowieso untersagt. Ich richtete einen Antrag ans Eisenbahnministerium, Abteilung Maschinenwirtschaft.

2
Denn ich entnahm der schriftlichen Antwort, daß mir weder Tochter noch Ehefrau zuvorgekommen sein konnten. Die Tochter war niemand anders als meine Spielfrau Laura. Ihre Eltern waren mir auf Lauras Hochzeit markant begegnet: Johann Salman hatte die Feier noch vor dem Abendessen verlassen. Unter Protest seiner Frau. In ihrer Begleitung. Er begründete seine frühe Abreise mit dem Rheumatismus vom Dingsbiebrich (sein Wort). Welcher Dingsbiebrich? Na der Schuricht 27, den die Eisenbahnerzeitung »Fahrt frei« bereits zweimal erwähnt hat, lobend natürlich, sah Johann Salman so aus, als ob er mit Stinkstiefeln befreundet wäre? Aber die Hochzeitsgäste mit den Repräsentanten des VEB Hochbau an der Spitze langten nicht nur verständnislos nach Salmans Schultern beziehungsweise nach den Weingläsern – denn für alle Hände war nicht Platz auf den Schultern –, sie fragten auch noch, ob dieser Eisenbahner Schuricht nachts männliche Wärmflaschen mit Ohren brauchte. Dummheriches Gealber (Salmans Worte), der Schuricht brauchte Milch, jeden Morgen einen halben Liter frische Milch aus der Molkerei, und Quark, wenns gab, der erhält den Menschen und heilt die Hinke, denn was hieß denn hier Eisenbahner! Der Schuricht war Lokführer! Immer noch. Auch wenn er seit einem Jahr Vorsitzender vom Rentnertreff war, an dem

selbstverständlich nur Lokführer teilnähmen, was gabs denn da zu lachen? »Ein Trauerspiel«, sagte Salman und bezog das auf den Umstand, daß die Reichsbahn jetzt wegen Personalmangels gezwungen wäre, Kraut und Rüben einzustellen. »Der Salman-Gustav würde sich im Grabe umdrehn«, sagte Salman-Johann den verstummten Gästen. »Damals war nämlich der Lokomotivführer noch was. Mein Vater hatte auf der Maschine einen Hut auf. Jawohl, so einen harten, eine Erbse. Na ja, das war damals die Hutmode. Aber noch früher erst. Da hatten die Lokführer sogar Zylinder auf. Das waren noch Zeiten! Natürlich haben die Führer damals auch keine Dreckarbeit gemacht – wie jetzt zum Beispiel. Das mußte alles der Heizer machen. Eine richtige Kuliarbeit, na ich danke. Ich hab elf Jahre gefeuert, ich weiß, wie es ist. Vier Jahre als Heizer und sieben Jahre als Reservelokomotivführer, weil ich nicht befördert wurde. Noch zu meiner Zeit, als ich ausgelernt hatte in der Betriebsschlosserei und als Heizer auf die Maschine ging, hat mir mein Lokführer verboten, von der Seite auf die Maschine zu steigen, wo der Führerstand war. So war das damals.« Der Betriebsleiter prostete Salman zu und wollte ihn an den Männertisch zurückholen, wo Kriegs- und KZ-Erlebnisse ausgetauscht wurden. Die Ehefrau Olga giftete, daß der Urlaub wegen der Hochzeit genehmigt worden wäre, nicht wegen irgendwelchen wehleidigen Dicknischeln (ihr Wort), die sich von den Ärzten nicht helfen ließen, weil sie alles besser wüßten. Aber Johann Salman ließ sich nicht von seiner Verantwortung abbringen. Der Schuricht-Emil lag mit einer Lokführerhinke zu Bett, seit zwei Jahren verwitwet und noch immer ohne Aussicht auf eine neue Frau – rücksichtslos waren die Weiber heutzutage. Und in Emils Haus waren sie außerdem berufstätig, solchen zerstreuten Leuten konnte Salman die Versorgung des Lokführers Schuricht nicht anvertrauen. Vertrauen war gut, Kontrolle war besser, Salman mußte zurück, der D 40 fuhr achtzehn Uhr zwei, auf, auf! Johann sah nach der elektrischen Saaluhr, zog seine Taschenuhr, öffnete den Sprungdeckel, verglich, stellte Ungenauigkeit fest. Bei der Saaluhr natürlich. Mit dem Zuschnappgeräusch des Uhrdeckels setzte Salman den Schlußpunkt unter alle Widerreden. Der Parteisekretär würdigte Salmans proletarische Solidarität in einem Trinkspruch.

3

Ich begründete den Antrag dienstlich und fügte ein Schreiben des Deutschen Schriftstellerverbandes bei. Es wies mich als französische Dichterin aus, die ein bei der Reichsbahn der DDR angesiedeltes Werk schriebe, und bat um Unterstützung. Sieben Tage vor dem Termin telefonierte ich mit dem Eisenbahnministerium, Abteilung Maschinenwirtschaft. Eine männliche Stimme unterrichtete mich über strenge Vorschriften, die nach dem bekannten Unglück erlassen worden wären, schilderte auch Möglichkeiten der Transportgefährdung durch dienstwidriges Verhalten wie Reden,

Arbeitsbehinderung, Nichtbefolgen von Anweisungen, allgemeine und besondere Gefahren des Fahrdiensts und die komplizierte Rechtssituation im Falle eines Unglücks. Ich blieb hartnäckig. Die männliche Stimme bestellte mich zu einer Unterredung ins Amt.

4
Die Stimme erinnerte mich an den Brigadier des Bräutigams Benno. Der auf der Hochzeitsfeier auch am Männertisch saß. Neben mir. Johann Salman sah auf die Artreinheit der Tischrunde, tat aber nicht mal erstaunt, als ich mit meinen Handknöcheln die Tischplatte klopfte. Zählte er mich nicht zu den Frauen? War er überhaupt bereit, mich zu zählen, da er doch die Existenz von Wundern rundheraus bestritt? Sein demonstrativ diskretes Verhalten während des Fests mir gegenüber, das in unbeobachteten Augenblicken kumpelhaftes Einverständnis andeutete, machte bald deutlich, daß Johann Salman mich für eine Kundschafterin hielt. Eine auf Urlaub oder so – zu Hause brauchte man sich ja nicht genau an seine Legende zu halten, da könnte man ruhig drauflos lügen von wegen Dingsbums und achthundert Jahre, jeder Mensch müßte mal ausspannen. Besonders wenn er aus diesem verrückten Kapitalismus käme, wo die Autos den Menschen die Luft abdrehten. »Wenn ich Vorsitzender des Staatsrats wäre, würde ich alle Autos verbieten«, verkündete Salman der angeheiterten Runde, »alle, die alten Deutschen hatten auch keine Autos.« Olga Salman verkündete am Frauentisch, daß die Amöben der Ruhr unsterblich wären.

5
Geschmückt begab ich mich zur Grenze, wo das Amt war. Einsam. Schmächtige rote Backsteinfassade mit Barockbalkon im ersten Stock. Die Schnörkel bombengeschädigt. Großer normgebauter Seitenflügel, Hinterhaus mit vergitterten Fenstern, Kulturbaracke im Hof, jenseits des Schlagbaums. Die maschinenwirtschaftliche Abteilung war im Hinterhaus untergebracht. Ein Lotse führte mich durch die Flure, deren bunte, mit Fliesen belegte Böden an alte Fleischerläden erinnerten. Das Vorzimmer wurde von zwei kleinen abgewetzten Schreibtischen eingenommen, an deren ungleich hohen, breitseits aneinanderstoßenden Platten zwei Frauen saßen. Mittels Wechselsprechanlage wurde dem Direktor meine Anwesenheit angezeigt. Nach einer Weile öffnete er die Tür und händigte mir die beantragte Bescheinigung aus: 78,75 Quadratzentimeter weißen Karton, versehen mit der Nummer 005088 und der Bezeichnung »Berechtigungsschein«. Der schwarze Aufdruck ermächtigte den Besitzer am 8. 10. 1972 bei Vorlage des Personalausweises zu einmaliger Mitfahrt auf einer Dampflokomotive Strecke Karl-Marx-Stadt Hbf. – Rochlitz und zurück.

6

Ich benachrichtigte Johann Salman von der amtlichen Zustimmung. Er schrieb mir förmlich, aber nicht unfreundlich, welche Züge mir für die Anreise zur Verfügung stünden, riet zu festem Schuhwerk, Hosen und überhaupt praktischen, alten, möglichst abgelegten Kleidungsstücken und bot sein Stubensofa zum Ausschlafen an. Johann Salmans vorletzter Dienst war nämlich ein Nachtdienst. Der letzte erschien mir als eine Art Intimität, deren Beobachtung ich als unanständig ablehnte. Olga Salmans Gesicht lehnte auf der Hochzeit peinlich berührt ab, wenn Benno und Laura Küsse tauschten. Zunächst vermutete ich Eifersucht. Dann erinnerte ich mich gewisser Zeiten nach gestorbenen Lieben, da auch mir der Anblick erotischer Zärtlichkeiten unangenehm war. In solchen Zeiten sehnte ich mich nach innerer Ruhe, die das Nachlassen des Triebs gewährt. Den Verlust des Zwangs zu Bewußtseinsverengungen von der Art der individuellen Geschlechtsliebe erlebte ich achthundertzweiundvierzigjährig als Gewinn. Von Souveränität. Konnte eine sechzigjährige Frau nach siebenunddreißig Ehejahren ähnlich erleben?

7

Ich bestieg den D-Zug nach Karl-Marx-Stadt in einer Art Heiterkeit, die mir neu war. Bisher reiste ich, weniger, um Kenntnisse zu sammeln vom Weg, mehr, um die Seele muskulös zu halten: großer Erschütterungen fähig. Jetzt fiel mir ein weitläufiges, flächiges Interesse auf, eine ruhige Neugier, nicht bohrend: schweifend. Oberflächlich? Die Sucht, Welt von einem Punkt aus fassen zu wollen, fokussiert, in einem Menschen womöglich, hatte mich verlassen. Die tatsächliche, nicht von Leidenschaften manipulierte Umgebung trat vielfältig hervor. Zugnachbarn, Mitropa-Kellner, Türverschluß, Abteilgeruch, Dialekte, Gepäckkarten, Pfeifsignale, Bremsgeräusche, Fenster, Bahnsteigbauten, Ackerstruktur und die Nuancen der Laubfärbung. Salmans Anweisung folgend, führte ich praktische, alte, abgelegte Kleidungsstücke in einem Koffer mit mir. In Karl-Marx-Stadt stand der Morgennebel noch in den Straßen. Einen Umweg über den Sonnenberg, wo meine Versschmiede gestanden hatte, versagte ich mir, um die überhandnehmende Erinnerungssucht zu bekämpfen. In einem der engen, von Laura als »gotisch« bezeichneten Straßenbahngehäuse, die auf Schmalspur ständig steile Kurven und Weichen zu bewältigen haben, wurde ich langsam aus dem Talkessel hinausgeschüttelt. Auf die nordöstliche Vorstadthöhe, vors angestrebte Haus. Sein schiefergedecktes Spitzdach trug Schornsteine und Antennen, den von Laura wiederholt erwähnten Dampfdom suchte ich vergebens. Die ovalen Bodenlukenfenster hatten Metallkreuze. Schneefanggitter waren nahe der Dachrinne angebracht. Unterhalb der Dachrinne graue, eiszapfenförmige Sickerbahnen, schwärzlich gerändert. Die längsten reichten bis zu den Aluminiumbänken der Bodenkammerfenster. Alle Fensterbänke des Hauses waren mit

Aluminiumblech belegt, das hell bis blank geputzt war. Die Kellerfenster hatten gestanzte Gitter. Auf Achsen lief das Haus natürlich nicht. Es stand unauffällig in der Reihe am Straßenrand. Und daß es groß war, erwies sich auch als Übertreibung Lauras.

8

Olga Salman begrüßte mich mit vertraulicher Unterwürfigkeit. Bevor sie mich zum Mann in die gute Stube führte, kündigte sie meine Ankunft nach Dienerart an. Jedoch nicht namentlich, sondern kodifiziert. Sie sagte: »Die Dings.« Johann begrüßte mich mit hausherrischer Würde. Langes Händeschütteln wie unter Staatsmännern. Wobei mir nicht entging, daß er sich meines festen Handfleischs versicherte. Trotzdem blieb er gefaßt. Lächelte repräsentativ. Hüstelte. Die Frau hielt sich an der Tür. Als Johann Salman das Startloch für seine präparierte Begrüßungsrede gefunden hatte, schob er den rechten Fuß und die rechte Schulter entschieden vor und sprach: »Also willkommen in der Arbeiter-und-Bauern-Metropole, und Französisch können wir leider nicht, aber der Dienststellenvorsteher wurde von mir entsprechend unauffällig informiert. Außerdem ist die Strecke im Herbst für Bücher wie geschaffen, herrliche Laubfärbung, wenn wir Glück haben, sehen wir Rehe, Wildschweine sind keine Seltenheit, jede Menge Hasen. Für fachliche Aufsätze oder Romane müssen Sie mich natürlich fragen, damit Sie nichts Falsches schreiben. Drei Signalbücher liegen schon bereit. Auf Wunsch bringt Ihnen meine Frau Dingsbiebrich und andere erzgebirgische Spezialitäten, aber keine Lügen verbreiten.« Ich versprach Salman Wahrheitsliebe. »Versprechen Sie nicht zuviel«, flüsterte er konspirativ. Olga betrachtete mich durch die den Brillengläsern eingeschliffenen Leselinsen.

9

Nach der grundsätzlichen Begrüßung führte mich Salman zum Büffet, auf dem eine kleine Granitplatte stand. Von Vasen flankiert. Die Vasen standen auf Klöppeldeckchen. Die Granitplatte, schwarz, poliert, war an einem Sockel befestigt. Im Gegensatz zu Grabsteinen waren die Buchstaben in den Sockel graviert. Sie bescheinigten dem Lokführer Johann Salman Dank für treue Dienste. Die Platte trug das Silberrelief einer Tenderlokomotive. »Ein Glück, daß der Murks endlich vorbei ist«, sagte Olga Salman beiseite.

10

Johann Salman erkundigte sich nach dem politischen Bewußtsein der Renault-Arbeiter und tauchte zurück in die Möbel. Deren Ausmaße wären einem Saal angemessen gewesen. Die kleine Stube war mit ihnen derart gefüllt, daß nur ein schmaler Gang blieb. Teppich. Bohnerwachsgeruch. An den Wänden gerahmte Photos von Laura und Wesselin. Ich nahm unterm Gummibaum Platz, der sich neben dem Fernsehapparat breitmachte. Salman saß am Kachelofen. Gelassen. Kann ein Lokführer gelassen sein, wenn seine letzte Fahrt bevorsteht?

11

Sein Kopfhaar war ganz und gar weiß, auch etwas aus der Stirn gewichen und hob sich kräftig ab von der gelbdunklen Haut. Breiter Seitenscheitel, ergraute Iris mit Lichtern. Auf die Rückenlehne des Sessels waren zwei gestickte Kissen vermutlich mit Handkantenschlägen so gestaucht, daß vier Zipfel hochstanden. Salman hielt den Kopf steif, als ob er schwer an der vierzackigen Krone trüge. Seine Hände lagen auf der Sessellehnenkante aus. Große, flachfingrige Hände, unbehaart, überm Handrücken war die Haut kaum von Adern geworfen, auch sonst auffällig glatt wie gefettet. Die Oberschenkel berührten die Sessellehne. Rechtwinklige Beinstellung. Filzpantoffeln. Ich erinnerte einen französischen Schlager, dessen Refrain lautet: »Eine Frau kann für einen Mann nur eine Frau sein. Ein Mann ist für eine Frau die ganze Welt.« Unter dem angekündigten Dingsbiebrich, der auf Johanns Anweisung von Olga zu bringen war, hatte sie jetzt nicht wie auf der Hochzeit Schuricht 27 zu verstehen, sondern Buttermilchgetzen. Die Eheleute verständigten sich mit Andeutungen. Der Code gründete auf einer so extremen Sparsamkeit, daß ein einheitlicher Organismus anzunehmen war. Spricht ein gesunder Mensch mit sich selbst? Wenn zum Beispiel Olga »willste den« fragte, wußte Johann nicht nur, daß mit »den« Tee einer bestimmten Sorte gemeint war. Er brauchte auch lediglich mit »die draußen« zu antworten, um verständlich zu machen, daß er eine Flasche Bier bevorzugte, die in der Speisekammer lagerte. Wir leerten sie auf die deutsch-französische Freundschaft. Mit Rücksicht auf Salmans Nieren hatte Olga das Bier anwärmen müssen. Johann zählte seinen Nierenschaden ebenfalls zu den typischen Lokführerhinken, die auf Zugluft, Erhitzung der Körpervorderfront und Abkühlung der Hinterfront zurückzuführen wären. Als der Buttermilchgetzen, ein Gebäck aus geriebenen Kartoffeln, verzehrt war, zeigte mir Salman einen Kalender. Der war mit Reißnägeln an die Innenseite der rechten oberen Küchenschranktür gezweckt. Ab Mai waren die Dienstage numeriert. In fortlaufender, absteigender Zahlenreihe. Der 10. Oktober war mit »1« beziffert.

12

Dreizehn Uhr kontrollierte Johann Salman, ob Radio DDR den Zeitzeichenton pünktlich sendete. Der Vergleich mit der Taschenuhr, auf deren silbernem Sprungdeckel ein Lokomotivenrelief zu bewundern war, ergab keine Beanstandungen. Befriedigt streckte sich Salman auf dem Küchensofa aus. Sobald Olga mit dem Geschirr in den Abwaschschüsseln zu poltern begann, schlief er ein. Ich wunderte mich. Olga erwiderte, ein richtiger Lokführer könnte nicht sein ohne Krach. Je größer der Krach, desto besser der Schlaf. »Möcht wissen, was an dem poltrigen Volk interessant sein soll. Oder wollen Sie was schreiben über mich? Ein Beamter galt zu meiner Zeit als gute Partie, ein Arbeitsloser konnte keine Familie ernähren, deshalb hat mir mein Vater auch zugeredet. Aber noch mal?« Olga krowanzte (ihr Wort) heftiger mit den Töpfen. Johann begann zu schnarchen. Ich trocknete ab. Noch bevor das letzte Lärminstrument im Küchenschrank verstaut war, schaltete Olga Salman das Radio auf größere Lautstärke. Denn sie wollte ungestört mit mir reden. Zu diesem Zweck führte sie mich in die gute Stube. Dort wühlte sie das Hemd, in dem ich achthundertacht Jahre geschlafen hatte, aus dem wuchtigen, hochglanzpolierten Büfett. Dann betrachtete sie mich abermals durch die den Brillengläsern eingeschliffenen Leselinsen, indem sie das Kinn anhob. Breiter Unterkiefer, dichte schwarze Brauen über braunen Augen, keckspitze Nase, wohlgeformt wie alles an der Frau. Der entschiedene Ausdruck dieser harmonischen Bildung war allerdings zu Verkniffenheit verkümmert. Ich sagte, daß ich das Hemd Laura zur Aufbewahrung überlassen hätte. Olga sagte: »Die brauchts nicht mehr. Seitdem die ihren Benno hat, braucht dies nicht mehr.« Das Hemd lag sorgfältig gefaltet und mit Mottenpapieren umwunden in einem Klarsichtbeutel. Obgleich die Stickereien schadhaft waren, bezeichnete Olga das Hemd als unschätzbar. Ein Antiquitätenladen hätte ihr vierhundertzwanzig Mark geboten. Das hätte sie stutzig gemacht. Also wäre sie nach Hause gegangen, um es anzuprobieren. Und richtig, sie hätte wunderbar drin geschlafen. Sechzehn Stunden ununterbrochen, so was Herrliches hätte sie ewig nicht erlebt. Wunder wären tatsächlich unschätzbar. Den letzten Satz flüsterte sie. Dann schwieg sie erwartungsvoll. Ich versuchte, den Abraum der Bitterkeit aus ihrem Gesicht zu sehen. Neugier kam zutage. Stolz. Und besser erhalten als der Mann war sie sowieso, die braungefärbten Haare täuschten das nicht nur vor. Hätte ein anderer Mann für Olga »die ganze Welt« sein können? War so was überhaupt ersetzbar? »Die Lebensdauer ist kein unumstößliches Naturgesetz«, deklamierte Olga Salman und warf eine zerlesene Illustrierte vor mich auf den Tisch. Zwischen Reklamephotos, die bunter und schärfer waren, als Objekte sein können, stand dort zu lesen: »Die meisten Gerontologen glauben, daß ein Durchschnittsalter von achthundert bis neunhundert Jahren erreichbar ist.« Nicht durch Schlafwunder, wie ich schnell überschaute. Sehnte sich Olga Salman danach, ihr leeres Leben ums Zehnfache zu verlängern? Ich identifizierte die Illustrierte als westdeutsches Erzeugnis, dessen Einfuhr untersagt wäre. Olga Salman verlas: »Seit 1950 gehen die Forscher ein Problem an, das in der Vergangenheit eine Domäne der Quacksalber war. – Aus den Protozoen entwickelte sich alles weitere Leben. Heute leben sie entweder wie einst im Wasser, oder sie siedeln als Krankheitskeime in fremden Organismen. Zum Beispiel die gefürchteten Amöben der Ruhr sind solche

Einzeller. Werden die Protozoen erwachsen, so teilen sie sich. Aus den alten Einzellern entstehen zwei neue Einzeller. Aber nie bleibt ein Leichnam zurück. Die Protozoen sind unsterblich. Der menschliche Körper ist im Prinzip nichts anderes als eine Ansammlung ebensolcher Einzeller. Sein Fleisch und Blut ist zusammengesetzt aus rund tausend Milliarden einzelnen Zellen, deren Grundstruktur sich in nichts von der Grundstruktur jener Einzeller unterscheidet, die in einer Wasserpfütze am Straßenrand herumschwimmen. Die Einzeller im menschlichen Körper haben sich spezialisiert. Die einen zum Beispiel bilden Muskeln. Die anderen versorgen sie mit Nahrung und so weiter. Aber es besteht kein entscheidender Unterschied zu den Protozoen. Nur: die im Verbund lebenden Zellen tragen irgendwie das Todesurteil in sich. Vierzig bis fünfzig Teilungen von menschlichen Zellen lassen sich im Reagenzglas erreichen. Dann ist es plötzlich aus.« – »Ich steck das Blatt noch in den Ofen«, sagte Johann Salman, der, von der relativen Ruhe geweckt, unbemerkt in die Stube getreten war.

13

Nach dem Abendessen legte ich mich, der Anordnung Salmans folgend, aufs Küchensofa. Meinen Einwand, nicht vor zehn Uhr schlafen zu können, parierte er mit dem Satz: »Lokführer und Kosmonauten müssen zu jeder Tages- und Nachtzeit schlafen können, auf Befehl, jawohl.« Da Salmans Erklärung meine Natur nicht in Schlaf brachte, benutzte ich Olgas Illustrierte dazu. So erfuhr ich, daß der Grund für das Sterben der Körperzellen nicht im Erbmaterial der Desoxyribonukleinsäure (DNS) zu suchen wäre, sondern im Zelleiweiß (Protein). Jede einzige der tausend Milliarden Zellen des menschlichen Körpers wäre praktisch eine vollautomatische Eiweißfabrik. Sie arbeitete mit komplizierten Fertigungs- und Überwachungsanlagen. Dennoch gäbe es bisweilen auch in ihr Fehlprodukte, Ausschuß sozusagen. Das wäre nicht weiter tragisch, solange der Schund nur die Ausnahme bliebe. Nun könnte es jedoch passieren, daß nicht nur zufällig ein falsch geprägtes Stück hinausgehe, sondern daß Prägemaschinen defekt würden und pausenlos Ausschuß lieferten. Dann sähe die Sache schon gefährlicher aus. Wirklich schlimm aber würde es, wenn eine Prägemaschine kaputtginge, die dafür da war, neue Prägemaschinen zu machen. Denn dann wäre die Katastrophe nicht mehr aufzuhalten. Der Ausschuß überwöge, die Produktion bräche zusammen, die Zelle stürbe. Das Altern wäre nichts als jene Eskalation von Produktionsirrtümern und der Tod nichts als die große Irrtumskatastrophe. Die Schlußfolgerung, daß Mittel gefunden werden müßten und könnten, die das falsche Eiweiß aus der Zelle entfernten und durch neues ersetzten, las ich im Dämmerzustand. Die Voraussage, daß die siebziger Jahre zum Jahrzehnt der Verjüngung gemacht werden könnten, bis zum Jahre 2000 eine Lebenserwartung von hundertfünfzig Jahren sicher und ein Durchschnittsalter von achthundert bis neunhundert Jahren durchaus erreichbar wäre, nahm ich mit in einen kurzen Schlaf. Ich träumte, wie Gerontologen die entmachteten Göttinnen Persephone und Demeter ausgestopft im Berliner Naturkundemuseum aufstellten.

14

Zehn Minuten vor eins weckte mich Salman für den Dienst Nummer 17, auf, auf. Da hatte er schon die Weste überm Hemd. Ihre Vorderteile waren mit vier Taschen benäht, die verschieden groß waren, dem Inhalt angemessen. Die linke Brusttasche war Futteral für ein Brillenetui, aus der anderen, abteilgesteppten ragten Stifte mit blechernen Spitzenschonern. Die Bauchtaschen waren gebuckelt. Von einem taillenhohen Knopfloch war eine silberne Uhrkette zur Bauchtasche gespannt. Als Salman »aufstehen« gesagt hatte, zog er seine Uhr an der Kette aus der Tasche. Dann öffnete er den Sprungdeckel, indem er die Uhr zwischen Daumen und Mittelfinger klemmte, der Daumen drückte gegen das Scharnier, der Mittelfinger bog die Öse und drückte gegen die Krone. »Null achtundfuffzig«, sagte Salman, zog einen Fuß aus dem Pantoffel, trat aufs Sitzpolster des Sofas, rückte am großen Küchenuhrzeiger. Der Zeiger war verrostet, die Ziffern auch. Als ich anweisungsgemäß die praktischen, alten, abgelegten Kleidungsstücke und festes Schuhwerk anzog, wandte sich Salman. Er rieb mit Putzwolle Rostflecken von den hellpolierten Eisenplatten des Herds, packte die Putzwolle zurück in seine Diensttasche, dazu sechs Birnen, eine teegefüllte Bierflasche und eine nach dem halbkreisähnlichen Querschnitt von langem Brot geformte Aluminiumbüchse. Deren ineinanderschiebbare Hälften waren von einem Weckglasring umspannt. Bald aßen wir Weizenschrotbrot aus dem Reformhaus, Butter und selbstgekochte Johannisbeermarmelade und tranken Zichorienkaffee mit Milch, der in einer mützenbedeckten Kanne bereitgestellt war. »Früher hat mir meine Frau jederzeit frischen Kaffee gekocht, wenn ich zum Dienst mußte«, sagte Salman, »meine Mutter ist stets aufgestanden, wenn mein Vater Nachtdienst hatte, gabs gar nicht anders, ja.« Salmans kurzes »Ja« am Ende von gewissen Sätzen konnte nicht die landläufige Bedeutung von »Ja« haben, eher die des Gegenteils. Dieses Gegenteil wurde vorfristig abgeschossen. Prophylaktisch, bevor noch Widerspruch aufkam. Wir verließen das Haus eine Stunde vor Dienstbeginn.

15

Die Nacht war lau. Fast sommerliche Brise. Klarer Himmel. Hell, die Sterne seltsam vergrößert zu Firmamentmaschinerien, auch die Geräusche des noch entfernten Ablaufbergs bereits deutlich. Ich trat den granitplattenbelegten Fußweg an der linken Seite von Johann Salman. Große, blank gegangene Platten, bisweilen geneigt. Nächst den Gaslaternen erschienen die von den meisten Fenstern gestielt hängenden Fahnentücher rot, sonst schwarz. Daß der Schmuck für den Lokführer angelegt worden war, nahm ich nicht an, sagte aber so. Salman unterwies mich prinzipiell in Historie, um dem Gründungstag der Republik gebührenden Respekt zu schaffen. In der Kirche, die rechts am Dienstweg auf einem mauergesicherten Hügel gelegen war, hätte er im ersten Weltkrieg mit Bäckersöhnen die Glocken geläutet. Den beiden Jungen wären manchmal die Hosentaschen von Rosinen abgestanden. Unterm Glockenstuhl hätten sie zu dritt sicher fressen können. Diese Erinnerung wertete ich als Zeichen von Melancholie, auf die ich bisher vergeblich gewartet hatte. Ich beobachtete Johann Salmans verhohlen swingende Gangart. Nach der Kirche bekam die gepflasterte Straße Gefälle. Unbefestigter Fußweg, rechts daneben Zaun. Wiese dahinter. Alte Bäume, dann zwei Fachwerkhäuschen. Am Giebel des zweiten zeigte mir Salman eine vogelhausähnliche Zutat mit zwei Kugeln drin. Die Kugeln hatten die Größe von Tennisbällen. Sie wären 1813 aus Napoleonischen Kanonen auf das Häuschen abgefeuert worden, sagte Salman und versicherte, nicht stänkern zu wollen. Er hielt mich für einen Kundschafter hoher politischer Qualifikation. Steile Linkskurve, ebenfalls mit dörflichen Resten, die ich der Industriestadt nicht zugetraut hätte. Denn ich kannte nur das Sonnenberg-Viertel, das neuerbaute Zentrum und VEB Elite-Diamant. Zwischen zwei alten Porphyrhäusern zweigte ein Schlackenweg ab, der links am Ablaufberg entlangführte. Rechts Schrebergärten. Salman ging ohne Hast, mit kleinen Schritten, die Wetzgeräusche machten. Immer wieder kamen uns uniformierte Männer entgegen. Zu Fuß. Auf Motorrädern. Salman kannte sie alle. Sie begrüßten sich durch Zuruf ihrer Vornamen. Die Nachnamen mit Nummer sprach Salman zu meiner Information beiseite. Zum Beispiel: »Richter 36, Georgie 8, Winkler 13, Müller 143.« Johann Salman hatte die Nummer 2. Salman 1 war sein Vater Gustav gewesen. Die jüngsten der uns entgegenkommenden Männer waren Mittfünfziger. Der Ablaufberg lag unter Flutlicht. Als wir am mittleren der drei Heizhäuser vorbeikamen, spähte Salman durch ein Fensterscheibenloch und sagte: »Sie ist drin, wir haben Glück, wenn sie drin ist, kriegen wir sie, es hätte nämlich auch sein können, daß sie draußen ist, Maschinenmangel, Sonderzüge, wir sehen es natürlich gar nicht gern, wenn auf unserer Brigadelok andere drauf sind, neulich haben wir sie total verdreckt vorgefunden. Ich möchte nicht wissen, was Sie sagen würden, wenn Sie Ihre Schuhe verborgen müßten und kriegten sie zerlatscht zurück.«

16

Den verschlafenen Pförtner rief Salman mit »Richard« an und stellte mich als »Import aus Frankreich« vor. Da dort überhaupt keine Dampflokführer mehr gebraucht würden, verkaufte die französische Eisenbahn ihre schwarzen Personale ins Ausland. Billig, die DDR hätte mit Perlonsocken aus Oberlungwitz bezahlen können. Richard zeigte sich augenblicklich hellwach, sagte »Johann« und daß er alle Betriebsangehörigen mit Namen kenne, um seine beruflichen Qualitäten anzuzeigen, die anderen umriß er mit dem Ausruf: »Ich hab die ganze Welt gesehen.« Während er einen Passierschein ausschrieb, erläuterte er seinen Aufschnitt. Was erwies, daß seine ganze Welt aus Polen, Frankreich, Rumänien, Griechenland und der Ukraine bestand, die er als Landser in zwei Weltkriegen heimgesucht hatte. Richards Sohn wäre mit siebzehn Jahren in Rußland gefallen, ergänzte Salman vorm Schrankraum des Lokpersonals. Der in einem backsteinernen Gebäude gelegen war. Ich mußte da warten, bis Salman umgezogen zurückkehrte, das Lokpersonal war nur männlich. Kein Wunder also, daß ich als Unikum auffiel – wie in einer Kaserne. Auch auf dem Weg zur Lokleitung wateten wir durch Neugier. Blicke, Zuruffragen und Pfiffe. Salman watete gravitätisch. Schlange vor dem Lokleitungsschalter. Ihr stellte mich Salman als Direktorin des Pariser Lokomotivenmuseums vor, die in die Produktion delegiert wäre. Der Lokleiter, ein hutzeliger Sechziger, brütete über einem aufgeschlagenen Buchfahrplan. Sein Bleistift fuhr Kolonnen von Zahlen und Strichen entlang. Umlagert von Telefonen. Wenn zwei oder drei Telefone auf einmal klingelten, fluchte er vor sich hin: »Strolche, schwerreiche«, »Hornochsen«, »Nasen«, was offenbar soviel heißen sollte wie: Moment, immer schön der Reihe nach. Salman und der Lokleiter riefen sich bald durch die Schalteröffnung Nummern zu. Mein Berechtigungsschein wurde als gültig anerkannt, nachdem er mit einer schriftlichen Anweisung des Dienststellenvorstehers, meine Person betreffend, verglichen worden war. Die Lokschlüssel hatte der Heizer bereits abgeholt. »Ordnungsgemäß«, sagte Salman, Ordnung wäre das halbe Leben, ja. Wieder ganz kurzes »Ja«, das Widerspruch unterstellte, Abkürzung für die Frage: Das paßt Ihnen wohl nicht, was? Im Nebenraum, der ebenso ärmlich ausgestattet war, lagen und hingen Befehle aus, die vor Dienstantritt eingesehen werden mußten. Salman tat seine Pflicht und quittierte das in einem Buch. Half dann einem Lokführer namens Karl beim Dienstzettelausfüllen. Kommentar dazu vor dem Ölautomaten: »Solang ich den Karl kenn, fragt der. Zwanzig Jahre lang fragt der mindestens schon immer dasselbe, eigotteigott. Unser BW ist ein Altersheim. Das letzte weit und breit, wer fährt denn heutzutage noch mit Dampf? Und sogar hier sind wir im Wege. Den ganzen Sommer über konnten wir nicht in die Häuser: erst wurde an der Drehscheibe gebaut, dann wurden die Kanäle betoniert. Der ganze Dampflokbetrieb hat sich auf einem einzigen Kanal abgespielt – nichts wie Murks und Wartezeiten! Und wiedergekriegt haben wir sage und schreibe ein Haus – nebenan macht sich die Konkurrenz breit. Und von den beiden Schornsteinen, die zum Haus gehören, hat sich das Büro für seine neue Dampfkesselanlage einen abgezweigt. Hätt ich nicht gedacht, daß ich meinen Beruf mal überleb.«

17

Durch die beiden offenen Tore des Lokschuppens fiel grelles Licht auf blankgefahrene Schienenpaare, die zur Drehscheibe führten. Vier Maschinen standen unter den Abzügen. Stoßender Klang der Luftpumpen, Zischen, metallisches Klirren, hallende Rufe. Salman geleitete mich zur Lok Nummer 86 063, an deren geputztem Herstellungsschild »Henschel und Co. 1932« zu lesen war. Als ich den Heizer mit blakender Öllampe am Eisenkoloß hantieren sah, blieb ich unwillkürlich stehen. In Erwartung einer Explosion – seit meiner Wiedererweckung hatte ich mir Anordnungen einprägen müssen, die den Umgang mit offenem Licht verboten. Die Ölfackel erinnerte mich heimatlich an Almaciz. Salman stellte den Heizer als »Ott-Willi« und mich als »französische Gewerkschaftsdelegation« vor und fragte: »Was macht sie denn?« Ich bezog die Frage auf mich. Ott-Willi winkte ab und entfernte sich drei Schritte. Dann antwortete er in einer Lautstärke, die die Entfernung mehr als ausglich: »Flächen hat sie in den Reifen, der Dings war drauf, von einem Ochsen kannst du nur Rindfleisch erwarten.« Salman legte die Hände auf die abgeschliffenen Reifenstellen und sagte »Dunsel«. War er mit Ott-Willi ebenso vertraut wie mit der Ehefrau, so daß auch hier Andeutungen genügten? Meine Hoffnung, trotz Redeverbot gegenüber dem Personal aus belauschten Unterhaltungen allerhand erfahren zu können, schwand. Ott-Willi half der Hoffnung wieder auf. Er fragte mich, ob ich schon in der Kantine gewesen wäre, und erzählte gleich apropos: »Bevor ich mit Salman-Johann gefahren bin, hab ich beim Rucksack gefeuert, Richter 87 hieß er eigentlich, aber ein Lokführer, der nur mit Rucksäcken in den Dienst geht, hat natürlich seinen Spitznamen weg. Rucksack ist ein Freund von Kaffee. Wer ihn nach dem Dienst sucht, findet ihn in der Kantine. Vor einer Tasse. Also ich such ihn auch eines schönen Tages, geh also in die Kantine, und was seh ich? Rucksack sitzt vor zwei Tassen. ›Hoppla‹, sprech ich, denn sparsam war mein Richter-Walter nicht zu knapp, ›hast du heute die Spendierhosen an‹, sprech ich und will mir gleich einen Schluck genehmigen. Da spricht der Walter ›Momang‹, verlangt, daß ich die Tasse voll auf die Maschine schaff, macht die Feuertür auf, schüttet den Kaffee ins Feuer und spricht: ›Weil de heide su schie gelaafen biest, kriegste a ne Dass.‹« – An die zitierte Mundart konnte ich mich nicht so schnell gewöhnen wie an den kratzigen Geruch von Rauch, Eisen, Ruß und Schmieröl. Ott-Willi war auch etwa in Salmans Alter, aber dürr. Ausgemergelt, von der schweren Arbeit wahrscheinlich – bis auf die Backen. Die waren erstaunlicherweise nicht eingefallen. Trug er Anekdotenvorräte in den Hamsterbacken? Ich erfuhr, daß mindestens zwei Monate vergehen würden, ehe die durch gefühlloses Bremsen eingeschliffenen Flächen ausgeglichen wären. »Das erleb ich nicht mehr«, sagte Salman, als er mir die Leiter zum Führerhaus hinaufgeholfen hatte. »Hier rechts, das große Rad, das ist das Steuerungsrad. Nach links drehen:

rückwärts. Nach rechts drehen: vorwärts. Und hier das wichtigste: der Regler. Und wenn Sie mal in die Feuerbuchse reingucken wollen – hier! Na, ist nur ein Reservefeuer drin. Der Dunsel denkt vielleicht, jetzt kann er in Ruhe hunzen . . .« Die von der Kesselrückwand ausgestrahlte Wärme förderte auch bei mir gewisse Empfindungen, wie sie gemeinhin nur von Lebendigem erweckt werden. Der fünfundsechzigjährige Salman kletterte inzwischen affenhaft sicher auf dem dampfenden Koloß, mit Mutterschlüsseln hantierend, mit Hämmern, Ölkannen, Putzwolle. Etwas Putzwolle hielt er stets in der Hand. Meist in der linken. Nur wenn Reparaturen beide Hände nackt erforderten, verschwand der Fitzknaul vorübergehend in einer Tasche des Schutzanzugs. Auf dem Rückenteil des Anzugs konnte Wasser in erhabenen Tropfen stehen. Wie im Kanal unter der Maschine. Salman hielt dort die Lampenfackel an alle Ölstellen, um mich mit Pauline näher bekannt zu machen. Pauline war der Name der Maschine 86 063. Trotz Salmans Anordnung, den Nischel (sein Wort) einzuziehen, stieß ich mich mehrmals an Paulines Unterteilen. Senkte ich den Kopf, tropfte Öl oder Wasser in den Kragen. Anschließend Rückenrieseln. Vorbereitungszeit. Zwei Stunden, das war Vorschrift, ja. Kurzes »Ja«. Nahm Salman an, ich teilte nach der Lektüre der bewußten Illustrierten Olgas Meinung, daß der Lebensablauf bei einer Lebenserwartung von siebzig Jahren in keinem Verhältnis zum Effekt stünde?

18

Drei Uhr sechsunddreißig fuhr Pauline auf die Drehscheibe. Drei Uhr vierundvierzig meldete Ott-Willi sie an der Wechselsprechanlage der Stellerei ab. Eine quarrende Stimme erteilte freie Ausfahrt und den Befehl, auf Sicht von Stellwerk zu Stellwerk zu fahren. Wir passierten Wartezeichen, Vorrücksignale, Sperrscheiben. Auf dem Ablaufberg, der noch immer unter Flutlicht lag, wich die Nacht in die Höhe. Weit übers Oberleitungsnetz hinaus. Dann sank sie wieder. Lauer Zugwind. Salman hatte mir den rechten Türplatz zugewiesen hinterm Lokführerplatz – alles Stehplätze. Ott-Willi kehrte mit einem Rutenbesen, wenn er gefeuert hatte. Bei Stellerei sechs wurde Pauline zwischen zwei Maschinen gekuppelt, die ebenfalls ab Hauptbahnhof einen Zug übernehmen mußten. Wieder Befehle durch Lautsprecher. Die erste Maschine, eine achtundfünfziger, antwortete mit Achtungspfiff. Ich notierte das. Salman verlangte Streichen: weil Befehle eigentlich mündlich wiederholt werden müßten. Auch über solche Entfernungen, ja (kurz): das wär ein schönes Gebläke (sein Wort). Das Oberleitungsnetz verdichtete sich. Salman nannte es »Fitz«. Auch vom Hauptbahnhof sprach er nur mit Verachtung. Er nannte ihn »die drüben«, als ob vom Westen die Rede wäre, »die driem machen sich die Hände nicht mehr schmutzig«, redete er gegen den Fahrlärm, »der ganze Laden elektrifiziert respektive verdieselt, alle schwarzen Personale werden zu uns naus abgeschoben, aber für die driemsche Priemelarbeit sind wir noch gut genug«. Bärbeißige Worte. Salman genoß sie gelassen. Wie er einen Likör genoß. Olga Salman räsonierte giftig.

19

Vor der Einfahrt in die Hauptbahnhofshalle zeigte mir Salman zwischen den Gleisen die Stelle, wo er am 5. März 1944 den Luftangriff überlebte. »In einem Zuckerhut, so hießen die Betonbunker – die Hütte, die Ott-Willi seinem Hund gebaut hat, ist größer. In der Nacht, als die Stadt mit 3668 Menschen verbrannte, hab ich mehr Zukunftspläne geschmiedet als irgendwann vorher oder später. Heimatland.« Der Personenzug war schon bereitgestellt. Salman fuhr Pauline langsam an den Packwagen, den er »Backmeester« nannte, »mit Gefühl«, sagte er. Und tatsächlich war kein Stoß zu spüren. Nicht mal zu hören war ein Pufferstoß. »Ja«, sagte Salman so kurz wie möglich. Vermutete er etwa, ich würde die Zentimeterarbeit mit einem Koloß widerwillig bewundern? Salmans einfache Würde. Die Ruhe, der nicht Fatalismus zugrunde liegen konnte, aber Hingabefähigkeit dem Gang des Lebens gegenüber. Obgleich es immer schlecht ausgeht: mit Tod. Nichts ist sicherer als das. Die Illustriertenprofessoren setzten den unabänderlichen Tod allerdings erst nach etwa tausend Jahren fest: nach dem Ausfall der Hirnzellen, die sich im Gegensatz zu den anderen nach der Geburt des Menschen nicht mehr teilten und also auch nicht in der Lage wären, Ausfall zu ersetzen. Mir schien klar, daß unter solchen Bedingungen der Tod seinen schlechten Ruf verliert. Die Jenseitsreligionen würden überflüssig, Selbstmord wahrscheinlich eine der häufigsten Todesarten. Die Anbetung von Jugend würde sich verlieren, der Blick für Werte steigen, zunehmen würde die Zeit aktiver Reife. Frauen wären nicht mehr gezwungen, sich entweder durch Doppelbelastung abzuarbeiten oder auf eine wesentliche Seite von Selbstverwirklichung zu verzichten, sondern hätten genügend Zeit, um sich nacheinander den Kindern beziehungsweise den Berufen zu widmen. Mehreren Berufen, den Entwicklungen der Produktion entsprechend. Mit einem einzigen Beruf durchs Leben zu kommen wie Salman würde unmöglich werden. Die Strapazen der Ausbildung müßten den Forschern nicht mehr das halbe Leben fressen, was die wissenschaftliche Produktivität enorm erhöhen könnte. Jetzt hätten die Menschen Zeit, die Planeten und fernen Sonnensysteme zu bereisen und zu besiedeln. Fragt sich allerdings, ob das Leben durch Zerdehnung nicht derart an Intensität verlöre, daß es ohne Höhepunkte bliebe. Fragt sich, ob es nicht allgegenwärtig seine Negation braucht, um im Selbstbehauptungskampf als köstlich empfunden, genutzt und ausgeschöpft zu werden. Fragt sich, ob Gerontologie mit solchen Zielstellungen wie den erwähnten überhaupt vertretbar erscheint angesichts der Tatsache, daß auf der Erde täglich achtzigtausend Menschen verhungern. Auf der Hochzeit hatte mich

Salman nach einem gewissen Canetti gefragt, der ein Kollege von mir sein müßte, beruflich, nicht ehrenamtlich. Dieser Mann würde sich weigern, den Tod anzuerkennen, wie aus dem Rundfunk zu erfahren gewesen wäre. Salman bezeichnete das Beschimpfen oder gar Infragestellen von Unabänderlichkeiten als verbohrt (sein Wort). Er lebte mit ihnen in Harmonie. Die Sitten rechnete er auch zu ihnen. Lebte er in einer heilen Welt? Nahm er so bärbeißig-gelassen Abschied, weil er spürte, daß Aufschieben Verlust dieser Illusion bedeutete? Die Kreideschrift auf der Heizungstafel verlangte eine Atmosphäre. »Im Winter muß mit vier Atmosphären geheizt werden«, erklärte Salman, »bei Hundekälte«, sagte er und verzog das Gesicht, als ob sie ihm augenblicklich als Zugwind auf dem Gesicht läge, »Kälte konnte ja einem Sportler wie mir nichts ausmachen, nur in den letzten zwei Jahren hat mir vorm Winter gegraut. Heuer bin ich bei vier Atmosphären in Rente. Hinterm Ofen, da sind Schneeverwehungen auszuhalten.«

20

Der Bahnsteig belebte sich. Die ersten Reisenden bestiegen den Arbeiterzug, der aus alten, vieltürigen Personenwagen bestand. Bremsprobe. Kleines Palaver mit dem Rangierer über Bremsklötze und mich. »Letzter Beschluß der Reichsbahnverwaltung«, sagte Salman schließlich ernst und tat verwundert, daß der Rangierer noch nicht informiert war, »ab 73 dürfen Dampflokomotiven nur noch von weiblichen Personalen gefahren werden, ja. Die Männer müssen auf Diesel oder elektrisch umschulen.« Salman stand im Lichtschein einer abgeschirmten Lampe, die Meßuhren, Wasserstandsanzeiger, Fahrplanhalter und den großen blanken Hebelarm des Dampfreglers an der schwarzen Kesselrückwand erleuchtete. Ott-Willi warf einen Blick auf Wasserstand und Kesselmanometer, betätigte durch Drehung eines kleinen Rades die Speisepumpe und schaufelte grinsend Kohle ins Feuer. Die Geräusche zuschlagender Türen mehrten sich. Die Bahnhofsuhr zeigte vier Uhr achtundvierzig an. Salman zog seine Taschenuhr, verglich, nickte: Die Bahnhofsuhr ging genau. Gab es denn genauere Uhren als Bahnhofsuhren? »Ja«, sagte Salman kurz, »aber es könnte doch mal sein . . . wer weiß denn . . . irgendwie . . . aber bei der Eisenbahn geht es auf die Minute, und . . . jedenfalls: meine Uhr geht genau. Weil es eben eine Lokomotivführeruhr ist, nicht eine . . . was weiß ich, was es da für komische Sorten gibt. Mit der Uhr hat schon der Salman-Gustav den Fahrplan eingehalten, auf die Minute. Was sag ich: auf die Sekunde! Jawohl.« Salman ließ den reliefgeschmückten Deckel zuschnappen: Achtung. Für den Rangierer hieß das: Ende des Palavers. Für Ott-Willi hieß das: Ist Dampf da? »Eiju«, antwortete Ott-Willi prompt. Gehäuftes Türenknallen, Rufbefehle des Aufsichtsbeamten. Durch die ovale Fensterscheibe vorm Führerstand fiel grünes Signallicht. Der Aufsichtsbeamte hob die Kelle. »Frei«, sagte Ott-Willi vier Uhr fünfzig. »Frei«, bestätigte Salman und öffnete bedächtig das Dampfpfeifenventil, dann den Regler, »auf, auf.« Abfahrt des Personenzugs 3271/72 Karl-Marx-Stadt Hbf – Rochlitz. Auch bedächtig. Hast schien Salman nicht zu kennen. War er so ausgeglichen, weil er zufrieden war? Mit sich, konnte ein Mann, der sich bewährt hatte als Ernährer, nicht zufrieden sein? Zu der Zeit, als er heiratete, schafften sich die Frauen die Existenzprobleme vom Hals, indem sie heirateten. Ein Mann konnte sich die arthalber nicht vom Hals schaffen, er mußte sich stellen: erfolgreich sein, stark. Und wenn er versagte, war es aus mit ihm als Mann und überhaupt. Olga Salman hatte nie solche Verantwortung tragen und derart hart arbeiten müssen. Ihr Leben war leer von Existenzangst, hatte sie ein Recht, sich zu beschweren, daß es auch sonst leer war? Kein Wunder, daß ein Mann wie Salman, der sein verdientes Geld mit großem körperlichem Verschleiß bezahlte, sich seiner Frau überlegen fühlte. Sie war wahrscheinlich klüger als er, sicher härter von Charakter, nach den Gesichtszügen zu urteilen, sie hatte lebenslang klein und schwach tun müssen, aber Salman hatte lebenslang seine weiche Seele besiegen müssen, zählte das etwa nicht mehr? Morgendämmerung. Salman machte mich auf die neuen Hochhäuser aufmerksam, auf Kühltürme, das Heizkraftwerk, die Schweinemästerei. Aber noch spiegelte die Funkenfahne ihren Feuerschein auf den feuchten Wagendächern. Erster Haltebahnhof: Glösa. Zwei Männer stiegen ein. Salman kannte sie namentlich.

21

Am Haltepunkt Heinersdorf, wo kein Bahnsteig zu sehen war, nur Gras und rundum Feld, warteten drei Personen im Dustern. Eine identifizierte Ott-Willi als Lang-Fritz, die Giftnudel. Rucksack hätte sich über die Giftnudel oft ärgern müssen. Denn sie hätte stets was zu meckern gehabt, mal, weil zuwenig geheizt wäre oder zuviel, mal, weil der Zug zu weit gefahren wäre oder nicht weit genug, kein Tag, an dem der Strumpfwirker nicht gestänkert hätte. Aus Rache wäre Rucksack auf seinem letzten Dienst an der Bedarfshaltestelle Heinersdorf durchgefahren. Kichernd. Dabei hätte er der Giftnudel zugerufen: »Heide mußte laafen.«

22

Dicht stand der Nebel im Chemnitztal. Die gleichmäßigen Schüttelbewegungen der Maschine förderten Folgen der Übernächtigkeit. Ich hielt den Kopf weit in die feuchtkalte Zugluft, um mein Gähnen zu bekämpfen oder wenigstens vor den beiden alten Männern zu verbergen. Sie zeigten keinerlei Anzeichen von Müdigkeit. Wenn ich mich sehr weit hinauslehnte, konnte ich das Klopfen deutlich hören, das die den Radreifen eingeschliffenen Flächen erzeugten, Salman nannte es »Krawall«. Sonnenaufgang. Die von Salman angekündigte Laubfärbung übertraf noch meine Erwartungen. Und Hasen und Rehe waren auch zu sehen. Jede Menge unbeschrankter Bahnübergänge, die Pfiffe und Ingangsetzen des Läutewerks notwendig machten. Ich fror. Zwischen Wittgensdorf unterer Bahnhof und Wittgensdorf oberer Bahnhof räusperte sich Salman, dem Fahrkrach angemessen. »Eiju«, antwortete Ott-Willi und griff wieder nach der Schaufel. Einen Fuß auf dem sich ständig bewegenden Stütztender, einen auf dem Führerhausboden, so schwang der Heizer, breitbeinig die rüttelnden Fahrbewegungen der Maschine ausbalancierend, die Kohlenschaufel nach dem offenen Feuerloch. Hitze schlug raus. Ott-Willi warf die Kohle genau zielend verteilt in die zwei Meter tiefe Buchse, immer wieder, immer wieder, jede Schaufel dreißig Pfund. Dann langte er nach seinem Kaffeekrug, der auf dem Blech über der Feuertür warm stand. Daneben stand Salmans Flasche. Kurz vor der Einfahrt in Auerswalde-Köthensdorf fiel sie. Salman begleitete den Fall zusätzlich mit Mundlärm. Dazu der Rhythmus des sechsfachen Schienenstoßes: tatatatatatam, tatatatatatam . . . Keuchend erklomm die Maschine die Windungen der Strecke, folgte dem Lauf des Schaum führenden Chemnitz-Flusses, kreuzte ihn über niedrige Brücken. Die Textilfabrik VEB Doppelmoppel kam in Sicht, VEB Graziella, Textilwerk Clara Zetkin, alle voll erleuchtet. Salman sah es zufrieden. Er fuhr lieber Güterzüge, die diese Werke bedienten, als Personenzüge, die er Priemelkram nannte. Was? Waren ihm die geschlossenen Rohbaumwollwagen für die Spinnerei Schwarzathal-Dietensdorf oder die Kesselwagen mit Chlor und Salzsäure für das Fewa-Zweigwerk in Moosdorf etwa interessanter als Arbeiterberufsverkehr? Ich feuerte sofort ein Argument zur Verteidigung der Sorge um den Menschen ab. Salman erwiderte gelassen: »Glauben Sie, es macht einer Schauspielerin Spaß, wenn sie aus Altersgründen die Bühne mit dem Souffleurkasten vertauschen muß? Klar, die Arbeit muß auch gemacht werden. Züge, die auf jeder Quetsche halten, müssen auch fahren, aber wenn man sein Leben lang großen Dienst gemacht hat . . .« – »Ist solche Werke bedienen großer Dienst?« fragte ich zurück. »Mumpitz«, antwortete Salman, »man kommt aus dem Rangieren nicht raus. Aber Rangieren will gelernt sein. Mancher lernts nie und rammelt jede Ladung zu Bruch. Es ist sozusagen die Visitenkarte des Lokführers. Das, was für den Kapitän die An- und Ablegemanöver sind. Man hat ja schließlich auch seinen Stolz . . .« Sprachs und fuhr in Schwarzathal-Dietensdorf eine halbe Wagenlänge weiter als gewöhnlich. Bei mir meldete sich schlechtes Gewissen, weil ich der Anordnung, Unterhaltungen mit dem Personal zu unterlassen, zuwidergehandelt hatte. Einige Reisende, die sich präzise auf ihren Bahnsteigplätzen aufgestellt hatten und erwarteten, daß die bestimmte Wagentür vor ihnen hielt, schüttelten die Köpfe. Ein alter Arbeiter sagte entrüstet: »Muß mer a noch a wink laafen.«

23

Auch kurze Haltezeiten auf Bahnhöfen benutzten Salman und Ott-Willi, um an der Maschine zu putzen, zu ölen oder zu bauen. Nur in der Ortschaft Stein, wo die Abwässer der Lumpenreißerei dem Fluß eine Farbe ähnlich der von Heißdampföl gegeben hatten, holte Ott-Willi ausnahmsweise wieder eine Anekdote apropos aus seinen Hamsterbacken. Weil der Rucksack sich nämlich auch mitunter mal verbremst hätte. Öfter als Salman, räumte er schnell ein, als er sah, daß sein Lokführer nach der Taschenuhr langte. Also der Rucksack hätte sich wie gesagt viel öfter als Salman-Johann verbremst, fast immer wär sogar nicht übertrieben, und einmal wär er mit seinem Zug vor statt hinter dem Tunnel zum Stehen gekommen. »Ich denk also, he, denk ich, vorsichtig, wie ich bin, denn mein Rucksack ist jähzornig. Und was hör ich? ›Die will net in dan Dunnel nei‹, hör ich. Dann gibt mein Rucksack der Lok einen Klaps auf die Kesselrückwand und spricht: ›Fercht die net, ich bin bei dir.‹«. – »Ich versteh nicht, was Laura an so einer elektrischen Hitsche findet«, ergänzte Salman, »unheimlich wär mirs, auf so einem albernen Griebel zu fahren, wo man Schäden höchstens einkreisen kann, nicht selbst beheben. Mit so einem Drahthaufen kann doch kein Mensch reden.«

24

Höher als fünfzig Kilometer pro Stunde war Paulines Geschwindigkeit nie, meist niedriger. Planmäßig. In Göritzhain fuhren wir an der Papierfabrik vorbei, die sich bei Salman für gute Bedienung mit Abfallseidenpapier erkenntlich zu zeigen pflegte. Olga brauchte es für Schnittmuster. Vor den Bahnwärterhäuschen, die an der Strecke lagen, standen Männer oder Frauen in Eisenbahneruniform während unserer Vorbeifahrt stramm. Salman grüßte alle, indem er an sein Mützenschild tippte und Namen murmelte. Zwölfmal kreuzte unsere Strecke den Chemnitz-Fluß, bis er in Wechselburg in die Mulde floß. Bei der Einfahrt in Steudten sagte Salman zu Ott-Willi: »Margitta hat heute einen neuen Ledermantel an.« Sechs Uhr dreiundzwanzig an Rochlitz. »Alle aussteigen, dieser Zug endet hier«, quarrte der Bahnhofslautsprecher. Die Personenwagen wurden abgehängt. Pauline fuhr an den Wasserkran. Frühstückspause – wenn ein Rangierer vom Güterboden nicht gefragt hätte, ob Salman ein paar Wagen umsetzen könnte, keine Rangierlok, greif mal einem nackten Mann in die Tasche. »So«, sagte Salman ruhig und ließ den Uhrendeckel schnappen. Allso keine Frühstückspause. Also Rangieren. Es gehörte nicht zum Dienst. »Eiju«, sagte Ott-Willi. Ich notierte: »Solidarisches Verhalten.«

25

Die Neugier eines anderen Rangierers, der Pauline schließlich sieben Leerwagen für die Sandgrube anhängte, befriedigte Salman, indem er mich als »Elektrifizierungsfachfrau« vorstellte. »Sie will uns auch noch die letzten Strecken zuelektrifizieren. Den ganzen Himmel würde sie zufitzen, wenn sie könnte. Und wir Schwarzen sitzen in unserer Maschine wie im Stall und können nicht raus. Ist das ein Zustand, wenn meine Pauline über und über mit Elektrizitätswarnschildern bepflastert ist und der Heizer kann keine Feuerhaken mehr benutzen, andernfalls verschmort er? Höchste Zeit, daß Schluß wird.« Der Zugführer brachte die Bremszettel für den Leerzug 9504 (vierzehn Achsen). In Steudten bereits wurden die Leerwagen gegen vierzehn Sandwagen ausgewechselt. Vierhundertachtundvierzig Tonnen, die ich den kleinen Sandhaufen auf den offenen Waggons nicht zugetraut hätte. Und ausgerechnet jetzt kam Regen auf: Sauwetter (Salmans Wort). Pauline rutschte auf den nassen Schienen. Bei Steigungen mußten sie stetig mit Sand bestreut werden. Größere Steigungen nahm Pauline im Schrittempo, ruckweise ziehend wie ein Pferd. Ott-Willi stopfte seine Hamsterbacken hin und wieder hastig mit Brot aus und kaute, wenn sich Gelegenheit bot. Denn er konnte die Schaufel bis Karl-Marx-Stadt Hbf kaum noch aus der Hand lassen. Salman zwang der Hunger jetzt auch, zwischendurch Bemmen (sein Wort) nachzulegen. Streckenabschnitte, von denen Salman kauend behauptete, daß hier schon mancher mit einem Sandzug steckengeblieben wäre, folgten dicht aufeinander. Überm Lokführerfenster hatte Salman ein Blech angebracht. Es verhinderte, daß ihm der Regen in den Kragen lief. Eingleisige Strecke. Vor der Hauptbahnhofseinfahrt führt sie über eine zehnfache Weichenstraße. Wir überquerten ein Leipziger und ein Riesaer Gleis, zwei Maschinengleise von BW Hauptbahnhof, zwei Dresdner Gleise, ein RAW-Gleis und drei Güterzuggleise. »Fahrt nicht so langsam«, brüllte eine Stellereistimme. »Eiju«, sagte Ott-Willi. Salman genoß die letzte Chance, wenigstens kurze Zeit den ganzen elektrifizierten Hauptbahnhofsverkehr zu sperren. Dienst Nummer 17 morgen nachmittag bot nicht noch einmal so eine Gelegenheit. Als der Sandzug nach »Produkten sechs« umgesetzt war und abgehängt, fuhr Salman Pauline nach Hause. Wieder auf Sicht von Stellerei zu Stellerei. Im BW angekommen, wurde Kohle genommen und Sand und Wasser. Im Heizhaus fragte die Ablösung: »Was macht sie denn?« Und diesmal bezog ich die Frage nicht auf mich. Heimweg wieder über schwarze Schlacken, die unter den Schuhsohlen knirschten. Rechts jetzt der Ablaufberg und links die Schrebergärten. Bremsschuhe quietschten. Rufe vom Rangierpersonal mischten sich mit dem metallischen Klang zusammenprallender Puffer. Aber meine Ohren waren vom Dienst 17 bereits so abgehärtet, daß ich den Rangierlärm mühelos überhören konnte. Viele ältere Männer kamen uns entgegen, die Salman namentlich grüßte und von denen er namentlich gegrüßt wurde. Einer, dem Salman »Dach, Moritz« zurief, schrie zurück: »Tag, Johann, hastes geschafft?« – »Morchen«, antwortete Salman in gleicher Lautstärke, »wenns am besten schmeckt, soll man aufhören.«

26
Heimgekehrt fand Salman zwar Essen auf dem Tisch, aber die Frau im Bett. Hexenschuß. »Die alten Deutschen hatten auch keinen Hexenschuß«, brummte Salman ins Schlafzimmer. »Ich könnte mich nicht erinnern, daß ich mir in den letzten drei Jahren ein einziges Mal erlaubt hätte, krank im Bett zu liegen«, giftete Olga zurück. »Und wer holt morgen früh die Milch?« fragte Salman, als er seine Uniform ausgezogen hatte. Später erzählte er mir vom Bellmann-Bäcker, der mit vierundsechzig Jahren seinen gut gehenden Laden schloß und sich als Faktotum in einer Bar verdingte. »Fünfzig Jahre hat der Bellmann-Bäck früh um drei aufstehen müssen, jetzt geht er früh um sechs ins Bett, auf, auf.«

23. Kapitel

Die Freundinnen nähern sich zusehends einander, das entfernt sie

Beatriz brachte ihre zweite Bitterfelder Frucht dem jungen Ehepaar zu Gehör und bat um Einschätzung und Hinweise. Laura rührte der Bericht zu Tränen. Benno lobte die Absicht und bedauerte, daß niemand seinen Vater Oskar Pakulat porträtiert hätte, dessen Verdienste die von Johann Salman ehrlich in den Schatten stellten. Da verschaffte Beatriz Benno das 35. Melusinische Buch. Und er las. Und fluchte. Und kritisierte. Vor allem die Beschreibung des Krachs zwischen ihm und dem Vater, das wären sozusagen innerparteiliche Auseinandersetzungen gewesen, die nicht an die Öffentlichkeit gehörten. Und derartige Intimitäten wie Tagebücher zu veröffentlichen wäre eine Sauerei, hätte olle Pakulat etwa dieser Schriftstellerin Morgenstern oder Mohrenfern, oder wie sie heißt, die Intimitäten in die Hände gespielt? Mußte er nicht mit dieser Mollenkern bekannt gewesen sein, ziemlich gut sogar, wie sonst hätte sie ihn bis in alle Einzelheiten beschreiben können? Gehörte sie etwa gar zu denen, die er in die engere Wahl gezogen hatte, olle Pakulat hätte ja bis zu seinem Tod Heiratsgedanken rumgeschleppt, ein verrücktes Haus, aber daß er es mit Schriftstellerinnen hielt, hätte Benno ihm ehrlich nicht zugetraut, Tusch! Die Trobadora beruhigte Benno mit einer Minestra, die sie ohne Kochbuch zubereitete. Benno bewertete die Minestra mit siebenundvierzig Streicheleinheiten. Ein mürbes, durchgebratenes Steak rechnete er in achtunddreißig Streicheleinheiten um, ein Vollbad in fünfzig. Wesselin ausfahren in zwanzig bis sechzig, morgens aufstehen in minus achtzig, Fenster putzen in minus zweihundertneunzig. Da Beatriz sich befleißigte, Laura auch in Kleinigkeiten nachzueifern, erkannte Wesselin sie bald als Ersatzmutter an. Nannte sie aber nicht »Mama«. Mit diesem Wort rief er nur Laura oder Benno. Da zog Beatriz den Montageroman zurück und versprach dem Aufbau-Verlag, den bestehenden Vertragsverpflichtungen statt dessen mit einem zukunftweisenden Roman nachzukommen. Seine Hauptgestalt wäre ein junger Bauarbeiter. Für den Sommer beantragte Benno für sich und seine Familie bei der Gewerkschaftsleitung seines Betriebes eine Urlaubsreise an die Ostsee. »Almaciz wäre mir lieber«, sagte Laura. Da erschien es Beatriz aus verschiedenen Gründen abermals dringend an der Zeit, ihre Erzählunlust, die auf Erinnerungsunlust gründete, zu unterdrücken. Und gleich beim Kuchenteigwirken schilderte sie dem Ehepaar ihre Erlebnisse in Rom. Wesselin, der nicht leiden konnte, wenn Erwachsene aufeinander hörten, nicht auf ihn, störte die Schilderung mehrfach durch Singen. Der Hund Anaximander störte sie durch Bellen. Die Schilderung ist gekürzt im nächsten Kapitel nachzulesen.

24. Kapitel

Rom und anderes

Rom stellte ich mir – keine Ahnung, warum – als pastellene Stadt vor, mit sandsteinfarbenen oder weißen Gebäuden, wie sie an südlichen Küstenorten anzutreffen sind. Von der einstigen Hauptstadt des Römischen Imperiums erwartete ich liebliches Aussehen! Unsere Sehnsüchte setzen sich mitunter über unsere historischen und kunsthistorischen Kenntnisse rigoros hinweg. Schon auf die tropische Schwüle, die mich empfing, als ich Sonntag mittags aus dem Zug stieg, war ich nicht gefaßt. Und also auch planmäßig nicht vorbereitet, wir begaben uns auf Zimmersuche. Ich naiv. Simon grinsend. Und ich fragte ihn auch noch, warum er grinste, da man sich doch mit einer Stadt am schnellsten bekannt machen könnte, wenn man sie unter die Füße nähme. Ich sah keinen Grund, diesmal dieser naiven Gewohnheit nicht zu folgen. Simon widersprach mir ausnahmsweise nicht, das hätte mich stutzig machen müssen. Nach wenigen Schritten bereits klebte der Schweiß den Stoff an die Haut. Im Schatten von Bauten, auf die Worte wie »kolossal« und »imposant« zutreffen, schleppten wir uns etwa eine Stunde hin. Japsend. Und zunehmend langsamer. Schlechte Kondition für Hotelverhandlungen. Von der obersten Stufe der spanischen Treppe ein erster Blick auf die Stadt. Auch für den so gewonnenen Eindruck trafen die genannten Worte zu. Keine Spur von Pastellen, die vorherrschende Farbe der Stadt ist ocker. Auf den Treppen dicht an dicht brieten jugendliche Touristen im Underground-Lumpenlook. Römer waren zu dieser Tageszeit nicht mal im Schatten anzutreffen. Wenn nicht außerordentliche Umstände sie zwangen oder lockten. Hinter der obersten Brüstung der spanischen Treppe hatte ein Limonadenverkäufer seinen Wagen in Hitzestellung gebracht. Ich stürzte auf ihn zu, verlangte eine Limonade, ohne nach dem Preis zu fragen, er riß eine winzige Flasche auf, leerte sie in einen Pappbecher und verlangte vierhundert Lire. Umgerechnet damals etwa 2,30 Mark. Jetzt die Annahme zu verweigern hätte Spektakel und erbitterte Wortgefechte zur Folge gehabt. Die die Stimmung ruiniert hätten. Und ob wir den Ausgang des Gefechts zu unseren Gunsten hätten entscheiden können, war zudem fraglich. Also schimpfte ich nur: »Wucher!«, und der Verkäufer gab schimpfend zurück: »Denken Sie vielleicht, mich faßt man zart an?« Geschlagen wankten wir die Treppe hinab. Und konnten die Stille in den Straßen gar nicht recht würdigen und genießen. Fast nur parkende Autos während der sonntäglichen Siesta. Straßen mit Parkverbot waren mitunter sogar nackt zu besichtigen. Im Hotel »Cruce de Malta« nahe der spanischen Treppe nahmen wir Quartier. Auf schon erwähnte Art. Die damenhaft-faule Verstellung verbrauchte meine letzte Energie. Gleichgültig selbst gegen Hunger, ließ ich mich ins Bett fallen und fand nicht mal Kraft oder Willen, mich vom Rücken auf die Seite zu wälzen. Den Montag begann ich zeitig mit gesundheitsberücksichtigenden Vorsätzen. Bescheiden. Kühle auf den Straßen. Lärm. Gestank. In der Altstadt, die keine Fußwege kennt, wühlt sich der Fußgänger auf gut Glück irgendwie durch den Autoverkehr. Nicht einer der berühmten Plätze ist zu sehen. Ihre Pflaster, meist kunstvoll gemustert und in Postkartenwiedergaben älterer Photographien zu bewundern, sind begraben unter Blech. Rom ist eine riesige Garage. Wie Paris. Das Forum Romanum und das Colosseum waren derzeit noch nicht wegen Einsturzgefahr beziehungsweise fehlender Mittel für die Restaurierung geschlossen. Ich besichtigte das Forum also für zweihundert Lire. Lief in den Ruinenresten, die eine jahrhundertelange Benutzung als Steinbruch übriggelassen hatte, mit Stadtführer herum wie andere Touristen auch. Die erhaltenen antiken Bauwerke hier und anderswo in der Stadt empfand ich in Stil und Ausmaß als Inkarnationen unbemäntelten Autoritarismus. Die Ungebrochenheit dieses patriarchalischen Stils, sein offenes Bekenntnis bewunderte ich. In der Art, wie man im Zoo ein Raubtier bewundert. Die Vorstellung, von ihm gefressen zu werden, gehört nicht zu meinen Wunschbildern. Vor den Baudenkmälern Straßenhändler, die Plastikabgüsse berühmter Skulpturen und Diapositivserien feilboten. Die Davidstatue Michelangelos stand an jeder Straßenecke in verschiedenen handlichen Größen unzerbrechlich zum Verkauf. Das Angebot in Andenkenramsch war überwältigend. In der Nähe der Vatikanstadt nahm es gigantische Ausmaße an. Die denen des Petersplatzes und der Peterskirche auf ihre Weise durchaus entsprechen. Die Anlage überzeugt jeden, der sie betritt, augenblicklich davon, daß er höchstens ein Staubkorn darstellt. Bevorzugtes Motiv religiösen Kitsches ist der regierende Papst. Von Paul VI. kann man photographische Postkartenserien kaufen, die ihn in sechs verschiedenen Betpositionen zeigen. Mit seinem Bild sind Wandteller, Aschenbecher, Tassen, Biergläser, Halstücher und Zimmerthermometer geschmückt. In Kompositionen aus Muscheln und Plastikvergißmeinnicht ist sein Porträt verarbeitet. Abwaschbar. Das reichhaltigste Sortiment bieten die Verkaufsetablissements im Petersdom. Rosenkränze zum Beispiel werden in unzähligen Ausführungen und Preislagen zu aber Tausenden an drehbaren Schlipsständern hängend feilgeboten. Schamlos schwunghafter Briefmarken- und Geldhandel. Für die schnöden Mammon-Arbeiten in der Goldgrube hat der Vatikan-Männerstaat allerdings Frauen angestellt. Sie tragen Nonnentracht, verstehen viele Sprachen und rechnen die Wechselkurse im Kopf. Vorm Eingangsportal zum Petersdom livrierte Herren, kräftig wie Barrausschmeißer. Ihre Arbeit ähnelt auch der im Gaststättengewerbe, nur haben sie nicht betrunkene Männer an die Luft zu setzen, sondern hauptsächlich unsittlich gekleidete Frauen. Eine Liste, was im Vatikanstaat als unsittlich gilt, ist zu beiden Seiten des Portals in italienischer, französischer, englischer und deutscher Sprache angeschlagen. Ich kann mich an die Vorschriften im einzelnen nicht mehr erinnern, bestimmt weiß ich nur noch, daß Trägerinnen von ärmellosen Kleidern, Miniröcken und Hotpants das Betreten des Heiligtums untersagt ist. Mein Kleid genügte den vatikanischen Anforderungen. Gleich hinterm Eingang rechts die herrliche Marmor-Pietà Michelangelos, der die Mutter Maria einem achtundzwanzigjährigen Modell nachbildete. Sie hält den dreiunddreißigjährigen Christus auf dem Arm wie einen Blumenstrauß. Das pikante, den angeschlagenen Sitten frech widersprechende Kunstwerk wurde kurz nach meinem Besuch von einem religiösen Eiferer verstümmelt. Verständlicherweise. Man kann das Fleisch nicht gleichzeitig kasteien und anbeten. Wir spazierten eine Weile im Petersdom, dessen Größe und Reichtum derart überwältigend ist, daß ich kein Gefühl für seine Schönheit erübrigen konnte. Aus der kirchlichen Kühle zurück in die Hitze. Die sich mittlerweile zu Mittagshitze ausgewachsen hatte. Wir flüchteten unter den vierfachen Säulengang zu denen, die auch geflüchtet waren. Ihre Busse umstanden den Obelisken in der Mitte des Platzes. Caligula hatte den roten Monolithen einst aus Heliopolis entwendet. Nero hatte ihn im Circus Maximus aufstellen lassen. Um genügend Säulen für St. Peter herbeizuschaffen, hatte Sixtus V. das unter Septimus Severus erbaute Septizonium vollends ausschlachten lassen. Bei einigen im Säulengang lagernden Touristen und Pilgern erkundigten wir uns nach einem soliden Mittagstisch in der Nähe. Als garantiert solider und naher wurde uns der des Pilgerheims der deutschen Schwestern empfohlen. Wir folgten der Empfehlung, weil wir unserer klimageschwächten Kondition nicht mehr viel Wachsamkeit zutrauten. Über eine Treppe betraten wir vertrauensselig das Pilgerheim wie ein DDR-Restaurant. Von Verantwortung geleichtert. Die Kassiererin am Eingang schrieb in deutscher Schrift einen Bon aus. Für die Leichterung und den mäßigen Preis wurde Disziplin verlangt. Die Stühle durften nicht ausgesucht werden, sie wurden angeordnet. Von jungen, trachtverhangenen Schwestern. Zuerst wurde ein Tisch mit Essern voll besetzt, dann der nächste. Auch zwei erschöpfte Pilger, die ihre kreuzbeladenen Brüste in einen zugigen Winkel geflüchtet hatten, rief unerbittliche Freundlichkeit zur Ordnung. Das Essen wurde in großen Schüsseln auf den Tisch gebracht, aus denen sich jeder beliebig viel nehmen konnte. Nudelsuppe, Schnitzel, Salzkartoffeln, Möhrengemüse, Birnen: Essen für den Hunger, keine Geschmäcklerei. Nur der Wein war in Viertelliterkaraffen portioniert. Beten war nicht kollektive Pflicht. Ich saß zwischen zwei Amerikanerinnen. Die junge sprach nicht, weil sie während des Essens Postkarten schrieb. Die alte, eine gütige, sprillrige Schwester in Tracht, fragte, ob ich auch aus den Staaten käme. »Aus Berlin«, sagte ich. »Ost oder West«, fragte sie. »Democratic«, sagte ich. »Reisen Sie auch mit dem American Express«, fragte sie wieder. Und ich fragte zurück, weil ich glaubte, mich verhört zu haben. Aber die alte Frau war wirklich außerstande, sich vorzustellen, daß jemand ohne American Express reisen könnte. Er und das Pilgerheim erschienen ihr als Obdächer, zwischen denen sie pendelte im unheimlich weltlichen Rom. Sie empfahl mir verschiedene hübsche Kirchen, die ich unbedingt besichtigen müßte, die reizendste wäre St. Paul, darin ihre Schwester gestürzt wäre. Auf den Hinterkopf, leider, bei der Bewunderung der Fresken, die Szenen aus dem Leben des heiligen Paul darstellen, wäre sie so unglücklich zu Fall gekommen, daß sie im Bett liegen müßte und heute die bezaubernde Messe am Grab von St. Peter nicht hätte mit erleben können. Morgen hoffte die Ordensschwester den Heiligen Vater zu sehen, der gegenwärtig in der Sommerresidenz Castel Gandolfo residierte und nicht offiziell auftrat. Es erschien der Frau selbstverständlich, daß sie für die Vermittlung einer Ansicht auf den Papst viel zahlen mußte. Rückweg entlang der onyxfarbenen Schmutzwasser des Tiber. Unter Uferplatanen, durch Sägegesumm. Die Zikaden Roms sind immun gegen Lärm. Meinen Versuch, das Siesta-Gesetz zu mißachten, bezahlte ich wieder mit perfekter Erschöpfung. Abends führte mich Simon zur Erholung in den Pincio. Den er von einem Besuch vor elf Jahren in romantischer Erinnerung hatte. Der herrliche Park auf dem Pincio-Hügel, von dem aus wir, der Empfehlung eines Reiseführers folgend, den Sonnenuntergang genossen, war inzwischen von Autostraßen kreuz und quer durchzogen. In deren Nähe parkten Wagen, darin junge Leute Liebe machten, überwiegend in Form von Petting. Den Dienstag verbrachten wir in Trastevere. Jenseits der Tiberinsel, der Druck der Kolossalität Roms schwand, ich ging beschwingter. Die Hauptstraße war dicht mit Verkaufstischen gesäumt, die gewaltige Sortimente an Ramsch feilboten, anfangs religiösen Ramsch, später weltlichen. Auf der Hauptstraße fielen noch hier und da einige Touristen auf, abseits schlugen sich die Bewohner unbegafft durchs Leben. Einfache Leute, arme Leute, viele Kinder. Die Kinder gaben den ärmlichen Straßen Würde. Wahrscheinlich erschien mir Paris, dessen Verkehr die Kinder fast völlig von den Straßen verbannt hatte, trotz ungeheurer Betriebsamkeit seltsam starr, ja fremd, weil es dieser Würde entbehrte. Auf vielen Straßen von Trastevere lagen Flugblätter. Mit der anlockenden Aufschrift: »Sexualität«. Die Überschrift war irreführend. Die Blätter predigten die Ehe als praktische und gesunde Einrichtung mit großen Vorteilen. Ein Vorteil bestünde beispielsweise darin, daß sich der Mensch bei gemäßigter Lebensweise von unnützen Säften befreien könnte, die Epilepsie und andere üble Krankheiten verursachten. Religiösen Neuerern wurde die Hölle in Aussicht gestellt. Die Geistlichen tragen neuerdings Zivil auf der Straße. Nur in Trastevere trafen wir noch etliche schwarz kenntlich gemachte. Ein Kuttenträger fetzte Plakate der Kommunistischen Partei von einer alten Mauer, die zu einer Wahlversammlung für den Stadtrat aufriefen. Der Versammlungstermin lag fünf Wochen zurück. – Mittwoch: Vatikanische Museen. Warum soll ich so tun, als ob ich mich Rom anders genähert hätte als jeder gewöhnliche Tourist? Man kann diesen florierenden Industriezweig nicht kennen und hassen lernen, wenn man ihn nicht durchmacht. Mich interessierte dieses barbarische Phänomen, das der Erholung so fern liegt wie dem Abenteuer. Simon begleitete mich nicht in Museen und Kirchen, weil man dort nicht rauchen darf. Mich störte das nicht, weil sich eine Frau in diesen Örtlichkeiten auch ohne männlichen Begleiter bequem bewegen kann. Anmarsch im Menschenstrom, der ans Ziel schwemmt, man braucht sich nicht zum Ziel zu fragen. Das Strombett ist heterogen. Links die gewaltigen hitzereflektierenden Wehrmauern des Vatikanstaats, rechts die entblößten Waren der Eis- und Limonadenverkäufer. Angekommen, erstehe ich im Gewühl eine Eintrittskarte für fünfhundert Lire, steige in einem schraubenförmigen Rundbau und werfe mich durch den Marmor. Blindlings, beschallt vom gekauten Englisch amerikanischer Besucher, manche laufen in Pulks, manche vereinzelt. Die vereinzelten halten Sender an ihr Ohr, die man ausleihen kann. Die senderbestückten sehen mehr einwärts als auswärts, hasten von Skulptur zu Skulptur, von Büste zu Büste, durch Milliardenwerte hasten sie wie von unsichtbaren Drähten bewegte Marionetten. Mitunter ist der Marmor nach Motiven geordnet. Marmortiere sind saalweis zur Schau gestellt, Heerführer, Kaiser, Künstler, Alabasterwannen. Stundenlang kann man waten durch heidnische Kunst. An der mir nicht sofort das genormte Weinblatt auffiel, ich dachte zunächst, der Vatikan hätte nur männliche Statuen gesammelt, deren Geschlecht bedeckt war. Erst vor der Laokoongruppe merkte ich, daß die Päpste nicht doktrinär rafften, sondern nur so ausstellten: mit Einheitsgipskonfektion auf den Gemächten. Weinende Touristenkinder verstummten in den Sälen, wo Mumien zu sehen sind und die Hände an geschliffenen Granitstatuen gekühlt werden konnten. Aber die Kinder wurden schnell weitergezerrt und hielten bald wieder ihre Hände vor die Augen, um sich zu schützen vorm Ansturm der Gobelins und der bemalten Zimmerfluchten. Extrakte künstlerischer Leben aufgehäuft wie Schädelberge. Ab und zu erlaubte ich mir einen Blick aus den geöffneten Fenstern in die

Vatikanstadt. Herrliche Fassaden und Gärten waren zu bewundern mit Pinien, Zedern, Brunnen, kolossales Wehrgemäuer, idyllische Winkel. Und Rasen in einer Perfektion, die alles Rasenhafte ausgetrieben hatte. Die grünen Teppiche und die nicht weniger perfekten Kieswege leer. Nirgends Fußspuren. Nur die Zikaden belebten mit ihrem Gesäg den heiligen Sperrbezirk. Vor den Fassaden abgestellte schwarze Limousinen. Ein langer schmaler Gang führt zur Sixtinischen Kapelle. Ich erwartete kirchliche Kühle, Stille. Mir schlug Hitze und Lärm entgegen. Die Hitze stammte von den Leibern, die dichtgedrängt standen. Der Lärm erinnerte an erregte Fußballzuschauer. Ich stand verwirrt, dann seltsam benommen, ja besänftigt in diesem Tumult. Suggestive Harmonie fiel von den Wänden, auf den ersten Blick bräunlich. Erst allmählich traten aus der Tönung die Farben hervor. Vielleicht steuerte auch ich unwillkürlich Ausrufe der Verwunderung und des Erstaunens bei zu dem Palaver, das gleichbleibend laut im Raum stand. Wer sich bis zu diesem Raum durch vatikanischen Prunk und Übergrößen schlägt, muß ihn schlicht empfinden, streng, klein, menschenstolz und von geradezu aufsässiger Erhabenheit. Unantastbar für die institutionellen Blattverordner. Die Kunst Michelangelos wagten selbst Stellvertreter Gottes auf Erden nicht verstümmeln zu lassen. – Mittagessen durch Simons Vermittlung mit einem Literaturagenten. Wenn ich mir in kapitalistischen Ländern als Dichterin Gehör verschaffen wollte, müßte ich mir exzentrische Schrullen und Arroganz zulegen, um persönlich auf mich aufmerksam zu machen. Literarisch wäre selbstverständlich der gleiche Lärm nötig, dessen Art und Lautstärke sich nach den jeweils herrschenden, schnell wechselnden Moden richten muß. Der Literaturagent hielt meine erzählerischen Phantasien für Freilandblumen einer Gesellschaftsgegend, darin der Mensch arglos leben kann. Solche Gewächse erschienen dem Herrn nicht aufziehbar in der unerbittlichen Gangart des Kapitalismus, auch nicht im Treibhaus dort. Als Treibhausgewächs geriete ihre Heiterkeit zu Zynismus. Er gab meinen Gewächsen in seinem Land kaum eine Chance, sah überhaupt zunehmend schwarz für die Verkäuflichkeit von Literatur, gestand Existenzangst, daß ich die Frage, ob ich in seinem Land leben möchte, mit »nein« beantwortete, erwartete er. Eine andere Antwort hätte ihn enttäuscht. Bei andern Begegnungen in solchen Kreisen machte ich ähnliche Erfahrungen. Melancholie bei teuren Schnäpsen. Gespräche über den neuesten Callgirl-Skandal, den alle Zeitungen kolportierten. Die Callgirls waren Töchter aus höchsten Gesellschaftskreisen, die Kunden ältere streßgeplagte Herren derselben Schicht. Die Mädchen mußten echte Gefühle vorspielen, Sehnsucht, Leidenschaft, Hörigkeit. Eine Frau zu kaufen konnte die reichen Geschäftsmänner nicht reizen, sie wollten Liebe kaufen. Einen Zufluchtsort, wo sie sich beurlauben konnten von sich selbst. Die Mädchen brauchten Geld für standesgemäßen Luxus. Ich hab meine Reisen mit dem Verlust des Fernwehs bezahlt. Teuer. Trotzdem hab ich natürlich auch ein Geldstück rücklings in den Trevibrunnen geworfen, bevor ich Rom verließ. Aber Goethes Ausruf: »Oh, wie war in Rom ich so froh« kann ich nicht aus vollem Halse wiederholen, solange die Kommunisten nicht die Macht errungen haben. Denn eine Frau mit Charakter kann heute nur Sozialistin sein. Und sie muß in die Politik eintreten, wenn sie für sich menschliche Zustände erreichen will. Vor allem in Italien und ähnlichen Ländern muß sie zuerst in die Politik eintreten, alles andere ist Emanzipationsmode. Sittliche Verhältnisse lassen sich nur revolutionieren nach der Revolutionierung der ökonomischen Verhältnisse. Man kann den zweiten Schritt nicht vor dem ersten tun. In der DDR ist der erste Schritt längst getan. Jetzt beschäftigt uns der zweite, sela.

25. Kapitel

Darin eine Zwischenbilanz des Vietnamkrieges nachzulesen ist, angefertigt von einem Mitglied des Stockholmer Instituts für internationale Angelegenheiten (SIPRI), abgeschrieben von der schönen Melusine in ihr 311. Melusinisches Buch

Im Vietnamkrieg haben die Vereinigten Staaten in umfassender Weise neue militärische Taktiken und neue Technologien erprobt.

In den Bereich Taktik gehören:

- der umfassende Einsatz von »Luftkavallerie« (Infanterie in Hubschraubern);
- die Verwendung von Herbiziden zur Vernichtung von Ernten und Wäldern und von Bulldozern zur Einebnung kleiner Landstreifen;
- sogenannte »Feuer frei«-Zonen für Artillerie und Luftwaffe, wobei zwischen »zivilen« und »militärischen« Zielen kaum unterschieden wird;
- die Verwendung von »Ermattungsgasen« auf dem Schlachtfeld, sowohl zur Ergänzung der konventionellen Feuerkraft als auch zur Verseuchung von Gebieten oder als Sperrmittel;
- die meteorologische Kriegführung, die vorsätzliche Erzeugung von Regenfällen;
- die Umsiedlung der Bevölkerung, manchmal mit anschließender Zerstörung der Siedlungen durch Feuer, Planierraupen oder Artillerie;
- der Einsatz von Söldnern aus Thailand, (Süd-)Korea und den Philippinen, Subsidien für sogenannte Geisterarmeen – oftmals in zweideutigen Uniformen und unter unbekannter Führung –, Einsatz einer besonderen Luftflotte in Laos, der von der CIA unterhaltenen Air American;
- schließlich die selektive Ermordung von Einwohnern, die Beziehungen zu den Kommunisten unterhalten.

Im technologischen Bereich verdienen folgende Neuentwicklungen Beachtung:

- 30 Trägersysteme für CS-Gas, ein starkes »Tränengas«;
- fliegende »Feuerschiffe« und fliegende »Kanonenboote«, die den Nachthimmel erhellen und mit Minigeschützen ausgerüstet sind (mehrläufige Maschinengewehre mit außergewöhnlich hoher Schußfolge);
- Signalsonden, die auf Licht oder Wärme ansprechen, zur Markierung von Personen bei Nacht;
- erstmalige Erprobung von US-»Terrier«-Boden-Luft-Raketen und von »Shrike«-Antiradarraketen;
- ausgedehnter Einsatz von Waffen, die ausschließlich gegen Personen gerichtet sind: Container mit Bombenbüscheln, die in der Luft explodieren, Pfeilchenbomben, Splitter- oder Kugelbomben usw., durch Laserstrahlen oder Fernsehkameras gesteuerte Bomben;
- Spezialmaschinen für die taktische Luftaufklärung und elektronische Abwehr, besonders über dem Chinesischen Meer und Nordvietnam, unbemannte »Drohnen«-Flugzeuge für Luftphotographie und elektronische Abwehr, Bodensensoren zur Feststellung des Personen- und Autoverkehrs hinter den feindlichen Linien (diese Sensoren arbeiten auf verschiedene Weise: seismisch, thermisch usw.) übermitteln ihre Informationen an kreisende Flugmaschinen oder Drohnen, von denen sie wiederum an bodenständige Computer weitergegeben werden, die dann Luftangriffe abrufen (»elektronisches Schlachtfeld«, »elektronischer Krieg«). Sensoren, mit denen man aus der Luft Tunnelsysteme entdecken kann, wurden ebenfalls entwickelt.

Die Wirkung dieser Kampfmethoden und neuen Waffensysteme über zehn Jahre hinweg ist erheblich. Zum Vergleich: Im ersten Weltkrieg waren nur 5 Prozent aller Kriegstoten Zivilisten; im zweiten Weltkrieg stieg dieser Prozentsatz auf 48, in Korea gar auf 84 Prozent. In Indochina aber sind schätzungsweise 90 Prozent der Getöteten oder mehr Zivilisten. Wie das Pentagon in diesem Jahr bekanntgab, wurden seit dem 1. Januar 1961 »863 577 Kommunisten« in Indochina getötet. Höchstwahrscheinlich handelt es sich dabei in der Mehrheit um Zivilpersonen (Verwundete werden in dieser Meldung nicht genannt). Nach letzten Schätzungen des Kennedy-Unterausschusses für Zivilverluste wurden allein seit 1965 in Südvietnam 400 000 Menschen getötet und 1 300 000 verwundet. Vermutlich sind also über eine Million Zivilisten umgekommen.

Im zweiten Weltkrieg haben die Amerikaner etwa 2 Mill. t Bomben über Afrika, Europa und im pazifischen Raum abgeworfen; beim Krieg in Korea 1950 bis 1953 waren es knapp 1 Mill. t. Über Indochina wurden allein von 1965 bis Ende September 1972 etwa 7 Mill. t abgeladen, mehr als die Hälfte davon unter der Präsidentschaft Nixons.

Schätzungsweise sind in den Jahren von 1965 bis 1971 bei Luftangriffen in Indochina 26 Millionen Bombenkrater entstanden. 21 Millionen liegen allein in Südvietnam. Die dabei entfernte Erdmenge ergäbe zehnmal soviel, wie beim Bau von Suez- und Panamakanal zusammen ausgegraben wurde. Sie würde eine zusammenhängende Fläche von 13 000 km² bedekken – ein Dreizehntel der Fläche von Südvietnam.

An Artilleriemunition wurden zwischen 1965 und 1971 annähernd 7 Mill. t verschossen, also mehr noch als im Bombenkrieg.

Milliarden Flugblätter wurden bei Operationen der psychologischen Kriegführung über Indochina ausgeschüttet. Bei einer Gesamtbevölkerung von 49 Millionen entfielen auf eine Person etwa 1000 Flugblätter.

Von den 90000 t Chemikalien, die von den Amerikanern als Waffe eingesetzt wurden, waren 7000 t CS-Gas, der Rest Entlaubungsmittel. Von 1962 bis Ende 1970 wurden so viele Ernten vernichtet, daß man zwei Millionen Menschen ein ganzes Jahr damit hätte ernähren können.

Angaben des Pentagons lassen darauf schließen, daß 20000 km² Wald besprüht wurden und zum großen Teil verdorrt sind. Durch Planierraupen wurde bis jetzt eine Gesamtfläche von 3300 km² Wald und Busch eingeebnet. Es wurde auch versucht, bereits entlaubte Wälder durch Brandbomben und Napalm niederzubrennen. So wurden im April 1968 2000 km² des U-Minh-Waldes in Südvietnam durch mehr als 70 Brände weggerafft. Das Feuer wütete über einen Monat.

Bombenkrieg, Artilleriefeuer und Vernichtung von Ernten und Wäldern sind für mindestens 85 Prozent aller Flüchtlinge in Indochina der Anlaß gewesen, ihre Siedlungen zu verlassen. Etwa ein Drittel der Völker, von Südvietnam, Laos und Kambodscha ist geflohen – 6 von 17 Mill. Südvietnamesen, 800 000 bis 1 Mill. von 2,8 Mill. Laoten und 2 Mill. von 6,7 Mill. Kambodschanern.

Von 1965 bis Ende 1971 wurden für den Krieg in Vietnam nach offiziellen Schätzungen 126 Mrd. Dollar an vollen Kosten aufgewendet. Das entspricht rund 3000 Dollar pro Einwohner in Vietnam oder 500 Dollar pro Amerikaner. Auf Grund der Erfahrungen mit den Kosten früherer Kriege – Bürgerkrieg, spanisch-amerikanischer Krieg und erster Weltkrieg – wurde im US-Kongreß eine Kostenberechnung vorgelegt, wonach die Aufwendungen für Veteranen und Hinterbliebene des Krieges einen Gesamtbetrag ergeben, der um 100 bis 300 Prozent über den anfänglichen Budgetkosten des Krieges liegt. Infolge der durch den Krieg bedingten öffentlichen Verschuldung wird sich diese Summe noch um zusätzlich 10 bis 45 Prozent erhöhen. Bezogen auf das Stichjahr 1971, könnte also der Krieg in Vietnam den Vereinigten Staaten womöglich runde 300 Mrd. Dollar kosten.

Außerdem tragen die Vereinigten Staaten die vollständigen Kosten für die koreanischen und philippinischen Truppenkontingente in Südvietnam, für die thailändischen Kontingente in Laos und Kambodscha und dazu noch für die gesamten regulären und irregulären Streitkräfte der Laoten und Kambodschaner.

Der Einsatz eines Jagdbombers kostet 12 300 Dollar, der eines Fernbombers vom Typ B 52 45 000 Dollar. Für die Ausbildung eines Piloten werden 500 000 Dollar benötigt. Am 16. März 1971 gab das Verteidigungsministerium bekannt, daß über ganz Indochina insgesamt 7602 Flugzeuge verlorengegangen seien, darunter 4318 Hubschrauber. (Ende August d. J. waren es bereits 8362, davon gingen nahezu 4000 über Nordvietnam verloren.) Die Zahlen liegen wesentlich niedriger als die von der anderen Seite gemeldeten Abschüsse. Hanoi behauptete, daß bis 1972 über Nordvietnam 4000 Maschinen abgeschossen wurden, nach Angaben des Vietcong wurden in Südvietnam von 1961 bis 1967 7690 Flugzeuge abgeschossen oder am Boden zerstört (vermutlich einschließlich der südvietnamesischen Flugzeuge). Die Streitkräfte der Pathet Lao wollen vom Mai 1964 bis zum April 1969 rund 1000 Flugzeuge über Laos vernichtet haben.

Seit 1965 haben 2,3 Millionen Amerikaner in Vietnam Militärdienst geleistet. Nach dem Stand von Ende November 1972 sind in Vietnam 45 914 amerikanische Offiziere und Soldaten gefallen, weitere 10 287 kamen bei Zwischenfällen und Unfällen außerhalb des Kampfgeschehens oder durch Krankheit ums Leben, 303 522 wurden verwundet. Mindestens 70 000, wenn nicht sogar 100 000 Amerikaner flüchteten nach Kanada, um sich der Wehrpflicht zu entziehen.

Die südvietnamesische Regierung beziffert die Gefallenenzahl ihrer regulären Streitkräfte auf 164 642, doch halten militärische Quellen der Amerikaner die wahre Zahl für wesentlich höher.

26. Kapitel

Dritte Bitterfelder Frucht: Das Seil

Professor Gurnemann, Direktor eines akademischen Instituts, das der atomaren Struktur der Materie nachforschte, beschäftigte angestellt eine Physikerin. Sie hieß Vera Hill und wohnte in B., das Institut war jenseits der Stadtgrenze verkehrsungünstig gelegen. Auf einer Halbinsel, deren Bewohner sich vorzugsweise mittels Fahrrädern bewegten und Nichteinheimische anstarrten. Als der längst unaktuelle und abrißreife Beschleuniger gebaut worden war, hatte das Institut Ortsgespräche erregt. Seitdem Einwohnerinnen als Laborantinnen angestellt waren und berichteten, die Physiker arbeiteten mit Scheren und sähen Filme an, zählten die Physiker zu den Einheimischen. Vera Hill brachte die Forschungsstelle wieder in Verruf. Reste einer Einwohnerversammlung, die sich eines Frühlingsabends im Ortskrug gefunden hatten, beschlossen zu später Stunde eine schriftlich formulierte Beschwerde an den Institutsdirektor. Der residierte in einem kleinen neugotischen Backsteingebäude, vormals Schokoladenfabrik. Als die Abordnung, die das Papier zu überbringen hatte, den Eingang passieren wollte, riß der Pförtner das Fenster auf, grüßte aber nicht, zu Vera Hill pflegte er bei solchen Gelegenheiten »Guten Morgen, Frau Doktor« zu sagen, den beiden abgeordneten Männern wurden die Personalausweise abverlangt. Der Pförtner las der Sekretärin des Direktors telefonisch die Personalien der eintrittfordernden Personen vor. Später schrieb er zwei mit Pauspapier gedoubelte Passierscheine aus, übergab die Dokumente mißtrauischen Blicks und drückte auf einen Knopf, wodurch ein Summton und die Eröffnung des Gatters erwirkt wurde, das dem Eingang zum backsteinigen Verwaltungsgebäude vorgelagert war. Die Füße der Delegierten schritten auf gemusterten Fliesen, mit denen Korridor und Vorzimmer ausgelegt waren wie ältere Fleischerläden. Das Amtszimmer von Professor Gurnemann war gedielt. Er empfing die Abordnung in Tracht. Modisch orthodoxe Physiker trugen derzeit die weißen Kittel lang, die anderen Extremisten trugen kurze mit Seitenschlitzen. Gurnemann bewandelte in einem gekürzten, ungeschlitzten Kittel den drei Schritt langen Gang zwischen Schreibtisch und Bücherschrank. Diese Möbelstücke und die Sessel, in die die Gäste sogleich wegen Platzmangels gebeten werden mußten, waren tatzenfüßig. Ehern. Als die beiden Männer die skandalösen Begebnisse in Worten andeuteten und das anschuldigende Papier aushändigten, sagte der Professor: »Bei der Untersuchung der Struktur der Materie kommt der Erforschung der hochenergetischen Wechselwirkung von Elementarteilchen besondere Bedeutung zu. Hier hat man es mit reinen Wechselwirkungen zu tun, die durch Nebeneffekte am wenigsten gestört werden und daher den tiefsten Einblick in einen in der Natur wirklich vorkommenden elementaren Prozeß erlauben. Obwohl man mit künstlichen Teilchenbeschleunigern noch nicht die hohen Energien der kosmischen Strahlung erreichen kann, sind die künstlich beschleunigten oder erzeugten Teilchen denen der kosmischen Strahlung für solche Untersuchungen vorzuziehen, da bei ihnen Natur- und Anfangsenergie eindeutig bestimmt sind.« Gurnemann verstummte, seine Vermutung, das Institut stünde, nachdem die Rieseneichen neben dem Institutsneubau gefällt worden waren, abermals unter Atombombenverdacht, erwies sich als irrig. Bedauerlicherweise, die Albernheit des neuen Gerüchts schien die des alten vielfach zu übertreffen, wodurch die Chancen seiner Widerlegbarkeit von Gurnemann gering veranschlagt wurden. Jedenfalls war die Behauptung, werktags liefe eine Mitarbeiterin seines Instituts zweimal über den Ort, nur mit Aufwand widerlegbar. Zweckentfremdete Vernutzung wissenschaftlicher Arbeitskräfte erzürnte den Professor. Er rauchte nicht, trank unter Umständen Wein bis optimal vierundzwanzig Uhr, dann entzog er sich welchen Veranstaltungen auch immer, achtete überhaupt auf Konsequenz, sein

Institut forschte in der Zeit von sieben Uhr fünfunddreißig bis sechzehn Uhr fünfundvierzig bei Fünftagewoche. Die Gesandten baten Gurnemann, dem Abschnitt des Schreibens, darin die sittlichkeitsgefährdende Rolle der Erscheinung beschrieben wäre, besondere Aufmerksamkeit zu widmen. Gurnemann gedachte der Zweizimmerwohnung, die Dr. Hill mit ihrem Sohn bewohnte. Der Sohn war drei Jahre alt, die Wohnung mit zwei Betten, einem Tisch, drei Stühlen, Schrank, Teppich und Bücherregalen möbliert. Wände nicht von Tapeten kartonhaft gemodelt, sondern faßbar Stein. Weiß getüncht. Ursprünglich, mittlerweile ergraut unterm Staub, den der Wind vom nahen Gaswerk noch durch die Fensterritzen wehte und Ofenwärme an die Decke hob. Vera Hill schien das nicht zu belasten. Gurnemann kannte einen begabten ungarischen Kollegen, der mit einer Papiertüte, drin er Zahnbürste und Pyjama aufbewahrte, internationale Konferenzen besuchte. Luftwandelei hielt Gurnemann allerdings für eine blödsinnige Verleumdung. Die im Laufe seiner Amtstätigkeit erworbene Fähigkeit, beim Lesen zu sprechen, kam ihm wieder zustatten. Er hatte große, auffällig weit auseinanderliegende Augen hinter einer Brille mit geteilten Gläsern. Er las durch die unteren Gläser und sprach: »Da die Untersuchung der Teilchenstruktur im wesentlichen durch Streuexperimente erfolgt, ist es darüber hinaus notwendig, die Natur des gestoßenen Teilchens genau zu kennen. Daher besitzt die Wasserstoffblasenkammer, in der nur Protonen als streuende Teilchen vorhanden sind, die besten Eigenschaften als Teilchen- und Spurendetektor bei Streuexperimenten. Der Nachteil, daß neutrale Teilchen keine Spuren hinterlassen und die Umwandlungslänge der Gamma-Quanten in flüssigem Wasserstoff sehr groß ist, wird mehr als kompensiert durch die Tatsache, daß in der Wasserstoffblasenkammer Messungen mit außerordentlich hoher Genauigkeit möglich sind und auf die Existenz neutraler Teilchen daher durch die Verletzung der Impuls- und Energiebilanz aller geladenen Teilchen geschlossen werden kann. Die günstigsten Anfangsenergien der stoßenden Teilchen liegen im Intervall 3 bis 15 GeV, da hier einmal die Messungen noch hinreichend genau sind, andererseits die Erzeugung aller interessierenden, kürzlich entdeckten Teilchen oder Resonanzen kinetisch möglich ist.« Die Fülle des Materials, das schriftlich von Gurnemann ausgebreitet war und unter anderem Erregung öffentlichen Ärgernisses, Schädigung von Gesundheit und Weltanschauung, Stromausfall durch Kurzschlüsse, Jugendgefährdung und Verkehrsunsicherheit anführte, nahm die Aufmerksamkeit des Professors derart in Anspruch, daß ihm, obgleich er mittels Reden Zeit gewonnen, noch immer kein schlagendes Argument eingefallen war. Das ärgerte ihn und milderte sein Urteil über Amtsbrüder, die keine Wissenschaftlerinnen anstellten. Als er die von Respekt und Mißtrauen entstellten Gesichter der Gesandten gewahrte, fuhr er fort: »Die Abteilung von Frau Dr. Hill untersucht Filmaufnahmen der Wechselwirkung von positiven Pi-Mesonen mit 4 GeV Energie in Wasserstoffblasenkammern. Augenblicklich beschäftigt sie sich mit den zweiarmigen Ereignissen. Zuerst wird die Geometrie auf der Rechenmaschine gerechnet. Dann werden die Ereignisse mit Hilfe eines Wahrscheinlichkeitstests, dem sogenannten Fit-Programm, auf ihre Vollständigkeit untersucht. Dadurch können die elastischen Wechselwirkungen eindeutig von den unelastischen Wechselwirkungen getrennt werden. In den Fällen, in denen nur ein neutrales Teilchen neben den geladenen Teilchen im Endzustand vorhanden ist, können Natur und Eigenschaften dieser Teilchen bestimmt werden. Auf diese Weise werden die Wirkungsquerschnitte für die Kanäle mit zwei geladenen Teilchen bestimmt. Darüber hinaus werden die einzelnen Reaktionskanäle im Detail untersucht, insbesondere bezüglich der Existenz der angeregten Zustände von Mesonen und Nukleonen in den verschiedenen Kanälen.« Professor Gurnemann konnte sich den Reizen, die von den detailliert geführten Behauptungen ausgingen, nicht länger entziehen und spitzte seinen schönen Mund. Zwar pfiff er dann doch nicht durch ihn, sondern durch die Zähne, bestellte aber Kaffee bei der Sekretärin. Obgleich ihn der absurde Bericht bereits in einen angeregten Zustand versetzt hatte. Weil er in sich schlüssig war und also einer gewissen Eleganz nicht entbehrte. Am besten gefiel der überirdische Aspekt des behaupteten Phänomens. Unwillkürlich erinnerte Gurnemann den Mund der Vera Hill, die breit aufgewölbten Lippen, in deren Falten fadenförmig Schminke stand, die Haut sah aus wie geschnürt. Ein sektenhöriges Ehepaar hatte in dieser Frau Mutter Maria erkannt und als Zeichen für die Erwähltheit des Ortes im Falle einer atomaren Explosion der Erde gewertet. Aber auch jene Kläger, die sich gegen hausfriedensbrecherische Verletzungen der Intimsphäre verwahrten, indem sie Vera Hill mögliche und wirkliche Blicke in Fenster und Balkons zuschoben, sowie die Vertreter von Sittlichkeit, Verkehrssicherheit und Materialismus, alle Unterzeichneten bezeugten übereinstimmend, daß Vera Hill werktags zweimal, nämlich gegen sieben Uhr fünfzehn und gegen achtzehn Uhr, den Ort in südwestlicher beziehungsweise nordöstlicher Richtung überqueren würde, gehend, in der Luft. Die Angaben über Ganghöhe und Tempo differierten, die Eigentümerin einer Obstplantage behauptete in ihrer Schadenersatzforderung, Vera Hill hätte mit ihrer Aktentasche Mirabellen und Zweige von Süßkirschenbäumen abgeschlagen. Ein Kurzschluß am dritten Weihnachtsfeiertag gegen siebzehn Uhr fünfzig, der dem Ort länger als zwei Stunden Stromausfall gekostet hatte, wurde Vera Hill ebenfalls zur Last gelegt. Dem Krugwirt erschienen Ansichten von schwarzem spitzenbesetztem Perlon und Strumpfhaltern für sittlich empfindende Bürger und Kinder unzumutbar. Gurnemann gedachte lang- und dünnschenkliger Beine, legte das Papier in einen Ordner, ließ den Gästen Kaffee reichen, versprach händereibend eine Untersuchung, schlürfte Kaffeeschaum und fragte, ob er das Papier behalten dürfte. Die Delegierten erinnerten an den Verteilerschlüssel, der dem Schreiben angefügt wäre und das Institut unter sieben Institutionen anführte. Da entließ der Professor die Männer händeschüttelnd. Jäh ernüchtert, denn er fürchtete um die Bewilligung von Devisen, die er für den Erwerb einer englischen Rechenmaschine beantragt hatte. Ohne sie war das Institut international nicht konkurrenzfähig. Das Computergebäude war projektiert, seine Finanzierung gesichert, die Institutseichen gefällt, Gurnemann ließ ab vom Kaffee, warf seinen Wintermantel über den weißen Kittel, querte den Hof mit großen Schritten und trat die Tür des Institutsgebäudes auf. Es roch nach verschmorten Kondensatoren. Im Erdgeschoß waren Labor, Werkstatt, Bibliothek und Rechenmaschine untergebracht, im ersten Stock befinden sich die Zellen der experimentellen Physiker. Jede Zelle hatte eine schwarze Tafel mit Bord für Kreide und Schwamm, Schreibtisch, an dessen rechter Schmalseite Schere, Lineal und Winkelmesser hingen, Stuhl, Bücherregal, Kleiderhaken, eine schreibmaschinengeschriebene Aufstellung des Mobiliars in Klarsichtfolie, ein quadratisches Fenster, die untere Hälfte Milchglas, blauen Estrich, zwei Meter mal vier Meter sechsundvierzig, und eine Tür, die sich von allen anderen unterschied durch den Farbanstrich, der jeweils einmalig war wie die Fluglochmarkierungen an Bienenhäusern. Frau Hill hatte hinter einer lindgrünen Tür zu sitzen. Die Tür war verschlossen. Gurnemann klopfte mit beiden Handflächen, da er vermutete, Vera Hill hätte Kopfhörer auf den Ohren und ein Tonbandgerät in Gang, welches sie als ein Instrument der Erkenntnis bezeichnete, da wahrer Wissenschaft und wahrer Musik der gleiche Denkprozeß zugrunde läge. Gurnemann sprach zwar wissenschaftlichem Denken das poetische Element nicht ab, hielt aber die Hill nicht für begabter als sich, weil beide sinnlicher Hilfskonstruktionen nicht entraten konnten, weshalb er auf Disziplin bestand und sein Namensinitial an die verschlossen bleibende Tür kreidete. Diese Form der Rüge wurde von den Laboranten als ehrabschneiderisch empfunden. Im zweiten Stock, wo sich die Stuben der Theoretiker befanden, waren die Korridorwände mit Heiligenbildern verhängt, die Kopernikus, Galilei, Giordano Bruno, Newton, Cavendish, Coulomb, Ampère, Galois, Gauß, Minkowski, Maxwell, Planck und Einstein zeigten. Die Theoretiker Hinrich und Wander teilten Gurnemann auf entsprechende Anfrage mit, Dr. Hill hätte, veranlaßt durch eine telefonische Mitteilung vom Kindergarten, das Institut verlassen, vor einer Stunde etwa, der Sohn wäre offenbar erkrankt oder dergleichen. Gurnemann, selbst Vater von Kleinkindern, schwang zwischen Prinzip und Anteilnahme, als er spaßeshalber fragte, auf welchem Wege die Frau das Institut verlassen hätte. »Auf dem Luftwege«, entgegneten die Theoretiker. Da bezweifelte Gurnemann eine kleine Weile seinen Verstand. Obgleich er abgehärtet war, der Leiter der maschinenmathematischen Abteilung war fanatischer Segelflieger, ein Elektroniker hatte die Mutter seiner Braut geehelicht, bei den Theoretikern, die im zweiten Stockwerk des Institutsgebäudes arbeiteten, gab es zwei Nachtwandler, Luftwandelei war ihm noch nicht zugemutet worden. Er hielt sie auch nach wie vor für eine Erfindung. Für eine böswillige Erfindung neuerdings, die dem Ansehen der Wissenschaft im allgemeinen und seines Instituts im besonderen zu Schaden gereichen konnte, womöglich sogar sollte. Offensichtlich waren mystische Lehren in die materialistische Weltanschauung seines Forschungsteams eingedrungen, ohne daß ihm von derartigen skandalösen Vorkommnissen Mitteilung gemacht worden war. Blieb er jetzt amtshalber vom Institutsklatsch ausgeschlossen? Gaben sich wissenschaftliche Mitarbeiter als Anhänger der Sekte aus, um ihn ideologisch zu stürzen? Andernfalls hinterging man ihn. Gewollt oder ungewollt aus dem gleichen Grund. Von düsteren Ahnungen beschwert, zog sich Gurnemann in die ebenfalls auf dem Institutsgelände gelegene Villa zurück, die ihm als Dienstwohnung zur Verfügung stand. Dort verbrachte er den Rest des Tages vor dem Fernsehgerät. In der Nacht empfand er das Gerücht als Rachekomplott der Hill und schwor, sich außerehelicher Zärtlichkeiten hinfort gänzlich zu enthalten. Am Morgen erwachte er mit Kopfweh, jedoch milder gestimmt, denn es war ihm wieder angenehm bewußt geworden, daß die Hill eine von den seltenen Frauen war, die nicht geheiratet werden wollten. Auch schätzte er ihre manische Arbeitsweise und die Angewohnheit, Schlüsse nicht zu erzwingen, sondern sich zuwachsen zu lassen. Erfüllt vom Glauben, die Wirrnis würde sich auf vernünftige, natürliche Weise gleichsam von selbst lösen, begab sich Gurnemann nach gutem Frühstück abermals zum Arbeitszimmer der Vera Hill, darin er sie zu seiner Freude auch tatsächlich antraf. Er grüßte. Als er ihre Hand in seiner hielt, erschien ihm sein Anliegen absurd, weshalb er in Verlegenheit fiel und sich nach dem Befinden des Sohnes und dem Fortgang der Habilitation erkundigte. Die Auskünfte waren erfreulich. Auch bündig gegeben, wenn Gurnemann nicht jäh nach dem eigentlichen Grund seines Kommens gefragt worden wäre, hätte er ihn verschwiegen. Er nannte ihn in einem Nebensatz. Der Hauptsatz war ein Kompliment. Vera Hill verschob Haarfransen, indem sie mit beiden Zeigefingern von innen nach außen über die Brauen strich. Den Mund schien sie auch sonst nur mit Mühe schließen zu können, wiewohl ihr Gebiß normal gebildet war. Auch konnte Gurnemann vermuten, sie hätte stets was in den Backen, wenigstens einen Witz. Er entschuldigte sich also vorsorglich für die Albernheit der Verdächtigung, der selbstverständlich weder er noch irgendein anderer vernünftiger Mensch auch nur einen Augenblick Glauben geschenkt hätte. »Warum?« fragte Vera Hill. Gurnemann bat, ihm behilflich zu sein, die Angelegenheit auf pragmatische Weise so schnell wie möglich zu erledigen. Ein Institut wie das seine wäre finanziell derart störanfällig, daß bereits eine durch Albernheiten hervorgerufene Verzögerung des Devisenflusses wissenschaftliche Chancen in unabschätzbarer Weise verkleinern könnte. »Die Albernheiten vergrößern die wissenschaftlichen Chancen«, sagte Vera Hill. »Der Rivalen«, sagte Gurnemann. »Empfinden Sie mich als Rivalen«, fragte die Hill. Die Frage verärgerte Gurnemann. Vera Hill sah es ihm an, weshalb sie ihm erklärte, ohne den zeitsparenden Weg über das Seil die Habilitation nicht bis zum vereinbarten Termin fertigstellen zu können, da sie im Gegensatz zu ihm über die Arbeitskraft einer Hausfrau oder Dienstmagd nicht verfüge. Wenn sie nach Arbeitsschluß eingekauft, den Sohn aus dem Kindergarten geholt, Abendbrot gerichtet, gegessen, Autos und andere Wunschbilder des Sohnes gemalt, ihn gebadet und mit einem Märchen versehen ins Bett gebracht, auch Geschirr oder Wäsche gewaschen oder ein Loch gestopft oder Holz gehackt und Briketts aus dem Keller geholt hätte, könnte sie mit Seiltrick gegen einundzwanzig Uhr am Schreibtisch über Invarianzen denken, ohne Trick eine Stunde später. Müßte auch eine Stunde früher aus dem Bett ohne den Trick. Nach weniger als sechs Stunden Schlaf fiele ihr nichts Brauchbares ein. Gurnemann sprach lange inständig zu ihr über die Unrealität der Verkehrsverbindung. Anderntags verlor Vera Hill auf dem Heimweg die Balance. Der Laternenanzünder entdeckte ihren Körper zerschmettert im Vorgarten der Volksbücherei.

27. Kapitel

Laura ergreift prophylaktische Maßnahmen

Beatrizens dritte Bitterfelder Frucht war ein Zufallsprodukt. Das eine Begegnung in der LPG »Thomas Müntzer« veranlaßt hatte. Die Trobadora, die dort zu Studienzwecken weilte, machte die Bekanntschaft eines Rinderzüchters. Der ihr liebevoll von seiner tüchtigen Frau erzählte. Die Frau arbeitete im nahen akademischen Forschungsinstitut als Laborantin. Neugierig gemacht, besuchte Beatriz die Laborantin. Von der sie erfuhr, daß das Institut von Professor Gurnemann, einem Freund des von Beatriz verehrten Professors Wenzel Morolf, geleitet wurde. So wuchs die Frucht. An der Beatriz aber dann doch nicht nur die zufällige Entstehungsart mißfiel. Bei ihrem neuen Romanprojekt ging sie aber systematisch zu Werke. Besuchte Benno oft auf der Baustelle, erwirkte von der Betriebsleitung die Erlaubnis, nach entsprechender Unterweisungs- und Anlernzeit dem Anschläger Benno zur Hand zu gehen. Besonders bei kaltem und regnerischem Wetter erlegte sie sich die Arbeit auf. Studierte auch Fachbücher über Montagebauweise und sozialistische Menschenführung. Als die Sekretärin des Gewerkschaftsvorsitzenden erkrankte, schrieb und vervielfältigte Beatriz den Entwurf zum Kollektivvertrag. Laura witterte in Beatrizens Reiseberichten pädagogische Hebel. Weshalb sie ihnen nur bedingt Glauben schenkte. Sie konnte Wesselin bis zum Weihnachtsfest zur Sauberkeit dressieren. Mit dem Weihnachtsmann als pädagogischem

Hebel. Heuer stellte Benno den Weihnachtsmann dar. Laura mußte das Kostüm, das sie sich vor einem Jahr zusammengenadelt hatte, entsprechend verlängern. »Und warum war der Weihnachtsmann so groß?« fragte Wesselin am Morgen nach der Aufregung als erstes. Feiertage. Während denen strategische USA-Bomber von Typ B 52 ununterbrochen dichtbesiedelte Gebiete der Demokratischen Republik Vietnam bombardierten. Beatriz nahm Laura während der Feiertage die Küchenarbeit ab. Auch systematisch. Laura beunruhigte das. Ja sie begann sogar, sich zu sträuben. Und es erschien ihr dringend an der Zeit, Beatriz in prophylaktischer Absicht vom Haltungsschaden ihrer Großmutter zu sprechen. Sie erzählte: »Solange ich meine Großmutter kannte, war sie am liebsten gebückt. Stehend, Wade, Kniekehle und Schenkel zur Gerade gerichtet. Bis in ihre letzten Tage konnte sie beliebig lange in dieser Haltung verharren, ohne Blutandrang zum Kopf oder andere Unpäßlichkeiten zu spüren. In dieser Haltung wischte sie die Fußböden, bohnerte, jätete, pflanzte, schnitt Pilze und raffte Reisig. Lieber als auf Dielen und Linoleum waren ihre Hände in der Erde. Vorn wurden die wadenlangen Röcke von den Schuhen gestaucht, hinten entblößten die Röcke die mit plattierten oder handgestrickten Strümpfen umfalteten Beine bis jenseits der Gummistrumpfbänder unterm Knie. Die Fähigkeit, unbegrenzt lange gebückt zu werken, hatte sie in jungen Jahren erworben. Als Dienstmädchen. Solange ich sie kannte, haßte sie Vögel.«

28. Kapitel

Bittschrift Olga Salmans an unsere liebe Frau Persephone, befördert von Beatriz de Dia, abgeschrieben von der schönen Melusine ins 396. Melusinische Buch

Sehr geehrte Frau Göttin Persephone,

von Frau Dia, die eine gute Bekannte von Ihnen ist, habe ich erfahren, daß Sie mitunter was machen können für unsereinen. Also ich würde nicht nein sagen. Nämlich die paar Sonn- und Feiertage, an denen mein Mann keinen Dienst hatte, kann man zählen. Wenn andere Leute spazierengegangen sind oder ausgeflogen, hab ich zu Hause gesessen und gewartet. Zu warmen Jahreszeiten, wenn andere Leute verreist sind, hatte die Eisenbahn Urlaubsengpässe, bei Sauwetter weniger. Gegen Jahresende versuchte die Dienststelle immer, die Urlaubsrückstände irgendwie loszuwerden, aber natürlich nicht zu Weihnachten oder Neujahr, gottbewahre. Mein Mann konnte praktisch zwei Monate eher in Rente gehen, so viele Urlaubsrückstände hatten sich bei ihm angesammelt – Eisenbahn, mein Leben. Ich hab bald vierzig Jahre gewartet auf den Tag, wo endlich dieser Murks aufhört und Sonntag Sonntag ist und Feiertag Feiertag. Vor einem halben Jahr wars dann soweit, aber wenn Sie vielleicht denken, wir würden jetzt Ausflüge machen oder Reisen, da haben Sie sich geirrt. Mein Mann sagt, er wär lange genug unterwegs gewesen. Und sitzt. Und klebt. Den ganzen Tag von früh bis spät lungert er in der Wohnung rum, fragt, was es früh, mittags und abends zu essen gibt, steckt die Nase in die Kochtöpfe, hängt den Kopf aus dem Fenster, will zur Balkontür raus, sobald ich mich an die Nähmaschine gesetzt habe, die vor der Balkontür steht, schläft vorm Fernseher, verlangt Bedienung, wenn ich mich gesetzt habe, redet auf mich ein, wenn ich ein Buch in die Hand nehme, sonst ist er stumm wie ein Fisch. Früher konnte ich noch mal eine Zeile lesen oder was schneidern, wenn der Mann im Dienst war, jetzt hab ich nur noch Küchentrott, tagaus, tagein. Also wenn Sie für mich so was Ähnliches machen könnten wie für Ihre Bekannte Frau Dia, zu bereuen hätte ich nichts.

Hochachtungsvoll
Olga Salman

29. Kapitel

Laudatio für den Dichter Guntram Pomerenke anläßlich seiner Aufnahme in den PEN, gehalten von Beatriz de Dia nach dem Muster, das der Trobadora ein Jahr früher bei gleicher Gelegenheit zugedacht worden war

Wer Guntram Pomerenke einmal gesehen hat, wird ihn kaum wieder vergessen können. Ich saß ihm während einer Solidaritätskundgebung für die Freilassung von Angela Davis mehr als zwei Stunden gegenüber. Danach erklärten mich meine Freunde und auch etliche Kollegen für abnorm, weil ich mich nicht in Pomerenke verliebt hatte. Ehrlich gesagt: Ich begreife mein Fehlverhalten bis auf den heutigen Tag nicht. Denn welcher Dichter deutscher Zunge gleicht seinen Maßen? Die Kürze seiner Finger steht mit der Schulterbreite in idealem Kontrast. Die hohe Brustwölbung wird von taillierten Hemden aufs schönste zur Geltung gebracht. Vermutlich deutliche sanfte Bildung der Beinmuskulatur, vergleichbar der von jungen Tänzern, Schuhgröße einundvierzig. Brünetter Teint. Die Haut umspannt die Arme knapp – ist es vermessen, von diesen mir bekannt gewordenen Stücken aufs Ganze zu schließen? Mäßig fettunterlegt, verbirgt sie das Adergeäst. Schmale Schädelform ähnlich der von Windhunden, die bekanntlich Wolfsjäger sind. Üppiges braunes Haarkleid. Unter der Nase auf ein bis zwei Zentimeter gestutzt, am Kinn auf etwa fünf Zentimeter, das Kopfhaar stößt auf die Schultern. Begabte bernsteinfarbene Augen. Ihr Blick ist nicht weniger eindringlich als Pomerenkes Verse.

30. Kapitel

Darin Laura schließlich eine erschreckende Entdeckung macht

»Der Urlaub in Warnemünde war nicht übel«, sagte Laura zu Beatriz am 3. Januar 1973, »und so gut wie geschenkt. Aber für den nächsten Sommer könntest du uns von deiner Schwägerin Melusine doch mal ein Visum für Almaciz zaubern lassen.« – »Ich denk, Almaciz ist Spinne«, sagte Benno. »Denken allein genügt nicht, man muß auch glauben können«, sagte Laura. Da erschien es Beatriz aus verschiedenen Gründen dringend an der Zeit, mit der schönen Melusine einen Kompromiß zu suchen. Entsprechende Verhandlungen fanden am 11. Januar auf dem Dach des Hauses Osterstraße 37 statt. Das Dach war bekanntlich von einer balustradenähnlichen Mauer umgeben, die die Schornsteine verdecken und Dampfheizung vortäuschen sollte. Da in den an die verdeckten Schornsteine angeschlossenen Öfen kein ordentliches Feuer zu legen war, weil der Zug fehlte, mußten die Schornsteine nachträglich erhöht werden. Die Geheimverhandlungen verhalfen der Mauer aber doch noch zu einer Funktion. Melusine stellte für Laura eine Entrückung in Aussicht. Mehr wäre momentan nicht zu erwirken, da Persephone ihr gesamtes Jahreskontingent bereits für Olga Salman zur Verfügung gestellt hätte. Die Verhandlungen fanden in schwesterlicher Atmosphäre statt. Zum Abschluß überreichte Beatriz der Schwägerin einen Entwurf zum ersten Kapitel ihres zukunftweisenden Romans. Am 28. Januar, als der im Vietnamabkommen vereinbarte Waffenstillstand einen Tag in Kraft war, bemerkte Laura, daß Beatriz ihr auch äußerlich ähnlich geworden war. »Warum dressierst du dich so«, fragte sie erschreckt, »willst du mich doubeln? Willst du dich überflüssig machen?«

31. Kapitel

Olga Salmans Wunsch erfüllt sich

Olga Salman hatte die heitere Hoffnung auf eine heitere Wendung in ihrem Leben bereits wieder verlassen, sobald die Bittschrift sie verlassen hatte. Die Kraft, heitere Hoffnungen zu halten, war ihr verlorengegangen. Sie konnte nur noch finstere Hoffnungen halten. Nicht, weil ihr Leben besonders schwer gewesen wäre. Seine Leere hatte die Frau verbittert. Und gezeichnet: die Mundwinkel waren abgesunken. Jegliche Neugier hatte sie verloren. An Fernsehprogrammen interessierte sie nur noch der Wetterbericht. Ein Rest von Kauflust war noch geblieben, er regte sich beim Anblick von Stoffen. Aber der Gedanke, daß Olga ohnehin nicht aus dem Bau käme, vertrieb die Schneiderlust, ließ Stoffkäufe unsinnig erscheinen. Die Schneiderin Olga Salman hatte Stoffe nicht zugeschnitten in Schränken liegen! Sogar die Tochter hatte das nicht glauben können, bevor sie sich nicht augenscheinlich überzeugt hatte. Aber sie war drüberhin gegangen. Wie Töchter so drüberhin gehen. Eltern sind den Kindern näher als Kinder den Eltern. Äußere Betriebsamkeit, in die sich Olga Salman mehr und mehr geflüchtet hatte, war seit Johann Salmans Pensionierung Lebensinhalt. Sie kehrte oder wischte jetzt täglich die Wohnung, holte täglich Milch aus der Molkerei, obgleich sie einen Kühlschrank hatte, klopfte täglich den Abtreter aus. Am Klopfgerüst, das in der Mitte des Bleichplans aufgestellt war. An einem nebligen Vormittag Anfang März, als sie wieder mit Ausklopfen beschäftigt war, vernahm sie ein seltsames Scheppern und Rauschen. Es kam von oben, aus der Gräue. Die Sichtweite betrug etwa zehn Meter. Olga Salman strebte mit himmelwärts gerichtetem Blick durchs Gartentor zu ihrem Beet, wo sie eine Porreezwiebel für die Bohnensuppe ernten wollte, da ging neben ihr die Sphinx nieder. Auf dem Laubendach, Frau bis zum Nabel, abwärts Drachen, die Erscheinung entsprach dem Bild, das Beatriz Frau Salman von der schönen Melusine gemacht hatte. Deshalb war Olga Salman zwar erschrocken, aber gefaßt. »Gehts los?« fragte sie sachlich und wandte sich, um nachzusehen, ob sie beobachtet würde. Das Haus lag unsichtbar im Nebel, ihre Wohnung, der Bleichplan, »hab ich noch Zeit, die Küchenkluft abzulegen, soll ich meinem Mann Bescheid sagen?« – »Ihr Mann bekommt von mir Bescheid, es genügt, wenn Sie die Schürze ablegen, in dreihundert Jahren ist auch Ihr bestes Kleid unmodern, mehr als dreihundert Jahre wurden mir nicht bewilligt, oder wollen Sie lieber weniger als dreihundert Jahre schlafen?« – »Weniger auf keinen Fall«, sagte Olga Salman, »ich denk mir, viel hilft viel, und was man geschenkt kriegt, soll man nehmen, ich kriegs doch geschenkt, oder?« – »Ausnahmsweise, ein Pakt mit Ihnen erscheint Persephone unergiebig. Sie ist in Ihrem Fall für Wohltätigkeit, das heißt für Elixier, die Laube ist als provisorischer Schlafplatz stabil genug. In dreiundvierzig Jahren gehört uns ein bulgarisches Höhlenkloster, dann werden Sie dorthin übergeführt.« – »Uns«, fragte Olga mißtrauisch, »ich denk, Frau Persephone hat alles über? – »Sie hat faktisch nichts über, sind Sie bereit?« – »Immer bereit«, sagte Olga Salman. Und ließ sich von der schönen Melusine in die Laube geleiten. Umgeben von Brennholzbündeln, Sägebock, Hackklotz und Werkzeugen, stand dort Salmans altes Küchensofa. Johann Salman hatte die Laube als Schuppen gemietet, hauptsächlich für die Brennholzbevorratung, die der Mann von je zeremoniell betrieb. Ohne Vorlauf für drei bis vier Winter konnte er nicht ruhig leben. Olga brauchte den gleichen Vorlauf bei Eingewecktem, das im Keller gelagert wurde und den füllte. Haus und Garten unterstanden der Kommunalen Wohnungsverwaltung in Treuhand. Der Besitzer hatte sich 1945 nach Schwaben abgesetzt. Olga Salman klopfte den Staub vom Sofa, zog ihre Kittelschürze aus, legte sich unter die Sofadecke, schob die Schürze gefaltet unter ihren Kopf und sah erwartungsvoll auf Melusine. Als die schöne Melusine sich vergewissert hatte, daß die Fensterläden verschlossen waren, zog sie eine Phiole unter ihrem linken Flügel hervor und reichte Olga das halbgefüllte Gefäß. Olga leerte es mit sieben Schlucken, schüttelte sich und verglich den Geschmack des Elixiers mit Buchenteerhustensaft. Dann zog die schöne Melusine eine Spindel unter ihrem rechten Flügel hervor, stach Olga Salman damit in den Finger, und der Zauber begann augenblicklich zu wirken. Johann Salman, der noch am selben Tag schriftlich benachrichtigt wurde, aß seitdem im Klub der Eisenbahner zu Mittag. Wochentags wählte er ein Gericht für 70 Pfennig, sonntags legte er 1,20 Mark an. Unbeirrt in seiner Überzeugung, die Wunder ausschloß. Er sah auch keinen Grund, seine Prinzipien zu ändern, die Gespräche über Dinge, die es nicht gibt, verboten. Beim Holzsägen oder -hacken deckte er das Gesicht seiner Gattin mit Klarsichtfolie ab, um es vor Staub zu schützen. Am Frauentag tauschte er das alte Küchensofa mit dem neuen aus.

32. Kapitel

Das die schöne Melusine aus dem DDR-Buch »Mann und Frau intim« von Dr. Siegfried Schnabl in ihr 103. Melusinisches Buch abschrieb

Es wird deutlich, daß vom Aspekt der Kontinuität des Lebensprozesses über Generationen hinweg getrenntgeschlechtliche Organismen eine Lebenseinheit sind, die nur gemeinsam die in ihrem Lebensmuster enthaltenen sexuellen Reaktionsautomatismen realisieren können. Da die Verwirklichung entwicklungsgeschichtlich vorgegebener Verhaltensmuster den Gesamtlebensprozeß ausgleicht, bedeutet die Paarung als Erfolgserlebnis ein wichtiges individuelles Harmonisierungselement des Lebens . . .

In der Paarung erfahren die bedingten Sexualreflexe im Lustempfinden ihre Erfolgsbestätigung. Dieses als Orgasmus bezeichnete Empfinden ist demnach ein notwendiges, jedem höheren Lebewesen eigenes, den Gesamtlebensprozeß harmonisierendes Element.

Der heute auffälligste, klinisch und durch Umfragen in Vergangenheit und Gegenwart bestätigte Unterschied zwischen den Geschlechtern besteht darin, daß die Frau – im Durchschnitt der gesamten weiblichen Bevölkerung, nicht in jedem Einzelfall – ungleich seltener den Orgasmus erlebt als der Mann, und zwar (nach der vorliegenden Fachliteratur und nach eigenen Erhebungen grob gerechnet) etwa im Verhältnis 1 : 10. Diese Bilanz fordert die Änderung des heute beobachteten Zustandes.

33. Kapitel

Entrückung Lauras

Am 11. Februar 1973 begab sich die schöne Melusine unbemerkt unters Ehebett, darin Laura und Benno angefaßt schlummerten, und wartete dort, bis die Patientin genügend Schlaftiefe erreicht hatte. Als Laura im Traum zu murmeln begann, erschien sie Melusine flugfähig. Melusine wälzte sich also so geräuschlos wie möglich unterm Bett hervor, lüftete die Daunendecke, löste die verschränkten Hände des Paares, zauberte Laura in einen pelzgefütterten Overall mit Kapuze und lud sich die schlafende Frau auf den gepanzerten Rücken. Dann öffnete sie das Fenster und entflog mit der Last. Über Magdeburg, Köln, Mannheim, Reims. Erst kurz vor Paris setzte Regen ein. Der die Wahlkampfplakate, die allerorten am Mauerwerk klebten, weichte. Die schöne Melusine war zufrieden über den Anteil der linken Werbung. Sie zertrümmerte mit dem Schwanz eine Fensterscheibe im Obergeschoß des Musée de Cluny, flog Runden überm Quartier Latin, bis der Regen aufhörte und der Mond durch die Wolken brach, und steuerte schließlich, da die Museumswache weder vom Lärm noch von irgendeiner Alarmanlage geweckt worden war, durchs leere Fenster direkt zur Treppe, die dem elften Saal vorsteht. Landung. Öffnung der Tür mit einem Dietrich. Abladen der Nutzlast. Melusine knöpfte Lauras Pelz auf und besprengte sie mit einem somnambulisierenden Elixier. Es hinterließ auf Lauras Gesicht bräunliche Flecken, die an Sommersprossen erinnerten, Melusine fluchte. Auf Persephone, die jetzt drei Monate als Gattin Plutos im Hades saß, war ihre schlechte Laune ein Grund, mindere Qualität zu liefern? Hatte ihr Herr Gott keine bessere Qualität bewilligt? Scheißamtsweg! Das Nachthemd erschien Melusine als zu dünn für die Besichtigung, der Overall als zu dick. Deshalb zog sie Laura Nachthemd und Overall aus und führte sie nackt in den elften Saal. Der Saal war rund. Mondschein erhellte die Wandteppiche. Sie verlangten die ideale Vollkommenheit des Kreises. Sechs Teppiche, in die eine vornehme Dame mit einem Einhorn gewebt war, auch mit Löwen, Wölfen, Leoparden, Affen, Gemsen, Hasen, allerlei Vögeln, Bäumen und blühenden Pflanzen, die männliche Variante war unterschlagen. Sämtliche Lebewesen erschienen gleichgemacht auf rotem Grund, eingeebnet. Suggestive Friedlichkeit ähnlich der unter besonnten Ölbäumen. Laura spazierte drin eine Stunde. Ohne zu frieren. Vor dem sechsten Teppich verweilte sie am längsten. Er zeigte ein blau-goldenes Zelt, das vom Löwen und vom Einhorn offengehalten wird. Der fransengeschmückte Querbehang des Zeltdachs trägt die Losung »A mon seul désir«. Rückflug über Frankfurt (Main).

34. Kapitel

Darin eine Meldung der Zeitung »Neues Deutschland« aus dem Jahre 1973 nachzulesen ist, die die schöne Melusine in ihr 161. Melusinisches Buch abschrieb

Rom (ND). Eine Italienerin aus dem Hinterland von Pescara hat ihr Kind in einer Höhle geboren und dort zwei Jahre lang mit ihm gelebt. Der Fall wurde erst jetzt in der Öffentlichkeit bekannt, nachdem ein Teil der Höhle eingestürzt war und die Mutter, Lucia Colella, und das Kind in ein Pflegeheim gebracht worden waren. Die seinerzeit zweiundzwanzigjährige Lucia war aus ihrem Elternhaus in Caramanico verjagt worden, weil sie schwanger war und den Namen des Kindesvaters nicht nennen wollte. Obwohl die Bevölkerung von Caramanico wußte, daß die junge Frau mit ihrem Kind in einer Höhle in der Nähe des Ortes vegetierte, war in den zwei Jahren nichts unternommen worden, um ihr zu helfen.

35. Kapitel

Darin Laura Benno ihre Liebe erzählweis verkleidet erzählt

Spielzeit: Ich nehme die Pistole, die mir vor dreiunddreißig Jahren geboten wurde, da war ich sechs Jahre alt, der Junge hieß Ferdinand. Ich traf ihn zehn Monate lang täglich in Parterreräumen der alten Schule. Dort veranstaltete ein hageres Fräulein namens Riedel einen Vorschulkindergarten. Das Frühstück trug ich in einer roten Umhängetasche aus Pappe. Meine Mutter begleitete mich am ersten Tag. Während der Vorbereitung zum Appell, als die versammelten Kinder entsprechend ihrer Körpergröße gereiht wurden, hielt Ferdinand einen Rotstift in der linken Faust. Geplapper, mit Handklatschen rhythmisierte Ermahnungen, Befehle spielten, echoverstärkt vom Flurgewölbe, um seinen Kopf, der mit stumpfem schwarzem Haar bewachsen war. Ich stand im Lärm wie in Orgeltönen. Hoch, einundzwanzig Stufen führten zum Portal der alten Schule. Neun Kastanienbäume beschatteten die Fassade. Sie überragten das Schieferdach. Die Kastanien des Friedhofs nebenan reichten nicht weiter. Sobald die Reihe gerichtet war, meldete die Helferin der Kindergärtnerin Riedel. Ich stand an der Spitze der Appellreihe, Ferdinand jenseits der Mitte. Er trug braune Strümpfe, die an Strumpfhaltern befestigt waren, den Rotstift hinterm Ohr. Die Kindergärtnerin Riedel trug am Halsloch aller Kleider eine Frauenschaftsbrosche, die die Halshaut schob und faltete. Nach dem Wegtreten rollte die Helferin eine Kanne mit Frühstückskakao durch den Flur wie Aschemänner Mülltonnen. Die Räume waren groß und die Türen und die Fenster, alles an der alten

Schule war hoch und groß. Die Zimmerdecken lagen auch an sonnigen Tagen im Dämmer, wenn keine Lampen brannten. Wer die einundzwanzig Stufen erklomm, stieg sommers in den Abend. Im Winter, wenn das Laub auf dem Vorhof lag, qualmten Öfen die Räume dunkel. Diese Öfen hatten gußeiserne Mäntel ähnlich der Form eines Zuckerhuts, reliefgemustert. Nackte Männer mit Helmen und Schwertern waren da in Friesen zu sehen, sich bäumende Pferde, verrenkte, gestürzte, Buchstaben, auch Blumen. Der Hausmeister mußte ständig feuern, um die konvexen Ofentüren rotglühend zu halten. Ferdinand übertrug die Ofenpferde mit dem Rotstift auf Papier. Ich brachte ihm manchmal welches von einer Rolle, die meinem Vater von einem Arbeiter der Papierfabrik geschenkt worden war. Ferdinand brauchte viel Papier. Wenn seine rechte Hand ermüdete, wechselte er den Rotstift in die linke Hand. Die Kindergärtnerin Riedel rügte das. Auch die unbestimmte Frisur, allen anderen Jungen war das Haar gescheitelt. Die Kindergärtnerin hatte eine Nackenzwiebel, die mit Haarnadeln gespickt war. Mir gefielen Frauen, deren Ohrläppchen von Gehängen gezerrt wurden. Auf den Fensterbrettern standen Kakteen. Die Fensterrahmen waren nahe der Decke jeweils mit einem Zahnrad versehen, das von Gliederketten bewegt werden konnte. Das Geräusch erinnerte an das Aufziehen von Standuhren. Meine Tante Jenny besaß eine Standuhr mit Westminstergong, der Gongschlag war meinen Ohren so angenehm, daß ich mich gelegentlich hervortat, um die Luftklappen des Oberfensters öffnen zu dürfen. Die Aufgabe wurde nur gehorsamen großen Kindern übertragen. Ferdinand hätte keine Chance gehabt. Er redete wenig gefragt. Mir fiel nichts ein, wenn ich neben ihm saß. Selten sah er auf vom Papier und kneistete. Meist zum Fenster hin, wahrscheinlich die Stufen herab über die schienenbelegte Straße, den Hang abwärts, auf dem wir winters rodelten, hinunter zum Ablaufberg des Verschiebebahnhofs. Schmerzbeflügelt wünschte ich mich hinterher, fuhr in verschiedenen Güterwagen, auf dem Dach einer vierundvierziger Lokomotive, erregender Geruch nach Ruß und Eisen, aber nicht so schön wie bisher. Ferdinand redete Lokomotiven um in Raupen und Raupen in Nebel und Nebel in Echsen. Er ließ sich durch nichts und niemanden von seinen Worten abbringen, selbst durch die Kindergärtnerin Riedel nicht, vor der er sich vorzugsweise mit Pilznamen Ruhe schaffte. Mich nannte er Negus. Ich glaube, er verachtete die Wirklichkeit. Wenn keine Beschäftigungen angeordnet waren, spielten die Jungen Nahkampf und die Mädchen Lazarett. Der Verbandplatz war von Stühlen und Wiegen umzäunt. Manchmal reichte er nicht für alle Verwundeten. Ich sammelte Puppenwäsche und wartete. Wenn Ferdinand sich endlich getroffen oder tot einstellte, legte ich sie an als Verbände. Er litt es unwillig. Auch von anderen Mädchen, ich haßte alle, die ihn anfaßten. Besonders seine Mutter und die Schwester. Die hatte kurzsichtige Augen wie er und gelähmte Beine. Wadenlos, bis zu den Knien vor verchromten, ledergefaßten Schienen gestützt, die die hohen Schuhschäfte zerrten. Das schöne Mädchen schleifte die Schuhspitzen übern Boden, ich beobachtete es gern. Die niedrigen Tische waren mit grünem Linoleum belegt, das nach Bohnerwachs roch. Manche Stuhlsitze zogen Fäden aus Strümpfen und Röcken. Die Toilettenwände waren mit Kot beschmiert. Ich hielt mich plötzlich zurück, mein Interesse am Betrachten und Erfinden sexueller Spiele war auch gemindert. Zugunsten neuer, unerhörter Qualen, bei Bodennebel stand die alte Schule in Wolken. Schaukelte, flog, ich ging wie im Traum. Der Fassadenputz war vielerorts geborsten und abgefallen. Da lagen die Porphyrquader nackt. Ihre Farbe erinnerte mich an erfrorene Hände oder Kohlrabi. In der Schule war es auch an Hitzetagen kühl wie in der Kirche nebenan. Der Porphyr stammte aus nahe gelegenen Steinbrüchen, die jetzt mit Müll gefüllt wurden. Ferdinand begleitete mich zweimal auf den Friedhof. Er schoß mit der Pistole, ich mit Knüppeln nach Kastanien. Die gesammelten Früchte betrachtete er als sein Eigentum, obgleich er nur mit dem Mund geknallt hatte, ohne Zündblättchen. Ich durfte nicht probieren, nicht einmal anfassen durfte ich. Niemand durfte probieren oder anfassen, es war eine Selbstladepistole Mauser. Ferdinand hatte das Schießeisen immer bei sich. Es beulte sogar die kurze dunkelblaue Strickhose, die er sonntags im Kindergottesdienst trug. Daß seine Mutter ihn zu solchen unmännlichen Veranstaltungen zwingen konnte, steigerte meine Abneigung gegen die Frau. Ich ging orgelhalber. Zur Kinderlehre nie, da gab es nur Harmonium, der Pfarrer spielte selber, oft daneben. Er spuckte, wenn er sprach. Ferdinand sang falsch. Ich schämte mich. Auch seiner ausgedehnten Strümpfe wegen. Kniestrümpfe durfte er nie eher anziehen als ich. Im Fluß baden war ihm verboten, einen Vater hatte er auch nicht. Ich bemitleidete ihn. Ich warf Steine nach ihm, wenn sich Gelegenheit bot. Am liebsten ging ich allein zum Bahndamm, stieg auf eine Krüppeleiche und stellte mir vor, ich würde das stumpfe Haar anfassen. Erst vierzehn Jahre später fühlte ich mich wieder annähernd so unverstanden und als Mittelpunkt der Welt. Am letzten Tag bot mir Ferdinand die Mauser an. Ich wagte nicht, das zu glauben, hatte zehn Monate auf ein Zeichen gewartet, dieses war zu schwerwiegend, als daß ich es ernst nehmen, gar annehmen konnte. Ich rannte weg und sah Ferdinand nie wieder. Dreiunddreißig Jahre später kehre ich zurück, nehme das schlechte Spielzeug und danke.

36. Kapitel

Tod der Trobadora Beatriz

Die Wahlen zur französischen Nationalversammlung, die am 4. und am 11. März 1973 stattfanden, verfolgte Beatriz über Fernsehen und Rundfunk aufgeregt. Nicht so optimistisch wie Melusine, die seit Anfang März den Ort des Ereignisses nicht mehr verlassen hatte. In der Nacht vom 4. zum 5. März leerten Beatriz, Benno und Laura drei Flaschen Wein. In der Nacht vom 11. zum 12. März leerten sie sechs Flaschen Wein. Der Wahlsieg der Linksparteien versetzte die Trobadora derart in Begeisterung, daß sie gegen drei Uhr morgens die Marseillaise anstimmte. Laura redete in Trinksprüchen von der Stadt Paris der Zukunft, darin Menschen, Tiere und Pflanzen auf rotem Grund hausten. Benno entdeckte in Lauras Gesicht Sommersprossen und rief den Sommer aus. Am 12. März kam er zu spät zur Arbeit, das war ein Montag. Laura bekämpfte ihren Kater mit Kaffee. Beatriz griff sich Eimer und Putzleder und schwang sich aufs Fensterbrett. »Ich versteh nicht, wie sich eine Trobadora drängeln kann, ihren Enthusiasmus so zu verfeuern«, sagte Laura, bevor sie sich in die Küche begab. Als Beatriz die Rahmen des Wohnzimmerfensters gereinigt und eine Scheibe blank gerieben hatte, erschien die schöne Melusine am Himmel. Sie kreiste dreimal überm Haus Osterstraße 37. Dann verschwand sie in östlicher Richtung. Beatriz winkte ihr mit dem Leder. Und muß offenbar dabei die Balance verloren haben. Jedenfalls fand Laura das Fenster leer, als sie wenig später mit Wesselin im Wohnzimmer erschien. Der Hund Anaximander saß jaulend neben dem Putzeimer. Schreie und Hilferufe klangen von der Straße herauf. Sie stammten vom Menschenauflauf, der sich um die Verunglückte gebildet hatte. Als Laura auf der Straße anlangte, war der Rettungswagen bereits eingetroffen. Der Arzt stellte den Tod der Trobadora fest. Einen Tag darauf lasen die verweinten Augen Lauras in der Zeitung »Neues Deutschland«:

»Der Aufschwung der Linksparteien, die 87 Sitze in der Nationalversammlung hinzugewonnen haben, und der Abstieg der Rechtskoalition, die von 372 auf 271 – um über hundert – Abgeordnete zusammengeschrumpft ist, beschäftigt die französische Öffentlichkeit. Wenn das Wahlgesetz auch nicht überall direkt angesprochen wird, so weisen viele Blätter doch auf den flagranten Widerspruch zwischen dem Stimmenverhältnis und der Verteilung der Abgeordnetenmandate hin.

In der Tat: die Linksparteien erhielten insgesamt 46,54 Prozent der Stimmen – aber nur 178 Abgeordnete, während die Rechtskoalition mit nur 40,88 Prozent der Stimmen über 270 Sitze – und damit über die Mehrheit der Sitze – in der neuen Nationalversammlung verfügt.

Dem Elan, der die Linksparteien in den letzten Monaten in der Aktionseinheit zusammengeschlossen und auf der Grundlage des gemeinsamen Regierungsprogramms zu einem dynamischen Wahlkampf geführt hatte, gibt die ›Humanité‹ am Montag in ihrem Leitartikel Ausdruck. Sie schreibt: ›Die französische Linke geht aus den Wahlen trotz der heftigen Kampagne der Regierungsparteien und der anderen bürgerlichen Gruppierungen gestärkt hervor.

Kommunisten, Sozialisten und linke Radikale haben Dutzende neuer

Sitze gewonnen. Allein unsere Partei hat die Zahl ihrer Abgeordneten mehr als verdoppelt. Gegenüber dem Angriff der Rechten hat sich die linke Wählerschaft geschlossen gehalten. Die Verluste der Koalition der Rechten wären noch viel ernster gewesen, wenn der Wahlmodus nicht so ungerecht wäre, wenn er nicht einem großen Teil der Franzosen seine gerechte Vertretung, sogar jede Vertretung in der Nationalversammlung verweigern würde, wenn dieser Wahlmodus nicht besonders die Kommunistische Partei benachteiligte.‹

Jetzt gehe es darum, in der Opposition und durch die demokratische Aktion weiter voranzuschreiten, Millionen weitere Franzosen für die mächtige Hoffnung zu gewinnen, die die Linksunion darstellt. ›Alles, alles beweist, daß es möglich ist, eine große und stabile Sammlung der Mehrheit des Volkes zu schaffen, die Frankreich eine neue Zukunft eröffnen kann. Das war nur der Beginn, der Kampf geht weiter.‹

Die bürgerliche Zeitung ›Le Monde‹ stellt in einer Analyse des Wahlergebnisses fest, daß die vereinigte Linke mehr Stimmen als die drei bisherigen Regierungsparteien erringen konnte, trotzdem aber weniger Sitze in der Nationalversammlung erhält. Die Zeitung betont, daß der Erste Sekretär der Sozialistischen Partei und der Generalsekretär der FKP nicht ganz unrecht hätten, den Wahlmodus anzuklagen. ›Wenn man die Zahl der von der gesamten Linken am 4. März in den 490 Wahlkreisen erhaltenen Stimmen und die am 11. März in den 424 Wahlkreisen zusammenrechnet, kommt man auf die Zahl von 11 090 427 Wählern, während die Regierungsparteien und die sie unterstützenden Gruppierungen insgesamt 9 009 432 Stimmen haben. Einer Stimmenmehrheit entspricht so eine Minderheit von Sätzen.‹

In Erklärungen der Gewerkschaften CGT und CFDT wird darauf hingewiesen, daß nach diesem Aufschwung der Linksparteien die Ausgangsposition für neue Kämpfe zur Erfüllung der berechtigten Forderungen der Werktätigen außerordentlich günstig ist.

Auch auf seiten der Regierungsmehrheit gibt es Stimmen, die davor warnen, nach diesem Wahlergebnis die Forderungen der Gewerkschaften zu ignorieren.«

Siebtes Intermezzo

Darin nachzulesen ist, was die schöne Melusine im Jahre 1964 aus dem Roman »Rumba auf einen Herbst« von Irmtraud Morgner in ihr 42. Melusinisches Buch abschrieb

Als Uwe merkte, daß die Hochzeit keine Schnapsidee war, sondern bereits beschlossen mit Berta, ging er sofort. Um sich zu überlegen, wie er das verhindern könnte. Er mußte es verhindern, Valeska war nicht da, er mußte etwas tun, damit sich Berta nicht unglücklich machte, weil sie nicht nein sagen konnte. Sie nannte ihn nach wie vor Katschmann, nicht Edgar, Katschmann, aber sie konnte nicht nein sagen. Also mußte Uwe nein sagen, sie konnte sich nicht entscheiden. Sie überließ immer nur anderen die Entscheidungen. Sie war zu gut, bis zur Charakterlosigkeit gut war sie, bis zur Selbstaufgabe, eine große Versöhnlerin vor dem Herrn, schon immer gewesen, Uwe mußte etwas unternehmen. Er ging zu Kantus.

Kantus war natürlich noch wach. Er kam ihm in riesigen Filzpantoffeln entgegengeschlurft und sagte: »Weißt du einen Laden, der Salami hat?«

»Jetzt?«

»Natürlich jetzt. In acht Stunden kriegst du bei jedem popligen Fleischer welche. Jetzt . . .«

»Mitten in der Nacht?«

»Mein Appetit richtet sich nicht nach den Ladenöffnungszeiten«, sagte Kantus.

Uwe kannte diesen Appetit. Er sagte: »Ich komm gerade von einem Besoffenen.«

»Ich sauf nicht«, sagte Kantus, »ich hab nur Appetit auf Salami.«

»Mit Rotwein«, sagte Uwe.

Kantus schlug Uwe mit dem Handrücken gegen die Rippen und schob ihn in das verräucherte Zimmer. Kantus hatte eine Zweizimmerwohnung, aber er bewohnte nur dieses Zimmer. Er schlief auch drin. Das, in dem Uwe mal gehaust hatte, stand leer. Kantus schlief auf einer Kastenmatratze, die auf Bücherbeinen stand. Die Tischplatte lag auf einer Kiste, in der Literatur der deutschen Romantik untergebracht war. Wenn er E. T. A. Hoffmann lesen wollte, mußte er den Tisch demontieren. An den Wänden von rechts nach links Geschichte der Philosophie von den Anfängen bis zur Gegenwart, Bücher über Segelfliegerei, Wirtschaftsgeschichte, deutsche und ausländische Belletristik, alphabetisch geordnet, Kunstbücher, Kochbücher, Zeitschriften, die Balkontür war mit Marxismus zugestapelt. Außerdem war das Zimmer mit zwei steifen Stühlen möbliert.

»Berta sagt auch, du säufst.«

Kantus setzte sich auf die Matratze, unter eine blaue Wolke. Er balancierte sie auf einem gewundenen Rauchstiel, der auf dem Ende seiner Zigarette hin und her schwankte. Er rollte die Zigarette vorsichtig mit den Lippen in den linken Mundwinkel. Wenn sie im linken Mundwinkel klemmte, war er zu Gesprächen aufgelegt.

»Ich komm von Berta«, sagte Uwe.

Kantus kniff das linke Auge zu, um den Rauch auszusperren.

»Berta hat viel zu tun«, sagte Uwe.

Kantus öffnete schon den Mund einen Spalt, aber er sagte nichts. Er klemmte nur die Zigarette zwischen die beiden Zähne, die er noch hatte. Und da sagte Uwe auch nichts. Bei Kantus konnte man leicht das letzte Wort haben. Aber nicht das erste. Das erste gehörte zu ihm. Er kaute es eine Weile, indem er die Zigarette mit den Lippen hin und her schob, dann spuckte er es aus, wie man Priem ausspuckt, zack, aber ohne die Zigarette dabei aus dem Mund zu nehmen, und dann konnte man reden. Aber vorher nicht. Uwe hatte ihm mehrere Eselsbrücken gebaut. Umsonst. Kantus mochte nicht. Was sollte man auch reden in so einem Falle. Katschmann wollte Berta heiraten. Sie hatte sich für ihn entschieden. Wahrscheinlich war Franz ihr fremd geworden, als er 1955 zurückkehrte. Und er war ihr fremd geblieben, vermutlich, weil er sich ausschwieg darüber, weshalb er seit 37 nichts mehr von sich hatte hören lassen. Jedenfalls hatte sie damals, als Katschmann Franz zu verstehen gab, daß er auf seine Besuche keinen Wert lege, nicht widersprochen. Später, als Franz bei Valeska aus und ein ging, erfuhr Berta seine Geschichte. Seitdem besuchte sie ihre Tochter öfter. Wahrscheinlich hatte Berta Franz heute nachmittag zu sich bestellt, um ihm ihren Entschluß mitzuteilen. Und Katschmann hatte in seinem Suff Uwe für Franz gehalten. Aber Franz war dagewesen. Uwe hatte es gerochen, daß er dagewesen war. Katschmann rauchte nicht. Berta hatte Franz sicher ihren Entschluß mitgeteilt, denn sie war ja gewissermaßen noch mit ihm verlobt. Seit dreißig Jahren verlobt. Aber das war ihre Sache. Uwe mischte sich da nicht ein. Er hatte kein Recht, sich da einzumischen. Valeska ja, aber er nicht. Er hatte mit sich zu tun. Er sagte: »Ich hab tolles Material für einen Artikel.«

Kantus rollte die Zigarette etwas aus dem linken Mundwinkel heraus.

»Wenn ich das Material gut verkaufe, wird der Laden vielleicht sogar zugemacht. Ich habe nichts gegen Wissenschaft, aber Luxus können wir uns in dieser angespannten Situation nicht leisten. Seit Monaten läuft eine Sparkampagne, wir rennen uns die Hacken ab nach entsprechenden Beispielen, die journalistisch was hergeben, ich seh nicht ein, warum ich in diesem Fall die Augen zudrücken soll. Erkundungsforschung muß sein, bitte, wegen mir sollen sie erkunden, soviel sie wollen, auch wenn sie gar nicht wissen, wohin das führt, aber wenn der Luxus so ins Geld geht, bin ich dagegen. Ich werde anfangen mit dem aktuellen politischen Aufhänger, ich werde Bezug nehmen auf die letzte Meldung über die Lage in der

Karibischen See, und dann werde ich klipp und klar sagen, daß ich in dieser Situation gegen derartig kostspielige Forschungen bin. Wir sind ein kleines Land, uns sitzt der Feind vor der Nase, wir können uns keine Extravaganzen leisten. Stimmts?«

»Du willst ihnen also das Wasser abgraben.«

»Ja.«

»Und was sind das für Leute?«

»Viel kühne Nasen, die Westdeutschen halten mich für einen Spion, ein englischer Professor hat gesagt, wenn die Amerikaner begännen, Kuba zusammenzuhauen, würde Rußland nicht militärisch eingreifen, weil es wegen sechseinhalb Millionen das Risiko eines Atomkrieges nicht verantworten könnte, ein Armenier, Paremusjan oder Taremusjan oder Karemusjan heißt er, ich nenne ihn Fürst Igor, behauptet, die Amerikaner wagten schon allein deshalb keine Invasion, weil sie dann in Lateinamerika völlig verspielt hätten, ein Hamburger ist überzeugt, daß es diesmal losgeht, er hat sich vorgestern furchtbar besoffen, aber am anderen Morgen hat er wieder debattiert, als sei nichts gewesen, gegen Kuba ist, glaube ich, keiner von den Leuten, aber gegen die sowjetischen Raketen auf Kuba sind die meisten Westlichen. Nur sie erhitzen sich nicht fanatisch darüber, sie können sich wahrscheinlich nur fanatisch über ihr statistisches Material erhitzen, ich glaube, sie halten sich für Mitglieder einer Familie von Auserwählten, denen als einzigen gestattet ist, eine gesellschaftliche Situation zu antizipieren. Ein Schwabe hat mir erzählt, sie hätten einen am Institut, der wüsche sich selten, er würde sagen, das hätte er als Physiker nicht nötig. Die an der Tagung teilnehmen, sind alle gewaschen, manche sind sogar ziemlich elegant aufgemacht, der hiesige Direktor, ich nenne ihn Monsignore, ist ein verdammt schöner Mann, es gibt natürlich auch langweilige Gesichter, wahrscheinlich kochen alle nur mit Wasser, auch die mit den kühnen Nasen, aber es sind komische Heilige, ich fühle mich nicht wohl unter diesen Leuten.«

»Und deshalb willst du ihnen das Wasser abgraben.«

»Der Artikel erscheint in der Serie ›Produktivkraft Wissenschaft‹, aber was die in dem Institut machen, kostet nur, also muß ich dazu etwas sagen.«

»Wer zwingt dich?«

»Katschmann meint auch, daß ich dazu was sagen muß.«

»Und was meinst du?«

»Ich überlege schon drei Tage hin und her. Ich hätte den Auftrag nicht annehmen sollen.«

»Und was meint die Redaktion?«

»Der Chef meint, ich soll endlich was zu Papier bringen, worüber man reden kann. Über ungelegte Eier könnte man nicht reden. Aber ich kann nicht schreiben. Ich bringe einfach nichts zustande. Auch mit dem Material nicht, das ich gesammelt habe.«

»Vielleicht taugt das Material nichts?«

»Das Material ist genau richtig«, sagte Uwe. Er breitete es vor Kantus aus. Franz klebte die Zigarette an die Unterlippe und las.

»Na?«

»Hier ist die Luft zum Reden zu trocken. Ich schlage vor, wir gehen in eine Kneipe.«

Sie gingen. Sie suchten eine Weile. Uwe lehnte die stinkigen Eckkneipen ab, die bald Polizeistunde hatten. Franz lehnte die ventilierten Lokale mit Garderobe ab. Schließlich einigten sie sich auf eine Kellerkneipe mit Nachtbetrieb. Sie stiegen ein durch das Luk.

Eine kleine Kajüte, sparsam beleuchtet und belüftet, Musik aus der Backskiste, auf den Bodenbrettern wird getanzt, Uwe und Franz setzen sich achtern und bestellen Wodka. Eine Flasche. Franz bestellte immer eine Flasche. Berta hatte recht; er soff. Vielleicht wollte sie ihn deshalb nicht mehr? Aber warum soff er denn? Die Menschen saufen nicht grundlos. Hatte Kantus einen Grund? Achtzehn Jahre lang hatte er sicher einen, er sprach nicht darüber, aber wenn man achtzehn Jahre unschuldig sitzt, wenn man zehn Jahre Bäume fällt, statt Zeitungen zu setzen, endlich die eigenen Zeitungen, das war schon ein Grund. Nur, er soff ja nicht, als er kam. Er begann ja erst später damit. Vielleicht wegen Berta. Vielleicht wegen Katschmann. Vielleicht, weil ungeheure Bewährungsproben manchmal leichter zu ertragen sind als der Alltag. Warum sprach er nie über diese achtzehn verlorenen Jahre? Er war stark genug gewesen, sie durchzustehen ungebrochen. Fehlte ihm jetzt die Kraft, sich an sie zu erinnern?

»Du willst ihnen also das Wasser abgraben«, sagte Kantus, »aber du traust dich nicht recht.«

»Ich trau mich.«

»Aber du brauchst Zuspruch.«

»Rat«, sagte Uwe.

»Über solche komplizierten Dinge kann man nur reden, wenn man von ihnen sehr viel oder gar nichts versteht.«

»Ein Journalist muß zu allem etwas sagen können.«

»Ich bin kein Journalist«, sagte Kantus, »ich bin Setzer.«

»Aber du kannst mir helfen. Du bist der einzige, der mir helfen kann. Wenn du mir damals nicht geholfen hättest . . .«

»Himmelherrgott, klammer dich doch nicht dauernd an Personen.«

»Tut mir leid«, sagte Uwe.

»Halt dich doch endlich an die Sache. Auch wenn das schwerer ist, weil es mehr verlangt als Antipathie oder Liebe.«

»Mach ich ja, aber für mich hat die Sache eben ein Gesicht.«

»Was für eins?«

»Deins«, sagte Uwe.

»Quatschkopf«, sagte Kantus und hieb wieder einen Wodka in sich hinein. Er warf dabei den Kopf zurück, als ob er eine Pille schluckte, ein kleiner Kopf, ein kleines Gesicht, total verrunzelt, mausgraue Augen. Die Augen waren das Größte an diesem Mann. Er zwickte sie immer zu, um sie seiner Figur anzupassen, die spillrig war. Uwe fragte sich, wie dieser spillrige Körper derartige Strapazen hatte durchstehen können. Von seinen Feinden eins in die Fresse tut weh, aber wenn man eins von seinen Freunden kriegt. Uwe sagt: »Plischka hat mir geraten, den Beruf zu wechseln.«

»Jeder Kommunist hat blaue Flecken«, sagte Kantus, »wer keine hat, ist keiner.«

»Die Physiker haben keine«, sagte Uwe. »Siehst du den Langen dort, der rechts neben dem Eingang steht, jetzt geht er zur Theke, ja, der lange Schwarzhaarige mit dem Supermanpullover, das ist auch einer von diesen Leuten. Soll ich ihn an unseren Tisch holen?«

Kantus schob den Mund rüsselartig vor, bis über die Nase hinaus. Er konnte das, weil er nur noch zwei Zähne im Oberkiefer hatte, zwei lange dünne Schneidezähne, zwischen die gerade eine Zigarette paßte. Uwe war froh über den Rüssel. Er hatte eigentlich etwas anderes erwartet. Kantus war verhungert nach Menschen, er wollte immer allen möglichen Leuten vorgestellt werden, um sie auszufragen. Neulich hatte er einen kambodschanischen Prinzen, der die Setzerei besichtigte, nach Kartenkunststükken ausgefragt. Wenn man mit Kantus ausging, mußte man auf allerhand gefaßt sein. Kantus schien überhaupt keine Hemmungen zu haben. Mit einem zerbeulten, fleckigen Anzug war er auf einem Empfang erschienen und hatte einem Minister mit dem Handrücken gegen die Rippen geschlagen. Aber heute schien er müde zu sein, er sagte: »Ich hab eigentlich keine Lust, mir meinen Schnaps von komischen Heiligen versalzen zu lassen.«

»Ich auch nicht«, sagte Uwe. Er mußte natürlich verhindern, daß bei Kantus der Eindruck entstand, Uwe wollte deshalb nicht, weil er wieder Hemmungen hatte. Oder weil er Angst hatte vor diesem Pulloverriesen. Deshalb sagte er außerdem: »Die Ische von dem Schwarzen hat behauptet, er erzählt mir ganze Notizbücher voll, wenn er besoffen ist. Und das scheint ja wohl der Fall zu sein, er schwankt nicht schlecht, vielleicht hören wir ihn uns doch spaßeshalber mal an. Du denkst sicher, ich habe übertrieben, aber du wirst sehen . . .«

Kantus fuhr seine Augen aus, so, daß man sie mit einem Knopfholz hätte fassen können, mit dem früher Messingknöpfe vom Stoff abgeklemmt wurden, wenn man sie putzen wollte. Er wälzte die Augen nach rechts und nach links, als ob er sein Gesicht ausmessen wollte, und das bedeutete nichts Gutes. Wenn ihm sein Gesicht zu klein wurde, hatte er immer etwas vor. Uwe versuchte ihn auf eine Dame aufmerksam zu machen, aber Kantus sagte: »Gut, hol den Jungen an unseren Tisch.«

Und da mußte Uwe, wenn er sich nicht blamieren wollte, aufstehen, auftauchen aus der Menge, alle starrten ihn natürlich an, es gab niemanden, der ihn nicht anstarrte und nicht sah, wie er schwitzte. Er mußte über die schwankenden Bodenbretter gehen, die gerade leer waren, auch das noch, die Kneipe krängte, er machte große Schritte, das Oberleder seines linken Schuhes hatte in der Nähe des kleinen Zehes einen Riß, er hielt Dr. Wenzel Morolf eine schweißige Hand hin. Morolf wußte lange nicht, was er damit anfangen sollte, lange, lange. Uwe erklärte es ihm, auch lange. Morolf beugte sich zu ihm herunter, es dauerte ewig, bis Morolf ihn erkannte. Gesichter von Leuten, die keine Persönlichkeit sind, kann man sich schwer merken. Später kam Morolf mit nach achtern, der Rückweg dauerte einen Augenblick.

Morolf klopfte mit den Fingerknöcheln auf die Tischplatte, legte eine Trompete darauf und ließ sich auf die Bank fallen.

Dann griff er nach der Wodkaflasche, die inzwischen halb leer geworden war, und trank sie hastig aus. Er stellte sie wieder vor Kantus hin, mit geschlossenen Augen, er wischte sich mit dem Handrücken die Lippen und dann das ganze Gesicht, er sagte: »Ich hätte mich nicht umdrehen sollen.«

»Sie hätten noch was in der Flasche lassen sollen«, sagte Kantus.

Es schien eine Weile zu dauern, bis die Worte Morolf erreichten. Als es soweit war, sprengte er seine Augen auf. Es fiel ihm schwer, sie offenzuhalten, sein Gesicht verzerrte sich vor Anstrengung. Aber er riß sich heraus aus dem Suff, soffen denn heute alle, er lehnte sich zurück, schlug das linke Bein über das rechte und wippte mit dem rechten Fuß.

»Einen viertel Liter . . .«

Morolfs Augen, die unter der steilen Stirn versteckt waren wie unter einem Dach, glitzerten.

»In unserem Dorf hat mal einer einen Liter so hintergeschüttet.«

»Aha.« Mehrmals. Aufreizend.

»Auch ein Kerl von Ihrer Größe, Gustav hieß er, die Leute nannten ihn Gust, er konnte arbeiten für drei und saufen für zehn«, sagte Kantus und tastete den besoffenen Gast ab mit seinen mausgrauen Augen, von oben nach unten, von rechts nach links, schmückte seinen Gust mit vielen einander widersprechenden Eigenschaften aus, um Zeit zu gewinnen, er konnte erzählen und dabei an was ganz anderes denken, er sprach dann ruckweise wie eben jetzt, die Zigarette klemmte zwischen den beiden langen dünnen Zähnen, was dachte Kantus, als er sagte: »Es war heiß, wir arbeiteten auf dem Feld, ich war noch ein Kind damals, die Schnitter wetteten, wenn Gust eine Flasche Schnaps austrank, ohne vorher umzufallen, sollten die, die das bezweifelten, eine Lage Bier schmeißen, die Flasche wurde geholt, Gust trank sie aus auf einen Zug, warf sie ins Stroh, fiel um und war tot.«

»Aha, Sie sind auch so einer, der mir am liebsten den Kopf und so weiter abreißen möchte. Aber der schwimmt, verlassen Sie sich drauf, der schwimmt, und wenn er keine Trompete hat, singt er scat, bis er in Lesbos strandet. Dort werde ich wieder zusammengeflickt.«

Uwe stieß Kantus den Ellenbogen in die Rippen.

»Sie müssen einen Kaffee trinken«, sagte Kantus.

»Ich muß arbeiten, alles andere ist unwichtig«, sagte Morolf. Er sagte es so, daß kein Zweifel darüber blieb, was alles andere war.

Kantus trommelte mit den Fingerkuppen auf die Tischplatte. Er hatte merkwürdig abgeplattete Fingerkuppen. Die Nägel waren geradegeschnitten. Wenn ihm in der Setzerei jemand etwas brachte, das er nicht entziffern konnte, stand er extra auf von der Maschine, ging mit dem unleserlichen Text an einen Tisch und trommelte mit den Fingern, bis er es raus hatte.

»In diesem Zustand wollen Sie arbeiten?«

»Es kommt nicht darauf an, ob eine Idee wahr oder falsch ist, ja ob sie überhaupt einen deutlich erkennbaren Sinn hat, sondern darauf, ob sie fruchtbare Arbeit erzeugt«, sagte Morolf. Langsam, mit längeren Pausen, in denen seine Kinderaugen, die gar nicht in sein Gesicht paßten, starr wurden. Manchmal machte er eine Pause mitten im Wort, aber man konnte ihn gut verstehen, die Geräusche der Stadt waren in dieser Kajüte nicht zu hören.

»Mein Schwiegersohn hat mir eine Menge von Ihnen erzählt.« Morolf lachte, er öffnete den schmallippigen Mund einen Spalt und preßte Luft durch die Zähne, stoßweise, seine hochgezogenen Schultern zuckten.

»Wir müssen leider aufbrechen«, sagte Uwe.

»Ich nicht«, sagte Kantus.

»Ich auch nicht«, sagte Morolf, »ich arbeite am liebsten nachts.«

Kantus rollte seine Zigarette in den linken Mundwinkel und sagte: »Versteh ich.«

»Warum?«

»Nachts kann ich mich am besten unterhalten«, sagte Kantus.

»Mit wem?«

»Mit mir«, sagte Kantus.

»Dann haben wir die gleiche Wellenlänge. Ober, einen Wodka für den Opa.«

»Stolitschnaja«, sagte Kantus.

»Oder Wyborowa?«

»Stolitschnaja, ich trinke gern was von zu Hause.«

»Sind Sie von da?«

»Na ja«, sagte Kantus.

»Aus welcher Gegend?«

»Verschieden«, sagte Kantus.

»Ich hab drüben studiert, die letzten sechs Semester.«

»Wo?«

»In Moskau.«

»Erzählen Sie.«

»Was?«

»Egal. Ich war vor sieben Jahren das letztemal da. Erzählen Sie, los.«

Morolf begann zu erzählen. Er machte nur noch kleine Pausen. Und seine Augen, die dunkel waren, hatten viele Lichter, als ob er vor einem Weihnachtsbaum stünde oder vor einem illuminierten Riesenrad. Und nach kurzer Zeit ging Kantus mit Morolf durch Kitaigorod, schnell, Morolf schien es eilig zu haben. Und dann gingen sie zum Roten Platz, vorbei an der Basilius-Kathedrale, vor der ein Kwaßwagen hielt. Kwaß, sagte Kantus und verdrehte die Augen. Sie gingen durch die kleine Tür rechts neben dem Kremltor, links das Theater, und dann der weiße Glockenturm mit dem vergoldeten Zwiebeldach, frisch vergoldet, sagt Morolf, frisch vergoldet, sagt Kantus, und Zar-Kolokol und Erzengel-Kathedrale und Mariä-Verkündigungs-Kathedrale und Uspenski-Kathedrale, ja, sagt Morolf, und in der Bude vor dem großen Kremlpalast roten Winogradny, Winogradny, sagt Kantus, er hatte Uwe bereits vergessen. Er blinzelte hinauf zu Morolf. In seinem verrunzelten Gesicht spielten die Falten. Es sah aus, als ob leichter Wind in Nadelplissee fährt. Den Wind machte Morolf. Windmacher, dachte Uwe.

Kantus schwenkte beide Arme aus, große Oper, er sagte: »Jetzt eine große Schüssel Pelmeni, was?«

Morolf griff nach seiner Trompete, drückte mehrmals nacheinander spielerisch die Ventile, spannte die schmalen, asketischen Lippen, preßte das Mundstück gegen sie, legte das Instrument aber wieder zurück auf den Tisch und stieß die Luft, mit der er sich vollgepumpt hatte, durch die Nase. »Ich hab keinen Hunger«, sagte Morolf.

»Oder ein Faß Kwaß?«

»Ich trink heute nur Schnaps«, sagte Morolf.

»Warum denn, Bratjez, warum denn?«

»Weil ich sie verloren habe.«

»Ach.«

»Ja«, sagte Morolf.

Kantus legte seine Hand auf den behaarten Arm von Morolf, er hatte extra den Pulloverärmel hochgeschoben, damit alle Welt seine befilzten Arme bewundern konnte. Kantus ließ seine Hand darauf liegen. Er hatte vergessen, daß er Berta verloren hatte und daß er Uwe helfen wollte.

»Dieser Hirsch Aristaios nämlich versuchte sie zu vergewaltigen«, sagte Morolf, »aber sie schlägt ihn k. o. und rennt los, weil sie mir die Sache brühwarm erzählen will. Um mich eifersüchtig zu machen, sie weiß, daß ich rasend eifersüchtig bin, und sie freut sich schon auf den Effekt und paßt natürlich nicht auf, wo sie hintritt. Und tritt auf eine Schlange, und gleich auf die richtige, irgendein giftiges Biest, das natürlich auch gleich beißt, na ja. Wenn jemand an Krebs stirbt oder an Herzschlag, bitte, aber an so was. Ich nehme also mein Horn und steig hinunter an den Tartaros, um sie zurückzuholen, ich benutze den Durchlaß, der in Aornon offensteht. Und als ich unten ankomme, setz ich meine Kanne an und blase. Den Basin Street Blues blase ich und den Potatoe Head Blues und den West End Blues, ich blase, was das Zeug hält. Und ich kriege sie alle rum, Charon, Kerberos und die drei Totenrichter. Und ich spiele auch für die Verdammten noch eine Nummer ehrenamtlich.«

Kantus rückte immer näher heran. Er richtete seine Mausaugen auf Morolfs Pullover, als ob er ihn durchleuchten wollte. Aber er sagte nichts. Er trommelte nur mit den Fingerkuppen auf Morolfs Unterarm herum.

»Natürlich steht Pluto steif und stur«, sagte Morolf, »alles swingt, er rührt nicht einen Zeh. Aber mit dem Wild Man Blues schaffe ich auch ihn, und er erlaubt dem schönen Kind, in die Oberwelt zurückzukehren. Er stellt natürlich Bedingungen. Er sagt: Ich dürfte nicht zurückschauen, bis sie sicher im Licht der Sonne wäre. Wir machen uns also auf die Socken, sie und ich. Ich vornweg. In dem Gang ist es stockduster. Ich blas *How high the moon*, damit sie sich zurechtfindet. Als ich das Sonnenlicht erreiche, drehe ich mich nach ihr um, ich Esel. Ich kann nicht warten, wenn ich die Sonne sehe. Warten macht mich verrückt. Und bei Frauen kann ich überhaupt nicht warten. Ich hab sie also verloren, für immer, und deshalb trink ich heute nur Schnaps, verstanden?« Er wischte sich wieder in seinem schroffen Gesicht herum, mit beiden Händen, die sehr schön gewachsen waren, er stöhnte leise, seine Stirn war gespalten von einer Ader.

»Und ich hab heute vormittag noch mit ihr gesprochen«, sagte Uwe.

»Mit wem?«

»Na mit ihr, mit der Laborantin, die heute vormittag am Gap-Messer saß, das ist sie doch, nicht?«

Morolf öffnete wieder den Mund einen Spalt und preßte stoßweise Luft durch die Zähne. Er lachte so laut, daß das Paar, das auf den Bodenbrettern tanzte, etwas aus dem Takt kam. Der Takt wurde mit den Hüften geschlagen. Der Fuß des Standbeins rutschte auf der Sohle als Drehpunkt viermal hin und her, dergestalt, daß zweimal die Zehenspitzen und zweimal die Fersen nach innen zeigten. Eine Bewegung ähnlich der, die gemeinhin angewandt wird, wenn man ein Insekt zertritt. Das Spielbein kickte währenddessen zweimal in die Luft. Die Arme wurden benutzt, um das Gleichgewicht zu halten. Wenn der Herr langsam in die Knie ging, ohne die Bewegung zu unterbrechen, und sich langsam wieder aufrichtete, lagen die gestreckten Arme ruhig in der Luft wie Balancierstangen. Sobald der Herr in die Knie ging, tat die Dame das gleiche, auch die Augen halb geschlossen, der Tanz verlangte volle Konzentration. Aber sogar diese stigmatisierten Tänzer hatte das arrogante Lachen von Morolf irritiert. Nur Kantus ließ sich nicht irritieren. Er predigte Vernunft und reagierte nach Gefühl. Wer ihm sympathisch war, der konnte sich alles erlauben. Dieser Morolf war ihm offensichtlich sofort sympathisch. Säufer fanden einander immer sympathisch. Und Morolf nahm, ohne zu fragen, Uwe mußte zusehen, wie er nahm und nahm.

»Woran arbeiten Sie eigentlich«, fragte Kantus.

»Ich arbeite nicht«, sagte Morolf, »ich forsche.«

»Ist das ein Unterschied?«

»Ja.«

»Was für einer?«

»Der gleiche gewaltige, den ein gelangweilter Ehemann empfindet, wenn er mit einer Geliebten schläft.«

»Ach was«, sagte Kantus.

Er ließ sich schon wieder verblüffen. Er fiel auf jeden rhetorischen Trick rein. Und seine Ohren waren so rot, als ob er in der Badewanne läge.

»Warum fühlt sich ein Ehemann gelangweilt«, sagte Morolf. »Weil es an seiner Frau nichts gibt, was er nicht schon zu kennen glaubt. Aber die Menschen sind neugierig. Also verletzt er die Gebote, schafft sich eine Geliebte an und sündigt. Ich kann jeden Tag neugierig sein, ohne die Gebote zu verletzen, und werde sogar noch dafür bezahlt.«

»Hoch?«

»Gute Gedanken sind teuer.«

»So.«

»Aber wir verkaufen sie spottbillig.«

»Warum?«

»Ein kleines Land ist nicht reich.«

»Warum arbeiten Sie in diesem kleinen Land«, fragte Uwe.

»Weil ich für Ordnung bin. Wissenschaftler sind für Ordnung. Der Mensch kann das Chaos nicht ertragen. Er bekämpft es entweder mit Religion oder mit Wissenschaft. Ich bekämpfe es mit Wissenschaft. Hier. Ich könnte es natürlich auch in Amerika bekämpfen, auf jeder internationalen Konferenz tauchen Leute auf, die Physiker aufkaufen, meistbietend, optimale Arbeitsbedingungen, Geld und so weiter, für mich hat Ordnung, Klarheit einen starken ästhetischen Reiz. Ich glaube, daß hier im Vergleich zu diesem Aufkäuferland Ordnung herrscht, im Prinzip, nicht absolut. Die Unendlichkeit und Unerreichbarkeit der absoluten Wahrheit sorgt dafür, daß uns das Beste erhalten bleibt: Begeisterung und Ehrfurcht.«

Kantus schlug Morolf mit dem Handrücken gegen die Rippen. Ein Zeichen, daß er mit ihm außerordentlich zufrieden war. Morolf hatte kein Wort über die Stadt gesagt, aber Kantus war zufrieden. Kantus sagte: »Sie forschen also. Warum eigentlich?«

Warum, warum. Aber dieser Morolf fand das natürlich großartig. Sie fanden sich beide großartig. Uwe ertappte sich, daß er schon wieder zu Morolf hinübersah. Zu diesem häßlichen Kerl, der überhaupt nicht mit Monsignore konkurrieren konnte. Uwe bestellte eine Flasche für sich.

Morolf holte ein Stück blaue Kreide aus seiner Jackettasche und begann abstrakte Muster auf die gescheuerte Tischplatte zu malen, wobei er die Zungenspitze zwischen den Zahnreihen hin und her schob. Und dann sagte er einen langen Riemen auf. Er sagte: »Kepler schreibt in der Widmung zum Mysterium Cosmographium: Ja, wir fragen nicht, welchen Nutzen erhofft das Vöglein, wenn es singt, denn wir wissen, Singen ist ihm eine Lust, weil es zum Singen geschaffen ist. Ebenso dürfen wir nicht fragen, warum der menschliche Geist soviel Mühe aufwendet, um die Geheimnisse des Himmels zu erforschen. Unser Bildner hat zu den Sinnen den Geist gefügt, nicht bloß, damit sich der Mensch seinen Lebensunterhalt erwerbe – das können viele Arten von Lebewesen mit ihrer unvernünftigen Seele viel geschickter –, sondern auch dazu, daß wir vom Sein der Dinge, die wir mit den Augen betrachten, zu den Ursachen ihres Seins und Werdens vordringen, wenn auch weiter kein Nutzen damit verbunden ist. Und wie die anderen Lebewesen sowie der Leib des Menschen durch Speise und Trank erhalten werden, so wird die Seele des Menschen, die etwas vom ganzen Menschen Verschiedenes ist, durch jene Nahrung in der Erkenntnis am Leben erhalten, bereichert, gewissermaßen im Wachstum gefördert. Wer darum nach diesen Dingen kein Verlangen in sich trägt, der gleicht mehr einem Toten als einem Lebenden. Wie nun die Natur dafür sorgt, daß es den Lebewesen nie an Speise gebricht, so können wir mit gutem Grund sagen, die Mannigfaltigkeit in den Naturerscheinungen sei deswegen so groß, die im Himmelsgebäude verborgenen Schätze so reich, damit dem unendlichen Geist nie die frische Nahrung ausgehe, daß er nicht Überdruß empfinde am Alten noch zur Ruhe komme, daß ihm vielmehr stets in dieser Welt eine Werkstätte zur Übung seines Geistes offenstehe.«

Der lange Riemen imponierte Kantus natürlich. Er war besoffen, aber ganz anders als Katschmann. Katschmann fiel in sich zusammen, Kantus wuchs, wenn er besoffen wurde. Und die Flöhe, die er sich ins Ohr setzen ließ, wuchsen auch, ihm schien alles an diesem baumlangen Kerl zu imponieren, der behauptete, er leide an photographischem Gedächtnis. Wahrscheinlich litt er an viel mehr. Wer druckreif reden konnte, wenn ihm jemand gestorben war, der war nicht normal. Vermutlich waren für ihn alle Menschen tot, wenn er seine Wissenschaft betrieb.

Uwe sagte: »Entschuldigen Sie, aber wir sind ein kleines Land. Wenn wir Geld ausgeben, müssen wir nach dem Nutzen fragen.«

Morolf sagte: »Forschung auf dem Gebiet der angewandten Wissenschaft führt zu Reformen. Forschung auf dem Gebiet der reinen Wissenschaft führt zu Revolutionen. Sie möchten uns wohl gern ein bißchen das Wasser abgraben?«

Er hatte es also gemerkt. Er behandelte ihn so geringschätzig, weil er es bemerkt hatte. Wahrscheinlich hatte er sogar ein bißchen Angst vor Uwe. Und die versuchte er zu überspielen, indem er so nebenbei davon sprach. Das Ernsteste sagt man immer nebenbei. Sein Pullover war mit blauer

Kreide beschmiert. Vielleicht hatte er doch blaue Flecken. Uwe machte immer alles falsch. Mit Valeska, mit Kantus, mit allen. Aber das eben war richtig gewesen. Das gab diesem Morolf endlich zu verstehen, daß Uwe nicht irgendeiner war, der froh sein mußte, wenn ihm der Pförtner zunickte. Was dieser Morolf publizierte, lasen vielleicht ein paar Fachleute. Was Uwe schrieb, lasen Millionen. Wenn er an die Auflage seiner Zeitung dachte, fühlte er sich entweder schlechter oder besser. Diesmal fühlte er sich besser. Er schenkte Kantus einen Schnaps ein. Kantus trank ihn, ohne sich zu bedanken, er thronte unter seiner blauen Wolke, die er ständig aus seiner Zigarette speiste, und zwinkerte begeistert mit den Augen und fragte und fragte, als ob er etwas nachholen müßte. Jetzt zum Beispiel fragte er: »Und womit forschen Sie?«

»Mit großem technischem Aufwand und mit Ideen.«

»Und wie entstehen Ideen?«

»Indem man mit seiner Phantasie nachdenkt. Eigentlich ist die Ahnung des großen Zusammenhangs die treibende Kraft der Forschung. Der Glaube der Pythagoräer, das Vertrauen in einen einfachen mathematischen Kern aller gesetzmäßigen Zusammenhänge in der Natur, auch der, die wir noch nicht durchschauen, ist in der modernen Naturwissenschaft ebenso lebendig.«

Kantus nickte. Uwe gab wenigstens zu, wenn er etwas nicht kapierte. Er hatte Morolf gleich zu Anfang, als er in das Institut kam, rundheraus gesagt, daß er keine Ahnung hätte von dem Zeug, mit dem sich diese elegante Wissenschaft beschäftigt, aber Kantus nickte.

»Ein neuer Erfahrungsbereich erscheint uns erst dann in seinem inneren Zusammenhang verstanden, wenn die ihn bestimmenden Gesetze einfach mathematisch formuliert sind. Planck sagt: Solange es eine physikalische Wissenschaft gibt, hat ihr als höchstes erstrebenswertes Ziel die Lösung der Aufgabe vorgeschwebt, alle beobachteten und noch zu beobachtenden Naturerscheinungen in ein einziges einfaches Prinzip zusammenzufassen, welches gestattet, sowohl die vergangenen als auch besonders die zukünftigen Vorgänge aus dem Gegenwärtigen zu berechnen. Es liegt in der Natur der Sache, daß dieses Ziel weder heute erreicht ist noch jemals vollständig erreicht werden wird. Aber wohl ist es möglich, sich ihm immer mehr zu nähern. – Wir träumen alle von einer Art Weltformel. Wahrscheinlich dummerweise. Heisenberg hat mal eine entworfen.«

»Ich habe mir erzählen lassen, in Ihrem Institut wird nur gemessen und gerechnet.«

»Stimmt zufällig.«

Kantus schenkte sich und Morolf aus Uwes Flasche ein. Uwes Glas blieb leer. Uwe dachte: Ich bin ein Mensch, der nie zum Thema kommt.

»Aber was hat denn Phantasie in einer trocknen Wissenschaft zu suchen?« fragte Kantus.

»Neue Ideen entspringen nicht dem rechnenden Verstand, sondern der künstlerisch schaffenden Phantasie«, sagte Morolf. »Wir stellen Fragen an die Natur. Den größten Aufwand an Phantasie erfordert die Formulierung solcher Fragen. Physik ist eine äußerst sinnliche Wissenschaft – jede andere wirkliche Wissenschaft übrigens auch –, man lebt ständig am Rande des Geheimnisses und ist ganz von ihm umgeben. Manche Leute nennen uns weltfremd, weil wir der Welt am nächsten sind. Menschen, die die Fähigkeit haben, sich zu konzentrieren, werden ja gemeinhin auch als zerstreut bezeichnet. Einer allein kann heute allerdings nichts mehr ausrichten, selbst wenn er ein Genie wäre. Auch innerhalb einer Forschungsrichtung zwingt die Eigenart unseres Gegenstandes zu kollektiver Arbeit. Ein einzelner Forscher bliebe viele Jahre hindurch am gleichen speziellen Thema haften, schlösse er sich gegenüber einer gemeinsamen Arbeit ab. Er würde schließlich Ergebnisse erzielen, die hoffnungslos veraltet wären oder denen ein derart geringer Wert beizumessen wäre, darauf besser hätte verzichtet werden können. Die wissenschaftliche Persönlichkeit würde bei einem solchen Arbeitsstil verkümmern. Die Technisierung der Wissenschaft und die Abstraktheit des Gegenstandes nimmt unserer Arbeit jedoch keineswegs das erregende Moment. Der Kampf mit dem Unbekannten ist stets ein sinnliches Erlebnis. Bei Dante waren alle Kämpfe, die er geistig ausfocht, Kämpfe mit der Pergalotta. In den Rime Petrosa ist Florenz die Pergalotta, er stürzt sich in die Politik wie in einen Liebeskampf. In der Göttlichen Komödie läßt er sich selber – paradoxerweise durch die verewigte Beatrice, die er als Tote in jünglinghaft-asketischer Überanstrengung ziemlich lange geliebt hat, bis der Gegenschlag kam – belehren: ›Nur durch die Sinne kann Verstand erfassen, / was er hernach erst zur Vernunft erhebt.‹«

Große Oper. Das war was für Kantus. Uwe goß sich das Glas so voll, daß der Wodka über den ausgesplitterten Rand lief.

Licht wurde auch gespart, außer der illuminierten Musikbox keine Beleuchtung, pro Mark drei Schnulzen, am Nachbartisch verglichen welche ihre Vorlesungsnachschriften, bei dem Lärm Nachschriften vergleichen, in der Hitze. Wenn Morolf die Flamme seines Feuerzeugs an die Zigarette von Kantus hielt, peinigte die Eifersucht Uwe so stark, daß er den Wunsch verspürte, Morolf das Glas an den Kopf zu werfen.

»Warum sind Sie gerade Physiker geworden«, fragte Kantus.

»Im achtzehnten oder im neunzehnten Jahrhundert zum Beispiel wurden alle begabten Leute Dichter. Heute werden alle begabten Leute Physiker.«

»Und blasen Trompete«, sagte Uwe.

»Ja«, sagte Morolf.

»In einem Orchester?«

»Ja.«

»In welchem?«

»In unserer Institutsband«, sagte Morolf. »Nächsten Sonnabend treten wir in der Kongreßhalle auf.«

»Womit?«

»Mit Cool, für den Hausgebrauch spielen wir auch ein bißchen Oldtime, aber sonst hauptsächlich Cool.«

»Sie kommen wohl aus einer Orchesterprobe«, sagte Uwe, und er fand, daß er es nicht schlecht sagte.

»Nein, vom Flugplatz«, sagte Morolf.

»Ist die Tagung etwa schon beendet?«

»Nein.«

»Ach es sind nur ein paar von den Herren abgeflogen.«

»Eine Frau ist runtergefallen«, sagte Morolf. »Die Wetterlage war nicht sehr günstig. Wenn man nur schwache Aufwindgebiete hat, ist es schwer, oben zu bleiben. Man muß aufpassen, daß einem nicht übel wird. Wenn ich so was merke, singe ich laut, um die Verkrampfung zu lösen. Vielleicht ist ihr übel geworden, und sie hat die Nerven verloren, so was kommt vor. Meinem Fluglehrer ist es auch passiert. So ein Runtergefallener ist kein schöner Anblick. Ich hab mir das Mädchen gar nicht angesehen.«

Kondolenzschweigen. Plötzlich fuhr Kantus auf aus seinem Rauch. »Sie sind Flieger?«

»Eigentlich habe ich gar keine Zeit zum Fliegen«, sagte Morolf. »Ich bin einunddreißig, ich hab keine Zeit mehr.«

»Segelflieger?«

»Ja«, sagte Morolf.

Kantus warf ihm seine schnapslahmen Arme auf die Schultern. »Wir müssen Brüderschaft trinken.«

Und sie tranken Brüderschaft unter der blauen Wolke, und Uwe sah zu, und dann mußte Morolf Kantus erzählen, wie das ist, was er nur aus Büchern kannte und was sein Lebenstraum war: Fliegen. Und Morolf erzählte und erzählte, man hätte mehrere Notizbücher füllen können mit seinem druckreifen Gerede. Als Uwes Flasche leer war, sagte Morolf: »Die gegenwärtigen Kenntnisse über die Welt der Elementarteilchen reichen noch nicht aus, um ihre Physik mathematisch widerspruchsfrei beschreiben zu können. Wahrscheinlich stehen die Experimente noch aus, die der Theorie den entscheidenden Impuls geben. Oder wir denken mit falschen Axiomen.« Morolf sprach immer hastiger. Seine schwarzen Augen starrten in Richtung Decke. Aber durch sie hindurch, auf irgendeinen fernen, sich bewegenden Punkt, wie es schien. Er redete so schnell, als ob er den Punkt einholen wollte. »Es ist ganz sicher, daß wir vor einer Revolution der Physik stehen, vergleichbar der, die durch die Entdeckung des Planckschen Wirkungsquantums ausgelöst wurde und den Sturz der klassischen Physik bedeutete. Die meisten Leute haben das erst fünfundvierzig Jahre später bemerkt, als die Bombe auf Hiroshima fiel.«

»Ja«, sagte Kantus, »ich wollte dich schon die ganze Zeit danach fragen. Ich habe mich bloß nicht getraut, du verstehst. Du brauchst mir auch nicht zu antworten, wenn du nicht willst oder nicht kannst oder nicht darfst, was weiß ich. Mein Schwiegersohn behauptet zwar, was ihr macht, hätte noch keinerlei militärische Bedeutung, aber mit mir kannst du ruhig offen reden, mir brauchst du nicht zu erklären, warum wir Bomben bauen müssen.«

Morolf hieb sich die kreidige Hand an den Kopf. Als er die Hand abnahm, blieb ein blauer Fleck auf der Stirn zurück. »Aber du darfst nicht denken, daß mich die Frage überrascht«, sagte Morolf. »Mich hätte überrascht, wenn du sie nicht gestellt hättest. Fünfundvierzig Jahre lang haben die Menschen nicht gemerkt, daß es eine moderne Physik gibt. Dann kam die Bombe, dann haben sie es begriffen. Seitdem ist die Physik die Bombe. Vielleicht müssen wieder fünfundvierzig Jahre vergehen, bis dieses Klischee durch ein neues ersetzt wird. Augenblicklich jedenfalls gilt es noch als chic, über dieses Klischee zu schreiben. Jeder Journalist, der was auf sich hält, schreibt darüber. Natürlich haben die Ergebnisse einer Wissenschaft noch nie jemals eine solche machtpolitische Rolle gespielt wie die der Atomphysik, und manche Physiker haben deshalb einen Knacks, sie drehen sich dauernd um. Ich drehe mich ja auch gelegentlich um, heute habe ich wieder diesen Fehler gemacht, es ist nachgerade modern geworden, Stücke, in denen Physiker auftreten, in Irrenhäusern spielen zu lassen. Möbius ist der genialste Physiker aller Zeiten, aber er flieht ins Irrenhaus, um die Welt vor seinen Erfindungen zu schützen, weil sie ihnen nicht gewachsen ist. Sobald er sieht, dreht er sich um und überläßt die Welt den Irrsinnigen. Wer sich dauernd umdreht, verliert dauernd. Wenn wir gewinnen wollen, müssen wir die Kraft aufbringen, uns nicht blenden zu lassen.«

»Es stimmt also, daß du an Problemen arbeitest, die vielleicht in achtzig Jahren mal praktische Bedeutung haben werden?«

»Ja«, sagte Morolf.

»Und die Tagung beschäftigt sich auch damit?«

»Ja.«

»Wir drucken jeden Tag Hiobsbotschaften in unser Blatt, und du . . .«

»Ja«, sagte Morolf.

Kantus erhob sich und leerte sein leeres Glas im Stehen. Morolf stand auch auf. Uwe blieb sitzen. Kantus sagte ihm, er müßte das schreiben. Kantus reichte Morolf vielleicht bis zur vierten Rippe. Kantus war so in Schwung, daß er sogar dem Ober mit dem Handrücken gegen die Weste schlug und ihn mit Morolf bekannt machte. Er bestellte eine Lage für alle Gäste.

Zwölftes Buch

Gute Botschaft der Valeska, die Laura am Begräbnistag der Trobadora als Offenbarung liest

Drei Tage vor ihrem Tod hatte Beatriz der Freundin Laura von einer seltsamen Begegnung erzählt. Die Laura nachträglich als Todesahnung wertete. Die Trobadora wollte während einer Fahrt nach dem Kaliwerk Zielitz im Zug einen Mann wiedererkannt haben, den sie einst im Hades getroffen hätte. Als sie auf der Suche nach Anaximander gewesen wäre. Im Hades wäre der Mann allerdings noch eine Frau gewesen, Valeska Kantus mit Namen. Laura hatten die Unglaublichkeiten des Berichts keineswegs ergrimmt. Im Gegenteil, seitdem Beatriz zu Studienzwecken in Betrieben anheuerte, wertete Laura deren Lügen ausnahmslos als Anzeichen schöpferischen Überdrucks. Ein Manuskript des Mannes, der als Frau nach einem Verkehrsunfall dem klinischen Tod entrissen worden sein sollte, hatte Beatriz Laura zur Aufbewahrung anvertraut. Laura las es am Begräbnistag der Trobadora. Als Offenbarung. Sie hat folgenden Wortlaut:

Gute Botschaft der Valeska in 73 Strophen

Da bisher keiner berichtet hat von meiner Geschichte, seh ich mich gedrängt, sie selbst aufzuschreiben von Anbeginn. Auf daß alle erfahren die einfache Lehre.

1
Im zweiundsiebzigsten Jahr des zwanzigsten Jahrhunderts lebte eine promovierte Frau auf dem Prenzlauer Berg von Berlin. Sie arbeitete in einem ernährungswissenschaftlichen Institut. Ihr Mann Rudolf hatte den gleichen Beruf und war auch dort beschäftigt. Die Frau hieß Valeska.

2
Da eine gemeinsame Wohnung infolge außerordentlichen Wohnraummangels in absehbarer Zeit nicht in Aussicht stand, hatte Valeska der Eheschließung nicht prinzipiell widerstrebt. Vertraute vielmehr wie auch bei anderen Gelegenheiten irgendeinem natürlichen Fortgang, durch den sich Anstände bisweilen sogar von selbst erledigen konnten wie ablagernde Post auf ihrem Schreibtisch. Von solchem Optimismus erfüllt, gelangen Valeska mit Rudolf zwei schöne Flitterjahre. Und sie fürchtete keineswegs das Ende dieser idealischen Zustände, denn sie baute auf

Rudolfs Desinteresse an allen nichtwissenschaftlichen Tätigkeiten.

3
Rudolf betrieb seine Forschungen in der Überzeugung, der größte Wissenschaftler seines Fachs zu sein. Alle Bekannten sahen ihm diese beflügelnde Skurrilität nach. Keiner hätte sie Valeska nachgesehen. Der Frau war Größenwahn auch gänzlich fern. Sie hielt sich für eine jederzeit ersetzbare Mitarbeiterin, die jedesmal selbst überrascht war, wenn sie einen Auftrag erfolgreich erledigt hatte. Nach der sieghaften Verteidigung einer aufsehenerregenden Hypothese aber, die auf einer Versuchsreihe mit Wistarratten gründete, begegnete Valeska auf dem Heimweg etwas, das sie sich als Gesicht erklärte. Befremdlicherweise war es ihr eigenes.

4
Zu Hause empfing Rudolf sie mit Rosen und der Eröffnung, daß eine gemeinsame Wohnung in acht Wochen bezogen werden könnte. Er war heimlich rührig gewesen. Wollte Valeska auch überraschen. Das war ihm gelungen. Freilich anders, als er beabsichtigt hatte. Turbulenter Abend mit reichlich Liebe. Rudolf feierte alle frohen Ereignisse auf natürliche Weise. Valeska war anpassungsgeübt. Schrie sogar lauter als gewöhnlich. Da sie sich tatsächlich der Liebe nicht erfreuen konnte.

5
In der folgenden Nacht, die Valeska schlaflos verbrachte, trank sie drei Tassen Kaffee. Ein halbes Liter des Getränks hatte sie als Studentin in die Lage versetzt, an einem Tag ein anthropologisches Lehrbuch für Prüfungszwecke zu memorieren, konzeptlos streng gegliederte Reden ohne Versprecher zu halten und Liebeskummer jeglicher Art mit diffusen Hochgefühlen wegzudrücken. Aus Rücksicht widerstand Valeska dem fast unbezwingbaren Drang, im Appartement zu wandeln. Verhielt sich vielmehr still an Rudolfs Seite. Lauschend.

6
Rudolfs Wohnung klang nach Meer. Morgens, abends, am besten nachts, wenn der Verkehr flaute. Das süchtigende Geräusch erzeugte eine Wasserkunst vorm Haus. Vier Wasserbuckel, die sich aus einem blaugrün gekachelten Bassin stülpten. Die Kacheln simulierten adriatisches Gewässer, mindestens Reinlichkeit. Sommers konnte Valeskas Sohn nicht dran vorbeigehen, bevor er gewatet hatte. Außer Kindern wateten bei Hitze jugendliche und ältere Leute. Mittlere Jahrgänge, die nicht mehr unbekümmert auf Charme und noch nicht unbekümmert auf Gleichmut bauen konnten, versagten sich die Lustbarkeit. Valeska versagte sie sich.

7
Gegenwärtig der Matratzenerschütterungen, die unwillkürliche Leibesdrehungen des Mannes bewirkten, dachte Valeska an die beneidenswert opportune Begegnung der Jeanne d'Arc. Die auch Stimmen gehabt hatte. Fremde natürlich. Männliche selbstverständlich: der christliche Gott ist männlich. Jeanne d'Arc war üblicherweise ein Gefäß. Kann eine Frau, deren Körper in Valeskas Land bis zum Erlaß des Gesetzes über die Unterbrechung der Schwangerschaft am 9. März 1972 vom Staat verwaltet wurde, plötzlich ein Gefäß ihrer selbst sein?

8
Konnte Valeskas zweite Heirat ihr ausdrücklicher Wunsch sein? Schließlich lebte sie wunderbar erleichtert allein mit ihrem Sohn, seitdem die Scheidung ihr alle Mühen des Daseins auch offiziell allein zu tragen erlaubte. Valeska litt nämlich unter einem heftigen Widerwillen gegen praktische Vorschriften und Ratschläge, wenn die von praktisch untätigen Leuten erteilt wurden. Sie verneinte strikt deren Kompetenz. Vorzüglich schweigend. Weshalb ihr Haß gegen patriarchalische Zustände von Rudolf als geringfügig, also der Schönheit ihrer Erscheinung nicht zum Schaden gereichend empfunden wurde. Rudolf hatte ein Appartement in dem Ecke Friedrichstraße gelegenen Haus gemietet, das unter der Bezeichnung »Stoßburg« bekannt war. Dorthin war Valeska das befremdliche Gesicht, das ihr auf dem Heimweg mit Stimmen erschienen war, gefolgt. Und sie konnte es nicht abschütteln, sosehr sie sich auch bemühte. Und es paßte ganz und gar nicht in eine gemeinsame Wohnung.

9
Denn Rudolf war Hausfrauen gewohnt.

10
Beirrt in ihrem Glauben an natürliche Fortgänge, die Anstände bisweilen von selbst erledigen, dachte Valeska angestrengt das Licht von Piran, ins Berliner Zimmer diese Begegnung. Wirklich unwiederbringlich, unwiederholbar. Auf dem Marktplatz eine Dichterstatue schirmte das Aug mit der Hand. Die andre harfte im Loch, wo das Herz ausgespart war vom Bildhauer. Valeska stand ungeschirmt, geblendet, wunderbar erlöst als wie von Gegenliebe. Die Erleuchtung lag dunstig überm Wasser, drauf in taubenblauen und rosa Stücken, die von den Wellen gegeneinander und auf und nieder bewegt wurden, auch vermischt. Solches Wasser zu ebner, kalksteinbelegter Erde; von Pastellen benommen, flüchtigen Leibs, setzte Valeska die Füße aufs Meer und suchte den Weg durch die fischigen Boote.

11

Ja, Wunder! Wege des geringsten Widerstands. Gänge über Wasser statt Leichen. Schnellhilfe. Andre, die Generationen benötigt, konnte Valeska in dieser Nacht nicht interessieren. Denn sie wurde den ihr auf dem Heimweg zugefallenen Glauben nicht los, eine nicht jederzeit ersetzbare Wissenschaftlerin zu sein. Da sprach sie unwillkürlich zu sich: »Man müßte ein Mann sein.«

12

Leise. Wenn Rudolf nachts nicht schlafen konnte, hörte er Radio. Als das Morgengrauen durch die Gardinen brach, kam ihr beim Anblick des schlummernden Rudolf die Idee, ihre aufsehenerregende Hypothese zu widerrufen.

13

Gegen acht erwachte Rudolf in schlechter Laune und gab ihr nach auf seine Weise. Also daß er nicht warten konnte, bis Valeska erhoben und angezogen war, sondern stracks zum Kaffee eilte. Den pflegte er im gegenüberliegenden Hotelrestaurant einzunehmen. Es zeichnete sich durch ungeheuerliche Preise und schlampige Bedienung aus, über die Ober konnte sich Rudolf unerschöpflich ärgern, er war Stammkunde. Valeska war gleichmütig gegen Schrullen, wenn sie sich die als Ermüdungserscheinungen zugute halten konnte. An diesem Morgen hartnäckig fröhlich. Obgleich in Erwartung alberner Blicke. Wenn eine Frau in der Früh allein aus dem Portal des Appartementhauses tritt, verdächtigt die Legende sie als von Arbeit kommend. In Valeskas Fall durch standesamtliche Entscheidung zu Unrecht, derlei romantische Legenden belustigten sie denkerisch; praktisch weniger. Nicht aus moralischen, sondern aus Bequemlichkeitsgründen. Auch Hotelhallen und Restaurants allein betreten zu müssen war für sie damals nicht gerade bequem. Rudolf erwartete sie allerdings, das erleichterte. Valeska war geneigt, ihn etwas warten zu lassen. Überhaupt. Und weil diese Betten viel besser waren als die in ihrer Wohnung. Und weil sie übersättigt war von Pflichten und Maschinerie. Sobald ihr Sohn bei den Großeltern zu Besuch weilte, erlahmte ihr hausfrauliches Sollbewußtsein ganz und gar, weshalb sie Rudolfs finanziellen Ruinierungsaktionen widerstandslos folgte. Ihre Wohnung aus Frühstücksgründen zu verlassen wäre Valeska freilich nie in den Sinn gekommen.

14

Valeska war merkwürdig verstimmt. Nicht wegen Rudolf, mit vierzig Jahren weiß eine Frau, daß Männer ihren Launen nachzugeben pflegen, weil sie von Pflichtsortimenten nur schwach dressiert sind. Die Launen nehmen ab mit zunehmenden Pflichtmengen gegensätzlicher Art. Eine berufstätige Frau mit drei Kindern kann sich keine Launen mehr leisten, was von klugen Leuten als heiteres Wesen oder ausgeglichener Charakter beschrieben wird. Da Valeska nur ein Kind hatte, konnte sie gelegentlich etwas Zeit erübrigen, sich über ihr heiteres Wesen, das als eine Art Gottesgeschenk auch im Institut Anerkennung gefunden hatte, zu wundern. Rudolfs wechselhaften Sinn, von seinen Freunden als leidenschaftlich bezeichnet, überlegte Valeska mit Bedacht seltener. Ohne Pragmatismus kann eine Frau nicht leben.

15
Die Bettdecke roch nach Tabak und Fisch. Heimelig. Valeska zog die Oberschenkel auf den Bauch und buckelte das weißbezogene Wollzeug hier und da wechselnd. Der rechte Zeh verfing sich und stieß auf Wolle. Valeska vermutete ein Loch im Bezug. Anläßlich dieser Gelegenheit auch einen hohen Verschmutzungsgrad des Damasts, hinsehen verbot sie sich. Rudolf sah nie auf so was. Hatte andere Interessen. Er war überzeugt, daß Talent in der Fähigkeit bestünde, lange konzentriert einen Gegenstand zu bedenken. Ungestört. Weshalb ihm leicht die Hand ausrutschen konnte, falls sich Valeskas Sohn zur Unzeit ungünstig bemerkbar machte. Von sich verlangte Valeska Gerechtigkeit. Geben ist seliger denn Nehmen. Nach derlei Maximen handelt sichs leichter, wenn die verschiedenen Ellen, mit denen gemessen zu werden pflegt, nicht täglich in Augenschein genommen werden müssen. Die in Aussicht stehende gemeinsame Wohnung würde Bedürfnisse nach solchen psychologischen Tricks selbstverständlich nicht befriedigen können. Valeska fluchte auf die stinkteure Lüsterscheune, wo sich irgendwelche gehobenen Dienstreisenden verschiedener Nationalität, Handwerker und exquisitgekleidete Gattinnen mit Kunsthaar am schwedischen Büfett drängelten. Die Nachricht, wonach das Interhotel »Panorama« in Oberhof FDGB-Urlaubern vergeben werden sollte, hatte Valeska genuggetan, Scheißrestaurants.

16
Prompt fand sich Valeska auf dem Balkon der Vermieterin Grbic. Nächst dem Plocetor. Sitzend. Überm Meer wie drauf. Es war hart gebläut von der niedrig stehenden Sonne. Sie wärmte mittags, wenn die Bora flaute, sommerlich. Lokrum stand schwarz aus der platten See. Palmwedel verdeckten den Hafen von Dubrovnik. Am Apfelsinenbaum gilbten die Früchte. Schweiß stand in der Bauchsitzfalte. »Meine Tochter hat nach Schweden geheiratet«, erzählte Frau Grbic redegewaltig, »nach Schweden, begreifen Sie das, ich war einmal drei Wochen dort zu Besuch, schrecklich, dieses Klima, ein unbewohnbares Land, lieber hier ein Bettler als dort ein Millionär.« Sobald Frau Grbic ihren Verkündigungen, nicht stören zu wollen, nachkam, spuckte Valeska die Olivenkerne wieder durchs Balkongitter. Sprach auch wattigem Weißbrot zu und Milchkaffee aus der Tüte.

Ende Oktober wars, als Valeska so barleibig saß auf dem Meer, ach thronte, das warn Frühstücke. Ein Jahr später hinderten die Aussicht auf Nieselregen und andere Widerwärtigkeiten Valeska, ihrer Gewohnheit folgend, derlei Hunger unverzüglich zu stillen.

17
Valeska hatte Angst.

18
Ganz gewöhnliche Angst, da halfen keine albern stilisierten Erinnerungen an Dienstreisen: Zwecklügen. Schließlich war der beste Rat für einen hiesigen Ehemann, dessen Frau mit hiesigen Zuständen, ihre Art betreffend, nicht zufrieden war, sie in so ein Ausland zu begleiten. Kapitalistisches Ausland war für derartige Zwecke zu gut geeignet. Weil es rabiat machte. »Unbewohnbar für Frauen«, hatte Valeska nach ihrer ersten Dienstreise dorthin von Paris behauptet. Ihre Freunde, die schwärmerische Schilderungen erwartet hatten, empfanden das Urteil als getarnte Trostworte für Daheimgebliebene. Oder als dogmatische Strähne, Valeskas dadurch provozierte Behauptung, nirgends in der Welt lebten die Frauen besser als in der DDR, hatte gar nachsichtiges Gelächter ausgelöst. Und den Ausruf »Gesundbeterin«. Jetzt hatte sich ihr Vertrauen auf einen natürlichen, ihr zum Vorteil gereichenden Fortgang als blind erwiesen. Zwar konnte sich auch hierzulande keine Frau heute schon ohne Opportunismus durchbeißen. Aber in diesem speziellen Fall muß man Valeskas lebensfrommes Baun auf dieses charakter- und gesundheitsschädigende Mittel geradezu als fahrlässig bezeichnen. Immerhin hatte sie bereits sieben Jahre mit einem Mann eine Wohnung geteilt, der ebenso wie Rudolf Hausfrauen gewohnt war. Sie wußte also nur zu gut, was auf sie zukam.

19
»Man müßte ein Mann sein«, sagte Valeska abermals unwillkürlich. Ungeachtet gewisser wissenschaftsbeschwerter Verdächtigungen, die Rudolf möglicherweise insgeheim auch als angenehm empfand, alltäglich war er vielseitig. Freuds Wunschbild, daß Penisneid neben Passivität, Narzißmus und Masochismus die Natur der Frau charakterisierten, konnte Rudolf nicht unbequem sein. Valeska hatte bisher seine allgemeinen Umgangsformen, die herrscherlich waren, übersehen können, weil sie die besonderen kannte. Und weil sie ihn selten sah. Die besonderen, liebestätlichen, konnten offenbar ohne die Vorstellung, die Frau unterwerfen zu müssen, auskommen. Da brauchte er keine Demütigungen, Gewalttätigkeiten und andere chauvinistische Verfratzungen, in der Liebe war Rudolf schön im utopischen Sinn. Valeska wollte sich die Kostbarkeit dieser wahrhaftigen Augenblicke nicht vom Geröll eingeschliffener Ge-

wohnheiten verschütten lassen. Außerdem war sie alt genug, um zu wissen, daß es Freundschaft nur unter Gleichen geben konnte. Und erotische Freundschaft blieb bestenfalls übrig, wenn die Liebesfeuer gesunken waren. Vorausgesetzt, daß Rudolf sie als Person liebte, nicht nur als Vertreterin ihrer Art. Zwangslage. Valeska hieb die Fäuste ins Kopfkissen, schlug mit den Fersen die Matratze, fluchte: gestattete sich, da sie von Mutterpflichten entbunden war und allein im Zimmer, Urlaub von der Gottesgabe. Also daß sie sich schließlich aufraffte und das Fenster zuschlug, wodurch das süchtigende Geräusch ausgesperrt wurde. Dann beschloß sie, etwaige im Kühlschrank verbliebene Reste zu frühstücken und die Kaffeemaschine in Gang zu setzen.

20

Von Ungerechtigkeit beflügelt, schwang sie die Füße aufs Kopfkissen, schnellte sie dann übern Bettrand, vorm Spiegel jäh kam sie zum Stehen. Einer Örtlichkeit, deren Nähe sie beim Aus- und Anziehen aufzusuchen pflegte. In ihrem Zimmer war für solche Gelegenheiten ein Empirespiegel angebracht, das teuerste Möbel ihrer Wohnung. Rudolfs gemieteter Spiegel warf unkleidsame Bilder. Das war Valeska gewohnt. Sah stets nur flüchtig rein deshalb. Der Sitte, die Frauen ewige Jugend abverlangt, folgte sie ungern ohne technischen Komfort, von dem ein gewisses Entgegenkommen zu erwarten ist. Sprung in die Stickluft der Kochnische, Anwerfen der eloxierten Apparatur, Dampfbildung, köstlicher Geruch, bald hitzte das erregende Getränk Zunge und Gurgel. Erwartung diffuser Hochgefühle. Vorm Spiegel, wo Valeska bemüht war, mit einem nassen Waschlappen die tränendicken Lider abzuschwellen, äußerte sie zum dritten Male unwillkürlich mit eigner, ihr fremder Stimme den abartigen Wunsch.

21

Da zogen flüchtige Betrachtungsweisen der Taille bei eingezogenem Bauch aufmerksam nach sich. Bald angestrengte. Nicht daß Valeskas Schönheitssinn nur der Nachfrage folgend gebildet war, die gemeinhin zunimmt mit zunehmendem Brustumfang, aber Rudolfs Spiegel zeigte zuwenig. Genauer gesagt: nichts. Außer Warzen mit geschwundenen erblaßten Vorhöfen, von schütterem Kräuselhaar umkränzt. Es stach angenehm wie Rudolfs ihre Handteller. Die Magerung warf Valeska aufs Bett zurück, bevor sie ihr noch eigentlich ins Bewußtsein gelangt war. Da entdeckte sie den Zuwachs. Er lag geklemmt auf den geschlossenen, auch plötzlich schütter bewachsenen Oberschenkeln: Valeska spreizte sie sogleich, um nichts zu demolieren, betrachtete verwirrt die ebenmäßige Fältelung des Beutels entlang der Naht, die halb verdeckt war. Das Glied lag schräg zur linken Leistungsbeuge hin, glattgehäutet, unbeschnitten, zwei Sommersprossen vor der Spitze. Valeska stemmte sich schnell mit den Händen aus der Matratze und machte vorsichtig ein paar Schritte durchs Zimmer. Breitbeinig. Irgendeine unbekannte Spannung wurde spürbar, örtliche Schwere, Druck, ähnlich dem nach einer Prellung, körperliches Geschehen, dem Erkranken oder der Gravidität vergleichbar, Willkür, angenehme. Valeska griff zum Walten hin und fand die Sommersprossen in der Mitte einer Abzweigung. Eilte zum Spiegel zurück. Keine Koffeinhalluzination. Wechselhaftigkeiten derartiger Gewächse pflegten sie bisher gewöhnlich zu erfreuen. Als Objekte. Anverleibt erschien ihr die Zutat als übler Scherz, den sie ohne Zögern Rudolfs schlechter Laune zutraute.

22

Valeskas Sohn war überzeugt, daß Rudolf zaubern konnte. Kann sein, nicht wegen dieser billigen Tricks, mit denen der neue Vater Knöpfe und Plüschtiere verschwinden und wieder auftauchen ließ. Vielleicht durchschaute Arno schon die Bluffs und übersah sie, weil ihm der Gedanke, mit einem Zauberer befreundet zu sein, teuer war. Es erschien aber auch möglich, daß sich Arno in seinem Glauben durch alberne Kniffe nicht beirren ließ, weil er seinem Instinkt vertraute. Der kindliche Instinkt ist bekanntlich dem zerdachten von Erwachsenen absolut überlegen. Also der physischen Weisheit ihres Sohnes folgend, vergaß Valeska ihr Gesicht, ihr Wort, das an ihr geschehen war, sowie das belebende Getränk aus der Maschine und erklärte die Verwandlung, die übrigens auch ihren Kopf gezeichnet hatte, als zaubrischen Racheakt, Vergeltung für eine Bemerkung, Rudolfs Hauswesen betreffend. Valeska hatte die unlängst sehr vorsichtig gemacht, mit Scherzen garniert, um Rudolf nicht zu verletzen, von ihren Verletzungen sah sie wie gewöhnlich ab. Kurz und grob: Sie hatte bemängelt, daß von Rudolf nie etwas Eß- oder Trinkbares bevorratet war, wenn sie ihn besuchte. Angekündigt. – Übrigens war der Kühlschrank auch am ungeheuerlichen Morgen leer. Rudolf entgegnete, Einkaufen dürfte einen Wissenschaftler nicht interessieren. Als er Valeska wenig später akademischen Besuch ins Haus brachte, entschuldigte sie fehlendes Abendbrot mit der Bemerkung, Wissenschaftler zu sein. Giftige Luft und die Eröffnung, Frauen mit Allüren nicht ausstehen zu können. Valeska entgegnete: »Wenn dir ein Mann mit Allüren angenehmer ist, habe ich nichts dagegen, mich als solchen zu betrachten.« Das Anhängsel mit verschiedenen Nachfolgeeinrichtungen erschien ihr als Gegenschlag.

23

Valeska fiel in unmäßiges Gelächter. Angesichts des Gewächses, worauf Legionen von Mythen und Machttheorien gründeten. Beweisstück für Auserwähltsein, Schlüssel für privilegiertes Leben, Herrschaftszepter: etwas Fleisch mit runzliger, bestenfalls blutgeblähter Haut. Valeska fehlte die entsprechende Rollenerziehung für den ernsten, selbstbewundernden Blick in die Mitte: das Vorurteil.

24
Auch erwies sich zu allem Überfluß, daß die physischen Unterschiede zwischen Mann und Frau gegenüber den kulturellen gering waren. Valeska hatte das geahnt. Aber sie hatte das nicht genau wissen wollen. Manchmal empfindet man Wahrheiten als zu wahr.

25
Da Valeska die Analyse einer zweiten Versuchsreihe an Wistarratten abzuschließen hatte, glaubte sie sich nicht lange von Zwischenfällen aufhalten lassen zu können. Selbst von wunderbaren nicht. Einer Art, die mit alltäglichen Arten wie plötzliche Erkrankung des Sohnes, Ausbleiben der Menstruation, Wasserrohrbruch, Kindergartenaussperrung wegen Scharlach oder Mumps, Fehlen von Kinderstrumpfhosen einer bestimmten Größe im Warensortiment und ähnlichen Forschungshindernissen gemein hatte, daß sie durch Denken nicht beeinflußbar waren. Über Gegenstände, die durch Denken nicht beeinflußbar waren, zu denken, hatte sich Valeska mühsam abgewöhnt. Aus verhaltensökonomischen Gründen. Jetzt war sie nicht in der Lage, sich der ihr jäh zugefallenen Privilegien mit dem Komfort eines guten Gewissens zu bedienen. Wenn sie sich eine Art hätte aussuchen können, hätte sie vielleicht, ihrer erotischen Neugier folgend, die zwitterhafte gewählt. Die ihr zugekommene konnte sie bestenfalls als privilegierende Uniform empfinden. Weshalb die Botschaft weitererzählt wird ohne Namensänderung. Auch ohne grammatikalische Geschlechtsänderung.

26
Die Unauffälligkeit der Uniform schätzte Valeska besonders. Jeanne d'Arc hatte eine zu auffällige Verkleidung gewählt, um ihr militärisches Talent anwenden zu können. Weshalb ihr nur zwei Jahre bis zum Schafott gewährt worden waren.

27
Valeska erinnerte gewisse Übungen, die Rudolf gelegentlich morgens verrichtete, wenn er der Liebe aus zeitlichen oder anderen Gründen entsagen mußte. Valeska spannte also die Armmuskeln, wodurch die Abzweigung zu verstaubarer Größe absank. Kleidersorgen sah Valeska übrigens nicht auf sich zukommen, da sie von je Hosen bevorzugte, um den zeitfressenden Rocklängenänderungen und anderen Modevorschriften zu entgehen. Auch die Frisur, glattes, nackenlanges Haar, war mit ihrem jetzt strengeren Gesicht vereinbar, weil regelrecht modern. Die neueste Herrenmode gab männlichkeitswahnmüden Männern Gelegen-

heit, gewisse Machtattribute äußerlich abzulegen, eine Ersatzhandlung vielleicht, ein Spiel jedenfalls: im Modejargon »Partnerlook« genannt. Da Valeska eine Erziehung genossen hatte, die trainierte, große Veränderungen am eignen Leib widerstandslos hinzunehmen, war sie fähig, sich mit ihrem Spiegelbild abzufinden.

28

Als das Telefon klingelte, langte sie mechanisch den Hörer zum Ohr. Rudolfs Stimme. Schmeichelhaft versöhnlich, er fragte, ob er ihr inzwischen Artischockenböden mit Krebsfleisch bestellen dürfte. Sie stotterte etwas von Magenverstimmung, dann von einem Anruf des Institutsdirektors, der sie zu vorzeitigem Aufbruch nach Moskau verpflichtet hätte. »Du sprichst so komisch«, sagte Rudolf und erkundigte sich mit zärtlichkeitsbeladnem Timbre nach ihrer Gesundheit. Solche Töne verbiegen selbst strenge Konzepte. Valeska hatte kein strenges, sondern gar keins, konnte nur blindlings drauflosligen mit dieser schwer benutzbaren Kratzstimme. Daß Rudolf ihre Konversion verschuldet hatte, erschien ihr schon ausgeschlossen, sein Idiom war hinreißend, sie liebte ihn wie je.

29

Sie liebte ihn wie je? Die Wallung erst verhalf Valeska zu einigem Verständnis der weitreichenden Folgen ihrer veränderten Lage. Abermals von Angst, jedoch ganz neuer Art, geschlagen, warf sie den Hörer auf die Gabel. Kein Zweifel: Rudolf war ihr verloren, wenn er ihren Zustand entdecken würde. Wieso hatte die Verwandlung nicht auch eine Änderung ihrer Zuneigung bewirkt? Valeska fühlte sich viel schlechter als am Abend zuvor. Ratlos. Verzweifelt. Wußte nur, daß sie sich vor Rudolf verstecken mußte irgendwie.

30

In Ermanglung brauchbarer Fluchtideen griff Valeska auf die erste beste Notlüge zurück: Moskau. Das Dienstvisum für eine zwölf Tage später stattfindende Arbeitsbesprechung mit Kollegen vom Institut für elementorganische Verbindungen der sowjetischen Akademie der Wissenschaften war Valeska ausnahmsweise bereits zugegangen, ein hoffnungsmachendes Zeichen in diesem Wirrsal, wie ihr schien. Sie suchte und fand immer irgendwelche glückhaften Zeichen in schwierigen Lebenssituationen, an die zu glauben sie nicht für ehrenrührig hielt. Im Gegenteil, sie hatte sogar eine spezielle Theorie über die gesundheitsfördernde Kraft von Lebenslügen entwickelt. Menschen, die nicht an ihren guten Stern glauben konnten, erschienen ihr schwächlich. Telefonische Anfrage an den Flughafen. Buchung. Telefonische Krankmeldung an ihr Institut in R. bei Potsdam. Verspäteter Start wegen Nebel. Landung im Schnee. Valeska hatte die Birken von Scheremetjewo belaubt erwartet. Mitte Oktober. Sie bewohnte eine Straße, wo die jahreszeitlichen Zustände der Flora nur aus Zeitungen zu ersehen waren.

31
Moskau war eine deutliche Stadt. Berlin erschien dort vergleichsweise als verschwommener Ort. Schon bei der Ankunft auf dem Flughafen traf Valeska auf diese seltsam angenehme Markanz: Freundlichkeit wuchs hier viel deutlicher als zu Hause, das Gegenteil auch. Die Formalitäten wurden entweder herzlich oder gleichgültig erledigt. Taxifahrer redeten wie alte Bekannte oder gar nicht: keine Kulanz. Einzug über die Wolokolamsker Chaussee. Rauchgraue Frosthelle, die Farben deckt, fühlbare. Ein Sockel hob die rotbraune Panzersperre aus der Ebene. Die Taxiuhr schlich ungewohnt langsam. Der Fahrer gewöhnte Valeskas Zunge und die Ohren bei Wortwechseln über ihren ungenügenden Sommermantel ans härtere, weichere Verständigungsmittel. Hielt und wartete anstandslos vor einer Telefonzelle in Kitaigorod, wo Valeska sich ihrer überraschten Freundin Shenja ankündigte. Die Telefonzelle stand schief. Und machte auch innen einen verkommenen Eindruck. Vor neun Jahren, als Valeska Stadt und Land erstmals besuchte, konnten sie derartige Unebenheiten infolge idealistischer Erwartungen verstören. Heute freute sie sich über die Dienstreisen wegen dieser eigentümlichen, von Schlamperei gemilderten Entschiedenheit. Moskau war überhaupt der einzig denkbare Fluchtpunkt für einen Menschen wie Valeska in Valeskas Zwangslage. Weil ihr wie dem weiblichen Geschlecht überhaupt nur ein Fluchtweg blieb: der nach vorn. Dienstreisen nach Paris, Rom und anderen Orten der Vergangenheit hätte Valeska jetzt also unter keinen Umständen angetreten.

32
Shenja versprach Valeska eine Befürwortung für ein Hotelzimmer, sie hatte selbstverständlich Zeit für Valeska, keinerlei Andeutungen über Ungelegenheit, organisatorische Verzwicktheiten, Zeitnot. Viele wörtliche Küsse und Umarmungen, die Valeska wie stets nicht sogleich ohne Anstrengung erwidern konnte. Sie mußte erst das, was man hier Seele nennt, rausschließen. Sich dran gewöhnen, daß derlei landesüblich ungeniert offen getragen wurde. Erholsame Gegend, Hochdruckwetter. Trokkene Luft. Windstille, wodurch Valeskas Sommermantel fast genügte. Trenchcoat. Da war die weibliche Fasson nur durch die Knöpfrichtung angedeutet. Deshalb trug Valeska falsche Wimpern und reichlich Schminke. Die Maskierung war eigentlich nur für die Paßkontrolle gedacht, um die Identität mit den Papieren herzustellen. Im Telefongespräch mit Shenja motivierte sie aber die veränderte Stimmlage entgegen ihrem Vorsatz mit Bronchitis. Weil ein erotischer Scherz, den Valeska sich nicht versagen konnte, schweigend genommen wurde. Da verlor sie den Mut, Shenja die Konversion zu gestehen. Wurde augenblicklich an

die Sittenstrenge erinnert, die auch landesüblich war. Die Seele trug man ungeniert, jedoch oberhalb der Gürtellinie. Anderes verschwiegen. Valeska erinnerte sich, daß sie mit Shenja noch nie über Verschwiegnes gesprochen hatte. Gleich entdeckte sie in deren Stimme biedere Töne. Die Reise war eine Schnapsidee!

33
Verabredung mit Shenja für den Abend im Hotel Peking, wo ein Zimmer für Valeska verfügbar sein sollte und auch tatsächlich verfügbar war. Die Frauen dort in der Rezeption stellten den Gästen ihre Arbeitskraft zur Verfügung, nicht ihren Anblick. Schau wurde nicht als zum Service gehörend empfunden. Man trug kleiderschonende Kittel, Alter unbemäntelt. Zur verabredeten Zeit wartete Valeska in der bahnhofähnlichen Hotelhalle. Shenja stöckelte resolut übern Marmor, umarmte und küßte sie, schenkte Blumen, fragte besorgt nach ihrer Gesundheit, deren schlechten Zustand sie vom veränderten Gesicht abzulesen glaubte. Die aufgelegte Schminke modelte Strenge in Alter. Hexenhaft.

34
Der Türdienstmann des Restaurants verweigerte beiden den Zutritt. Unbegleitet. Weil Peking ein anständiges Lokal wäre.

35
Was? Und da stürzte Freundin Shenja nicht vor Wut einen Tisch um? Da verlangte sie nicht den Hotelchef? Da sagte sie »komm« und zog Valeska weg?

36
Als sich Valeska so weit beruhigt hatte, daß sie einen Gedanken fassen konnte, erkannte sie den günstigen Augenblick. Und war entschlossen, ihn zu nutzen. »Moment«, sagte Valeska also und wusch sich die Maske in der nächsten Damentoilette runter. »Pardon«, sagte sie der empörten Toilettenfrau, der die jetzt sichtbar gewordenen Bartstoppeln nicht entgangen waren. Mit Mühe gelang es, den Rausschmiß etwas hinauszuzögern, um Zeit für den Aufbau der Erklärung zu gewinnen. Valeska hatte sich vorgenommen, viel Sorgfalt auf die Form der Erklärung zu verwenden. Als sie aber die Freundin arglos neben der Rezeption warten sah, glücklicherweise in einem Sessel, fielen alle Vorsätze aus Valeskas Kopf. Und Shenja bekam die Wahrheit in drei Sätzen.

37
Trotzdem übertraf Shenja die kühnsten Erwartungen.

38
Also daß Valeska die Freundin unbehelligt am Arm durchs Restaurantportal führen konnte. An einen geschirrstarrend gedeckten Tisch. Hoch oben grellbunte Deckenmalerei. Die Säulenhalle war chinesischen Tempelbauten teuer nachempfunden. Shenja, eine Frau der Generation, die der Krieg verheiratet oder unverheiratet zu Witwen gemacht hatte, zwangsemanzipiert, verbarg ihre Souveränität wie stets hinter burschikoser Gelassenheit. Das Haar ließ sie sich brutal schwarz färben, wenn sie Zeit hatte. Wenn nicht, trug sie weiße Ansätze ebenso mit Würde. An jenem außerordentlichen Abend gelbrote Lippen. Aber keinerlei Anstrengungen, Falten mit Make-up zu übertünchen. Oder den Bauch mit Korsett wegzudrükken. Sie hatte drin kurz hintereinander drei Kinder ausgetragen, hatte sie allein aufgezogen, nebenbei studiert, da kann wenig Zeit für Schlaf und andere Schönheitsmittel geblieben sein. Offenbar sah sie keine Gründe, sich ihres gezeichneten Körpers zu schämen. Das hatte Valeska von je an ihr imponiert. Genüßliches Rauchen, wobei Shenja die kunstbernsteinerne Zigarettenspitze von Zeit zu Zeit mit geräuschvollen Bissen von einem Mundwinkel in den andern wälzte. Da ihre braunen Augen dicht nebeneinander lagen, konnte ihr Blick bei außerordentlichen Gelegenheiten stechen.

39
Jetzt zum Beispiel. Bisher hatte Valeska solche Blitze nur bei den turnusmäßigen Arbeitsbesprechungen ihrer Institute anläßlich glänzender Hypothesen verschickt gesehen. Die Shenjas Überzeugung direkt entgegenkamen oder direkt widersprachen. Shenja war überzeugt, daß in absehbarer Zeit eine ökonomisch tragbare Synthese von Nahrungsmitteln die traditionellen Herstellungsverfahren ersetzen würde. Riesige Werke könnten dann alle Nahrungsmittel für die Bevölkerung herstellen. Die Landwirtschaft würde der Vergangenheit angehören, Obstbau und Blumenzucht vielleicht ausgenommen. Überlebt hätte sich auch die Industrie, die bisher die Landwirtschaft mit Maschinen, Treibstoff, Düngemitteln und Pflanzenschutzmitteln versorgte. Viele Berufe würden sich dann verändern. Es würden Projekte anzugehen sein, die die gemeinsame Arbeit der Chemiker, Biologen, Ärzte und Ökonomen erfordern müßten. Shenja war entschlossen, der Tatsache, daß heute jährlich fünfundzwanzig Millionen Menschen Hungers starben, so entgegenzuarbeiten. Mit rationellem Fanatismus. Unrationellen Fanatismus hatte Valeska bisher übersehen. Shenja entgegnete nämlich gelassen, daß Erscheinungen, von denen die wissenschaftliche Weisheit bisher nichts hätte träumen lassen, einem echten Forscher normal erschienen, überaus wünschenswert, seinen höchsten Erwartungen entsprechend, geradezu glückhaft. Weil mit allen bisherigen Theorien im Widerspruch stehend: das heißt herausfordernd. Anstachelnd. Inspirierend. Valeska mußte Shenja die Verwandlung in allen Einzelheiten schildern.

40
Shenja lauschte hingerissen.

41
Nach der Nachspeise machte sich Shenja Notizen. Sie bedauerte, keine Biophysikerin zu sein. Trotzdem bat sie Valeska, das Material einstweilen nicht weiterzugeben. Um eine wissenschaftliche Entdeckung zu machen, reicht heute meist Klugheit nicht. Man braucht auch Glück, an Material zu kommen; was infolge hoher Forschungstechnisierung, die kollektive Arbeit erfordert, eine gewisse Position voraussetzt. Shenja war eine einfache Mitarbeiterin. Sie sah eine Chance. Denn sie glaubte nicht nur an die Geheimnisse dieser Welt, sie wußte blindlings von ihnen. Dieses Unbekannte, Ungenannte bezeichnete sie als »Glanz«. Leute, die sich für modern hielten, weil sie an die Wissenschaft glaubten wie an eine Religion, verachtete sie. Wies gern und oft nach, daß anmaßende Geister biederen Formats sich mit diesem Religionsersatz die Welt für ihren Verstand handlich zustutzten. Auf Erklärungen konnte sie allerdings nie verzichten. Sie schwieg eine Weile, um nach einer vorläufigen Erklärung zu suchen. Rauchte auch nicht. Biß nur laut die leere Zigarettenspitze von einem Mundwinkel in den anderen und zurück: Shenjas spezifisches Denkgeräusch. Nach dieser Weile zog sie das Mundstück jäh, auch spezifisch, aus den Zähnen, stopfte es und entschied: »Um in die Historie einzutreten, mußtest du aus der Historie austreten.« Valeska gefiel der effektvolle Satz. Sie küßte Shenja hingerissen die Hand. Der erste offizielle Handkuß. Das männliche Vorrecht, den Hof zu machen, gehört auch zu den allerersten Vergnügungen der menschlichen Rasse. Später Liebe in der kommunalen Wohnung.

42
Gedankenlos. Nachdem beide erfreut waren, fiel Valeska ein, daß die erstmals erprobte Apparatur ohne herrscherliche Gefühle und Unterwerfungsvorstellungen funktioniert hatte. Shenja war nicht verwöhnt, also begeistert.

43
»Aber mein Sohn wird nicht begeistert sein«, sagte Valeska nach dem Schwitzen. »Drei Väter? Ob Kinder einen brauchen, erscheint mir sogar bisweilen zweifelhaft, ob sie eine Mutter brauchen, bezweifeln nicht mal patriarchalische Gesetze, was zum Teufel werd ich Arno sagen?« – »Die Wahrheit«, sagte Shenja, und daß dem Kind nichts abginge. Im Gegenteil. Es folgten Lobsprüche, die Shenja in traditionell russischem Rezitationsstil intonierte: mit verstellter Stimme. Opernsound. Nach unvermitteltem Abstieg in den Alltagsstil mühte sie sich angestrengt, nicht zu verzeihen, daß Valeska bereit gewesen war, angesichts des ansehnlich

schlafenden Rudolf ihr eignes Gesicht von sich zu weisen. »Skandal, sich zu verleugnen, als das eigne Wort bereits geschehen war an dir«, sagte Shenja. »Dressurskandal, nicht zulassen zu wollen, daß Glaube, der mehr als Berge versetzen kann, mehr als Berge versetzen kann, Opferdrill.« Das letzte Wort ertrank in schnarrenden Konsonanten. Überhandnehmen des slawischen Akzents war bei Shenja ein Zeichen von Erregung. Sie hatte im Krieg begonnen, Deutsch zu lernen. In irgendeinem Lazarett, wo sie als Hilfsschwester Gefangene versorgen mußte. Um das Maß voll zu machen, langte sie einen Band Rousseau vom Bücherbrett, das überm Bett angebracht war, und verlas: »Die Erziehung der Frau soll auf die Männer abgerichtet sein, Ihnen zu gefallen, ihnen nützlich zu sein, sich ihnen liebenswert zu machen, sie zu erziehen, wenn sie noch Knaben, sie zu umsorgen, wenn sie erwachsen sind, ihnen mit Rat beizustehen, ihnen das Leben angenehm zu machen – all das sind zu jeder Zeit die Pflichten der Frau, und dies sollten sie von Kindheit an lernen.« – »Du scheinst ganz und gar vergessen zu haben, daß ich jetzt ein Mann bin«, entgegnete Valeska, »glaubst du, es ist angenehm, solche Männerhaß erzeugenden Schriften in dieser Eigenschaft zur Kenntnis zu nehmen? Mit Vergeltungsaktionen lassen sich gewiß keine menschlichen Zustände erreichen. Dieser Rousseau muß ein Provokateur gewesen sein.«

44

Shenja klopfte mit der Zigarettenspitze verschiedenenorts das eiserne Bettgestell. Triangelgeräusche in wechselnder Tonhöhe entsprechend der Rohrstärke. Valeska klimperte zurück, aber nicht so melodisch. Weil sie an den ansehnlich schlafenden Rudolf denken mußte. Sogar Lust verspürte, über ihn zu reden. Sie unterließ das aber aus Gründen, die ihr noch nicht deutlich waren. Shenja war auch zweifellos die schönere Erscheinung. Nicht von Wuchs. Freilich mußte Valeska gerechterweise die Vorzüge der Freundin auch auf disharmonische Gegebenheiten zurückführen. Vielleicht war Shenja nur stolz und gar nicht als außerordentlicher Charakter angelegt, vielleicht hatte ihre Artzugehörigkeit den nach und nach erzwungen? Weil Shenja wahrscheinlich ebenfalls nicht erspart blieb, sich ständig in Zweifel zu ziehen, über sich nachzudenken, sich zu prüfen, sich aufzuerstehen, das befördert menschliche Tugenden wie Bescheidenheit, Toleranz, Langmut. Rudolf zwang nichts, sich in Zweifel zu ziehen. Seine Artzugehörigkeit erlaubte ihm die Überzeugung, die Norm zu sein. »Warum habe ich diesen Rudolf eigentlich geliebt«, fragte Valeska plötzlich doch laut. Das Perfekt war zur Bagatellisierung eingebaut. Aber Shenja schien es nicht zu bemerken. Sie ließ den Mund hängen. Gleich sank andernorts die Gesichtshaut nach. Schatten fraßen sich in die Falten, irgendwelche Trauer, jedenfalls Alter. Nur in der Stimme blieb Energie. »Ich glaube, wenn man genau sagen kann, warum man jemanden liebt, hat man aufgehört zu lieben«, sagte diese Stimme.

Sie klang, als ob sie über einen Laborversuch zu berichten hätte. Valeska erschreckten Klang und Anblick. »Möchtest du etwa, daß ich ein Mann bleibe«, fragte sie verwirrt. »Klar«, sagte Shenja, »wenn du schon fragst, mußt du dir auch die Antwort anhören, kannst sie aber gleich wieder vergessen. Kurz und gut: die Frage ›warum‹ erlaubt eine Motivation. Oder zwei. Meinetwegen zehn. Glücklicherweise ist der Mensch ein Universum. Unübersehbar. Wäre er nicht rätselhaft, würde die Liebe sich auf Sex reduzieren. Die schöpferische Besoffenheit bliebe aus, weil es nichts zu entdecken gäbe, Ödnis weit und breit, du mußt dich auf große Erfolge bei Frauen gefaßt machen.« – »Ach du Schande«, sagte Valeska.

45

Zwischendurch Betätigung in der Gemeinschaftsküche. Ein wunderbar verschlamptes Gewölbe, für dessen Zustand vier Frauen verantwortlich waren. Früher hatten die Vierzimmerwohnung vier Familien bewohnt, achtzehn Personen. Die Hühner waren noch immer nicht genügend aufgetaut, weshalb sie Shenjas Halbierungsversuchen lange widerstanden. Shenja verfluchte diese unhandliche Nahrungsmittelform, besonders die Knochen. Valeska wies ihr Mutterflüche nach. Beschrieb auch eine zukünftige Luxusvariante von synthetischem Fleisch: Kotelett mit eingelegtem Plastknochen. Dachte: Schamlosigkeit, so einen Mund und so eine Nase unbemäntelt herumzuzeigen! Dieser Rudolf sah auch noch so aus, wie er war. Absolut unbequem für den Alltag, bisweilen sogar ungenießbar. Aber für Feiertage! Rudolf war ein Mann für Feiertage: Reisen, Räusche, Religionen. Da er sich für den Größten hielt, konnte er auch nicht zweifeln, daß ihm das Größte gehörte: also alles. Wenn er mit Valeska im Zug gereist war oder im Flugzeug oder im Bett, hatte er ihr die Welt gezeigt wie sein Eigentum. War überall bewandert, wies seine Schätze mit kindlichem Besitzerstolz vor. Gespannt, auf staunende, bewundernde Blicke versessen. In solchen Momenten hemmungsloser Neugier pflegten seine bunten Augen andeutungsweise zu schielen. Schöne, verwirrende Anblicke, blaue Noten zwischen Sinnlichkeit und Fanatismus, »wer nicht die Kraft aufbringt, von den historisch gewachsenen sittlichen Verbiegungen abzusehen, kommt zu keinem lichten Augenblick«, sagte Valeska. »Aber mußt du deshalb unbedingt schwul werden«, fragte die Freundin.

46

Als die Hühner entsprechend den Anweisungen eines georgischen Rezepts zerlegt waren, briet Shenja sie beidseitig, indem sie die Hälften mit büchergefüllten Schüsseln beschwerte. »Wenn du andere schwer wiegende Gegenstände in deinem Haushalt hast, kannst du natürlich auch andere zum Plattdrücken nehmen«, sagte Shenja und viel über Valeskas Theorie. Deren praktische Ausarbeitung Möglichkeiten eröffnen könnte, um dieser

Milliarde Menschen in Lateinamerika, Asien und Afrika, die fehlernährt wäre, weil nicht genügend Eiweiß, Vitamine und Mineralien zur Verfügung stünden, zu helfen. Der jetzige Zustand führte zu hoher Kindersterblichkeit, niedriger durchschnittlicher Lebenserwartung und verminderter körperlicher und geistiger Arbeitsfähigkeit dieser Menschen. Unversehens gerieten Valeska und Shenja ins Pläneschmieden wie in vergangnen Zeiten. Als die Freundschaft noch nicht von erotischer Habgier bedroht war. Valeska vermißte sogar Druck an den Rippen und hätte vielleicht ihren Büstenhalter gesucht, wenn Shenja ihr nicht Gelegenheit gegeben hätte, erneut in Eifersucht zu baden. Shenja konnte sich nicht verkneifen, Rudolf mit seinen Ansichten in schlechtes Licht zu setzen. Frauenrechtlerische Bestrebungen erschienen ihm nämlich gegenüber der Tatsache, daß jährlich fünfundzwanzig Millionen Menschen Hungers sterben, als Bagatelle, nicht ernstlich auf der Tagesordnung stehend, weil Gesellschaften sich nur Aufgaben stellten, die sie lösen könnten. »Die gesetzlichen, rechtlichen Gegebenheiten seines Staates haben die gewohnheitsdenkerischen nicht nur der männlichen Bewohner bereits beträchtlich überholt«, erwiderte Valeska sprechgesangweise, Bariton. Anschließend Arien mit Vorschlägen, welche Aminosäuren und welche Zuckerarten in welchem Mischverhältnis erwärmt werden müßten, um den köstlichen Bratenduft zu simulieren, der sich seitlich der Aufbauten erhob.

47

Am folgenden Abend lernte Valeska die übrigen Bewohner der kommunalen Wohnung kennen. Essen von achtzehn bis dreiundzwanzig Uhr. Die Wachstuchdecke war mit Vorspeisen verstellt, dann mit ukrainischen Pelmeni, Torte, Tee, Leger. Keine der Frauen hatte den Ehrgeiz, Hausfrauenperfektion zu beweisen, verachtete die vielmehr unverhohlen. Shenja beobachtete zufrieden, daß die drei geladnen Herren Valeska schnell von den geladnen Damen isolierten. Bald saßen die Männer zusammen. Gespräche über Politik und fachliche Themen. Unterhaltungssprache: Russisch. Valeska konnte den Georgier nicht nur sprachlich am schlechtesten verstehen. Der Wortschatz des deutschen Physikers stand dem des Jugoslawen an Dürftigkeit nicht nach. Als der georgische Meteorologe »wir« sagte, rückte Valeska unwillkürlich etwas ab mit dem Stuhl. Sie hatten sich selbstverständlich den unerbittlichen Trinksitten Georgiens zu beugen wie die anderen männlichen Anwesenden. Wagte aber im Gegensatz zu denen nicht, sich drüber zu beklagen. Um sich nicht zu verraten und in weiblichen, das heißt weibischen, das heißt verachtenswerten Geruch zu kommen. Valeska beneidete die Frauen herzlich um ihre Trinkfreiheit. Schnell hatte der Wodka den echten Männern die Freundinnen gänzlich entrückt. Die Herren umarmten einander, renommierten mit Zoten und Siegen, Valeskas zurückhaltendes Benehmen konnte ihnen nicht mehr auffallen. Der slawophile Physiker, der in Dubna arbeitete, erzählte dem dalmatinischen Fußballtrainer Abenteuer mit Dalmatinerinnen. Der Trainer erwiderte, daß er seiner Frau ein Messer in die Rippen jagen würde, wenn er erführe, und revanchierte sich mit Berliner Abenteuern. »Und wenn sie erführe«, fragte der Physiker. Der Trainer antwortete ihm mit dem serbischen Sprichwort: »Es ist ein Unterschied, ob ich durchs Fenster auf die Straße spucke oder ob mir jemand von der Straße durchs Fenster in meine Wohnung spuckt.« Gelächter. Valeska verschwand ab und zu und steckte sich einen Finger in den Mund. So erleichterte sie sich vom Alkohol, erschwerte aber ihre Lage. Denn ihre wenig betäubten Ohren konnten die bissigen Bemerkungen der Frauen nicht überhören. Auf Valeska als den einzigen verhandlungsfähigen Mann konzentrierten Marina, Raja und Polina ihre Feindseligkeit. Shenja schwieg dazu. Weshalb Valeska sie verdächtigte, die weiblichen Teilnehmer der Tafelgesellschaft tendenziös ausgesucht zu haben. Daß die männlichen für Propagandazwecke geladen wären, erschien Valeska so gut wie erwiesen. »Und ich dachte, es würde ein heiterer Abend«, sagte Valeska. »Das dachte ich auch«, sagte die Sekretärin Marina und daß sie von der Art Gleichberechtigung, die den Frauen erlaubte, wie Männer zu arbeiten und wie Frauen dazu, die Nase voll hätte. Raja, eine vierundzwanzigjährige Elektroingenieurin, sagte: »Heiraten? Zu teuer.« Polina wünschte polemisch gar Zustände des vorigen Jahrhunderts zurück, da Männer ihre Mätressen immerhin aushielten. Shenja schien auf irgend etwas zu warten. Die Aussicht, womöglich lebenslang verurteilt zu sein, für die Schuld anderer ihre Ohren und mehr hinhalten zu müssen, wenn sie sich nicht aufgeben wollte nach Paris, Rom oder ähnlichen diesbezüglich indiskutablen Orten der Vergangenheit, deprimierte Valeska. Angestrengt arbeitete ihr Geist dran, sich die Feindseligkeit mit Enttäuschung über den schleppenden Fortgang revolutionär eingeleiteter Veränderungen zu erklären. Ein Trost, der nicht ernstlich trösten konnte. Ihre sozialistische Weltanschauung bewog Valeska deshalb nach Mitternacht, den militanten Stimmungen von Raja, Marina und Polina mit dem Wunder zu begegnen.

48

Da schliefen die Männer längst in Polinas Zimmer. Shenja war in sieghafter Stimmung. Valeska beschrieb das Wunder sorgfältig. Feier in Rajas Zimmer bis zum anderen Mittag.

49

Raja bezeichnete das Wunder als Ultimatum. Marina sagte: »Gott aus der Kaffeemaschine.« Die Lehrerin Polina aber fragte: »Wo steht die gute Botschaft geschrieben?«

50
»Nirgends«, antwortete Valeska.

51
Von neuen Einsichten entzündet, gab Shenja ihren wissenschaftlichen Plan auf und das Material frei. Für Valeska.

52
»Wieso für mich«, fragte Valeska. »Auf Evangelisten kannst du nicht rechnen«, sagte Shenja.

53
Valeska wohnte elf Tage in der kommunalen Wohnung. Dann flog sie zurück nach Berlin, um Rudolf und den anderen zur Arbeitstagung in Moskau erwarteten Mitarbeitern des Instituts nicht zu begegnen. Natürlich Tiefdruckwetter. Diese abenteuerhindernde Gräue. Schon normalerweise fiel es Valeska vor Wintersonnenwend schwer, hoffnungverbrauchende Tätigkeiten zu beginnen. Da Polina eine plötzliche Rückverwandlung nicht für ausgeschlossen hielt, nahm Valeska sich vor, die Zeit nicht mit Grübeln zu vertun, sondern weltkenntnisbringend zu nutzen. Optimal. Das heißt hochenergetisch. Die größten Einblicke in unbekannte Welten eröffnen den Menschen Menschen, die sich eröffnen. Also.

54
Von etlichen Bekanntschaften, die Valeska in kurzer Zeit leicht suchen und finden konnte, da ihrem neuen Geschlecht Aktivität als sittlich zuerkannt wurde, waren zwei positiv wesentlich: Lena und Wibke. Die negativ wesentlichen bleiben aus propagandistischen Gründen unerwähnt.

55
Valeska lernte Lena im Haus der Deutsch-Sowjetischen Freundschaft am Kastanienwäldchen kennen, wo sie Nachdichtungen vortrug. Nach Rohübersetzungen angefertigte, Lena sprach keine Fremdsprache ernstlich. Ernährte sich und ihre Tochter mit nachgedichteten Gedichten, da die generell mehrfach höher bezahlt wurden als eigne. Weil Valeska ihr gefiel, beantwortete sie ihre Frage, ob sie unter den gegebenen Bedingungen gern eine Frau wäre, mit Ja. Valeska entgegnete, nicht zu den Männern zu gehören, denen man etwas vorlügen müßte, um sich als Vollblutfrau auszuweisen und jeglichem Verdacht auf Blaustrümpfigkeit, die Vollblutmänner wie die Pest hassen, zu begegnen; so begann die Freundschaft. Die allerdings wegen Zeitmangel nicht recht gedeihen konnte. Lena hetzte durch die Tage, sechs Uhr aufstehen, Kind in den Kindergarten bringen, heizen, aufräumen, dichten, einkaufen, Kind holen

und etwas bespielen, Wäsche waschen, kochen, Kind baden und ins Bett bringen, Wohnung saubermachen, womöglich ein Buch lesen oder fernsehen, solche Hetzerei ist der Liebesfähigkeit abträglich. Eines Abends, als Lenas Lebensgefährte, der im gleichen Beruf durch die Welt reiste, von Kraków anrief, sagte Valeska: »Warum schmeißt du nicht den ganzen Haushaltkrempel hin und sagst, das tue ich nicht, ich bin eine Dichterin. Warum zum Teufel legst du dir nicht ein paar Allüren zu, die dir die Sitte arthalber versagt hat, warum eigentlich setzt du deinem Lebensgefährten nicht mal die Tochter auf den Schreibtisch – bitte, was man nicht kann, muß man lernen – und begibst dich zum Flugplatz. Man würde dich natürlich allgemein für eine Rabenmutter halten, verantwortungslos, man würde den armen Mann bedauern und so weiter, pfeif drauf. In dieser Tretmühle kannst du nur weit unter deinen Möglichkeiten bleiben. Was keineswegs lediglich eine Privatangelegenheit ist.« Mit solchen und ähnlichen Worten hätte Valeska ihre Herkunft beinahe verraten.

56
Valeska schrieb Raja nach Moskau, daß sie eine Schriftstellerin gefunden hätte, die sicher in der Lage wäre, das Wunder zu beschreiben. Sie schilderte Lena als eine sanfte, bescheidene Frau.

57
Raja schrieb zurück, daß die schönen Charakterzüge der Lena, womöglich auch ihr Talent, sie disqualifizierten. Um in die Geschichte eintreten zu können, brauchten die Frauen nicht dringlich Kunst, sondern ein Genie. Beispielsweise eine Prophetin.

58
Wibke war noch keine Frau, als Valeska sie kennenlernte. Wollte aber schnellstens eine sein. Dämonisch bemaltes Kindergesicht. Zigarettengeräucherte Reden, mit »Frustration« und ähnlichen Modewörtern reichlich versetzt, miederungehindertes Brüstchenschwenken im Pullover, kostbar abgewetzte Jeans. Wenn sie vergaß, sich angestrengt lässig zu benehmen, um Abgebrühtheit zu suggerieren, und ihre außenpolitische Belesenheit zutage ließ, war der schöne menschliche Entwurf deutlich. Eine mit sich unzufriedene Oberschülerin: sie hielt sechzehnjährige Mädchen, die noch nicht aus Erfahrung mitreden konnten, für Sexmuffel. Deshalb mochte sich Valeska nicht drücken. Obgleich sie zunächst wenig Lust verspürte; sie teilte die Vorliebe junger Männer für Dreißigerinnen, fürchtete sich sogar etwas vor der Arbeit. Aber es waren ihr gewisse solidarische Gefühle von ihrem früheren Zustand geblieben. Vor allem die Erinnerung an ihre Defloration, die so unaufmerksam gemacht worden war, daß Valeska noch heute nur mit Bitterkeit daran denken konnte. Wer so in die Liebe eingeführt wird, kann die Liebesfähigkeit verlieren, noch ehe sie

gewonnen ist. Der Brauch lastet solche Frigidität der Natur an, nicht den Bräuchen. Wibke erlebte das Ereignis sensationslüstern. Sporternst. Drei Wochen später stellte sie einen Oberschüler ihrer Klasse als Freund vor. Die beiden besuchten Valeska seither regelmäßig.

59

Aber am schönsten von allen weiblichen Nächsten erschien Valeska doch Shenja. Vielleicht, weil die Ahnung des Endes, die den Menschen gemeinhin jenseits des dreißigsten Jahres befällt, seine Erlebnisfähigkeit steigert. Daß nichts im Leben sicherer ist als der Tod, steigt erst ernstlich ins Bewußtsein im genannten Alter. Plötzlich setzt Zeitgefühl ein. Wibke konnte die Kostbarkeit der Zeit, die Unwiederbringlichkeit des Augenblicks nicht empfinden. Sie wollte mit Valeska durch Milchbars trödeln, möglichst bei allen Gelegenheiten »in« sein. Ihr Gesicht war eine Hohlform: ein lieblicher Entwurf. Shenja trachtete nach Gelegenheiten, die sie außer sich brachten. Geliebt, konnte sie rasen. Ihr Gesicht war ausgeführt. Ausgefüllt. Mit geforderten Lebensreichtümern und Abraum. Die Sitte neutralisierte eine von Abbau gezeichnete Frau, während ein Mann mit grauen Schläfen als interessant gewertet wurde. Und für eine junge Frau selbstverständlich zumutbar. Im umgekehrten Fall sprach man von »Mumienschändung« und »Großmutter besteigen«. Kein Wunder, daß Shenja privat vom Wunder geradezu entzückt war.

60

Eines Tages reiste sie mit dem Flugzeug an, weil sie mit Valeska eine Nacht verbringen wollte. Da fiel Valeska das Gefühlsfeuerwerk der Freundin aufs Gewissen. Denn sie konnte nicht gleichwertig erwidern. Shenja war ihr zu vertraut, trotz Verwandlung eine Art Ich-Form. Auch mit größter Anstrengung gelang es Valeska nicht, den Narzißmus ins leidenschaftliche Stadium zu steigern. Sie betrauerte den Verlust der alten freundschaftlichen Beziehung. Denn sie hatte einst mit Neid von historischen Männerfreundschaften gelesen, die, ohne schwul zu sein, von schöner Heftigkeit waren: ein gemeinsames Unternehmen befestigte sie. Bestenfalls eine Idee. Sie auszubauen und zu verteidigen band. Solcherlei Tätigsein von Männern und Frauen war meist kurzlebig, denn von Sexgewittern bedroht. Freundschaften unter Frauen aber waren noch seltener als Solidarität. Auch weil Freundschaften Zeit brauchen. Das Hobby der meisten Frauen war die zweite und dritte Schicht: Haushalt, Kinder. Valeska und Shenja aber hatten trotz des täglichen Wegs von der vielfältigen bodenständigen Tätigkeit der Haushälterei zu jenen gewissen Erhebungen, wo sich Gedanken nun mal aufhalten, die Kraft zu einer großen Freundschaft aufgebracht. »Ich gebs auf«, sagte Valeska in dieser Nacht. »Wenn ich für mein Gesicht derart teuer zahlen muß, pfeif ich drauf. Das Mannsein nützt mir ohnehin wenig, wenn mir nicht auch meine Vergangenheit samt Rollenerziehung weggezaubert ist. Eine Frau mit männlicher Vergangenheit müßte man sein!« Shenja ließ jäh von ihr ab. Starr vor Schreck. Die Augen angstweit auf Valeskas Körper gerichtet. Als ob eine Katastrophe zu erwarten wäre. Es ereignete sich aber nichts. Beim Abschied bestärkte Shenja Valeska inständig, sich nicht abzubringen oder abbringen zu lassen vom ungeheuerlichen Weg, sondern sich unbeirrt Natur anzueignen, zuerst die eigene: die Menschwerdung in Angriff zu nehmen.

61
Aber auch Lena, Wibke und andere freundliche Berührungen bekämpften Valeskas Sehnsucht nach dem schönen Luxus Rudolf vergeblich. Die Angst, von ihm entdeckt zu werden, blieb.

62
Valeska vergrub sich in ihrer Wohnung. Relativ arbeitsfähig durch die Nachricht, daß Rudolf in Moskau an Scharlach erkrankt wäre und im Krankenhaus läge. Das angenehme Bewußtsein, an einer Erfindung mitzuarbeiten, die die Raubtiereigenschaften des Menschen überflüssig werden lassen könnte, erleichterte die Last des Novemberwetters. Dieses Abwärtsstürzen dem Winter zu, dem zunehmenden Lichtmangel. Rudolf hatte Valeskas Lieblingsgedanken über mögliche sittliche Folgen der Forschungen stets für sentimental und Fleischer durchaus für einen menschlichen Beruf gehalten. Die Herstellung synthetischer Lebensmittel anstelle des unrationellen Umwegs über die tierische Fleischproduktion erschien ihm vor allem ökonomisch folgenschwer. Valeska erhoffte sich von einer zukünftigen industriellen Nutzung der Institutsarbeiten gewaltverzichtende Gewohnheiten, eine Vermenschlichung des Menschen. Mit dieser Handschrift wünschte sie in die Historie einzutreten. Während sie Kurvenwerte auf Tabellen übertrug, wurde ihr bewußt, daß das Wunder gleichen Zielen dienlich sein könnte. Auf erpresserische Weise.

63
Da begann sie mit der Aufzeichnung der guten Botschaft.

64
Und vergaß beim Schreiben Essen, Angst und Vorsicht.

65
Also daß sie ein Klingelzeichen von ihren Vorsätzen ab dazu bringen konnte, die Wohnungstür zu öffnen.

66
Rudolf stand vor ihr. Trat ein wie gewöhnlich. Küßte Valeska wie gewöhnlich. Legte seine und ihre Kleider ab wie gewöhnlich.

67
Später fiel Valeska ein, daß sie Angst haben mußte. Später fiel Rudolf auf, daß die nackte Valeska verkleidet war.

68
Da erkannten sie, daß sie notfalls die Bilder entbehren konnten, die sie sich voneinander und die andere für sie gemacht hatten.

69
Da wußten sie, daß sie einander liebten. Persönlich – Wunder über Wunder.

70
Und sie gaben ihre Wohnungen auf und bezogen eine gemeinsame. Und sie lebten drin in idealen ehelichen Zuständen.

71
Mit Arno. Er wunderte sich über das Wunder am wenigsten, ihm erschien die Welt sowieso wundervoll. Unaufgefordert versuchte er, drei Erzieherinnen des Kindergartens, die nicht Arnos Gruppe betreuten, zur Verwandlung zu überreden. Da sich Valeskas Verhalten zum Sohn nicht geändert hatte, nannte er sie »Mama« wie bisher. Verfolgte allerdings Rudolf weniger mit Eifersucht.

72
Um die landläufigen moralischen Vorstellungen nicht zu verletzen, legte Valeska übrigens die männliche Körperform während des Beischlafs vorübergehend ab. Indem sie einen Eßlöffel Baldriantinktur schluckte und sich für einen Augenblick konzentriert als aus einer männlichen Rippe gefertigt vorstellte. Rudolf liebte den penetranten Geruch aus unerotischen Gründen. Er hoffte jedesmal, daß Valeska den weiblichen Zustand anschließend noch eine Weile beibehielte. Weil er sich mal von der jetzt selbstverständlichen Gerechtigkeit bei der Verteilung häuslicher Pflichten erholen wollte. Vielleicht schlief er so häufig mit Valeska, weil er sich so sehr nach Erholung sehnte. Valeska entsprach seinem Wunsch bisher nicht. Sie legte den männlichen Körper wieder an mittels Kaffee, Gesicht des eignen Gesichts und Worten, wie angegeben.

73
Raja, Polina und Lena bewiesen Valeska mit Eigenversuchen, die ihnen nach dem Studium der guten Botschaft leicht glückten, daß die Worte »man müßte ein Mann sein« für das Gelingen der Verwandlung nicht unbedingt erforderlich sind.

Meine Lehre, die den Frauen den Glauben an sich und die folgende beschriebene Verwandlung nahelegt, ist pragmatisch. Shenja hat mir geraten, für die Verbreitung der Lehre Wunder zu tun. Ich habe inzwischen einige eingeübt, kann auf Haaren laufen, Regen machen, Brote vervielfältigen, das wird natürlich nicht genügen. Denn die Menschen glauben große Wahrheiten eher in unwahrscheinlichen Gewändern. Bestünde Aussicht, daß ich die Mehrheit der Frauen für eine vorübergehende Verwandlung gewinnen könnte, falls ich mich ans Kreuz schlagen ließe, wäre mir vielleicht auch dieses Mittel recht. Die Gefahr einer Selbstvernichtung der Menschheit durch Kriege läßt mir jedes friedenserpresserische Mittel als recht erscheinen.

Dreizehntes Buch

1. Kapitel

Kooptierung Lauras zur Tafelrunde

Zwischen Kaerllion am Usk und der Zukunft, aber etwas näher an Kaerllion, hatte in etwa fünfzehn Kilometer Höhe ein Bau festgemacht. Seine Anker lagen im Gewölk. Der schloßähnliche Bau war aus gleichem Material errichtet. Im sechsten Jahrhundert residierte dort der sagenhafte König Artus mit seiner Gemahlin Ginevra. Er versammelte die zwölf tapfersten und edelsten Ritter an einer runden Tafel. Nach dem Tod von Artus im Jahre 542 brachte die Königin von Saba das Schloß in ihren Besitz. Auf bisher noch ungeklärtem Wege. Auch die Mittel oder Beziehungen, die sie ausnutzte, um sich Unsterblichkeit zu verschaffen, sind noch unbekannt. Gesichert ist lediglich, daß sie seit 551 mit der eingekerkerten Persephone und deren Mutter Demeter korrespondierte. Wenige erhalten gebliebene Briefe, die heute in der walisischen Hauptstadt Cardiff aufbewahrt werden, geben vor allem einen Einblick in die göttlichen Pläne. Deren Prinzipien sich bis auf den heutigen Tag nicht geändert haben. Die entmachteten Göttinnen verlangen nicht nur ihre alten Rechte zurück, sondern die Alleinherrschaft. Die Königin von Saba versicherte den Göttinnen schriftlich, deren Pläne zu unterstützen. Und unterstützte sie wohl auch tatsächlich etliche Jahrhunderte lang. Sie überließ dem Strategischen Rat, den Persephone für ihre Ziele aus stolzen, politisch begabten Frauen zusammenstellte, die linke Hälfte des Schlosses und den Saal. Im Saal steht die runde Tafel. Während des sechsten Jahrhunderts waren höchstens zwölf Frauen an der Tafel versammelt. Im zwölften Jahrhundert, als sich die schöne Melusine durch Pakt zur Mitarbeit verpflichtete, gehörten bereits achtundvierzig Frauen der Tafelrunde an. Alle hatten sich als Gegenleistung für Lebensverlängerung offiziell verpflichten müssen, die Wiedereinführung des Matriarchats zu betreiben. Der geheimen Opposition, die 1871 die Mehrheit gewann, gelang es, in den neunziger Jahren des neunzehnten Jahrhunderts die ersten Männer für die Tafelrunde zu gewinnen. Da alle Teilnehmer der Tafelrunde Masken tragen, ist man auf Vermutungen angewiesen. Aber es gilt als sicher, daß sich heute unter einigen Gastmasken führende Arbeiterführer verbergen. Inkognito ist Pflicht. Die schöne Melusine darf das Schloß Kaerllion nur betreten, wenn sie ihre Sphinxgestalt mit einer normalen Menschengestalt vertauscht hat. Die Lebensverlängerung der teilnehmenden Männer erfolgt mit Elixieren, die die Frauen durch strengste Sparsamkeit erübrigen konnten. Besorgnisse von Maskenträgern und -trägerinnen, die göttliche Zaubertricks für Arbeiterführer als unzumutbar erklärten, zerstreute der marxistische Theoretiker Felix Durr in einem Aufsatz. Seit 1918 wird die Tafelrunde paritätisch von Männern und Frauen gebildet. In jährlichen Abständen. Während der übrigen Zeit arbeiten die aktiven Mitglieder nach den Tafelrundenbeschlüssen an den ihnen zugewiesenen Orten. Nur das Ständige Sekretariat verbleibt in Kaerllion. Parteitage von Arbeiterparteien werden über Monitor ins Sekretariat überspielt. Anstelle des verunglückten Ehrenmitglieds Beatriz de Dia wurde Laura Pakulat-Salman am 14. März 1973 kooptiert. In der Nacht vom 14. zum 15. März wurde Laura von der schönen Melusine nach Kaerllion geflogen, um die Kooptierungsurkunde persönlich in Empfang nehmen zu können. Das Papier überreichte ihr die griechische Philosophin Aspasia, die Laura einst den Jagdbericht aus Venedig überbracht hatte. Penthesilea und Tamara Bunke waren auch zugegen. Die Urkunde hängt seitdem über dem Bett des Ehepaars Pakulat-Salman.

Letztes Kapitel

Darin Bennos erste Geschichte von tausendundeiner nachzulesen ist, die er der trauernden Laura nachts im beatrizischen Stil erzählt, um sie zu trösten

Beatriz de Dia war die Gattin von Herrn Guilhem de Poitiers, eine schöne und edle Dame. Sie verliebte sich in Herrn Raimbaut d'Aurenga und dichtete auf ihn viele gute und schöne Lieder, die in Sammlungen altprovenzalischer Trobadorlyrik nachzulesen sind. Neben den aparten Strophen von Raimbaut d'Aurenga. Er liebte das Spiel mit schwierigen Reimen und der Mehrdeutigkeit der Worte, raffiniert stellt sich die metrische Struktur seiner Werke dar. Von deren Exklusivität überzeugt, suchte der dauerverschuldete Graf ständig nach komplizierten Worten mit der Endung -enga, um sie auf Aurenga reimen zu können, und zeigte Geringschätzung für alle unaristokratischen Verskünstler. Deshalb sah sich Beatriz genötigt, in ihrer Kanzone von der verratnen Liebe an ihren Adel zu erinnern, auch an Geist, Schönheit, Treue und Leidenschaft. Überflüssigerweise, praktisch war dem Herrn nicht der Sperling in der Hand lieber als die Taube auf dem Dach, was verständlich erscheinen müßte, ihm war der Sperling in der Hand lieber als die Taube in der Hand. Anläßlich dieser Erfahrung mit Marienkult beschloß die Comtessa, die mittelalterliche Welt der Männer zu verlassen. Auf unnatürlichem Wege, die Zauberin verlangte pro Schlafjahr sieben Talente. Das Vermögen der Trobadora reichte für achthundertzehn Schlafjahre. Als sie der Zauberin das Geld ausgehändigt und sich mit einer Spindel in den Finger gestochen hatte, begann der Zauber zu wirken. Nur bei ihr, Gatte und Gesinde starben gewöhnlich, wie vereinbart. Eine Rosenhecke umwuchs das Schloß. Solange es noch sichtbar war, versuchten wiederholt Raubritter, die Dornenhecke zu durchbrechen. Später hielt man es für einen unwegsamen Hügel und umging ihn. Im Mai 1968 beschloß ein Diplomingenieur, der mit dem Bau einer Autobahn für die Gegend beauftragt war, das Hindernis wegzusprengen. Als er sich mit dem Sprengmeister dem rotblühenden Rosenberg näherte, um die Anlage der Sprenglöcher zu besprechen, und den Duft verfluchte, der die Arbeitsleistung der Straßenarbeiter herabsetzte, wich die Hecke plötzlich und tat sich auf als wie ein Tor. Der Ingenieur verstummte. Bis er das Schloß gewahrte, da fluchte er lauter als zuvor. Denn er dachte an endlose Verhandlungen mit dem Denkmalschutzamt. Die Flüche weckten Beatriz. Als sie sich die Schlafkrumen aus den Augen gerieben hatte, verliebte sie sich infolge übermäßiger Enthaltsamkeit in den Ingenieur und dichtete auf ihn viele gute und schöne Lieder. Anfangs verbat er sich lautes Singen, weil er verheiratet war, später, weil er sich scheiden und Beatriz ehelichen wollte. Da glaubte sich die Dame vom Regen in die Traufe geraten und wandte sich gen Osten. Sie durchquerte ein Land, in dem Frauen, wenn sie die gleiche Arbeit wie Männer verrichten, schlechter bezahlt wurden, und eins, in dem sie für gleiche Arbeit gleichen Lohn erhielten. Dort ließ sie sich nieder und nahm Arbeit beim VEB Hochbau Berlin. Keine Kampagne ohne die betriebseigene Trobadora, keine Versammlung, kein Festival. Beflügelt von den Liedern der Beatriz de Dia, erfüllte und übererfüllte der VEB Hochbau seine Produktionspläne. Der Wohnungsmangel in der Hauptstadt Berlin schwand. Sonnabends ermannten und erweibten sich die Mieter ab und zu und rafften Unkraut und Unrat von den Plätzen vor ihren Haustüren. Sonntags versprühten Flugzeuge der Interflug goldene Worte der Trobadora über die Spaziergänger. Da überwand die Proletarische Solidarität ihrer Bewohner, international bewährt, sogar die Barriere der Familie. Denn natürlich war das Land ein Ort des Wunderbaren.

Bauplan des Romans